Russes d'origine juive, frères et juristes de formation, Arkadi et Gueorgui Vaïner font partie des plus célèbres auteurs de romans noirs de leur pays. Gueorgui Vaïner, un temps journaliste et correspondant de l'agence Tass, a également publié en 1995 en Série Noire *La face cachée de la lune* coécrit avec Leonid Slovine. Il habite aujourd'hui aux États-Unis.

NOTE DU TRADUCTEUR

Je tiens à remercier ici Mathieu Riboulet pour son regard exigeant, la famille Léon pour son imposante documentation, Fidel Zlotowski pour ses éclairages pertinents, et R. L. pour sa patience.

1

Le trépas du Saint Patron

Je savais que c'était défendu. Je croyais en lui, lui, cet étrange commandeur de mes actes, sans me poser de questions. Avant même que la moindre idée ne frémît dans mon esprit, il ordonnait, sans faillir : « Permis ! » Ou bien : « Défendu ! » Je croyais en lui, sa sagesse était différente de la nôtre. Tout au fond de moi, je l'entendis distinctement : « Défendu ! »

Et je désobéis, peut-être pour la première fois depuis tant d'années, depuis l'enfance. Je n'eus pas le courage de lui répondre : « Ferme-la », je fis juste semblant de ne pas l'avoir entendu. Comme un écolier qui sèche le cours et que le professeur rappelle en criant : « Reviens ! »

Je désobéis et demeurai dans la salle d'autopsie.

Nous étions quatre à porter le brancard. Je ne connaissais pas les trois autres, je ne les avais jamais vus. Si je les avais vus, je ne les aurais pas oubliés. Ce n'étaient pas les crétins lisses de la Direction de la protection gouvernementale. Ceux-là, on les repère de loin. Ils n'étaient pas non plus à la Datcha, tantôt.

11

Seul leur chef, le général Vlassik[1], s'agitait comme un forcené à travers la grande maison. Son beau visage, aveuglé par la peur et la bêtise, était trempé de larmes. Des larmes sincères. Il posait la même question à tout le monde : « Où est passé Vassia[2] ? » Alors qu'on entendait très bien Vassia, ivre mort, beugler — ou chantait-il ? — dans le petit salon derrière le bureau. Vlassik, devenu sourd, se faisait rabrouer et cherchait inlassablement son compagnon de beuverie. Vassia, l'enfant de la Prunelle de Nos Yeux, que Vlassik avait gardée et protégée pendant tant d'années. Et maintenant Vlassik pleurait.

Était-il plus intelligent que je le crus alors ? Pleurait-il d'effroi ? Il avait été le gardien de la plus grande puissance que la terre ait portée et maintenant que cette puissance était sans vie, il gardait ce qui n'était plus. D'ailleurs, que lui restait-il encore à garder ?

On nous avait emmenés dans six grandes limousines : une trentaine de gars de la Direction des opé-

1. Depuis 1931, chef de la garde personnelle de Staline. De 1947 à 1952, à la tête du neuvième département, chargé de la protection du gouvernement. Il tombe en disgrâce en décembre 1952 ; on l'envoie diriger un camp en Sibérie, puis il est arrêté et torturé. Ses appels désespérés à Staline restent sans effet. Condamné pour détournement de fonds lors des conférences de Yalta et de Potsdam, il reste en prison jusqu'en 1955. Il n'aurait donc pas pu se trouver à la Datcha, le jour de la mort de Staline. Selon d'autres sources, Vlassik aurait été vu au Kremlin le jour de l'arrestation de Beria. *(Toutes les notes sont du traducteur.)*

2. Vassili Staline, le deuxième fils de Staline, colonel à 29 ans, gros buveur, ami de l'écrivain Konstantin Simonov. Il fut toujours persuadé que son père avait été assassiné par Beria, Malenkov et Khrouchtchev.

rations triés sur le volet. Mais, une fois arrivés dans la maison, il s'était avéré que Lavrenti [1] avait donné l'ordre de faire évacuer la garde personnelle.

Jamais Lavrenti n'avait fait confiance à Vlassik. Il savait que, l'heure terrible venue, celui-ci pleurerait et que ses larmes seraient sincères. Lavrenti n'avait aucune estime pour les hommes dévoués : on ne pouvait pas compter sur eux, parce que le dévouement repose sur l'amour et la reconnaissance, c'est-à-dire sur la stupidité.

Apparemment, Vlassik était l'inférieur de Lavrenti, mais en réalité, ce n'était pas le cas. Il n'obéissait à personne d'autre qu'à Celui qu'il protégeait. Vlassik était Sa chose, comme Timofeï, le berger allemand.

Vlassik était dévoué, c'est-à-dire qu'il aimait Celui qu'il protégeait. Qu'il lui était reconnaissant. C'est-à-dire qu'il était stupide.

1. Beria, Lavrenti Pavlovitch, né en 1899. Entre 1921 et 1931, il travaille dans les services secrets. Premier secrétaire du Parti en Géorgie, il devient membre du Comité central en 1934. En juillet 1938, il est l'adjoint de Iejov au NKVD et lui succède en décembre de la même année. Depuis, il règne sans partage sur l'appareil de renseignement et de police secrète soviétique. À la fin de la guerre, il fait déporter les peuples entiers du Caucase, ainsi que les Tatars de Crimée. Après la mort de Staline, il entame la conquête du pouvoir. Pour des raisons de stratégie politique, il met un frein à la répression (comme il l'avait fait après l'arrestation de Iejov), fait stopper l'affaire des «blouses blanches» et libère les médecins emprisonnés. Khrouchtchev, allié à Malenkov et Boulganine, le fait arrêter pendant la réunion du Présidium du Comité central, le 26 juin 1953. Beria est exécuté en décembre de la même année, en compagnie de sa «bande» : Dekanozov, Merkoulov, Koboulov, Goglidzé, Mechik, Vlodzimirski.

Le sang continuait de circuler à l'intérieur de ce corps bientôt froid, les ongles de croître, les gaz de gargouiller dans le ventre, même si le petit miroir approché de l'épaisse moustache ne se recouvrait plus de buée. À peine nos longues limousines noires avaient-elles, dans le hurlement effrayant des sirènes, quitté la cour de la Loubianka, que Lavrenti avait déjà donné l'ordre de faire évacuer la garde personnelle de la Datcha.

La fille, la rouquine Svetlana[1], en larmes, déambulait d'un pas furieux dans la maison ; le fils, Vassili, ivre mort, s'agitait dans un coin. Dévoué et stupide, Vlassik continuait à donner des ordres.

Allez comprendre un homme stupide et reconnaissant ! Qu'il aille au diable ! Vlassik s'approchait des gens, posait des questions, disait quelques mots, mais personne ne lui répondait. On aurait dit qu'il avait enfilé un gigantesque préservatif et qu'il l'avait gonflé de l'intérieur. Désespéré et confus, emprisonné dans cette bulle transparente, il se cognait contre les gens, baragouinant des paroles indistinctes, et rebondissait aussitôt, rejeté par toute cette effrayante inquiétude mêlée de mépris. Personne ne s'intéressait à lui. Celui qu'il protégeait était mort et ça voulait dire qu'il n'avait plus rien à protéger, qu'il n'était plus dévoué à personne. Les gardes, dévoués à lui-même, avaient été jetés dehors et il ne lui restait plus qu'à rouler à travers les pièces, dans sa boule transparente et vide, pressentant dans son chagrin que dès que Lavrenti se serait souvenu de son existence, quelqu'un viendrait crever le ballon et, alors, le favori marmonnant, son beau visage

1. Svetlana Allilouïeva, fille de Staline et de Nadejda Allilouïeva, laquelle s'est (probablement) suicidée en 1932.

stupide couvert de larmes, d'une seule pichenette serait projeté dans le néant.

C'était la première fois que je voyais tous les chefs réunis, en dehors des fêtes, lorsqu'ils se montraient à la tribune du Mausolée. J'avais déjà eu l'occasion de les voir de près, mais séparément. Et là, ils étaient tous réunis. Chacun savait quelque chose sur l'autre. Lavrenti savait tout sur tout le monde.

Molotov[1] regardait fixement devant lui, le pince-nez piqué dans la petite patate de son nez, scintillant au milieu du désert de son visage plat. Pas un visage, mais l'arrière buté de sa propre Packard blindée.

On pouvait lire ses pensées, paresseuses et craintives, qui tentaient de deviner qui serait en tête de la course et ce qu'il fallait faire pour ne pas rater le coche, à qui il ferait mieux de lécher le cul sans attendre la fin de la matinée. Il était le numéro deux mais voulait bien être le numéro cinq.

Le Saint Patron l'avait complètement épuisé.

Boulganine[2] pinçait distraitement les poils de sa barbiche en pointe, mélancolique et irritable comme

1. Molotov Viatcheslav. Né en 1890. Membre du CC (1921-1957), du BP (1926-1957). Premier ministre pendant les années trente, puis ministre des Affaires étrangères de 1939 à 1949. Il signe le pacte de non-agression avec l'Allemagne en 1939. Après la mort de Staline, il reprend le portefeuille des Affaires étrangères. Khrouchtchev l'élimine de l'appareil en 1957. Il est exclu du Parti en 1964, mais réintégré en 1984 par Tchernenko. Sa femme, Paulina Jemtchoujina, juive, a été arrêtée en 1949.
2. Nikolaï Boulganine (1895-1975). Membre du Bureau politique de 1948 à 1958. Fait maréchal en 1947, ministre de la Défense, puis Premier ministre en 1955. Limogé par Khrouchtchev en 1958, exclu du Parti en 1960.

un comptable éreinté par les constipations matinales. Pincer sa barbiche n'était pas chez lui signe de réflexion inquiète : faut-il faire venir à Moscou la division Tamanski ? Il se demandait plutôt s'il devait arracher cette barbe de carnaval ou s'il pouvait la garder encore.

Le Saint Patron, lui, la tolérait, pourquoi pas ceux-là ?

Chourotchka, une grosse femme sans âge, gouvernante et paillasse du Patron, servait en reniflant du thé et des sandwichs au jambon aux dirigeants.

J'avais très faim mais je n'avais pas le droit de toucher à ces sandwichs. Les tranches roses bordées de blanc avaient été découpées à l'office par le colonel Douchenkine dans un jambon plombé, avec le tampon du laboratoire spécial « Pas de poison ». Pendant les vingt dernières années, le colonel Douchenkine avait goûté lui-même toute la nourriture avant de la servir sur la table du Saint Patron.

Vorochilov[1], lui, n'avait pas faim. Il s'en serait volontiers jeté un derrière la cravate, mais Chourotchka ne servait pas à boire. De toute évidence, il n'osait pas demander, et sortir aurait été impensable. Il ne voulait pas priver de sa présence tous ses collègues attristés. Et sa face rouge-brun de vieux hamster exprimait toute son angoisse.

Khrouchtchev[2] et Mikoïan[3] étaient assis autour

1. Kliment Vorochilov (1881-1969). Le plus dévoué des staliniens. Membre du Politburo de 1926 à 1960. Ministre de la Défense de 1925 à juin 1940. Maréchal en 1930. De 1953 à 1960, «rangé» au poste de président du Soviet suprême de l'URSS.
2. Nikita Khrouchtchev (1894-1971). Membre du Parti en 1918. Membre du CC en 1934, du BP en 1939. Premier secrétaire du PC ukrainien de 1938 à 1946. Premier secrétaire du Parti en 1953, après la mort de Staline. Il fait arrê-

d'une petite table, et lorsqu'ils se passaient les sandwichs, remuaient les tasses ou approchaient le sucrier, on aurait dit qu'ils jouaient aux cartes : ils fronçaient les sourcils, soupiraient lourdement, se frottaient les yeux et tentaient de deviner le jeu du partenaire en scrutant son regard.

La rudesse ukrainienne de koulak hypocrite s'opposait à la duplicité de l'Asiate et les ondes électriques du soupçon et de la simulation flottaient au-dessus des tasses de thé froid ; l'on entendait déjà crépiter les décharges silencieuses des coups fourrés.

Quand Mikoïan avalait un morceau de sandwich, son profil de rapace se penchait vers la table. Le condor ne se nourrit que de viande. De charogne, exclusivement.

Khrouchtchev, lui, lacérait les tranches de jambon, jetait les morceaux sur l'assiette, ne mangeant que le gras, qu'il avalait en renversant la tête en arrière. Il observait ce Tzigane — ou Arménien, c'est du pareil au même ! — qui essayait de lui fourguer un cheval douteux.

J'aurais aimé ramasser ces morceaux roses et juteux dans l'assiette. Mais Khrouchtchev ne m'admettait pas encore à sa table. Je les ramasserais quelques mois plus tard. Pour l'heure, il se taisait et

---

ter et exécuter Beria et entame une politique de déstalinisation après le XXe congrès en 1956. Il élimine Molotov, Kaganovitch et Malenkov en 1958 (exclus du Parti en 1961-1962) et reste au pouvoir jusqu'en 1964, où il est renversé par Brejnev.

3. Anastase Mikoïan (1895-1978). Membre du Politburo en 1935, vice-Premier ministre de 1937 à 1955. Dénoncé comme «capitulard», en même temps que Molotov, par Staline, lors du plénum du CC en 1952.

s'envoyait distraitement des boulettes de mie de pain dans la bouche.

Un petit homme sans intérêt. Et courtaud avec ça.

Allez savoir pourquoi, je n'ai qu'un vague souvenir de ce que fabriquait Kaganovitch[1]. Je crois qu'il était assis dans un coin, gros, le visage enflé, le souffle court : une vieille armoire juive.

Seuls Lavrenti et Malenkov[2] ne voulaient pas s'asseoir et arpentaient la vaste salle de réception, bras dessus bras dessous, comme de jeunes amants. On ne savait pas encore lequel allait baiser l'autre. Ils parlaient sans cesse, s'expliquaient, se consultaient, les yeux dans les yeux, le souffle chaud : une telle paire d'amis ne pouvaient se passer l'un de l'autre un seul instant. « À peine l'étreinte se sera desserrée, chante l'ancienne romance, que l'un zigouillera l'autre. »

Mais on ne pouvait pas zigouiller Lavrenti. Peut-être savait-il que le Saint Patron mourrait cette

1. Lazare Kaganovitch, né en 1893. Membre du CC en 1924, du BP en 1930. Le plus fidèle des sous-lieutenants de Staline et sa caution « juive » au Politburo. N'hésite pas à faire arrêter et exécuter son frère. Écarté du pouvoir par Khrouchtchev en 1961, en même temps que Molotov et Malenkov. Exclu du Parti en 1961. A écrit à Tchernenko pour demander sa réintégration. Mort quasi centenaire en 1992.

2. Gueorgui Malenkov (1901-1988). Membre du CC en 1939, du BP en 1946. Secrétaire du CC. Après la mort de Staline, président du Conseil des ministres, membre du « triumvirat » avec Khrouchtchev et Beria. Participe au putsch contre ce dernier. Éliminé de la direction par Khrouchtchev en 1957, accusé d'avoir fait partie du groupe antiparti avec Molotov et Kaganovitch. A demandé en 1984 sa réintégration dans le Parti.

nuit-là. L'avait-il espéré? Avait-il donné un petit coup de pouce? Je n'avais rien vu puisqu'on nous avait amenés plus tard. En tout cas, Lavrenti était prêt à vivre les événements de ce jour naissant. Comme a dit le poète, «le fleuve glacé se craquela de fentes mauves...».

Tandis que les chefs échangeaient des coups d'œil apeurés, passant en revue leurs hypothèses et celles des autres, s'empiffraient de sandwichs au jambon plombé par le colonel Douchenkine, tandis qu'ils tentaient de deviner ce que leur apporterait ce matin d'une nouvelle existence, Lavrenti se promenait dans la salle de réception bras dessus bras dessous avec Malenkov, dont les bajoues de vieille femme frottaient contre le col rabattu de sa vareuse militaire.

Pendant les courts instants qui précèdent l'aurore, toute la clique de Lavrenti avait eu le temps de se rassembler. Ce fut tout d'abord Dekanozov qui entrouvrit la porte; son ombre attristée se glissa dans la fente pour se figer timidement dans l'embrasure. Dekanozov[1], triste sadique atteint de strabisme. Ensuite, Soudoplatov[2], l'ancien général des partisans, apporta un paquet, le donna à Lavrenti, jeta un coup d'œil sur l'assistance et se figea à son tour.

1. Vladimir Dekanozov. Chef du département étranger du NKVD (l'INO) en 1938, puis vice-ministre des Affaires étrangères. Disgracié, il est rappelé par Beria au ministère de la Sécurité de la Géorgie après la mort de Staline, arrêté après la chute de son patron et fusillé en décembre de la même année.

2. Pavel Soudoplatov. Chef des missions spéciales du NKVD, l'un des organisateurs de l'assassinat de Trotski. Il fut emprisonné après la chute de Beria. Ses mémoires, *Missions spéciales* (Seuil, 1994), sont un document précieux, quoique suspect, sur cette époque.

Puis ce fut au tour de Bogdan Koboulov[1], la joue bleue de barbe matinale, le souffle chargé d'ail, si gros qu'il avait fallu découper son bureau pour caser son vaste ventre. Il s'assit dans le fauteuil, sans demander la permission, scruta les dirigeants de ses yeux d'Oriental couleur de quetsche et parut s'assoupir. Mais personne n'en fut dupe.

Il y avait encore son frère, Amaïak Koboulov, bel homme élancé, au regard jouisseur de pédé ; le colonel-général Goglidzé, gris-noir comme de la pierre brûlée ; le Polak Vlodzimirski, malin et affable, parlant à voix basse ; Mechik[2], jetant des coups d'œil autour de lui, comme s'il cherchait à piquer quelque chose ; le général Raïchman, effrayant comme deux vandales de Makhno, pinçant distraitement ses lèvres sèches ; Rioumine[3], avec sa grosse trogne de

1. Né en 1904. Travaille à la Tcheka de Géorgie au début des années vingt. Avec son frère Amaïak, il fait partie du cercle des intimes de Beria au NKVD. Membre suppléant du CC en 1939. Commissaire du peuple adjoint à la Sécurité d'État en 1943, il organise la déportation des peuples du Caucase et celle des Tatars de Crimée. Abakoumov, devenu ministre, le relègue à un poste subalterne. En 1953, Beria en fait de nouveau son adjoint au MVD élargi. Il est exécuté en décembre de la même année.

2. Goglidzé, Vlodzimirski et Mechik faisaient partie, avec Dekanozov, Merkoulov et Koboulov, de la «bande» à Beria, exécutée en décembre 1953.

3. Né en 1913. Colonel du MGB, il dirige les interrogatoires de l'affaire de Leningrad (1949-1950). En juillet 1951, il écrit une lettre à Staline pour dénoncer Abakoumov, le ministre de la Sécurité d'État. Celui-ci est destitué et Rioumine est nommé vice-ministre, chef de la section d'instruction des affaires «particulièrement importantes». C'est là qu'il met au point l'affaire des «blouses blanches» et projette la déportation massive des juifs. Le 12 novembre 1952, il est destitué personnellement par Staline au motif

parvenu, chef de la section d'instruction des affaires
«particulièrement importantes» du MGB, dit Minka-
le-Rose; Braverman, général sentimental, soupirant et triste, homme intelligent, écrivain, auteur de
presque tous les complots politiques et affaires d'espionnage de ces dernières années.

Ils étaient nombreux, tous en uniforme de la Boutique. Jusqu'ici je ne les avais jamais vus en uniforme. En avaient-ils besoin, d'ailleurs? Ils étaient
connus de tous ceux qui devaient les connaître. Mais
ce matin, ils arboraient tous leur habit de général.
Alignés derrière Lavrenti, ils portaient les couleurs
du rideau du Bolchoï: brocart rouge et or.

Sans prononcer un mot, Lavrenti montrait ainsi
aux autres chefs en civil où se trouvait la véritable
force du moment. Ceux-ci restaient pétrifiés devant
cette clique et je ne doutais pas que Lavrenti obtien-
drait aujourd'hui d'eux tout ce qu'il voudrait.

Cependant, comme un démenti de chair et d'os,
apparut dans l'embrasure de la porte l'élégant vice-
ministre du MGB Kroutovanov[1], la raie à l'anglaise,
au garde-à-vous, au milieu du crâne. Je compris
alors que si les dirigeants agissaient à temps, ils se

---

qu'il s'est montré «inapte à s'acquitter convenablement
des devoirs de sa charge». Il est arrêté en avril 1953.
Depuis sa cellule de Lefortovo, il écrit des lettres à Malenkov où il affirme que les juifs sont plus dangereux que la
bombe atomique. Il est fusillé en juillet 1954.
1. Ce vice-ministre de la Sécurité d'État est une invention des frères Vaïner, mais on peut retrouver dans ce
personnage quelques traits d'Evgueni Pitovranov, un protégé de Malenkov qui avait épousé sa nièce. Il fut vice-
ministre sous Abakoumov, chargé du contre-espionnage,
et le suivit dans sa chute. Staline le fit sortir de prison en
décembre 1952 et il réintégra les services de sécurité à un
poste de moindre importance.

21

débarrasseraient rapidement de Lavrenti. Son succès avait été trop facile et le succès est père de l'insouciance.

Pour ce qui me concerne, il me fallait changer
de camp dès que l'occasion s'en présenterait. Ces
combattants avaient épuisé le répertoire. Seul un
clown pouvait prétendre jouer le rôle du Saint
Patron après lui.

Je serais volontiers resté à observer tous ces gens
à travers les grandes portes-fenêtres de la salle de
réception : ils vivaient dans les profondeurs mystérieuses d'un monde irréel, dans les entrailles d'un
gigantesque téléviseur, où cette troupe d'amateurs
s'était donné rendez-vous pour un concert exceptionnel d'hypocrisie, maladroits mais appliqués,
jouant exclusivement pour eux-mêmes, sans parti-
tion, improvisant avec cette ardeur que vous souffle
la rage de survivre. Mais voilà que les médecins
sortaient de la chambre à coucher du Saint Patron
trépassé, et leurs blouses blanches contrastaient
étrangement avec les costumes gris-vert-noir des
dirigeants et les épaulettes dorées de la clique de
Lavrenti. Ils n'avaient rien à faire ici.

Je voyais leurs lèvres remuer. Bogdan Koboulov
souleva ses lourdes paupières. La quetsche se fendit
en deux et l'on pouvait voir le blanc de l'œil chargé
de sang. Il écoutait attentivement ce que disaient
les médecins. Il interrogea Lavrenti du regard, qui
hocha la tête. Koboulov expulsa rapidement sa
masse des profondeurs du fauteuil, traversa la salle
comme un rhinocéros à l'attaque, décrocha le téléphone et grogna quelques mots. Puis, venant du
fond du téléviseur, il apparut de l'autre côté de la
porte-fenêtre, sur l'écran, et me rejoignit sur le
palier.

— Tu vas emmener le camarade Staline à la morgue...

Nous étions quatre à porter le brancard. Nous le sortîmes de l'ambulance ZIS noire et traversâmes la cour tout en longueur de l'Institut d'anatomie pathologique. La neige fondue de mars nous aspirait les pieds avec un bruit de succion, l'air sentait les peupliers mouillés, la bruine humide fouettait le visage. Derrière la palissade on apercevait le gigantesque symbole phallique du monde : le dôme du Planétarium, terne dans la grisaille de la nuit. La ville endormie faisait un geste indécent à l'adresse du Saint Patron.

Nos braves piétineurs s'affairaient devant l'entrée de service mal éclairée, tout près du portail de l'Institut. Certains saluaient le sac blanc posé sur le brancard, se mettaient au garde-à-vous et pleuraient. En nous regardant, nous quatre, avec effroi et respect. Imbéciles.

Ils nous prenaient pour des proches. Pour quelques maréchaux qu'ils ne connaissaient pas. Bien sûr, à qui d'autre aurait-on pu confier cette tâche ? Imbéciles. Illettrés.

Si Koboulov m'avait rapproché ainsi du cadavre, c'est parce qu'il savait que j'étais capable de tuer une dizaine de personnes à mains nues en moins d'une minute. C'est ce que je sais le mieux faire dans la vie. C'est sûrement pour les mêmes raisons qu'on avait recruté celui qui portait le brancard côté gauche, devant, et les deux autres, derrière.

Vivant, le Saint Patron n'était déjà pas bien grand, en vérité il était même tout à fait petit, mais mort il s'était desséché davantage encore, ce qui ne l'empêchait pas d'être lourd, le cochon. Nous étions complètement en nage, à force de l'avoir trimbalé.

Cependant, nous ne pouvions pas confier le brancard à l'un de ces parasites qui traînaient autour. C'est nous qui étions les personnes spécialement attachées.

Nous nous étions si longtemps reposés sur un immense mystère qui ne renfermait que la bêtise.

La loupiote bleue au-dessus de l'entrée, l'escalier dans la lumière poussiéreuse des ampoules. La porte en fer de l'ascenseur, lourde et définitive comme celle du four crématoire. Ascenseur destiné aux cadavres. Et aux personnes spécialement attachées. Pour aller où ?

Les mains sont engourdies et l'ascenseur n'arrive pas, bloqué quelque part en haut. Les piétineurs tambourinent à la porte en fer, jurent à mi-voix, puis l'un d'entre eux monte l'escalier en courant. Ça sent le chat mouillé, le formol, la charogne.

La barque de Charon a échoué. Prise dans la vase, de l'autre côté du fleuve.

Nous rêvons de poser notre fardeau pour nous dégourdir les mains. Ou au moins de changer de place. Impossible. Nous sommes des personnes spécialement attachées. Nous avons pris la place des maréchaux, qui ont d'autres chats à fouetter. Et d'ailleurs, ils ne tiendraient pas le coup.

Pourquoi es-tu si lourd, ô l'Immense ? D'où te vient ce poids démesuré ?

Depuis le palier du premier parvient la voix étouffée du piétineur qui avait grimpé l'escalier :

— C'est la sécurité ! Le châssis a sauté !

— Allons-y, dis-je à l'attaché spécial de gauche, et je commence à faire pivoter le brancard pour prendre l'escalier.

J'appelle le responsable des piétineurs et lui ordonne de tenir la poignée en aboyant :

— J'espère que tu es conscient de la tâche que je te confie !

Puis je marche devant eux en scrutant le sol — Dieu nous préserve de nous casser la figure. Avec le cadavre. Ce n'est pas un cadavre, c'est du plomb. Tout fier et frais comme un gardon, le piétineur pourra raconter à sa famille, en montrant ses mains : « C'est avec ces mains-là… » Le piétineur fonce comme un tracteur et moi je le précède, donnant mes ordres à mi-voix, soucieux et sévère : à gauche-gauche, stop, lève les pieds, doucement, la marche est haute, à droite maintenant…

Au deuxième, nous pénétrâmes dans la salle d'autopsie : puanteur et lumière aveuglante. Il y avait ici beaucoup de médecins : ceux que j'avais déjà vus à la Datcha, près de la chambre à coucher du Saint Patron, et d'autres, qui, au lieu des blouses blanches habituelles, portaient un tablier de boucher, enfilé directement sur leurs sous-vêtements, les manches retroussées. Ceux-ci se comportaient en patrons : avec un air sévère, ils posaient des questions à ceux qui revenaient de la Datcha, opinaient gravement du chef, échangeaient de brèves paroles et l'on entendait voleter des mots impressionnants : embaumement, conservateur, conservation palliative, érosion des tissus…

Bravo ! Notre pyramide est petite, mais le Kheops est énaurme !

Nous transportâmes le Saint Patron sur la longue table en marbre, inondée de lumière blanche, et un étripeur rouquin, qui ressemblait à un boucher de bazar, nous dit sur un ton de commandement :
— Vous êtes libres.
Je décidai de rester. J'ignore moi-même ce que

j'espérais voir, de quoi je voulais me convaincre. Comprendre, prévoir. Je voulais juste voir, de mes yeux voir.

Et le secret commandeur de mes actes criait en moi : c'est défendu, va-t'en ! Mon être secret, ma nature véritable, l'alter ego du lieutenant-colonel Khvatkine tentait de me préserver d'une terrible désillusion, d'une horrible découverte, me prévenir d'un grand danger.

Mais je désobéis.

Je saisis par les épaules mes collègues spécialement attachés — pas besoin de le dire deux fois au piétineur en chef, ces gars-là sont disciplinés —, les conduisis jusqu'à la sortie et leur chuchotai à l'oreille en refermant la porte :

— Personne ne doit entrer, moi, je reste un peu.

On retira les draps qui recouvraient le corps. L'étripeur rouquin observa un moment le vieillard jaunâtre étendu sur la pierre blanche de la table d'autopsie, saisit un large couteau aux reflets menaçants, sans oser le planter dans la chair. Ses mains tremblaient. Il tourna la tête, m'aperçut, ouvrit la bouche pour me faire jeter dehors : je savais qu'il avait besoin d'engueuler quelqu'un pour trouver du courage.

Je fus plus rapide que lui et lui dis sur un ton doucereux et rassurant :

— Ne vous inquiétez pas, commencez.

Son épaule se souleva, agacée, il marmonna Dieu sait quoi entre ses dents, pensant de toute évidence que j'étais là pour le surveiller, lui, son bras s'élança furieux et le couteau se planta dans la gorge du Saint Patron.

Ô Seigneur Tout-Puissant ! Si un seul de ces millions d'êtres vivants qui rêvaient de cet instant avait pu voir le couteau transpercer la gorge du Patron, s'il avait vu cette tête gris roux, comme recouverte de pellicules, ballotter piteusement, si, dans le silence de mort, il avait pu entendre la nuque cogner sourdement contre la pierre !

Les rêves sont absurdes. On rêvait de voir le couteau s'enfoncer dans la gorge du Saint Patron, un flot de sang jaillir, vivant, gras et fumant, mais c'est dans la gorge d'un vieux cadavre que se planta le couteau et, au lieu de sang, c'est un filet sombre de sanie épaisse qui s'en écoula.

Le couteau dessina un sillon noir depuis la gorge jusqu'au pubis et la peau s'écarta avec le bruit léger d'une feuille de papier déchirée. L'étripeur plongea ses mains dans l'entaille, comme sous un maillot de corps, et palpa les entrailles du Patron, arrachant avec peine le tégument devenu inutile.

Sous les secousses, la tête du Patron ballottait sur le marbre lisse, tandis que ses mains sursautaient, vivantes et menaçantes, les paumes blanches, et que ses doigts boudinés cognaient contre la pierre.

Sous les paupières entrouvertes, on devinait les pupilles jaunes et il me semblait qu'il nous fixait encore de ses yeux de tigre, qui n'avaient jamais connu ni rire ni miséricorde. Il surveillait son propre étripage. Sans oublier aucun de nous. Grand nez busqué, grêlé par la petite vérole, moustache épaisse et drue tombant sur la bouche, cheveux pie, autrefois roux, assombris et parsemés avec le sel de l'âge, maintenant gonflés de sanie. La cage thoracique craqua, cédant sous la pince. L'étripeur extirpa le sternum, éventail écarlate effrayant. Qui ne souffre pas dans le chaudron de l'enfer ?

Au fond du trou béant, le cœur, boule dense couturée par une cicatrice. Pendant des décennies, les hommes avaient imploré ce muscle, plâtré par la sclérose. Oh, que ce cœur était inflexible ! Il ne connut qu'un seul tourment, l'infarctus.

Mon regard fut attiré par le membre génital : j'étais contrarié qu'il fût si petit, recroquevillé, violet comme une datte. Quelle sottise — le Père des Peuples ! À part ça, il était comme tout le monde.

Les anatomistes découpaient le Patron, le sciaient, déversaient sur la table les boyaux mauves dans leur pellicule blanche, le pavé cramoisi du foie, les haricots monstrueux des reins glissaient sur le marbre.

Seigneur ! Hier encore, cette masse sanglante de viande morte et de vieux os dirigeait le monde, c'était le doigt du destin de l'humanité. Si un seul maître du monde pouvait assister à sa propre autopsie !

Ensuite, ils s'attaquèrent à la tête. En fait, si je m'étais résolu à supporter ce cauchemar pendant deux heures, c'est parce que je voulais voir l'intérieur de son crâne. Que croyais-je y trouver ? Un ordinateur ? L'esprit du mal s'échappant en fumée noire ? Des hommes, plus minuscules que des lilliputiens — un petit Marx, un petit Hitler, un petit Lénine —, lui dictant chacun son tour ses décisions infaillibles ? Je ne sais pas. Je ne sais pas.

Et pourtant, dans cette boîte osseuse toute ronde se cachait le plus étonnant des secrets. Comment avait-il pu faire tout ça ? Je voulais comprendre.

L'étripeur-dissecteur entama la chevelure rouillée, d'une oreille à l'autre, et la peau, en glissant sur le front, figea le visage mâtin à nez busqué dans une grimace de colère terrible.

Tous s'écartèrent. Je fermai les yeux.

Craquement léger de la peau tirée. Bruit du métal sur la pierre. Glapissement strident de la scie.

Lorsque je rouvris les yeux, je vis que le scalp

avait été déplacé. Le dissecteur sciait maintenant la boîte crânienne avec une scie à manche en nickel brillant.

On ramena le scalp sur le visage du Patron.

— C'est prêt, dit le dissecteur, et il arracha adroitement le haut du crâne. Il tenait la coupe au bout de ses doigts comme s'il s'apprêtait à boire le thé.

Le cerveau. Des mamelons sinueux, couverts de taches jaune-gris et rouge-brun.

Une bonne grosse noix. Une noix. Bien sûr, une noix. Une énorme noix desséchée.

Une noix. Je me souviens parfaitement de ce matin-là, du bruit de cette noix fraîche tombée avec sa tige et ses deux larges feuilles de velours vert dans l'allée recouverte de sable jaune menant à la datcha du Saint Patron à Pitsounda.

Je veillais au calme du jardin sous les fenêtres du Patron. Et le bruit, si léger fût-il, attira mon attention. La noix fraîche de septembre venait de tomber de son arbre et j'entendais palpiter encore ses feuilles épaisses.

Je ramassai la noix, humide de la rosée matinale, et la tins dans le creux de ma main ; elle était déjà robuste, on aurait pu l'écosser. J'introduisis la lame de mon couteau dans l'étroit giron noir, qui faisait penser à la fente mystérieuse du sexe féminin, appuyai à peine sur le couteau, la noix craqua faiblement et les valves s'entrouvrirent.

Quelque part au fond de cette coquille pas tout à fait brisée, reposait le noyau — le cerveau jaunâtre et mamelonné de la noix.

Mais je n'eus pas le temps de l'observer à mon aise. Des myriades de minuscules fourmis rouges jaillirent hors de la noix, semblables à autant d'éclaboussures, comme si elles avaient attendu que je leur rende la liberté. Je n'eus pas la présence d'esprit

29

de rejeter la noix et, un instant plus tard, les fourmis rampaient sur mes mains, tombaient par dizaines sur mon costume et se faufilaient sous ma chemise.

Elles rampaient sur la lame du couteau. Je secouais les mains, je donnais des claques sur mon pantalon, j'écrasais les fourmis dans le cou, sur le visage, tandis qu'elles me piquaient déjà sous les aisselles et dans l'entrejambe. Je les asphyxiais, les écrabouillant en glu collante et sale, et elles dégageaient une odeur acide et âcre. Surtout celles qui s'étaient glissées dans ma bouche.

Petites fourmis rouquines.

Je me déshabillai entièrement et plongeai dans le petit étang. Les fourmis surnageaient tels des matelots naufragés et laissaient en remuant des traces rousses à la surface miroitante de l'eau stagnante.

La coquille avec la noix emprisonnée dans sa carapace traînait au bord de l'étang. Le noyau jaune-gris, mamelonné et sinueux, était resté à l'intérieur.

Des fourmis en sortaient encore.

Un vieux cerveau. Noix bouffée. Noyau de l'esprit du mal.

Je m'éveillai vingt-cinq ans plus tard. Dans une petite chambre qui sentait le renfermé. Aux côtés d'une femme nue. Sur un lit métallique avec deux boules sur chaque montant. Je bousculai ma compagne et, après qu'elle eut soulevé sa grosse trogne endormie au-dessus de l'oreiller, je demandai :

— Qui tu es, toi?
— Moi? Le plâtrier.

Sa tête retomba et elle replongea dans son sommeil d'ivrogne.

C'était vingt-cinq ans après le trépas du Saint Patron.

2

Scandale

Elle se rendormit, et moi je me réveillai pour de bon. Saloperie de gueule de bois. Saloperie de vieillesse. C'est lorsqu'on s'éveille après une cuite ou que l'on sent approcher la vieillesse que l'on prend conscience avec acuité de ce que l'on n'a pas fait et du peu de temps qu'il nous reste. On a sommeil et pourtant une force inconnue nous pousse hors du lit, nous fait tourner en bourrique, nous torture avec ses reproches : réfléchis, repens-toi, mérite le sursis…

Je ne me sens pas encore vieux, mais réfléchir me fait mal : mal au crâne, mal au cœur. Et l'air me manque.

La jeune femme aimée dormait à côté de moi et son souffle était bruyant, entrecoupé de sifflements. Les végétations, sûrement. Plâtrier. Pourquoi ? Où l'avais-je pêchée ?

Elle sentait l'épicerie de village : cuir, savon couleur de fraise, parfum Carmen et hareng.

Elle marmonna quelque chose dans son sommeil, se tourna sur le côté, posa sur moi sa cuisse grasse et ferme et, sans se réveiller, commença à me caresser. Elle en voulait encore.

Lorsqu'elle ouvrit les yeux, il me sembla qu'elle avait un œil de verre. La cataracte, peut-être.

31

Mon Dieu, qu'est-ce qui m'avait pris ?

Mon organisme hurlait, épuisé par la beuverie. Il me suppliait de lui donner de la bière, de la vodka, de le nettoyer sous une douche brûlante, de le transporter du lit de nickel du plâtrier borgne jusqu'à mon légitime petit pieu finlandais. Et de le laisser dormir. Seul. Sans toutes ces caresses et ces cuisses charnues et brûlantes par-dessus les miennes.

Comment étais-je arrivé jusqu'ici ?

Le parfum Carmen, âcre et vulgaire, m'étouffait, son odeur s'épaississait autour de moi, se matérialisait en une espèce de suie noir et jaune, et se solidifiait à vue d'œil. Et voilà que je reposais au fond de ce puits sans fond — le temps —, tout tordu et écrasé par la pierre de feu du parfum du plâtrier borgne. Le parfum Carmen avait touché une corde sensible dans mon cerveau endormi, par son abominable âcreté il avait déclenché les mécanismes de la mémoire pour me projeter vingt-cinq ans en arrière.

Puis je commençai à remonter à la surface, vers aujourd'hui. Voici que l'odeur de Carmen se raréfiait, se dissolvait dans l'air et laissait place peu à peu au parfum prétentieux et impudent de Rouge Moscou. Il prenait de l'ampleur pendant que je nageais encore inconscient à travers le fortissimo de son odeur furieuse et insoutenable, puis un souffle presque oublié, cru et timide, aussi fin et tenace que les voix de Liadova et Panteleïeva, les chanteuses préférées du Patron, m'enveloppa de tous côtés, sans se mélanger : Muguet d'argent et Dame de pique.

Je voguais à travers les temps, cherchant à rattraper le présent, fendant les couches géologiques des parfums de ma vie, les parfums de toutes les femmes qui avaient couché avec moi.

La pesante volupté des parfums arabes. Essence sexuelle, jus des péricarpes, ersatz des cartes de visite laissées par les chiens sur les palissades. L'ambre du désir encore insatisfait. Puis je vis poindre une lumière : un soupçon de Chanel et de Diorissimo ; je touchais l'aujourd'hui, ou plus exactement l'hier. Les femmes que j'avais connues hier portaient des parfums français.

C'est mon parfum, il s'appelle Aujourd'hui, c'est celui de mes petites putains. Des filles chères, certes, mais tant aimées.

Je me souvins d'hier et je pris peur.

Hier, on me condamna à mort.

Charabia ! Tentation stupide. Je hais le mysticisme. Je suis un matérialiste. Pas par esprit de Parti, mais par intuition. Malheureusement, la mort est la réalité la plus brutale de notre monde matérialiste. Toute notre vie jusqu'à cette limite n'est que mystification.

J'aime bien penser à tout ça, dans cette chambre étouffante, coincé sous la cuisse mûre et juteuse de la femme plâtrier dont je ne connaissais pas le nom.

Et l'autre, celui d'hier, dégoûtant et effrayant, comment avait-il dit qu'il s'appelait ? Comment s'était-il nommé ?

— ... Je suis machiniste de chaudière à la troisième compagnie d'exploitation de l'Enfer...

Mauvaise plaisanterie, complètement stupide. Une vengeance minable pour les humiliations que je lui avais fait subir tout le long de cette interminable beuverie.

Machiniste de chaudière. Peut-être que le plâtrier

vient de la même compagnie? Dis, quel mur plâtres-tu? Avec quoi pétris-tu le mortier?

Je repoussai la cuisse rôtie dans la chaudière infernale et rampai hors du lit, comme un homme qui cherche à agripper un bout de terre ferme pour s'extirper d'un marais. Il faut se lever, trouver ses habits dans cette pénombre sordide et puante.

Vulnérabilité de l'homme nu, tremblant de froid et de dégoût. Comme nous craignons la nudité et la pénombre! Les machinistes de chaudière nous saisissent nus dans le noir.

Il s'était assis à notre table au restaurant de la Maison des cinéastes en pleine fiesta.

Dans le noir, je trouvai le pantalon, les chaussettes et la chemise. Le cuir de ma veste me glaça les doigts comme si j'avais saisi une grenouille. La plâtrière soupirait voluptueusement. Pas moyen de mettre la main sur le caleçon et la cravate. Mon amie borgne, mon cyclope lubrique aux grosses cuisses, roupillait comme une bienheureuse. Sans son aide, pas question de retrouver caleçon ni cravate.

Tant pis, qu'ils aillent au diable! Dommage pour la cravate: française, toute fine, à la dernière mode, presque neuve. Quant au caleçon, c'était là une belle rixe en perspective avec Marina, mon épouse bien-aimée.

Si le Machiniste d'hier soir n'existe pas, s'il n'est qu'une éclaboussure insensée de l'ivresse, alors nous survivrons à cette perte. Mais s'il est venu, je n'aurai plus besoin ni de caleçon ni de cravate.

Plein de haine pour le monde et moi-même, pleurant encore la perte de la cravate et du caleçon, je verrouillai le macro et le microcosme avec les clefs du dégoût et de la peur. Enfilé directement sur la peau, le pantalon en fibre artificielle me glaçait, renforçant mon sentiment de n'être plus qu'un homme sans défense et sans culotte.

Ma chapka en ondatra, j'espérais bien ne pas l'avoir perdue : le tableau eût été complet ! Non seulement son prix a triplé, mais encore fallait-il trouver quelqu'un pour me la vendre. Je ne peux pas me passer de ma chapka en ondatra. Les colonels et les généraux portent des chapeaux caucasiens en astrakan, et nous, les civils, nous avons droit aux chapkas en ondatra. C'est notre uniforme. CP, chapka du Parti. CE, chapka d'État. CC, chapeau caucasien. Caucase. Le Patron.

Ô Saint Patron, pourquoi m'as-tu rendu visite cette nuit-là ? Ou est-ce moi qui suis venu te voir ?

C'est ce maudit Machiniste qui m'a conduit à toi. D'où sors-tu, employé du diable ? Troisième compagnie d'exploitation.

Il y a très longtemps, lorsque je travaillais encore pour notre compagnie, omniprésente et invisible, nous l'appelions entre nous, modestes mais fiers, la Boutique. La Boutique. Mais elle était seule et unique. Il ne pouvait y avoir ni une troisième compagnie, ni une septième, ni une neuvième.

Le voilà qui traîne, cher ondatra — cent quatre certificats[1] —, mon petit rat, mon joli rat musqué. Venu d'Amérique aux temps immémoriaux.

Pourquoi n'ai-je jamais vu d'Américain coiffé d'ondatra ?

1. Unité monétaire fictive, à l'usage des privilégiés de la nomenklatura ou des étrangers, ayant cours dans quelques magasins spécialisés et fermés au reste de la population. Un des gimmicks de la stagnation brejnévienne.

La canadienne est couverte d'une croûte rêche. Puante. Du dégueulis séché. Dégueulasse.

Il était temps de partir, de ramper hors de la grotte de la plâtrière endormie. Restait une question. De quoi étions-nous convenus hier au soir? Était-ce pour l'argent ou pour l'amour? Et si c'était pour l'argent, lui en avais-je donné ou seulement promis d'en donner plus tard?

Aucun souvenir. D'ailleurs, ça n'avait pas d'importance : il ne faut pas encourager le vice. Elle aura eu assez du plaisir que je lui aurai procuré. Ce serait vraiment rageant si je lui avais donné l'argent hier. Quelle honte, quel stupide blanc-bec! Qu'a-t-elle besoin d'argent, après tout? Elle est encore jeune, en pleine santé, qu'elle gagne sa vie comme plâtrier et pas en faisant des passes.

Avant de sortir, je jetai sur la table un paquet de chewing-gums Adams. La porte d'entrée était cadenassée par une grosse chaîne et trois bons verrous. Contre qui vous protégez-vous ainsi? Quel voleur viendrait vous dépouiller de votre misère? Quant à ceux que vous redoutez vraiment, aucun verrou ne les arrête.

Le dernier ressort finit par céder avec un petit bruit misérable, la porte s'ouvrit sur le palier et l'air puant et épais concentré dans mes poumons, respiré dans la chambre de la plâtrière, me traîna, me propulsa, m'éleva jusqu'à la rue. Ces gens-là n'ont même pas le droit de respirer le même air que les autres. Et c'est bien ainsi. Leur monde est petit et tout y est petit.

Où étais-je? J'aurais aimé le savoir. Sur ma montre Oméga, il n'y avait qu'une seule aiguille, coincée entre six et sept. Je restai longuement, sous un réverbère, à fixer l'étrange cadran invalide, jusqu'à ce qu'apparût la deuxième aiguille, rampant timidement sous la première. Salopes! C'est qu'elles copulaient, ces deux-là! De leur copulation naissaient les secondes. Et elles faisaient ça sur mon poignet, comme des insectes.

À peine venues au monde, les secondes grandissaient, devenaient des minutes, qui à leur tour enflaient, s'arrondissaient pour devenir des heures. Celles-ci donnaient naissance aux jours, qui s'entassaient en boule chiffonnée et spongieuse qui poussait à son tour un mois nouveau dans la petite fenêtre du cadran.

Le Machiniste avait dit hier que je ne passerais pas le mois. Comment une chose pareille était-elle possible? Roupie de sansonnet! C'est impossible, voyons!

Ah, si je te tenais maintenant, espèce de rat puant, maintenant que j'avais retrouvé les aiguilles du cadran de ma vie. Je te ferais bouffer tes couilles, fumier!

Mais il n'y avait pas trace de Machiniste dans cette rue obscure et enneigée, aux maisons semblables les unes aux autres, gris-blanc taché de noir. Indistinctes et effrayantes. Gris-blanc taché de noir, comme des poux porteurs de typhus. Et pas un chat, avec ça. De l'autre côté, des ombres grises et frileuses se hâtaient au loin, mais j'hésitais à les héler, de peur qu'elles s'effritent et disparaissent. Le pire des cauchemars est celui qu'on interrompt.

Et pourtant je ne dormais pas! Je m'étais réveillé dans un lit métallique habité par un plâtrier, j'étais parvenu à sortir dans la rue et ces trottoirs enneigés sur lesquels je glissais en ce moment étaient bien réels. Mes souliers s'enfonçaient dans la neige et j'eus une pensée émue pour les *dvorniks*[1] tatars, aujourd'hui disparus. Il y a longtemps, à l'époque du Patron, tous les *dvorniks* de Moscou étaient tatars, allez savoir pourquoi, et parvenaient, sans aucune technique particulière, juste en raclant et en balayant, à garder les rues propres. Puis les Tatars disparurent progressivement, abandonnant Moscou à la neige et à la crasse, tristes séquelles du joug tatar-mongol. À dire vrai, plus j'y pense et moins je vois d'autres conséquences de ce célèbre joug, à part le désordre de nos rues et les pommettes saillantes de nos femmes.

Hier, le Machiniste m'avait parlé du joug tatar-mongol. Et il en parlait bien. On sentait dans son discours toute la désinvolture des agents provocateurs. Il disait qu'il appréciait notre idéologie pour sa simplicité : puisque, à l'origine, nous n'avions aucune prédisposition à la criminalité, celle-ci était nécessairement une conséquence des influences bourgeoises et un héritage du joug tatar-mongol. Le fait que cinq cents ans plus tard les Tatars travaillaient chez nous comme *dvorniks* était sans importance. Comme celui de se faire embarquer à la Boutique pour avoir subi des influences bourgeoises de la part d'un étranger.

J'étais l'unique habitant d'une rue déserte et enneigée dans la ville morte de mon cauchemar. Une rue sans fin : au loin seulement, un feu jaune soufre clignotait faiblement, comme une invitation, une promesse, puis il s'éteignait, puis, de nouveau,

---

1. Le *dvornik* est une institution typiquement russe, sorte de concierge qui règne sur les vastes cours de Moscou, de Pétersbourg et d'ailleurs (voir Dostoïevski). En hiver, armés de larges pelles plates en aluminium, les *dvorniks* débarrassent les cours de la neige qui s'y accumule.

invitation et promesse. Sur les façades mortes et plates des immeubles, quelques fenêtres s'illuminaient de rouge.

Pas un arbre alentour. Un chantier. Des palissades, des dalles soulevées, des cuvelages abandonnés, des amas de tuyaux, des monstres cosmiques de poutres, les flèches effrayantes des grues, les excavateurs, figés sous le givre et la neige. Pas un arbre.

En été, si l'été parvient jusqu'ici, ce doit être encore pire.

Serais-je sur Mars ?

— Hé, toi, c'est quoi, ce bled ? hurlai-je en direction d'une ombre furtive qui venait à ma rencontre.

— Comment ça ? Tout le monde le sait : Lianosovo[1]...

Bordel de merde, comment me suis-je retrouvé ici ? Ah, bravo, la plâtrière ! Non, la plâtrière n'y est pour rien. C'est ce Machiniste avec sa maudite chaudière. C'est lui qui me fait cavaler dans cette rue horrible, frigorifié et nauséeux, mort de peur et de honte, sans caleçon ni cravate.

Il avait surgi tout d'un coup devant notre table, hier au soir, comme s'il était tombé du ciel ! D'abord, j'avais pensé qu'il était copain avec l'une des gonzesses. Je ne l'avais pas pris au sérieux et n'avais même pas fait attention à lui. Il était insignifiant. Comme le sont les chiens errants dans les villages de vacances. Pleutres et arrogants.

De quoi avait-il l'air ? À quoi ressemblait son visage ? Je ne m'en souviens pas. Je n'y arrive pas. Peut-être n'en avait il pas... Machiniste de la chaudière infernale, quel est ton visage ?

1. Grande banlieue nord de Moscou.

Je ne me souviens de rien. Juste qu'il était blond, longiligne, souple et graisseux comme un comédon. Au début, il était demeuré silencieux, à l'autre bout de la table, se tortillant sur sa chaise. Puis il envoya quelques répliques. Et puis il demanda : « Connaissez-vous cette vieille histoire ? » Ainsi, même les machinistes ne savent raconter que des vieilles histoires ? Ça n'existe donc pas, des histoires drôles nouvelles ? Fraîches ? Jeunes ? Les histoires drôles ont sûrement un destin comparable au nôtre, les hommes : pour devenir quelqu'un et le demeurer, il faut avoir vécu. Une histoire drôle, comme les hommes et le cognac, doit avoir de la bouteille. Les histoires drôles ne ressemblent jamais à une jeune femme comme Lucinda, assise à côté de moi, serrée contre mon flanc, jeune, bronzée, douce, craquante, comme une gaufre à la crème.

Pourquoi, pauvre imbécile, n'es-tu pas parti dormir chez Lucinda ? Pourquoi n'as-tu pas couché avec elle ? Sa peau émet des ondes légères et chaudes. Elle me mord l'épaule, la poitrine, du bout des dents, goulûment, elle est brûlante comme une caresse.

Et c'est ce maudit Machiniste qui l'a emmenée. Il s'était incrusté à notre table comme un mouchard expérimenté de la Boutique. Comme un agent du sionisme mondial — invisible, imparable, immortel. Il provoqua un scandale, nous fit ingurgiter de la vodka, du whisky, du champagne et de la bière, tout à la fois, emmena Lucinda sans que je m'en aperçoive, chassa toute la compagnie et me jeta à Lianosovo dans les bras de la plâtrière borgne, dans le vomi, l'odeur de renfermé, l'odeur du désespérant Carmen, l'odeur pourrie de la peau, l'odeur du savon à trois sous, l'odeur du hareng, entre ses cuisses chaudes et lourdes, et, pour finir, dans le souvenir effrayant, que je croyais perdu à jamais, du trépas du Saint Patron.

Une touche indécise de bleu commençait à poindre dans le noir bitume de la rue aveugle. L'air glacé se teintait de mauve humide, le lilas profond extirpait lentement de la nuit le charbon gris de l'obscurité. Il se mit à neiger de gros flocons épars qui tombaient à angle droit sur le sol froid comme des morceaux de crème glacée. Sur moi, éreinté.

L'étoile filante verte d'un taxi, rapide et trépignante, volait droit sur moi. Je voyais déjà la tache bleu pétrole du pare-brise de la vieille Volga élimée : vaisseau libérateur venu me chercher sur la planète Mars, habitée d'ombres et de plâtrières borgnes. Le chantier des condamnés.

— Taxi, taxi! Che-e-f! hurlai-je d'une voix éperdue, me ruant sur la chaussée, et les spasmes me tenaillaient la gorge, ma caboche explosait de douleur, tandis que la voiture s'approchait doucement.

Le cauchemar continuait. Stop! Je suis vivant. Tout le monde est mort, il ne reste plus que moi...

Je tirai sur la poignée de la portière, mais elle était fermée de l'intérieur. Le chauffeur me disait quelque chose à travers la vitre baissée. Peut-être savait-il que tout le monde avait péri et me prenait-il pour un fantôme? Ou avait-il peur que je vole sa recette et que je l'assassine?

N'aie pas peur, ballot! Il y a belle lurette que je n'ai tué personne, je n'ai pas besoin de ça, je gagne ma vie autrement.

Il expliquait en bredouillant qu'il avait terminé son service, qu'il n'était pas un cheval... Bien sûr, ballot, que tu n'es pas un cheval, ça se voit. Tu es un âne paresseux.

— Double tarif, proposai-je, et je décidai que s'il

refusait je le jetterais dehors, roulerais jusqu'au centre-ville et y abandonnerais la voiture.

Je n'en peux plus. J'ai envie de vomir, j'ai mal au crâne, je tremble de fièvre, je n'ai plus ni caleçon ni cravate. J'ai une gueule de bois d'enfer. J'ai bu énormément hier soir et ensuite besogné longuement et sans joie un cyclope au gros cul. Il me reste tout juste assez de force pour passer le bras par la vitre et appuyer sur la carotide de cet âne. Il resterait quelque temps étendu sur la chaussée, négligé par les Tatars-Mongols disparus, et reviendrait à lui. Et moi, je serais déjà à la maison.

— Allons-y, accepta-t-il, en évitant ainsi une situation désagréable et une frayeur inutile.

Il n'aurait pas pu se souvenir de mon visage, comme je ne me souvenais pas de celui du Machiniste.

La portière s'ouvrit et je plongeai à l'intérieur de la bulle tiède pleine d'odeurs d'essence, d'huile et de résine dégagées par la vieille caisse au bout du rouleau. La chaleur, la puanteur, le moteur ronronnant me berçaient, le sommeil commençait à m'engluer, j'allais déjà m'assoupir quand le Machiniste resurgit pour demander méchamment : « Connaissez-vous cette vieille histoire ? »

Le chien-et-loup mauve du sommeil se troubla et s'évanouit dans le ciment gris du petit matin. Le Machiniste, lui, ne disparaissait pas, il refusait de se dissoudre dans la lumière naissante et devenait plus dense encore, plus réel.

Bâtard. Ma mère traitait ce genre de personnages insignifiants et négligeables de bâtards.

Le visage maigre et allongé du Machiniste, avec son nez en bouton de porte, se dégageait de la pénombre tourbillonnante de la gueule de bois. Un véritable as de trèfle. Sa bouche — crapaudine de la feuille de trèfle — se tordait, ses lèvres serpentines remuaient et, entre une plaisanterie abominable et une blague salace, s'abaissaient tragiquement ; on eût cru qu'il allait se mettre à pleurer. Mais c'est plus tard qu'il se mit à pleurer. Tout à la fin. De vraies larmes. Aussitôt suivies d'un joyeux éclat de rire libérateur. Comme s'il avait réussi sa mission auprès de moi, une mission difficile et dangereuse. Je m'en souvenais tout à fait nettement maintenant. Oui, tu étais bien là, maudit Machiniste.

La voiture grimpait en vrombissant sur les viaducs, enfilait les arcades bruyantes des ponts, doublait les autobus, boîtes de conserve jaunes bourdonnantes, pleines à craquer de viande humaine fraîche. Nous laissâmes derrière nous le complexe, aussi beau que stupide, des hôtels de Vladykino, avec cette enseigne de néon, mystérieuse, dont il ne restait que les lettres FFEUR ; les orangeries bleues au souffle arctique du Jardin botanique, la chênaie d'Ostankino, noire et menaçante, ressemblant ainsi couverte de neige et clôturée de grilles à un cimetière abandonné ; la tour de télévision, bras d'honneur emphatique, blanchie sous le poids insupportable de la nuit et des nuages, qui avaient mangé toutes les lumières sur le haut de son crâne.

À la maison, vite, à la maison ! Se coucher. Non, d'abord une douche. J'ai besoin d'eau chaude, presque bouillante. Bien sûr, cette eau ne pourra pas laver mes plaies.

Serait-ce le Machiniste qui l'aurait chauffée dans sa chaudière infernale ?

Il avait raconté une histoire drôle. Plutôt une vieille anecdote, du vécu. Ou peut-être une histoire, qui sait, qui peut distinguer maintenant ce qui a été inventé de ce qui fut ? L'oubli, l'amnésie rétrospective a fait place à la mémoire progressive. On ne se rappelle rien de ce qui fut, mais tout de ce qui ne fut pas.

Voilà ce qu'il raconta :

... L'architecte en chef de Moscou, Possokhine, exposait à Staline son projet de réaménagement de la place Rouge. Il commença par expliquer qu'il fallait démolir le bâtiment néo-classique du Musée historique, puis il retira de la maquette les magasins Goum, qu'il proposait de remplacer par des tribunes. Quand l'architecte voulut montrer où il comptait déplacer la cathédrale Basile-le-Bienheureux et qu'il la saisit par l'une de ses coupoles, Staline hurla : « Repose ça, chien ! »

L'architecte eut une attaque et on l'emporta.

Toute la table se tordait de rire. Avec un sourire de larbin, le Machiniste, content de son effet, se frottait les mains, fines et bleuâtres, à coup sûr moites et glacées. Pour une raison mystérieuse, il portait une veste d'uniforme d'écolier. Et moi, qui ne savais pas encore qu'il était le Machiniste, je m'étonnais de voir un homme plus très jeune habillé de cette façon. Peut-être était-il pauvre ? Peut-être cette veste appartenait-elle à son fils ? Disons que son fils la portait le matin pour aller à l'école et son papa, le soir, pour dîner au restaurant de la Maison des cinéastes. Mais pourquoi ? Quelle gabegie !

Ses poignets, longs et maigres, rêches et osseux, dépassaient de ses manches, la tige grisâtre du cou, avec sa grosse pomme d'Adam, surgissait du col. Au-dessus, l'as de trèfle.

— Ha-ha-ha ! « Repose ça, chien ! » Ha-ha-ha !

L'anecdote, à vrai dire assez stupide, plut à tout le monde. Surtout à César Soliony, fils du poète prolétarien Max Soliony, qui supportait mal, à en croire son pseudonyme, le succès de Gorki[1]. Mais le prénom dont ce youpin avait gratifié son fils démontrait qu'il ne dédaignait pas non plus certaines idées impériales.

César, joyeux amateur de femmes et écrivain d'importance microscopique, mouchard amateur débonnaire, était mon vieil ami et assistant. Tous les deux nous formions une amicale artistique. Le bernard-l'ermite et l'anémone de mer. Sauf que je ne suis pas un ermite, je suis un militant. César, oui, c'est une anémone de mer, une actinie.

L'Actinie au nez crochu s'esclaffait et hurlait par-dessus toute la tablée à l'adresse de Sa Révérence l'archimandrite[2], le père Alexandre :

— Tu entends ça, mon père ? C'est bien dit, non ? «Repose ça, chien!» Tu sais ce qui s'est passé quand Staline est venu inaugurer le théâtre Maly après une réfection de cinq ans ? Non ? Alors voilà : le directeur du théâtre, Chapovalov — un coquin, celui-là, il a fait transporter la moitié des matériaux de construction à sa datcha —, accompagne Saline jusqu'à la loge impériale. Staline va pour ouvrir la porte et, horreur, la poignée lui reste dans la main ! S'ensuit une attaque collective, Staline tend la poignée à Chapovalov et sans un mot tourne les talons. Dans la nuit même, Chapovalov est cuit. Salut la compagnie !

Ha-ha-ha. Ho-ho-ho. Hi-hi-hi.

Mensonges. Jamais Staline n'a ouvert une porte lui-même. Il voyait des arbalètes dissimulées partout, c'était une de ses manies.

---

1. Pseudonyme d'Alexeï Pechkov (1868-1936). *Gorki* veut dire «amer» en russe. *Soliony* veut dire «salé».
2. Titre du prêtre dans la hiérarchie religieuse orthodoxe.

Le Machiniste se tortillait à l'autre bout de la table, penchant sa tête blondasse de comédon, agitant sa tignasse dans tous les sens, la pomme d'Adam en avant. Les histoires à propos du Patron semblaient lui insuffler la vie, le remplir d'une énergie invisible.

Le père Alexandre, qui ressemblait à une vache barbue aux joues colorées, souriait de toutes les petites rides de son visage soi-disant bonhomme. L'air naïf, pensif et crédule d'un franc-maçon professionnel. Il caressait sa barbe avec sa main blanche et disait à la poétesse Lidia Rosanova, grand commandant littéraire doublé d'une redoutable gauchiste :

— Je me souviens d'une autre histoire amusante : Staline, ayant appris la présence à Moscou d'un évêque géorgien, Irakli, avec lequel il avait fait ses études au séminaire, l'a fait venir au Kremlin. Le père Irakli, de crainte d'indisposer le grand chef, est arrivé non pas vêtu de son habit d'évêque mais en civil...

— Tout comme vous aujourd'hui ! cria le Machiniste d'une voix enjouée et sonore en désignant de sa main maigre et osseuse le trois-pièces finlandais du pope.

Je m'esclaffai, suivi par les autres. Le pope Alexandre, qui avait décidé de participer à cette réunion mondaine, avait rompu son vœu d'abstinence, condition obligatoire de la dure existence hypocrite du mystificateur, qui doit se rappeler à tout instant les différents personnages qu'il est amené à jouer. Seule la promise de César — stupide putain blonde — ne comprenait rien et secouait sa toute petite balle de ping-pong en plastique. Je craignais que la balle ne se détachât de son cou pour aller rouler sous une chaise. Va donc la retrouver après, dans l'obscurité !

La pauvre était toute troublée, sentant avec l'intuition du petit animal intéressé qu'un morceau de plaisir était passé à côté de ses lèvres de nylon.

Le père Alexandre rit tout son soûl, montrant ainsi qu'il savait aussi se moquer de lui-même, secoua sa chevelure bien peignée et parfumée et poursuivit son histoire :

— Staline a reçu le père Irakli avec une amitié non feinte, ils se sont rappelé le passé, ont bu du vin géorgien, chanté des chansons et, au moment de se quitter, Staline a tiré sur le bas de la veste grise de l'évêque et a dit : «Moi, tu me crains. Et lui, tu ne le crains pas ?» Et il a désigné le ciel...

Ha-ha-ha.

Le Machiniste se redressa, prêt à crier quelque chose — je vis qu'il n'était plus assis à l'autre bout de la table, mais tout à côté de moi —, quand l'amie de César dit au père Alexandre, avec la foudroyante vélocité des idiotes :

— On dit que les hommes se laissent pousser la barbe pour cacher un défaut du visage. Vous avez un défaut ?

Elle voulait certainement rattraper l'instant de joie qui lui avait échappé. L'archimandrite se prêta volontiers au jeu et répondit, la regardant d'un air compatissant :

— Oui. J'ai une hernie.

— Pas possible ! s'écria la fille avec une horreur mêlée de joie, tandis que la tablée éclatait de rire.

Non, vraiment, la putain de César était hors de tout soupçon.

— Où l'as-tu pêchée, César ? Elle est si douce ! lui demandai-je.

— En bas, au bar. Il y en a d'autres. Tu veux que j'y aille ?

— Pas pour l'instant, dis-je en prenant Lucinda dans mes bras.

J'étais ivre et ravi.

César entama une nouvelle histoire, sa copine se pencha vers moi et je pus voir dans son décolleté deux seins ronds et durs comme des quilles. Pas besoin de cerveau avec ça. Elle chuchota, presque fâchée :

— Qu'est-ce que vous avez à l'appeler César ? César par-ci, César par-là. Il n'a pas un nom, le césar ?

— Julius Caius.

Elle se leva d'un bond, heureuse, et cria à l'adresse de mon anémone de mer dégourdie :

— Jules, du champagne !

Ha-ha-ha !

Les imbéciles sont parfois des devins et des prophètes. C'est vrai qu'il s'appelait Jules. Jules Saltzman. Et pas César Soliony.

Ah, les juifs ! Quels cabots ! Quel numéro il était en train de faire à Lidia Rosanova, comme il gesticulait ! C'est évident, tous les juifs sont des mimes. Ils peuvent vivre partout, Dieu leur a enseigné le langage universel des signes.

Lidia, elle, avec son visage verdâtre, terni par l'abus d'alcool et de chanvre indien, n'écoutait pas et surveillait avec une ivre méfiance les manœuvres de son mec, le barman, qui tournicotait autour de la délicieuse petite chatte écervelée de César.

Le barman-fouteur, un gaillard encore jeune, débile joyeux, une fois sa faim et sa soif apaisées, s'intéressait de près à cette chair rose et fraîche, si accessible. Les charmes racornis et le teint brouillé par la nicotine de notre chantre d'amour national ne le séduisaient plus.

Ses mains couraient sous la table, cherchant les

genoux ronds, mûrs comme des pommes, de l'idiote aux yeux bleus. Quel genre d'enfants pourraient-ils avoir ? Un bon exemple, en tout cas, de ce que serait l'humanité si elle se mettait à marcher à reculons.

Lidia n'était pas jalouse du barman, elle n'en avait rien à foutre. Elle se demandait comment elle pourrait parvenir à palper, caresser et lécher elle-même ce petit morceau de viande stupide. César, avec son obstination de juif, ayant décidé de raconter toutes les histoires qu'il connaissait, elle craignait que son fouteur ne lui enlève la fille sous le nez. Ô Lidia, Lida, Lidouchka, grande âme solitaire ! Tu es notre Sapho, le grand directeur artistique de toutes les filles à deux coups de l'arrondissement Krasnopresnenski.

Ô Lesbos, Lesbos, Lesbos !

Je comprenais ses inquiétudes et compatissais de tout mon cœur. Je désignai le barman :

— Pourquoi tu t'accroches à ce blaireau ?

Elle se tourna vers moi et m'observa un moment : une pharaonne sortie de sa pyramide, gâtée un peu par l'air et la lumière.

— J'ai peur de me réveiller toute seule. Je suis en dépression. Et cet animal-là, quand il se met à me machiner le matin, j'ai les os qui craquent. Je sens que je vis encore...

Et elle lâcha un chapelet de jurons.

— Comment ! Vous ? C'est vous qui parlez ainsi ?

Je me retournai. Le Machiniste était maintenant assis sur la chaise à côté de moi et c'est sa voix qui me fit sursauter. Pour la première fois, je pus le regarder dans les yeux : il n'était pas ivre mais je le devinais inquiet. Il s'adressait à Lidia :

— Vous êtes poète ! Quels mots dites-vous ! C'est cette même bouche qui mange, n'est-ce pas ?

Lucinda, qui était à mes côtés il y a encore un instant, avait disparu.

— Qu'est-ce que c'est que ce connard? demanda, indifférente, Lidia, sans un regard pour le Machiniste.

Je haussai les épaules: j'avais pensé qu'il faisait partie de sa cour.

— Vous parlez d'amour dans vos poèmes! Comment pouvez-vous? s'excitait le Machiniste.

Sa présence m'agaçait de plus en plus.

J'étais très agité mais ne le remarquais même pas; j'étais ivre, confus et inquiet.

Puis surgit l'Actinie crochue, qui cria vulgairement:

— L'amour, ce n'est plus que paroles et tourments quand la bite pique du nez!

Le Machiniste voulut répondre quelque chose, sortit sa langue rouge et bleu, la plia en deux, la rentra dans la bouche et se mit à la mâcher bruyamment, à la suçoter et à la mastiquer. Je voulais encore éviter le scandale. Je n'aime pas ça, on n'arrive jamais à rien avec des hurlements. S'il le faut vraiment, un coup de couteau bien placé, juste derrière l'oreille. Mais dans une cage d'escalier. Ou dans la cour.

Je dis gentiment, à voix basse:

— Espèce d'enculé, n'essaie pas d'épater l'assistance. Tu n'intéresses personne. Casse-toi en vitesse, avant que je ne me fâche…

Il s'approcha de moi si près que je pouvais sentir son souffle brûlant et acide. Puis il marmonna avec passion ces mots absurdes:

— Ah, mes enfants, que de péchés vous avez accumulés, que de fautes sanguinaires… Rien que votre papa, Joseph Vissarionovitch Borgia… Joseph César… Vous êtes plongé jusqu'au cou dans le sang et dans le crime… le sang et les larmes des autres coulent de vos mains… Regarde tes mains, elles sont répugnantes…

Il pointa son doigt dans ma direction.

Peut-être parce que j'étais affaibli par l'ivresse, qui avait émoussé mes réflexes de chasseur, ou bien parce qu'il était d'une force peu commune, je ne sais pas, mais je me surpris à regarder mes mains. Tout le monde s'était levé pour les regarder aussi, certains s'étaient penchés au-dessus de la table, d'autres avaient quitté brutalement leur siège. En silence.

Les coins de sa bouche s'abaissèrent ; il avait cessé de mastiquer et de sucer bruyamment sa langue dégoûtante. Mes mains étaient sèches et impeccables. Je me calmai. Je n'avais pas compris qu'il était en train de m'appâter.

— Qui tu es, toi, salaud ? demandai-je.

Il se mit à rire. Puis il découvrit un instant ses dents jaunies par la nicotine, darda la longue flèche bleue et dit :

— Je ne suis pas un salaud. Je suis répugnant comme la vérité. Mais pas un salaud. Je suis le Machiniste de chaudière à la troisième compagnie d'exploitation de l'Enfer.

Un lourd silence se fit autour de la table.

La décision de frapper se prend indépendamment de ma volonté, je n'y pense jamais auparavant. Parce qu'on ne frappe pas tout le monde pour les mêmes raisons. Quand on frappe, c'est pour :

– Humilier.
– Effrayer.
– Punir.
– Paralyser.
– Blesser.
– Torturer.

On frappe pour tuer. D'un seul coup, d'un seul.

Je compris que l'affaire sentait le roussi, que j'avais peur et qu'il se passait quelque chose d'imprévu, quand je me rendis compte que j'étais en train d'envisager comment et pourquoi j'allais le frapper.

Humilier ce parasite, dans son veston d'écolier, était impossible.

Impossible non plus d'effrayer un fou.

Le punir était impensable, je n'étais pas son père et ne le reverrais plus jamais.

Aucune raison non plus de le torturer, il aimait jouer les martyrs.

Quant à tuer, je ne pouvais pas le faire ici. Pourtant je sentis que j'étais soudainement prêt à ça, que le désir s'était éveillé de le tuer.

— Tire-toi d'ici, rat puant, dis-je à voix basse tandis qu'il s'esclaffait bruyamment, ses yeux explosant de joie.

Alors je lui crachai à la figure. Puisque je ne pouvais pas me retenir, puisque je ne pouvais pas le tuer ici, au moins je pouvais cracher. Il palpa avec précaution le crachat sur son visage, puis l'étala lentement sur la joue et le front, en appuyant légèrement comme sur un tampon; les coins de sa bouche s'abaissèrent une nouvelle fois et de grosses larmes s'échappèrent de ses yeux éteints et coulèrent le long de sa figure chiffonnée. Il pointa vers moi un doigt noirâtre et crochu et dit lentement:

— Tu as déjà signé la décharge. Je te donne un mois. Après — c'est fini. Il faudra venir faire ton rapport. Tu es un cadavre.

Et c'est un rire enjoué et libérateur que j'entendis à travers ses larmes.

Puis il sortit de table et se dirigea vers la sortie. Il marchait d'un pas de plus en plus assuré, il courait presque à travers toute cette masse de corps, ce labyrinthe de tables, où hurlaient, buvaient, s'amusaient et s'empiffraient toutes sortes de gens, épuisés par le mélange explosif de sucs gastriques, d'alcool et de montées de sperme. Mes joyeux compagnons de bouteille, eux, ne s'amusaient pas, ne hurlaient pas, ne plaisantaient pas mais me regardaient avec effroi et perplexité. Ils me regardaient moi et non pas le Machiniste qui s'en allait. Notre table, séparée des autres par une petite barrière en bois, sombra dans une tristesse inquiétante et un silence menaçant. On eût dit que la petite barrière de bois avait poussé jusqu'au plafond et nous avait isolés du reste du monde, nous laissant seuls et épouvantés.

Je me levai d'un bond et courus après le Machiniste. Je vais te dépecer, rat gluant.

Mais le Machiniste avait disparu. Déçu et furieux, je fis un tour dans le vestibule, aux toilettes, au vestiaire, sans succès. J'allai au bar et bus un cognac pour me calmer. Puis un autre.

Les baffles crachaient un jazz hurleur, des reflets roux dansaient sur les goulots des bouteilles, la fumée de cigarette se stratifiait en couches épaisses. Je m'assis sur un tabouret et bus une coupe de champagne glacé. Je voulais extirper le Machiniste de ma tête.

Il me sembla tout à coup qu'un troupeau de démons s'était rassemblé dans mon dos et qu'ils frappaient en rythme de leurs sabots de bouc, tout doucement pour commencer puis de plus en plus fort. Leurs voix, hargneuses et stridentes, comme celles des chats au mois de mars, m'appelaient et m'attiraient. Dans un brouillard de plus en plus épais, je les vis qui remuaient les ailes rouges de la tentation, et les voilà qui dansaient une farandole autour de moi. Ma tête devint lourde et ce ne fut plus ma tête, elle appartenait désormais à quelqu'un d'autre. Et puis, l'obscurité — la douleur planta ses crocs dans mon cœur. Le cafard me saisit. Je m'habillai et sortis.

Je m'éveillai le lendemain matin sur la couche immonde de la plâtrière borgne à la station Lianosovo. Un chantier abandonné sur la planète Mars.

3

Homecoming

Le taxi s'approchait de la maison, ses pneus cla-
potaient dans la neige fondue comme des galoches.
Je mis un certain temps à retrouver mon portefeuille dans la poche arrière de mon pantalon.

Dieu merci, la plâtrière ne l'avait pas chouré. Il y
avait cent dollars à l'intérieur, en plus du reste.
Non seulement c'eût été dommage de me séparer
de ces verts camarades, mais en plus une jeune fille
plâtrière surgie de je ne sais où n'était pas censée
savoir que j'avais cent portraits de George dans
mon portefeuille. Les devises se déprécient rapidement et il y a quelque chose dans notre Code pénal
qui interdit d'en posséder. Voilà un mystère de plus
de notre monde socialiste : plus le dollar baisse,
plus son cours augmente au marché noir. À croire
que ces crétins de spéculateurs ne lisent jamais les
cours de la Bourse dans les *Izvestia*.

— Quel temps de chiotte, marmonnait le chauffeur de taxi, comptant ses roubles. S'il gèle, elles
vont se mettre à danser, les bagnoles, comme les
ballets d'Igor Moïsseïevitch.

La portière claqua, et la Volga disparut, laissant
derrière elle une odeur d'essence et d'huile chaude.
L'aube commençait à poindre, aussi grise et mouillée

qu'un chat des rues. Le concierge grattait l'asphalte avec sa pelle et chaque raclement me déchirait le cœur. Un train de banlieue poussa un cri bref quelque part derrière le parc.

Le *dvornik* passa devant moi. Il avait une barbe en éventail, portait des lunettes à monture d'or et une canadienne. Un refuznik[1]. Il posa sa pelle et son balai et souleva respectueusement sa toque en astrakan. Bravo. Cinq ans qu'il attend son visa pour Israël.

Parfois même, j'ai de la peine pour ces gens-là.

— Moïsseï Solomonovitch, vous avez des nouvelles ?

Il haussa les épaules :

— On attend.

— J'ai l'impression que nos relations avec les Américains se sont détendues, dis-je poliment. Peut-être va-t-on commencer à laisser partir ?

— Peut-être.

Le *dvornik* était professeur d'électronique, je crois. Il partira le jour où les poules auront des dents. Ce n'est pas une question de secret d'État ! Depuis tout ce temps, ce ne sont des secrets pour personne.

La véritable peur ne peut être provoquée et soutenue que par l'ignorance. L'ignorance et l'incohérence de la punition. On autorise quatre personnes à sortir et on l'interdit à la cinquième. Sans aucune raison ni explication. Il n'y a qu'une règle dans ce jeu : l'absence de règles.

— Je lave votre voiture, collègue ? demanda le juif.

1. Juif soviétique auquel les autorités refusaient l'autorisation d'émigrer.

Je jetai un coup d'œil sur ma Mercedes, toute crasseuse sous sa couche de neige, puis sur le juif. Obéissance, certes, mais dans la dignité. Résignation, peut-être, mais orgueil. Mon Dieu, quel drôle de peuple. Il n'a sûrement pas besoin de gagner trois roubles. C'est parce que les juifs se repaissent de leur malheur et économisent, trois roubles après trois roubles, le capital de leurs revers de fortune, base du nouveau commerce qu'ils ouvriront une fois arrivés là-bas. Veulent-ils nous rappeler que, du temps de Hitler, les professeurs nettoyaient les rues avec des brosses à dents ? Préparent-ils un dossier à charge ? Ça ne servirait à rien. Personne ne peut nous juger.

D'un autre côté, il faut encourager le travail honnête. Par conséquent, le professeur de physique lavera la voiture du professeur de jurisprudence.

Je tendis un billet de cinq roubles :

— Oui, s'il vous plaît.

Il sortit son porte-monnaie en cuir et fouilla à l'intérieur.

— C'est trois roubles, dit-il gravement.

Juif arrogant.

— Deux roubles, c'est votre prime de diplôme.

Mon regard glissa sur l'annonce fraîchement collée sur la porte d'entrée et mon cœur se souleva comme si j'avais reçu un coup de poing dans la rate. «La compagnie d'exploitation recherche des *dvorniks* et des machinistes de chaudière.»

Maudit machiniste, comment t'es-tu faufilé jusqu'ici ?

Sans trop savoir pourquoi, je me retournai pour regarder le juif-professeur. Sans se presser, il enlevait la neige de ma voiture à l'aide de son balai. Mais non, voyons, il n'y est pour rien. Il y en a plein ici, des comme lui.

Ici, ce n'est pas Lianosovo, ce n'est pas le chantier

abandonné de la planète Mars. Non, c'est un quartier snob, Aéroport, un faubourg d'élite. Un ghetto rose. Peuplé d'aéroporcs.

Atmosphère de porcherie, de mensonge et de peur. Aéroport. Vers quelle destination volons-nous ?

Hallucinations. Visions de malade. Ce qu'il me faut maintenant, c'est une douche et un plumard. Dormir, dormir, oublier.

Le concierge, Tikhon Ivanovitch, se souleva de derrière son bureau et me gratifia d'un salut quasi réglementaire. Tikhon est des nôtres, c'est un vétéran, retraité des troupes d'escorte. Il ne sait rien, absolument rien sur moi, mais jusqu'au plus profond de son système lymphatique et de sa moelle épinière quelque chose lui rappelle qu'aujourd'hui comme hier, toute sa vie, avant même notre naissance, j'étais et je suis son supérieur. Et que je le serai toujours.

— Votre fille est passée hier. Elle est restée, mais pas longtemps…

Bravo, patrouilleur ! Il n'avait vu Maïka que deux ou trois fois, mais avait gardé son visage en mémoire et savait apprécier une situation.

— Une voiture étrangère. Un peu comme la vôtre. La plaque n'est pas d'ici. Un homme l'a attendue le temps qu'elle monte chez vous.

Ma fille était devenue une vraie petite putain. Même caractère que son père. L'hérédité. Grand bien lui fasse, après tout, ce qui compte, c'est la santé. Dommage qu'elle fricote avec des étrangers. Non seulement ça ne lui servira pas à grand-chose mais ça pourrait gâcher mes affaires. Je ne passe pas inaperçu. La Boutique ne fait pas de détails, peu lui importe que je ne connaisse pas ces gens-là. Et que je ne veuille pas les connaître. Ils font ce qu'ils veulent. Je veux les oublier.

Qui c'est, ce chauffeur? J'aimerais bien le savoir. Un homme d'affaires ou un diplomate? Un démocrate, un neutre ou un capitaliste? Chez nous, toutes ces nuances ont de l'importance. Mon garde-chiourme, mon chien fidèle de Vologda, Tikhon Ivanovitch, ne sait pas les apprécier; tout ce qu'il pourra dire au responsable de l'arrondissement de la Boutique, avec tout le profond respect et l'amitié qu'il me doit, c'est que j'ai «des contacts avec des étrangers». À la première occasion, ils me le ressortiront. Tout bardé d'honneur que je suis, le principe reste le même: regarde bien autour de toi si quelqu'un ne cherche pas à te noyer.

En une fraction de seconde, comme un coup de feu, ces pensées traversèrent ma tête, je tapotai le concierge sur l'épaule et m'esclaffai:

— Il y a erreur, Tikhon Ivanovitch. La plaque n'est pas d'ici, mais le chauffeur est un homme à moi. C'est prévu...

Le chien de garde fut brusquement soulagé du poids de cette immense responsabilité, en même temps que fondait son inquiétude devant tant de désordre observé sur son territoire, parce que ce mot de passe magique, «C'est prévu», avait rétabli le point dans l'objectif et que sa position était redevenue nette.

C'est prévu. La réponse universelle à toutes les questions insolubles de la vie. C'est prévu. Prémisse absolue. C'est prévu. Conclusion absolue, qui ne souffre aucune question subsidiaire et inutile du genre: pour qui? pourquoi? comment? Tout est prévu. Lauriers de la connaissance.

Voilà que le visage bonhomme de paysan ridé de mon fidèle gardien s'éclaire de la plus profonde satisfaction. Les bleuets de ses yeux baignent dans une eau printanière. Ses cheveux blancs sont soigneusement peignés derrière ses oreilles décollées. Dans sa respectabilité polie, son aspect provincial insignifiant, ses oreilles décollées, si incongrues chez un homme d'un certain âge, Tikhon Ivanovitch me fait penser à Egon Steiner.

Que ce fût pendant l'instruction ou au cours de son procès, jamais Egon Steiner n'était parvenu à comprendre de quoi on l'accusait au juste. Il ne faisait pas semblant, il ne comprenait vraiment pas. Il n'avait tué personne. Conformément aux ordres de sa direction, dans le secteur dont il avait la charge, en remplissant toutes les conditions technologiques et en respectant les règles de sécurité, il supervisait les compresseurs refoulant dans des chambres hermétiques une substance chimique appelée zyklon B, ce qui avait pour conséquence la mort de juifs, de Tziganes, de Polonais révoltés et de malades incurables.

J'eus de longues conversations avec lui à Fribourg pendant le procès, où je fus envoyé comme représentant de la partie soviétique dans l'accusation d'assassinats collectifs perpétrés par un groupe de SS arrêtés à Bonn.

Steiner ne comprit pas cette accusation et plaida non coupable. Les assassins sont des scélérats qui troublent l'ordre public, des hors-la-loi qui dépouillent les gens de leur vie et de leur bourse. Lui, Steiner, n'était pas un assassin, mais un très bon mécanicien, tout le monde sait qu'il a toujours respecté la loi, c'est un homme pieux, il a une femme et des enfants, et il n'a agi que dans la légalité. Il appliquait la loi d'alors. Ce n'est pas de sa faute si les lois changent aussi souvent. Tout homme convenable doit appliquer les lois de son pays et c'est honteux d'exiger leur strict respect et de qualifier, quelques années plus tard, cette conduite de criminelle. Et c'est encore plus insensé de le juger pour ça.

J'avais pitié de lui. Je le comprenais.

Au procès, évidemment, je n'avais parlé que des larmes et du sang des millions de victimes et réclamé un châtiment sans pitié pour ces dégénérés. Mais moi, je ne les croyais pas dégénérés. Au contraire, ils étaient le fruit de notre monde insensé.

Et je remerciai chaleureusement le Créateur qu'aucun de nous ne soit menacé de l'horrible amertume de Nuremberg avec sa vérité folle et destructrice. Oui, je le remerciai, et pas pour moi seul, mais pour nous tous, pour tout notre peuple. Il vaut mieux ne rien savoir. Ces gros culs de libéraux occidentaux ne comprendraient pas la moitié de l'horrible Vérité, et nous, ici, de ce côté, nous nous haïrions pour toujours, nous nous entretuerions, transformés en meute de bêtes sanguinaires.

Non, nous n'avons pas besoin de cette vérité. Le temps soufflera sur les plaies, les décennies se cacheront sous la poussière de l'oubli.

Allez, dis-moi, petit vieux aux yeux bleus, aimable Tikhon Ivanovitch, tu crois que les habitants de cet immeuble ont besoin de savoir ce que tu fabriquais il y a vingt ans de cela ? Aujourd'hui, tu les accueilles avec un gentil sourire, tu aides à rentrer les poussettes, à porter les cabas à provisions jusqu'à l'ascenseur et, en échange, ils t'offrent des cartes de vœux, des bouteilles de vodka et du chocolat pour tes petits-fils. Le grand amour.

Ils ne savent pas que tu es pareil à un vieux fusil à canon scié, vieux mais toujours graissé, caché dans la grange pour les jours meilleurs. Dieu les préserve de te voir à l'œuvre de nouveau !

Ils secoueraient leurs têtes si intelligentes, tendraient leurs bras débiles au ciel : «Mon Dieu, comment est-ce possible ? C'était un homme si aimable, si prévenant ! D'où vient toute cette cruauté ? »

Et c'est aussi bien qu'ils ne sachent rien sur nous. Sinon, ils voudraient nous tuer. Bien sûr, ils ne savent pas tuer. Il n'y a que lui et moi qui en soyons capables. Quel désordre inouï ça provoquerait ! Porte-toi bien, mon vieux. Il nous faut du repos. Nous l'avons mérité.

J'appelai l'ascenseur, la porte d'acier gainée de caoutchouc s'ouvrit, comme la lame d'une guillotine, et c'est là que le concierge me dit :

— Quelqu'un vous a demandé, hier soir...

Je me tournai vers lui :

— Qui ça ?

— Je ne sais pas. Il n'avait l'air de rien en particulier.

Le vieux fouilla dans les méandres de sa mémoire moussue à la recherche de détails nécessaires pour établir un portrait signalétique réglementaire :

— Maigre, grand, voûté, couleur de cheveux grise, visage banal, signes particuliers néant.

De nouveau mon cœur se souleva, épouvanté, je perdis le contrôle et posai une question idiote :

— En uniforme d'écolier ?

Le vieux me jeta un coup d'œil préoccupé :

— D'écolier ? Pourquoi, bon Dieu ? Il a passé l'âge. Il était bizarre, il se tordait dans tous les sens, comme un ver...

Dans le mille. Le Machiniste. Soudain sans force, je m'appuyai contre le mur. J'entendis au-dessus de moi le cliquetis menaçant de la machinerie, la lame de caoutchouc de la guillotine retomba avec un fracas désolé. Et juste à ce moment-là, poussés par la peur, surgirent des souvenirs depuis si longtemps oubliés...

Le capitaine Samed Rzaïev, un garçon de Bakou lugubre et velu, obtenait lors de l'instruction des résultats remarquables. Il avait une méthode qui consistait à coincer dans la porte les testicules de ceux qu'il avait en charge d'interroger. Il attachait la victime au linteau et appuyait sur la poignée de la porte, d'abord doucement, puis de plus en plus fort. Tout le monde avouait. Seule exception, un instituteur-saboteur. À peine Samed avait-il appuyé sur la porte que l'autre était mort sous le choc.

Quel merdier! Pourquoi toutes ces conneries me passent par la tête? Qu'est-ce que le Machiniste a à voir là-dedans?

J'appuyai sur le bouton du quinzième étage, le moteur vrombit quelque part là-haut, les câbles se tendirent et la cabine monta, avec moi dedans, à moitié mort, les yeux fermés d'angoisse, gémissant d'impuissance — un noyau gâté dans sa coquille.

Puis, de nouveau, j'entendis la machine cliqueter : j'étais arrivé. J'ouvris les yeux et je vis une feuille de papier accrochée sur la porte de l'ascenseur. L'annonce était rédigée d'une écriture d'écolier : «La troisième compagnie d'exploitation recherche un machiniste de chaudière… Paiement… Pour un mois…»

Tu m'as cerné, charogne? Mais qui c'est, ce type? D'où il sort? Il ne suffit pas de se dire : c'est prévu. Je sais très bien, moi, que ce n'est pas prévu. Et maintenant j'hésitais à pousser la porte de l'ascenseur.

Je craignais de m'engager sur le palier — le Machiniste pouvait surgir de l'obscurité de la cage d'escalier et planter ses dents de vampire dans ma carotide en poussant des cris terrifiants. J'avais peur d'arracher l'annonce. J'avais peur de la laisser. Je savais que cette lettre m'était destinée.

Je ne pouvais pas demeurer plus longtemps dans l'ascenseur : le concierge, qui suivait attentivement tous les déplacements des locataires dans l'immeuble sur le tableau lumineux, devait déjà se demander ce que j'attendais pour sortir de la cabine. C'est peut-être lui qui avait accroché cette feuille, juste pour me tester ?

Conneries ! Qu'est-ce qui me prend ? À force de me pinter la gueule et de me conduire comme un voyou, je suis devenu complètement cinglé. Il faut que je sorte de cet ascenseur ; vite, sous la douche, et au plumard.

Mais les vieilles habitudes et les réflexes s'éveillaient peu à peu et envoyaient des signaux invisibles à tous mes nerfs et muscles, qui se tendaient sous le cri muet du danger : c'étaient là mes seules armes, leurs voix silencieuses retentirent en moi, et, sous un afflux violent de sang, tout le mécanisme crissa comme la culasse d'un fusil chargé.

Je me penchai, sautai au milieu du palier, me retournai immédiatement, les bras pliés, les coudes en avant, parant le coup fatal.

La porte de l'ascenseur se referma dans un vrombissement et le palier fut brusquement plongé dans l'obscurité comme si cette porte avait décapité l'ampoule. La cage d'escalier était silencieuse et déserte. Et cependant, tout en essayant d'ouvrir la porte de mon appartement, je me retournai plusieurs fois. Je n'avais pas honte d'avoir peur, j'avais raison puisque mon instinct animal et infaillible me prévenait d'un danger imminent.

Comme un fait exprès, la clef refusait de s'introduire dans la serrure. L'ampoule décapitée, pleine de lumière douce, filait avec l'ascenseur rejoindre Tikhon Ivanovitch, le matin pâle tentait une timide percée par la fenêtre et dans un silence pourtant complet j'entendais comme un bruissement, un clapotis, un chuchotement, un rire, ou peut-être même des pleurs.

Je scrutais le palier désert.

Le Machiniste… Paiement pour un mois…

La clef refusait toujours de s'introduire dans la serrure. Je l'approchai de mes yeux et la colère me saisit : c'était la clef de la Mercedes. Qu'est-ce qui m'arrive ? Moi qui peux forcer n'importe quelle serrure avec une lime à ongles et un chewing-gum !

Le ressort céda enfin et la porte s'ouvrit. L'entrée était plongée dans la pénombre. Avec volupté et frénésie, j'arrachai mes vêtements, la chapka, les chaussures, les chaussettes mouillées, poisseuses, répugnantes. J'aurais volontiers retiré le pantalon si je n'avais pas laissé mon caleçon chez la jeune plâtrière.

Les lattes du parquet tièdes, le tapis épais et délicat dorlotaient mes pieds rouges et glacés.

Marina était assise dans le fauteuil de la salle à manger. Habillée, maquillée, un livre ouvert dans les mains. Le lustre était éteint. J'avais compris. C'est ainsi qu'elle me signifiait ma conduite inadmissible et l'inconvenance pour un chargé de famille de rentrer à la maison au petit matin.

— Bonjour, Marina, dis-je avec une certaine bienveillance, car, après tout ce que j'avais vécu, c'eût été pire si j'avais trouvé le Machiniste assis dans le même fauteuil.

— Bonjour, mon cher époux, répondit-elle un peu sèchement, vous êtes-vous bien amusé, petit enfant turbulent ?

— Nullement, ma seule et unique, avouai-je sincèrement, tu m'as beaucoup manqué, mon amie, ma chère moitié…

— Pourquoi ne pas m'avoir appelée ? demanda-t-elle en souriant. Je t'aurais volontiers tenu compagnie.

Deux rides profondes apparurent aux coins de sa bouche : l'âge qui parle. Quoique, en vieillissant, Marina était devenue plus humaine.

Je fis un geste de dépit mais elle s'entêta :

— Tu sais, je suis comme les femmes des décembristes : s'il le fallait, je te suivrais jusqu'au bout du monde.

— Oui, acquiesçai-je. Le bout du monde : au restaurant, au théâtre, chez des amis.

— Même chez les putes. Je ne suis pas contrariante. J'ai bon caractère.

— C'est sûr. Il n'y en a pas de meilleur. Dis-moi, toi qui n'es pas contrariante, tu ne me trouverais pas quelque chose à grailler ?

— Grailler ?

Elle répéta le mot comme si elle se demandait ce qui conviendrait le mieux : de la strychnine ou de l'arsenic. Puis elle se mit à crier si fort que les si aigus de sa gamme se transformèrent en ultrasons et me transpercèrent les tympans :

— Que tes putains te donnent à bouffer de leur chatte, espèce de cabot en chaleur, charogne dévergondée ! Tu vas voir ce que tu vas bouffer, cent bites dans la gueule, reptile puant ! Raclure de bidet ! Porc ! Gueule de bandit !

Il ne restait plus rien de la beauté de Marina, de ses adorables taches de rousseur roses, elle était pareille à la flamme bleu et mauve d'un bec d'acétylène. En un jet puissant, elle expulsait toute sa haine contenue. D'horribles taches rouge et violet avaient empourpré son visage. Elle avait l'air d'un animal surréaliste. Un léopard vermeil. Non, plutôt une hyène rouge, à cause de cette façon qu'elle avait de montrer ses dents.

Pour ma part, j'étais tranquillement installé dans le fauteuil chaud et moelleux, les jambes repliées, observant avec beaucoup d'intérêt l'adorable compagne de ma vie. Seigneur, le bonheur existe aussi pour les maris! D'aucunes les quittent, d'autres passent sous une voiture, d'autres encore sont emportées par un cancer foudroyant. Et la mienne, rien, pas même une grippe de Hong Kong! Il ne lui arrive jamais rien. Elle est solide, ma bien-aimée, comme un tracteur à chenilles. Et pas un fils de pute pour me la prendre. Pourtant, elle souffre de plusieurs maladies, ma chère femme, graves, incurables et en même temps invisibles. Je ne peux observer leur évolution qu'en mesurant ce que me coûte en argent, en temps et en relations d'obtenir les médicaments ultramodernes, américains ou suisses. Qui disparaissent en un clin d'œil. Elle doit les vendre ou les échanger contre des cosmétiques français.

— Canaille puante! Lie de l'humanité! Voyou! Tricheur! Tu as gâché ma jeunesse! Tu as piétiné ma vie! Saleté! Pervers américain!

Pourquoi américain, Dieu seul le sait.

Je suis marié à une imbécile hurlante et vulgaire. Mais je n'y changerai rien. Les mariages modernes, c'est comme les guerres, on ne les déclare pas, on y rampe.

Pendant quatre ans, je vis briller les alliances de notre futur matrimonial dans ces yeux merveilleux couleur de miel. Comme un défenseur de la forteresse de Brest, je tins jusqu'à la dernière cartouche et j'étais prêt, même désarmé, à me battre avec les mains, les pieds et les dents, à tout, sauf me laisser passer ce petit anneau jaune au doigt, premier maillon de la chaîne qu'elle me passa au cou.

Enchaînés l'un à l'autre.

Peut-être y serais-je parvenu, mais mon insouciance stupide m'avait perdu. J'étais à l'époque le directeur de thèse d'un joyeux escroc, Kassymov, vice-ministre de l'Intérieur du Kazakhstan. Une fois qu'il eut fini ses petites magouilles préparatoires, Kassymov m'invita avec tous les honneurs à la soutenance. Je décidai de faire passer la pilule contraceptive de ma séparation d'avec Marina par une belle nouba et l'invitai avec moi à Alma-Ata. Comme ça, elle aurait eu de bons souvenirs de moi.

J'aimais bien coucher avec elle. Voilà toute la question. Et c'est une question de goût.

Des dizaines de femmes passent dans ton lit, comme elles prennent le tram. Vous descendez à la prochaine ? Et puis un jour, celle que le ciel t'a choisie plonge dans ton plumard, alors que toi-même tu ne le sais pas encore, mais tout à coup, pendant que tu la déshabilles, voilà que tu es saisi d'une excitation fantastique, en une seule caresse, un attouchement, quelques baisers rapides, la sensation de chaleur entre ses jambes : le cœur tremble, le souffle est court, tu trembles comme si tu avais seize ans et une douce et incroyable pesanteur t'envahit les reins.

C'est alors que, dans un craquement sec, tu la pénètres avec volupté. Et tu disparais, englouti par cette béatitude primitive et magique, répugnante et furieuse, et elle, sous tes coups de boutoir, gémit, mugit, vagit, et la douleur qui te remonte dans la moelle épinière te dit qu'elle a un passe perpétuel pour voyager dans ce tram, que tu ne t'en lasseras jamais, comme tu ne te lasseras jamais de ce jeu farouche, parce que son *machin* à elle n'est pas comme chez n'importe quelle femme, mais doré à la feuille.

Puis, avant le moment suprême, juste avant que la crampe brûlante du bonheur ne te paralyse, alors que le hurlement de plaisir et d'épuisement est encore devant toi, quand, après un dernier coup de reins, tu sens la semence de la vie gicler en elle, tu as déjà envie de recommencer, encore, encore, encore! Et après, que tu la haïsses, qu'elle te dégoûte ou qu'elle t'ennuie, tu voudras toujours coucher avec elle.

Ah, Marina, Marina! En me rendant à l'invitation de Kassymov, dans le but d'informer le conseil scientifique sur la contribution qu'avait apportée mon joyeux étudiant à la théorie et la pratique du pot-de-vin, du racket et de l'abus de pouvoir, je voulais faire la fête pendant une semaine mais aussi te gâter. Et prendre du plaisir une dernière fois.

Parce que, à cette époque, même si j'en avais assez de toi, je me troublais encore rien qu'au souvenir de la première fois où je t'avais couchée dans mon lit, et mes jambes flageolaient dès que je caressais ta peau rose, couverte de duvet clair. Ton ventre sec et lisse.

Ton pubis, lui, est en renard. Une vraie chapka, riche, rousse, avec des taches sombres. De la soie.

Nous partîmes ensemble pour Alma-Ata. Le conseil scientifique fut abasourdi par l'étendue de la réflexion savante de mon mafioso kazakh et me témoigna une profonde reconnaissance pour ma participation aux travaux. Le certificat de thèse fut rédigé sur-le-champ, me semble-t-il dans le bureau d'à côté. Le cuir pour la reliure fut prélevé sur le premier délinquant venu. Peut-être même sur le premier venu.

Et alors commença une nouba d'enfer. Le juriste Kassymov avait dépêché ses bandits dans tous les kolkhozes avoisinants et nous passions en voiture d'un village à un autre. Les autochtones étaient heureux de nous montrer les excellents résultats de leur élevage et du développement socio-économique. Bechbarmak[1], testicules de moutons, pilaf, chachliks[2], poulain fumé, menthe, torrents de vodka. Beuverie infernale. Bouffe homérique. Étonnant développement socio-économique.

Assylbaï Assylbaïev, président du kolkhoze le « Kazakhstan libre », héros national, député, adoré par le peuple, organisa en notre honneur une fête sportive au stade du kolkhoze. Après la fête, il nous fit visiter, avec une fierté non dissimulée, la prison construite selon la méthode des chantiers populaires.

Je fus le premier étonné. C'était sans aucun doute une innovation dans le domaine pénitentiaire. La prison était gardée par les paysans du kolkhoze eux-mêmes, de vrais *basmatchi*[3]. À l'intérieur il y avait une cellule commune, quatre individuelles et pas de mitard.

Marina demanda à Kassymov :

— Personne ne se plaint ?

Notre juriste diplômé éclata de rire :

— Le camarade Assylbaïev est un homme de bon sens et d'avant-garde, il sait très bien qui doit aller en prison...

À tout hasard, j'évitai la visite de la prison : ce ne sont pas mes oignons, je n'ai rien vu. Kassymov se rendit compte qu'il avait manqué de tact à mon égard. Il fit un signe à ses tontons macoutes, qui

1. Plat bachkiro-kirghize à base de mouton et de farine.
2. Brochettes caucasiennes de mouton préalablement mariné.
3. Bandes organisées qui se sont opposées aux Rouges pendant la guerre civile de 1918-1922, en Asie centrale. Devenus synonyme de bandits.

nous emmenèrent aussitôt au village voisin où, selon les instructions de Kassymov, on nous fit subir une coutume traditionnelle remontant aux Timurides. Nous fûmes plongés dans un bassin rempli de vin. Un bon vin sec. À la surface du bassin, entre les pétales de rose flottaient des jattes pleines de chocolats finnois de la marque Marli. Les Timurides avaient assurément passé leur existence à bouffer des chocolats finnois.

Comme on pouvait s'y attendre, tout se termina par une beuverie générale. Je m'étais débranché un peu avant.

Kassymov, qui tenait à peine debout, baisait les mains de Marina et la suppliait de lui demander n'importe quoi pour qu'il puisse me prouver son amour et sa reconnaissance, son empressement et sa capacité de soutenir sa thèse d'État dans les plus brefs délais.

Bien sûr, je n'avais rien vu de tout cela, mais en revanche je connais bien ma crétine rose et rusée. Elle riait aux éclats avec des modulations dans la gorge, repoussait tendrement Kassymov et pépiait, et roucoulait, répétant que nous n'avions besoin de rien, que nous avions tout, que notre bien le plus précieux était notre amour. Et jamais elle n'avait été aussi heureuse qu'aujourd'hui grâce à l'hospitalité d'un homme comme lui, Kassymov. Jamais elle ne pourrait l'être davantage. Quoique... C'est juste une idée qui passe par la tête ! Pour rendre indélébile le souvenir de toute cette joie, elle aimerait que nous puissions nous marier sur cette terre antique, entourés d'amis sincères, dans un simple village de la steppe. Mais c'est impossible, n'est-ce pas ?

— Impossible ? hurla le petit satrape, profondément vexé par la supposition qu'il ne pourrait pas violer la loi. Je serai votre témoin.

On alla sur-le-champ réveiller le président du soviet du village, on sortit les voitures, puis on me tira du lit à mon tour. J'étais complètement hébété, ivre mort et furieux après ces crevures qui ne tenaient pas en place et inventaient je ne sais quelles nouvelles coutumes traditionnelles au milieu de la nuit, au lieu de me laisser en paix et de dormir eux-mêmes.

On me conduisit jusqu'à la voiture, nous roulâmes un moment, je me souviens qu'on se retrouva ensuite dans un bureau avec un drapeau et le portrait de Lénine. Quelqu'un parla, puis éclata la salve de vingt et un bouchons de champagne, on me couvrit de mousse, tout le monde hurlait «Hourra!» et, je ne sais pas pourquoi, «Vive les mariées!», on m'embrassait, on me triturait, Marina me couvrait de baisers et me caressait tendrement. Puis de nouveau nous roulâmes en voiture. Après, nous nous couchâmes. J'étais si soûl que je plongeai dans le sommeil sans même l'avoir baisée.

Le matin, je découvris sur la table de nuit nos deux passeports, l'un dans l'autre. Légalement l'un dans l'autre, tamponnés.

Enchaînés l'un à l'autre. Les douces chaînes de l'hyménée. Dont le bout se trouve quelque part dans un coffre du comité du Parti.

— ... Pou infect! Merdeux! Sale mec! Putain de connard!

Ah, elle commençait à se répéter. Donc, ça tirait à sa fin. Elle n'a pas le talent pour la vraie hystérie, la vraie fougue de la haine vivante. C'est un numéro qu'elle met au point. Elle se fout complètement de savoir où j'ai traîné. Elle met en pratique le programme de soutien de la vie familiale bien ordonnée. Une chose compte pour elle : que je sois présent, que je fasse partie officiellement de ce qu'on nomme une famille. Qu'il y ait l'argent, les certificats, les stations balnéaires, les Mercedes, une entrée chez tous les créateurs de Moscou. Pour qu'elle puisse lâcher l'air de rien à ses amis : «Je ne fais pas mes robes moi-même.»

Mon Dieu, quel dommage qu'elle soit si bête! Si elle avait un poil plus de jugeote, on aurait pu s'entendre à notre grande satisfaction mutuelle. Mais c'est une débile. Comme un animal rusé, elle sent dans sa moelle épinière que je peux la gruger, que n'importe quelle alliance passée avec elle est une escroquerie de ma part et qu'elle ne doit surtout pas faire la maligne, mais marcher droit devant et creuser son sillon. Elle se doute que je ne peux pas divorcer. On dirait qu'elle ne sait presque rien de ma vie, mais suffisamment pour me créer de gros ennuis. Chez nous, on a le droit de faire n'importe quoi, pourvu que personne n'en sache rien.

Je voyais ses petits crocs de nacre humides, les taches sombres sur son visage, de plus en plus larges, l'éclat furieux de ses yeux de miel invraisemblables et ne ressentais aucun désir de la frapper. Même pas de lui cracher dessus, comme hier sur le Machiniste.

J'aurais aimé la démembrer. Si on la tuait simplement, elle renaîtrait au bout de quelque temps, comme un être végétal inanimé.

Oui, il faudrait la démembrer. Comme une hydre. Expédier tous les morceaux, un par un, dans des trains omnibus, loin d'ici. Et jeter la tête dans les égouts.

— Porc! Chien! Âne! Délinquant!

La répétition est le début de la fin. Comme dit la chanson : «Moscou s'apaise, l'horizon se teinte de bleu…»

Je me levai du fauteuil et dis sur un ton doucereux :

— Calme-toi, mon petit. Va te faire foutre,
connasse...

Et je m'en allai à la cuisine. Maintenant, elle va
sangloter un peu et faire la gueule pendant un ou
deux jours, jusqu'à ce que ses revendeuses lui rapportent quelque chose de nouveau et de rare. Alors
elle plongera dans mon plumard et, avec force
larmes et reproches d'une si soudaine indifférence,
elle sucera tout l'argent dont elle aura besoin.

J'ouvris le frigo — il était vide. Les souris jouent
à chat perché et se demandent comment on peut
vivre ainsi.

On vit comme on peut. Deux carrés de fromage à
pâte fondue, un pot de miel, des noix : un nouveau
régime, certainement. À la maison, il n'y a jamais
rien à manger. Juste des conserves. Marina ne fait
jamais la cuisine. C'est une de ses maladies incurables. L'allergie au chaud. Elle ne peut pas rester
près de la cuisinière.

Je me console en pensant qu'elle aura bien du mal
au crématoire, avec son allergie au chaud. Les gazi-
nières y sont très chaudes.

Ainsi, nous mangeons exclusivement au restaurant. Ça coûte une fortune et, surtout, à cause du
pillage général et éhonté, la nourriture servie dans
les restaurants est plus efficace pour détruire un
estomac qu'une bombe incendiaire.

Qu'elle aille au diable ! On ne pourra rien changer. Tâcher d'approfondir la question suivante :
comment la tuer de façon satisfaisante ?

Marina se posta dans l'embrasure de la porte
de la cuisine, m'observa, indifférente, dans mes
vaines recherches de thé, puis dit sur un ton
neutre :

— Je te hais. Tu as gâché ma vie.

— Divorçons, proposai-je sans beaucoup d'espoir. En tout bien tout honneur.

— Ah, nous y voilà… Je sais ce que tu as en tête. Tu m'as utilisée tant que j'étais jeune, tu as gâché ma beauté et maintenant tu veux te débarrasser de moi.

Mon Dieu, quelle femme vulgaire. Quelle bêtise abyssale.

— Je vais t'arranger quelque chose dont tu te souviendras toute ta vie, promit-elle mollement.

Mais je n'avais pas compris que derrière cette indifférence se cachait une misérable obstination de bouledogue. S'il le fallait, elle écrirait des milliers de plaintes à toutes les instances possibles. Pour m'achever. Un bouledogue aura toujours le dessus sur un loup.

— Je te hais, répéta-t-elle stupidement.

— Tu as tort, rétorquai-je ; notre ami commun, le père Alexandre, dit que, lorsque l'homme est en proie à la haine, il est habité par Satan.

— C'est toi, Satan, déclara-t-elle, péremptoire. Tu es le diable de l'enfer. Tu n'as pas honte ?

— Peut-être que je suis Satan, Lucifer, le diable, le démon, le Malin, tout ce que tu veux, mais fous-moi la paix, au nom du Christ !

Elle m'énervait tellement que je n'avais même plus sommeil.

— Dis donc, pourquoi elle est venue, Maïka ?

Marina se pinça sèchement les lèvres.

— Ma belle-fille ne se croit pas obligée de me rendre des comptes.

Je poussai un soupir de lassitude :

— Réfléchis un peu avant de dire des inepties ! Ta belle-fille a un an de plus que toi ! Tu ne l'as vue que deux fois en tout et pour tout.

— Ce n'est pas le problème! Quand une femme décide de se marier, elle peut demander conseil. Si ce n'est pas à ses parents, en tout cas à des gens qui ont de l'expérience...

— Qui se marie? Maïka? demandai-je, stupéfait.

Et dans mon esprit passa comme une fusée le rapport du concierge dans l'entrée de l'immeuble: «Voiture étrangère... La plaque n'est pas d'ici...» Homme d'affaires? Diplomate? Neutre? Capitaliste?

J'étais abasourdi. Cette petite aventure pouvait mettre fin à toute mon entreprise.

Ah, fifille, comme tu combles de joie ton vieux père!

Les épouses des impies sont insensées, et leurs enfants sont méchants, et maudite est leur race...

C'est de moi que tu parles, Salomon?

Marina marmonnait sans discontinuer et j'avais du mal à comprendre le sens général de tout ce galimatias. Comme dans un film mal synchronisé, sa bouche déversait des sons inconnus, rappelant vaguement la voix stridente déjà entendue quelque part.

— Elle n'a pas donné d'explication. Elle se marie. C'est un étranger... Dans un mois... C'est un Allemand de RFA... Je ne me souviens pas du nom de la ville... Machinbourg, Machinick, quelque chose comme ça...

Machinbourg. Ça n'existe pas. Ou peut-être que si?

Machinbourg. Machin. Machiniste. MACHINISTE. Délais... voix... un mois... stridente... Machinbourg... Machiniste.

C'est elle qui a accouché du Machiniste.

Le Machiniste s'est installé dans le corps de Marina. Pendant que j'étais chez la plâtrière, il était à l'intérieur de Marina. Séduit par son allergie au chaud. Il a fait son nid. Dans son corps. Ça va mal.

4

Ab ovo

J'étais plongé dans la mousse blanche et les vagues chaudes de mon bain. Le silence régnait dans l'appartement, comme si Marina était morte, là-bas, derrière la porte. Espoir sans fondement, certes, mais la pensée m'était douce. Rare plaisir d'une matinée de cauchemar. Lorsque l'angoisse et la peur devenaient insupportables, j'émergeais de la mousse, attrapais la bouteille de whisky, avalais deux bonnes gorgées, buvais un peu d'eau du robinet et replongeais dans les petites bulles pétillantes. Je ressemblais certainement au chérubin qui, du haut de son nuage blanc, observe notre terre si répugnante. J'aurais voulu m'assoupir dans cette baignoire, mais l'angoisse me coupait le souffle et, violente comme la nausée, avait chassé le sommeil. Le chérubin a fait sous lui.

Ainsi, mon cher Ubain merdeux, ça sent le roussi. Je peux briser n'importe qui, je peux obliger ma crétine chérie à faire ce que je lui dirai de faire. Tout dépend des moyens et de ma force de persuasion. Je peux briser n'importe qui, sauf Maïka. Elle se fait fort de ne jamais m'obéir. Par principe. Je pense qu'elle me hait et sa haine est bien affûtée. Elle cultive ce sentiment comme un jardinier chouchoute une rose rare. Elle me parle comme si nous étions des copains, avec cette familiarité soi-disant moderne : « Écoute, Khvatkine », « Arrête ça, veux-tu, Khvatkine », « Khvatkine, ça ne prend pas avec moi »…

Peut-être me serais-je laissé prendre à cette arnaque, à la fausse simplicité de ces relations, si elle avait consenti à porter le nom de Khvatkine et non celui de sa mère, Lourié. Par les temps qui courent ! Alors que n'importe quel juif cherche à se dissimuler derrière le paravent d'un nom russe, arménien, tatar et pourquoi pas chinois, mais surtout pas juif !

Je notais scrupuleusement toutes les situations où il arrivait à Maïka de m'appeler « papa » : sa mâchoire se raidissait et ses lèvres pulpeuses s'écartaient comme si elle s'apprêtait à avaler une grenouille.

J'aurais jeté dehors n'importe qui d'autre à sa place, après l'avoir maudit et démembré. N'importe qui sauf Maïka. Parce que la vie m'avait joué un sale tour.

Elle n'a rien de moi, pas un nerf, pas un os. C'est la copie conforme, la réincarnation absolue de sa maman, ma première femme, Rimma Lourié. Et puisque là-haut, dans le ciel, ou ailleurs, dans quelque cosmos, tout est écrit une fois pour toutes, il y fut décidé que je les aimerais et qu'elles me haïraient en échange. Voilà pourquoi je les ai tant torturées, ces salopes.

Mon organisme transi avait beau être réchauffé à la fois par le bain et par le whisky, la sensation de frisson au fond de l'âme ne se dissipait pas. J'avais l'esprit absolument vide, pas une pensée qui vaille. Je me disais que j'aurais du mal à communiquer avec mon futur gendre. Après tout, je suis un simple professeur soviétique, je ne connais pas les langues étrangères.

Je n'ai appris que le latin. Un jour, un type très doué a inventé un truc pour les intellectuels comme moi : tu regardes à la fin du *Dictionnaire des mots étrangers*, c'est là que sont rassemblées les phrases essentielles de la langue morte des césars et des pharmaciens. Avec leur transcription en cyrillique.

Tout en lavant ma chair pécheresse, je me mis à égrener mes souvenirs *ab ovo*, depuis l'œuf, depuis le tout début...

Depuis cet automne. L'automne 1949. Moscou. Sokolniki. Rue 2e Polevoï, numéro 8. Les pavés gris luisants. Les feuilles de bardane, vertes mais fatiguées sous la poussière. Le soir mauve humide. Derniers feux du soleil couchant, rougeoyant dans la brume. Boules d'or fanées jetées à gros coups de pinceau dans les jardins des petites maisons campagnardes. Clapotis de l'eau dans la borne-fontaine. Petite porte en fer forgé dans la palissade. Et la douce lumière multicolore du vitrage de la porte d'entrée. Tout près, un phonographe s'époumone par le vasistas :

Le soir venu, j'irai au bord de la mer, au bord de la mer,
Pour y rencontrer une jolie fille,
Tiritombe, tiritombe, chante ma chanson...

Ça, ma petite Maïka, c'est la maison de ton grand-père, le professeur Lev Semionovitch Lourié. Tu n'as jamais connu ton grand-père, il est mort avant ta naissance. Plus une trace non plus de ta maison, de cette ruelle, de ce quartier, démoli pour laisser la place à de grands immeubles inhabités, comme à Lianosovo.

Avant de pénétrer pour la première fois dans cette maison, je m'attardai dans le jardin. Quelques petites pommes rouges pendaient encore sur les branches du vieux pommier à tronc creux. J'en cueillis une et mordis dedans : un peu blette, sucrée, très froide, elle avait un goût extraordinaire et une odeur de terre et d'hiver. Des pépins durs et amers. Je me souviens encore du goût de ces pépins de pomme. Et du phonographe qui sanglotait passionnément :

> *Pour y rencontrer une jolie fille,*
> *Aux boucles d'or magnifiques*
> *Un rire léger s'échappant de ses lèvres.*
> *Tiritombe, tiritombe, chante ma chanson...*

Ensuite, je sonnai à la porte. J'étais venu pour arrêter ton grand-père et l'emmener en prison. Ton grand-père était un médecin-saboteur et un espion. Il fallait donc l'arrêter.

Ah, ma petite fille, si aujourd'hui tu te montres si courageuse et si arrogante avec moi, c'est parce que tu ne sais rien de ce qui s'est passé en ces temps-là. Ou si peu. Ce qu'en disent quelques livres rares, les histoires chuchotées par tes amis cultivés, les radios étrangères et les confidences intimes de ta maman. Mais tout ça, c'est de la gnognote. Celui qui n'a pas vécu tout cela, qui, faible et vulnérable, n'a pas éprouvé les brûlures de la peur animale, la peur de l'esclave face à une volonté cruelle et toute-puissante, ne pourra pas comprendre.

Chaque nuit, chaque jour, ceux qui vivaient à cette époque s'attendaient à ce qu'on vienne perquisitionner chez eux ou les arrêter. Ils cherchaient même à comprendre la logique de la punition, pourquoi eux et pourquoi maintenant. Quel était le critère ? La profession ? La nationalité ? La campagne de dénonciation du jour ? Les origines ? La famille à l'étranger ? L'ordre alphabétique ?

Où vous arrête-t-on ? Au travail ? À la maison ? En vacances ? À l'arrêt de tram ? Seulement à Moscou ? Ou aussi en province ?

Quand vous arrête-t-on ? À l'aube ? La nuit ? Avant le dîner ? Au milieu de la journée, au travail, invité à sortir du bureau juste une petite minute ?

Bien sûr, personne n'arrivait à établir un système cohérent, parce qu'ils refusaient de comprendre qu'on vous arrêtait n'importe où, n'importe quand, pour tout et pour rien. Si tous ceux-là l'avaient compris, ils auraient pu garder une petite chance de salut. Ou l'espoir d'une mort digne. Mais ils ne pouvaient pas. Ainsi, tout en redoutant cet instant pendant des années, ils n'étaient jamais prêts lorsque la phrase les atteignait de plein fouet : « Vous êtes en état d'arrestation. »

Le grand-père Lourié était assis à table, qui n'était pas encore desservie après le dîner. Une vraie salle à manger de professeur, avec des meubles noirs et un lourd lustre de bronze. Des rideaux en peluche bruns bordés de tissu brillant, l'argenterie scintillante, le reflet mat des vieilles gravures aux murs. Le grand-père vivait dans l'aisance, c'était le meilleur urologue de Moscou, consultant à la clinique du Kremlin.

Ce beau vieillard juif se tenait immobile derrière la table, serrant les mains de toutes ses forces pour les empêcher de trembler. Il avait réussi à garder une apparence convenable, mais on devinait au battement hystérique de la veine sur son cou lisse qu'il était saisi de désespoir. Et, dans ce silence mortel, on n'entendait que le hurlement déchirant du phonographe qui jubilait dans la rue : « Tiritombe, tiritombe... »

— Commencez la perquisition, ordonnai-je à mes aigles, et la meute affamée se rua dans les chambres, se dispersant dans toute la maison.

Lourié leva la tête, me regarda à travers les verres embués des lunettes, cligna douloureusement des paupières et demanda :

— Dites-moi ce que vous cherchez... Je peux peut-être vous aider ?

Nous cherchions les preuves de ses activités criminelles. Tiritombe, tiritombe, chante ma chanson...

Surgit alors Minka Rioumine, qui hurla :

— Silence ! On ne vous a rien demandé !

Lourié hocha tristement la tête. Sa femme éclata en sanglots.

— Veux-tu cesser, Fira, ce n'est pas la peine. Ne me brise pas le cœur, demanda Lourié d'une voix douce, en prononçant les *r* à la française, et ce n'était plus un professeur célèbre dans sa salle à manger opulente que je voyais assis devant moi, mais un petit tailleur d'une bourgade biélorusse avant un pogrom.

Il avait soudain rapetissé. Tout gris, le dos voûté, il n'y avait plus trace de son aplomb de juif, tandis que sa noble chevelure blanche avait terni, comme parsemée de pellicules. Sa femme poussait des gémissements de chiot, comme si elle avait compris que tout était fini. Ainsi pleure le chien près du cadavre de son maître.

Avait-elle peur ? Devinait-elle ? Savait-elle ? Tiritombe, tiritombe...

Qu'est-ce que c'est, *tiritombe* ? Peut-être un nom ?

Je désignai à Mme Lourié le carton posé sur le dessus de l'immense buffet noir :

83

— Qu'est-ce que c'est, là-haut ?

— Un service à thé, c'est tout.

Je fis un clin d'œil à Rioumine. Il approcha une chaise du buffet, grimpa avec peine — déjà à l'époque il avait son bedon bien tendu —, se hissa jusqu'au dessus du buffet, attrapa le carton, le tira vers lui et d'un coup bref le précipita à terre.

Le fracas assourdissant de la vaisselle brisée en mille morceaux couvrit le ululement de la «tiri-tombe». Et Fira Lourié comprit aussitôt ce que valaient leur maison, leur vie et leur avenir. Elle n'ouvrit plus la bouche.

Les morceaux de porcelaine multicolore se répandirent sur le sol. On entendait encore quelque chose tintinnabuler piteusement à l'intérieur du carton quand la porte s'ouvrit et Rimma entra dans la pièce. Elle revenait de l'institut mais avait mani-festement manqué le thé du soir familial. Pour tou-jours. Le service de porcelaine chantait sa dernière chanson, impuissante et désespérée.

Quant à moi, je n'avais pas besoin d'aller au bord de la mer le soir pour y rencontrer la belle. Elle était venue d'elle-même. Certes, elle n'avait pas de boucles d'or magnifiques, mais des cheveux longs noir corbeau, serrés dans un gros chignon. Point de rire léger non plus sur ses lèvres, la crampe de la douleur lui dessinant une grimace hideuse, comme lorsque toi, Maïka, tu dis : «Pa-pa.»

Tiritombe, tiritombe, tiritombe, chante ma chan-son !

Elle portait une canadienne en cuir brun, une large jupe écossaise en laine et tenait dans sa main la petite valise à la mode chez les étudiants. Un fou-lard jaune cachait son maigre cou, si long et si faible qu'on avait envie d'y poser les doigts et de serrer très fort.

Dommage que la «tiritombe» n'ait rien dit de ses yeux. Moi, je n'en suis pas capable. Oh, maudite semence juive, qui depuis l'aïeule Rachel transmet ces yeux noirs immenses et légèrement humides! Pas si noirs, en vérité, mais brun foncé, qui renferment l'éternité de la noix et la douceur du miel, la pupille sans fond perdue dans l'aube bleuâtre, sous le duvet tendre et craintif des cils. Sans oublier l'humidité plaintive, comme il se doit. L'œil de l'agneau sacrificatoire.

Dieu du ciel! Pourquoi personne ne s'est jamais douté que les yeux ne reflètent rien, mais irradient l'énergie de l'âme! Ou, pour employer les pauvres termes d'aujourd'hui, qu'ils sont les radars de notre cœur, de notre nature profonde, de notre être véritable. On ne saurait expliquer autrement pourquoi tous ces morceaux multicolores du tissu humain — l'iris, la cornée, le blanc — sont chez certains d'ardentes fenêtres sur l'âme et chez d'autres de pâles cataractes d'idiots.

Oh! là! là! Comme elle regardait son père, comme elle regardait sa maison ravagée et souillée, comme elle nous regardait, nous!

J'étais assis dans un coin, sur l'accoudoir épais du fauteuil en cuir, et l'observais. Elle regardait son père et il n'y avait, dans son regard, ni étonnement ni peur. Mais un immense malheur. Le malheur obscurcissait ses yeux, qui, comme deux cerises mûres débordantes de jus, éclatèrent en grosses gouttes claires, suivies rapidement de deux autres, puis de deux encore… En petites rigoles, elles coulèrent sur le col du blouson, sur le foulard jaune.

Elle ne les essuyait pas, elle ne les remarquait même pas. Elle était pétrifiée et seul son menton tremblait douloureusement. Son père ne la quittait pas des yeux, comme pour enfoncer dans sa mémoire chaque ligne, chaque trait, chaque petit pli de son visage.

C'est difficile à croire, mais en les observant ainsi, l'un en partance pour l'indignité, la souffrance et la mort, l'autre, déjà déshonorée, éjectée hors de la vie sociale, l'orpheline de demain, je ressentis quelque chose qui ressemblait à de l'envie. C'étaient des rapports d'une nature inconnue de nous, les bâtards, les chiens errants.

Nous savions ce qu'étaient l'amour d'une fille, l'amour d'un père, nous en avions entendu parler. Les chiens aussi aiment leurs chiots et les chats leurs chatons. Là, c'étaient des morceaux vivants d'un tout, liés encore par le cordon ombilical. Ils se regardaient sans un mot et, dans ce silence terrible et brûlant, continuaient à se parler avec les yeux, promettaient, juraient, s'excusaient, remerciaient, pleuraient l'un l'autre et priaient.

Que vous êtes-vous dit de si grand, de si secret, de si éternel, pendant ces quelques secondes, sans desserrer les lèvres ?

Les juifs ne se reproduisent pas comme nous tous, les gens normaux. Ils se reproduisent par division.

Et, sans avoir vraiment réfléchi, sans avoir rien formulé encore, je compris, prévenu par une espèce de langueur dans la prostate et la plainte et le poids soudain des testicules, que je ne pourrais pas vivre sans cette fille, cette petite frimeuse juive si tendre, merveilleuse fleur de serre, grandie dans la jardinière fertile de la famille sémite, sous la bâche de l'éducation attentive du professeur.

Ab ovo…

Et de la même façon, en un instant, je compris inconsciemment que son papa était de trop. Je ne raisonnais pas, alors, je ne cherchais pas à piger quoi que ce soit ni à savoir s'il fallait le tuer, l'étrangler dans sa cellule ou l'envoyer dans un camp. Je savais juste qu'il détonnait dans le tableau noir et or du bonheur que me promettait cette fille-là. Tant qu'il serait vivant, elle ferait partie de lui et me haïrait pour toujours. Et moi je voulais qu'elle m'aime. Pour ça, il devait disparaître. S'évaporer.

Peut-être que si elle avait moins aimé son père, si elle ne s'était pas fait tant de souci au moment de son arrestation, ou bien si je n'avais pas été aussi professionnellement observateur, le grand-père Leva serait encore vivant aujourd'hui, professeur des trous au bas du ventre, rabbi Lourié.

Seulement, je les avais vus se regarder.

Aujourd'hui, ça peut paraître absurde, les temps ont changé, mais alors ma réaction était absolument normale, le temps n'allait pas de l'avant mais marchait à reculons. En un an, nous reculions de cent ans. Un an en avant, un siècle en arrière. Peut-on reprocher aux guerriers de Gengis Khan d'avoir tué les hommes et violé les femmes des villes qu'ils venaient de conquérir ? C'est la nature profonde de l'homme, c'est le levier du progrès social. Par bêtise et hypocrisie, les gens refusent d'accepter l'évidence.

Moi non plus, je ne me reproche rien, parce qu'on pourrait alors blâmer Rimma de ce que son si grand amour ait tué son père. Les actes et la morale des hommes se façonnent par le temps, par l'époque. Et l'époque doit prendre ses responsabilités. C'est honteux de punir les gens pour leurs exploits d'hier. En cela, mon garde-chiourme Tikhon Ivanovitch, mon vaillant Thuringeois de Vologda, dont le vrai nom est Steiner, a raison.

Mais en 1949 nous n'avions pas assez reculé dans le temps, il manquait deux petits siècles, pour qu'on puisse, pendant la perquisition, violer les femmes dont nous tombions amoureux. Et tout le reste a déjà eu lieu. D'ailleurs, je n'aime pas beaucoup ce mot, violer, un mot grossier, inexact.

Pourquoi violer ? Elle-même n'aurait pas dit non.

Ils se regardaient en silence. Comme diraient les Latins : *Cum tacent clamant*. Leur silence est semblable à un cri. Je ne sais pas comment se serait terminé ce cri muet, effrayant comme une photo d'assassinat, si Minka Rioumine n'avait pas bousculé Lourié :

— C'est tout. Ça suffit maintenant. Préparez-vous.

Assis sur mon large accoudoir, je donnai aussitôt la réplique :

— Tu ne pourrais pas être plus poli ?

Minka Rioumine, indispensable partenaire de ce genre d'intermèdes, se mit à grogner :

— On fait bien des manières avec eux !

Je hochai la tête, puis dis à voix basse mais distinctement :

— Quelle honte, camarade Rioumine. Un tchékiste ne doit pas se comporter de cette façon.

Et j'ajoutai d'un ton amer :

— Quelle honte. Tenez-vous-le pour dit.

Minka me regarda avec intérêt, la fille avec espoir. C'est vieux comme le monde et éternel comme lui. Différence des potentiels. Le courant de l'espérance humaine passe toujours du pire au meilleur. Et même si l'on ne pouvait pas me considérer comme ce qu'il y avait de meilleur, je n'étais visiblement pas le pire. Pour la fille, l'infime espoir de revoir son père vivant une fois qu'il aurait eu passé le seuil ne pouvait venir que de moi.

Minka eut un sourire entendu et salua de sa main charnue :

— À vos ordres, camarade commandant.

Et, se tournant vers Lourié :

— Je vous en prie, habillez-vous.

Le vieux Lourié. Il avait alors à peu près le même âge que moi aujourd'hui. Mais c'était un vieillard. Un beau et grave vieillard blanchi sous le harnais. Moi, je ne suis pas un vieillard. J'aime encore les femmes. Et je leur plais aussi. Lui, en revanche, de toute évidence n'aimait que sa grosse Fira. Et sa tendre fifille Rimma. En famille, l'homme vieillit plus rapidement. Je n'ai pas eu le temps de vieillir dans mes familles. Des familles qui n'avaient pas l'air de familles, d'ailleurs.

C'est le travail qui m'a gardé en forme. Le sang, ça vous empêche de vieillir.

Lourié se leva, en prenant appui sur la desserte comme s'il doutait de la solidité de ses jambes. Sa femme, sanglotant par à-coups, lui tendit son imperméable gris, son chapeau dur en castor. Il enfila le tout d'une main malhabile, tandis que je traversais la pièce et, feignant de me trouver par hasard près de Rimma, sans la regarder, chuchotais « à part », comme on l'écrit dans les pièces de théâtre :

— Un manteau chaud, une écharpe, une chapka.

Et je retournai dans mon coin.

Elle se précipita dans la chambre à coucher, on l'entendit se disputer bruyamment avec l'agent qui fouillait la pièce, puis elle revint tenant à pleins bras un manteau de gros drap doublé de putois, une chapka, une longue écharpe de laine qui traînait par terre et se mit à en affubler son père.

Il la repoussait mollement, demandant stupidement :

— Pour quoi faire ? Il fait doux...

— Allez, on te dit de mettre ça, cria-t-elle, soudain grossière, et toute sa douleur s'échappa avec ce cri.

Elle fourrait les mains de son père dans les manches du manteau, et ces mains ballottaient sans force, comme les queues noires des putois de la doublure. Leur force et leur endurance s'étaient épuisées dans ce cri, c'était visible.

Ils tombèrent dans les bras l'un de l'autre et laissèrent libre cours à leurs larmes.

— Adieu, ma vie, pleurait-il sur elle, sur la dernière pousse, l'ultime morceau de sa vie finissante. Mon cœur, ma vie…

Et dans ces pauvres lamentations, ce n'était pas l'apitoiement sur son propre sort que j'entendais, ce n'était pas la peur de mourir, non plus que le poids de la honte, le chagrin de quitter cette maison pour toujours ou le regret d'abandonner une tâche noble et aimée, mais seulement la douleur et la peur pour elle qui restait.

— Mais que vous êtes nerveux, vous les juifs, dit Minka avec un sourire mauvais. On se croirait au cimetière.

Je lui fis signe d'emmener le vieux, et il posa une main lourde sur l'épaule de Lourié :

— C'est fini. On y va.

Pendant qu'ils s'en allaient, je leur criai :

— On finit de perquisitionner et on arrive.

C'est dur pour les juifs. Parce qu'ils n'ont pas suffisamment analysé notre expérience historique. Nous avons tous du sang tatar et, si nous avons survécu, c'est parce que nos aïeux avaient compris qu'il n'y avait pas d'autre solution que de donner leurs femmes aux envahisseurs. C'est de là que nous tenons probablement notre instinct de survie, celui des esclaves et des bâtards ennemis.

90

La perquisition se déroula très rapidement. Quelles preuves d'activité criminelle pouvait-on trouver ? Pour le sabotage et les poisons, le professeur Lourié avait toute une clinique. La perquisition est une formalité inutile, comme la présence de deux témoins, en l'occurrence le *dvornik* et la voisine. Deux crétins stupides et morts de peur censés attester que la perquisition s'est déroulée dans les règles. Le contrôle de la société civile. Un peuple entier de témoins.

Fira Lourié eut du mal à signer le procès-verbal tant ses mains tremblaient. Sans regarder, Rimma signa également en travers de la feuille. Les agents et les témoins sortirent de la maison, tandis que je restais un moment. J'observai longuement Rimma, qui finit par dire sur un ton désemparé :

— Mon Dieu, tout ceci n'est qu'un horrible malentendu.

Je fis non de la tête et lui dis tout bas, à l'oreille :

— Ce n'est pas un malentendu. C'est un malheur.

Elle s'agrippa aux revers de mon raglan en cuir comme celui qui tombe dans le précipice s'accroche aux maigres branches des buissons, aux brins d'herbe séchée, aux mottes de terre.

— Que faire ? Que faire ? Dites-moi, je vous en supplie ! Que faire ?

Et de nouveau je plongeai mon regard dans les abîmes sans fond de ses yeux juifs, pleins de douceur, mon heureux avenir.

— Attendre. Je ferai tout ce que je pourrai. Attendez.

— Comment saurons-nous ?

— Demain, à six heures, venez à l'angle de la rue Sretenka, en face de la boulangerie.

Puis je la repoussai avec douceur et fermai la porte derrière moi.

Je fermai la porte derrière moi à Sokolniki et sortis la tête hors de l'eau, dans ma baignoire, dans le quartier de l'Aéroport.

Adsum. Je suis là.

La sonnette de la porte d'entrée s'époumone, j'entends confusément le bruit des voix dans l'entrée. Le cœur se soulève dans ma poitrine, si violemment que ça fait des ronds dans la mousse. C'est le Machiniste qui vient me chercher avec Minka Rioumine. Minka va me traîner nu hors de la baignoire et le Machiniste chuchotera à l'oreille de Marina : «Manteau, écharpe, chapka…»

Conneries ! Quel Machiniste ? Pourquoi Minka ? Il y a belle lurette qu'on l'a fusillé au stand de tir, près du garage de la Boutique. Rue Pouchetchnaïa, en plein centre-ville, à cent mètres de son magnifique cabinet de vice-ministre. On peut dire que, grâce à mon drame familial, il a réussi une carrière inouïe, fantastique. En quatre ans, l'agent pouilleux était devenu vice-ministre chargé de l'instruction.

Pas moi. Je ne voulais pas qu'on me fusille. Cette brute cupide, ce crétin, ce tas de merde que j'avais façonné de mes mains s'était-il seulement souvenu du jour où, en me tapotant l'épaule avec un sourire condescendant et protecteur, il m'avait dit d'un air satisfait : «Tu n'as pas besoin, toi, de ces décorations et de ces titres stupides, tu es notre Skorzeny[1]…» ?

---

1. Otto Skorzeny (1908-1975). Commandant d'un bataillon de Waffen-SS, il est chargé par Hitler, en 1943, de libérer Mussolini. Ce qu'il fait lors d'une opération audacieuse restée célèbre. Prototype de l'antisémite besogneux, discipliné, courageux et s'adaptant aux exigences de ses patrons successifs.

S'en était-il souvenu quand les soldats le traînèrent sur le sol bétonné recouvert de crachats, quand il se jeta à genoux devant eux, baisant leurs bottes et les suppliant de ne pas le fusiller ? Avait-il fini par comprendre, au moins à ce moment-là, qu'il n'aurait pas dû me tapoter l'épaule de cette façon ? Non, certainement pas. L'expérience des autres ne nous sert jamais de leçon. Et lorsque surgit le Machiniste, il est trop tard pour apprendre...

Je n'étais pas vice-ministre, mais un simple Skorzeny soviétique. Voilà pourquoi je ne fus pas fusillé et pourquoi, un quart de siècle plus tard, je suis plongé dans un bain chaud, tendu et fiévreux, essayant de distinguer les voix qui me parviennent de l'entrée.

Pouah ! Ce n'est que Maïka ! C'est sa voix, et celle de Marina, qui lui répond. Je sens poindre la douloureuse perspective d'une explication. Dans ma tête résonne encore le bruit de la vaisselle brisée, précipitée du haut de l'armoire bien avant ta naissance.

Le Machiniste m'a jeté un sort.

Il faut sortir du bain et me plonger dans le cauchemar de la vie réelle. Ce n'est pas que ces souvenirs me réjouissent mais ils ont la solidité du passé. Tandis que dans cette inévitable conversation avec Maïka, il n'y a que haine, abjection et la perspective d'un avenir vacillant sur fond de sombres menaces du Machiniste.

J'enfilai mon peignoir en éponge, retirai la bonde de la baignoire et la mousse blanc et bleu se précipita dans les profondeurs gluantes de la tuyauterie avec un grondement affamé. Ainsi s'enfoncent les souvenirs dans les ruelles de ma mémoire. Où sortirez-vous, eaux terrifiantes ?

Maïka était dans la cuisine et Marina lui parlait avec conviction :

— Non, Maïka, l'amour, ça n'existe plus, ne dis pas le contraire. Parce qu'il n'y a plus d'hommes. Ce ne sont pas des hommes, mais des fonctionnaires épuisés. Seul le fainéant peut aimer d'un amour véritable. Les autres n'ont ni le temps ni la force.

Quand même, la biologie est une bien belle chose si elle a pu amener ma crétine de femme à de telles conclusions par la seule puissance des hormones.

— Salut, dit Maïka.

— Salut, fifille...

Je me penchai pour l'embrasser et, pour me témoigner sa tendresse, elle se tourna vers moi de telle façon que mon baiser se posa quelque part entre sa nuque et ses omoplates. Comme quoi, les vrais sentiments familiaux n'ont pas de frontières.

Marina nous regardait d'un air soupçonneux et jaloux. Elle considère les membres de ma famille uniquement comme des candidats à l'héritage et par avance ils lui répugnent. Quand on pense qu'elle souffre à mes côtés chaque heure de son existence, avec son allergie thermique, et qu'il suffit que je meure pour que tous ces gens se précipitent pour s'arracher jusqu'au dernier kopeck gagné à la sueur de mon front. Comme des rapaces ! Quels salauds !

Ma petite hirondelle, ma tourterelle résignée ! Tu n'imagines même pas la surprise qui t'attend si tu tires le gros lot et deviens la veuve du professeur Khvatkine ! Ma *caput mortuum*, ma dépouille mortelle, aura à peine quitté la maison que tu ne seras plus qu'une mendiante, une passante anonyme, une pauvre fille, avec les mêmes droits que la plâtrière de Lianosovo. C'est ce que j'ai prévu, au cas où — même si j'espère sincèrement ne pas être obligé de te causer ce chagrin. Je préférerais assumer moi-même le rôle difficile du veuf éploré s'efforçant de maîtriser sa profonde douleur. Mon sentiment sera pur de toute cupidité.

— Tu as l'air fripé, dit ma fifille.

Le regard soupçonneux de Marina quitta Maïka, se posa sur moi, puis retourna sur Maïka. Son cerveau synthétique, dans un effort de concentration, se demanda si nous n'avions pas manigancé quelque chose, tous les deux. Elle était très belle et ressemblait à un gros écureuil roux auquel un plaisantin aurait rasé la queue. C'est ainsi qu'elle devint rat.

Je savais depuis longtemps que la queue des écureuils était un leurre, une mascarade. Sans cette queue magnifique, un écureuil n'est plus qu'un rat.

— Je suis un peu fatigué, dis-je à Maïka.

Elle compatit :

— Tu mènes une vie impossible : tu travailles beaucoup, tes pensées sont élevées, tu te tues à t'occuper des autres…

— Tu parles, s'il se tue ! s'indigna Marina. C'est lui qui peut tuer n'importe qui.

Elle saisissait nos répliques à la volée, sans les comprendre, comme si l'on parlait khmer. Alors elle se coula dans la conversation, se plaignant des difficultés de la vie commune avec moi, de son destin brisé, tandis que Maïka écoutait cette histoire à vous glacer les sangs en souriant imperceptiblement du coin de la bouche.

— Plaquez-le, Marina, lui conseilla-t-elle.

Marina lança un regard de braise :

— Ah oui ? Il a gâché toute ma vie et je vais le plaquer ? Il peut crever, je ne lui ferai pas ce cadeau.

Son regard se teinta de démence ; elle voyait déjà Maïka ramasser par poignées sa part de l'héritage.

— Eh bien, je vous souhaite de vivre dans la joie

et la bonne humeur, dit Maïka en écrasant sa cigarette dans le cendrier.

Pier. C'était écrit sur le mégot: Pier. On n'en trouve pas ici, à Moscou, pas même en devises. Des cigarettes allemandes, de RFA.

— Comment veux-tu vivre avec lui? Il vient juste de rentrer, continuait à délirer ma sublime moitié.

Les diplomates fument en général des cigarettes courantes: Marlboro, Winston, Gitanes. Mettons des Benson. C'est sûrement un homme d'affaires. Un Allemand de l'Ouest?

Pour une fois, l'esclandre vaseux de Marina ne me mettait pas en rage: sa logorrhée retardait d'autant l'explication avec Maïka. Combien de temps cela pouvait-il durer? Son prince charmant l'attendait-il en bas? Si oui, le pauvre Tikhon Ivanovitch ne pouvait quitter son poste. Je le voyais couché sous le perron, notant le numéro de la plaque, scrutant le visage de mon gendre éventuel, regrettant qu'on ne lui ait pas fourni un appareil photo pour une mission de cette importance.

Maïka sut comprendre cette triste situation, son cœur eut pitié de mon chien fidèle, de son âge déjà certain, qui ne lui permettait plus de se traîner sous les voitures étrangères avec une plaque qui ne ressemblait pas à la mienne. Elle se leva et déclara, péremptoire:

— Je dois te parler. Seul à seul. Je n'ai pas beaucoup de temps.

Je dus me résoudre à me lever à mon tour, tandis que Marina se mordait la lèvre inférieure, ce qui augmentait sa ressemblance avec un écureuil, assis sur sa longue queue rose.

— Alors, on fait des mystères?

Maïka sourit avec condescendance: c'est ainsi

qu'on sourit à une sortie extravagante d'un enfant attardé.

— Marina, je vous ai déjà dit mon secret hier. Nous devons maintenant discuter des problèmes purement familiaux.

— Et moi, je ne suis pas un membre de la famille? demanda la crétine.

— Si, vous êtes un membre. Mais d'une autre famille.

Elle sortit de la cuisine et alla dans mon bureau d'un pas décidé. Sa maman toute crachée. «Il faut dire la vérité en face… Le mensonge est une honte… Biaiser est lâche… Faire des messes basses, c'est sale… Se taire est indigne.» Mon Dieu, ce que ces gens peuvent trimbaler comme préjugés stupides!

Je refermai la porte derrière moi et pris dans le tiroir le réchaud à alcool et la boîte de café indien Bond. C'est mon café. Puisque mon tendre écureuil à la queue toute nue souffre d'allergie thermale, il n'a qu'à boire de l'urine froide. Moi je préfère le café chaud le matin.

L'eau somnolait dans la casserole en cuivre, les flammèches bleues s'agitaient nerveusement dans le petit réchaud. Maïka s'était posée sur l'accoudoir du fauteuil, balançait la jambe d'avant en arrière et m'observait.

Elle aime bien s'asseoir ainsi sur l'accoudoir du fauteuil. Comme moi, ce jour lointain, dans la maison de son grand-père, disparue à jamais.

— Comment peux-tu vivre avec cette dinde? demanda-t-elle avec curiosité.

— Je ne vis pas avec elle.

— C'est-à-dire?

— Je meurs avec elle.

Bien que je me fusse concentré sur le café, je compris en entendant un léger «hum» dans mon

dos que j'avais un peu trop vite adopté un ton lar-
moyant et dramatique. J'aurais dû le garder pour la
fin de la conversation, au moment où l'on aborde-
rait le thème du trépas : « Il me reste si peu à vivre,
je t'en prie, ne te presse pas, ne me pousse pas au
bord du trou, ça ne tardera plus maintenant... »

— Tu veux boire un coup ? demandai-je.

— C'est un peu tôt. Je n'ai pas déjeuné.

— Je vais me servir un gorgeon. J'ai les nerfs en
pelote.

— Je vois ça, dit-elle en souriant méchamment.
Tu te bourres la gueule dès le matin, maintenant ?

— Non, c'est le levain d'hier qui travaille encore.

La mousse brune gonfla, j'éteignis le feu sous la
casserole, versai le café et me servis un verre de
whisky. J'avais bien entamé la bouteille dans la
salle de bains !

Le téléphone sonna. C'était mon ami fidèle,
l'Actinie, César Soliony :

— Pourquoi tu t'es tiré ? On s'est bien poilés
après. J'ai mal aux cheveux, c'est sûr, mais une
bringue comme ça... Où es-tu passé hier soir ?

Où je suis passé ? J'ai poursuivi le Machiniste et
me suis retrouvé chez le plâtrier. Comment je pouvais lui expliquer ça au téléphone ?

— Je ne sais pas, marmonnai-je, puis, malgré
moi, je demandai, comme ça, en passant, en jetant
un coup d'œil sur Maïka : Dis-moi, qui c'était...
l'autre, là, hier soir ?

— Qui ça, l'autre ? s'étonna-t-il. Chez nous ? De
qui tu parles ?

— Mais si... Un blond filasse... Tout maigre...
Qui c'est ? Il avait l'air pauvre.

La présence de Maïka me gênait : comment pouvais-je parler du Machiniste devant elle ? Pour expli-

quer quoi ? Cet escroc, l'ignoble Actinie, voudrait me faire croire que ce n'est pas lui qui, hier soir, regardait comme les autres mes mains prétendument couvertes de sang.

— Écoute, mon ami, je ne comprends pas, de qui me parles-tu ?

— Tu ne comprends pas ? demandai-je furieux, et je me surpris à hurler dans le combiné : Le Machiniste ! Je te parle du Machiniste que quelqu'un a ramené à notre table...

C'est seulement après avoir hurlé ainsi que je me rendis compte que je prononçais son nom pour la première fois. Ou plutôt sa fonction. Ou son grade. Et alors il se matérialisa et devint une fois pour toutes une menace réelle.

Le Machiniste exige un mois...

Assise sur l'accoudoir du fauteuil, Maïka m'observait avec intérêt, ricanant, agitant sa jambe et buvant son café à petites gorgées. C'est de famille : s'asseoir sur les accoudoirs dans les moments décisifs. C'est une position idéale pour se mêler de la partie.

À l'autre bout du fil, César meugla quelque chose d'inintelligible puis il ajouta, songeur :

— De deux choses l'une : soit tu t'es bituré à mort hier soir, soit tu arsouilles dès le matin. Quel machiniste ? De qui parles-tu ?

— Je lui ai craché dessus, je l'ai viré, voilà de qui je parle. Tu te souviens, maintenant ?

César soupira quelques instants puis proposa avec ménagement :

— Si tu as besoin de jouer un numéro devant Marina, vas-y, je ferai l'interlocuteur. C'est pour elle, c'est ça ? J'ai bien compris ?

— Tu es un crétin. Ta mère t'a pondu en pleine rue et t'a cogné la cafetière contre le trottoir. Sale juif! Tu es deux fois dégénéré: juif-imbécile et juif-ivrogne. Qu'est-ce que tu racontes? Qu'est-ce que Marina a à faire là-dedans? Quoi, tu as oublié le scandale d'hier?

L'Actinie soupira longuement puis parla de nouveau et j'entendis dans sa voix de l'inquiétude et de la compassion:

— Ça ne tourne pas rond, vieux... Tu y es allé un peu fort, peut-être? Il n'y a eu aucun scandale hier soir. Quelque chose ne t'a pas plu? On rigolait, on plaisantait et toi, tu t'es levé brusquement et tu es parti.

— Va te faire foutre!

Et je raccrochai.

Il est cinglé. Comment avait-il pu ne pas voir le Machiniste? Comment avait-il pu ne pas entendre le scandale? On rigolait, on plaisantait, tu parles!

— Voilà ce qui s'appelle une conversation cordiale, dit Maïka en riant.

— Cordiale, oui, répondis-je mollement.

Peut-être avais-je rêvé? Et que ce Machiniste n'avait jamais existé? N'était-ce qu'une hallucination?

— Je me marie, annonça Maïka sans aucune transition, je suppose que ta femme t'a mis au courant?

— C'est ça.

— Tu ne me présentes pas tes vœux? Tu n'es pas content? Ou alors tu es triste parce que ta petite fille préférée s'apprête à quitter le nid familial? continuait-elle, agitant nonchalamment sa jambe. Elle aime s'asseoir sur les accoudoirs.

Il fallait se rendre à l'évidence: le Machiniste était bien venu hier. Ce n'était pas une hallucination. De cette petite ville en RFA. De Machinbourg. Peut-être que Maïka était de mèche avec Marina?

Âneries! Elle n'avait pas du tout envie de rigoler, elle se forçait à plaisanter. Elle était déjà venue une fois hier et aujourd'hui, la voilà encore, dès potron-minet. C'est que ça urgeait. Elle était là, tendue comme un cri, et les plaisanteries palpitaient sur ses lèvres.

— Le nid familial? répétai-je. Qu'est-ce que c'est, pour toi, le nid familial? Ta maison? Ta ville natale? Ou ta patrie?

Maïka répliqua en ricanant:

— Je n'ai jamais habité à la maison, Dieu merci. La ville natale, c'est un cliché pour les journaux. Ou pour les formulaires administratifs. Quant à ma patrie, elle est bien loin d'ici...

Elle dit cela d'une voix chantante, goûtant chaque mot, laissant percer toute sa rancune.

— Et tout ça, autour, c'est quoi?

Elle me regarda avec un étonnement sincère, comme si j'étais un idiot fini, puis haussa les épaules:

— Ça s'appelle la zone. La zo-ne. Avec barbelés électrifiés, miradors, gardes et chiens dressés à bouffer de la viande humaine.

Je hochai tristement la tête:

— J'ai peur que nous ayons du mal à nous mettre d'accord. Celui qui ne connaît pas ce sentiment naturel qu'est l'amour de sa terre natale peut difficilement comprendre...

— Tu oublies de mentionner l'amour et la reconnaissance envers ses parents, m'interrompit-elle brutalement.

— Je n'y prétends pas, dis-je avec dépit. Mais celui qui ignore le sens du mot patriotisme, celui qui ne sait pas ce qu'est la gratitude envers le pays qui l'a nourri et éduqué...

Maïka glissa de l'accoudoir dans le fauteuil et

agita les jambes, en pleine allégresse. Ses jambes étaient longues et fines, comme celles de sa maman. Seulement Rimma ne savait pas alors qu'une paire de Wrangler pouvait avantager de telles proportions sculpturales. À cette époque, les jeunes filles ne portaient pas de jean. Les jeunes gens non plus, d'ailleurs.

Assis derrière le bureau, tout en essayant de donner à mon visage une expression digne, austère et affligée, je me demandais si je ne devais pas appeler le père Alexandre pour lui parler du Machiniste. Il me confirmerait, lui, jamais il ne se biture comme l'infâme Actinie.

Après avoir ri tout son soûl, Maïka se redressa dans son fauteuil et dit doucement :

— Écoute, Khvatkine, pour éviter que notre conversation d'ordre purement familial, voire intime, se transforme en séminaire du Parti, je voudrais te dire que notre patriotisme soviétique, c'est le sentiment naturel poussé jusqu'à l'absurde des liens de l'homme avec ses origines. C'est comme une sorte de complexe d'Œdipe, mais en beaucoup plus dangereux, parce que Œdipe, une fois qu'il a appris la triste nouvelle, s'est crevé les yeux. Tandis que vous, au contraire, vous crevez les yeux de tous ceux qui voient l'infâme vérité. Tout ça n'est qu'une perversion qui s'est muée en orgueil stupide et vulgaire. Ne revenons plus là-dessus, veux-tu ? Je suis comme je suis et même toi, un modèle à tout point de vue, individuel, social et politique, ne pourras faire de moi une patriote.

Elle se foutait de moi, la petite garce. J'aurais été curieux de savoir ce qu'elle savait sur moi. Presque rien. Mais suffisamment pour me haïr.

Je poussai quelques petits soupirs et dis tristement :

102

— Comme tu voudras, c'est ta vie, après tout. Et qui est l'heureux élu ?

— Un homme très bon, charmant et cultivé.

— Moscovite ou provincial ?

— Un vrai provincial. Cologne, une sous-préfecture.

— Ah. N'est-ce pas de Cologne qu'émet la radio subversive Liberté ?

— Je n'en sais rien. Je sais que c'est le centre ouvrier de la Ruhr.

— Formidable ! Et ma petite crétine chérie qui m'avait dit qu'il était de Machinbourg ou quelque chose comme ça...

— Elle a confondu. Je lui ai dit qu'il était né à Köpenick...

— Ça n'a pas d'importance ! Tous mes vœux de bonheur ! Que Dieu vous garde !

— Merci. Mais... Il y a une petite formalité, oh, presque rien, une broutille...

Nous y voilà. Une broutille. Une petite formalité. Vous, les apatrides, vous vous foutez de tout jusqu'à ce que surgisse une petite formalité. Vous commencez à vous agiter, vous venez le soir, puis vous revenez le lendemain matin. Juste pour régler une petite formalité, entre deux portes. Mais ce n'est pas une broutille, oh non. Sans cette broutille, tu peux te torcher avec ton certificat de mariage, après l'avoir dûment chiffonné.

— Je t'en prie, Maïka, je ferai tout ce qui est de mon ressort.

— Pour obtenir l'autorisation de se marier avec un ressortissant étranger et de quitter le pays, il faut l'accord des parents. Maman a déjà signé.

— Parfait ! Tout est en règle, alors.

— Il faut que tu signes aussi.

— Moi? Il faut que je signe, moi? Que je signe quoi?

— L'autorisation de me rendre en RFA.

— Je t'en prie. Tu as mon accord.

— Alors signe ce papier.

— Ah ça, non. Je ne signerai pas.

— Et pourquoi? Tu viens de dire que tu étais d'accord.

— Je suis d'accord. Mais je ne signerai rien.

— Comment ça? Je ne peux quand même pas fourrer ton accord verbal dans un sac en plastique et l'apporter au service des visas?

— Pas la peine. Tu n'as qu'à leur dire que je suis d'accord.

— Tu sais très bien qu'il n'y a qu'à la radio que les mots ont un sens chez nous. Dans la vraie vie, il faut un papier. Il leur faut un document.

— Je ne peux pas te donner ce document.

— Mais pourquoi?

— Parce que ma longue expérience et mon existence un peu compliquée m'ont appris à ne jamais rien signer. Je crois à la puissance magique de la parole donnée. Celle qui vient du cœur…

— Tu te fous de moi?

— Non. C'est pour ton bien.

— Tu vas briser ma vie.

— Mais non. Ton fiancé de Cologne, si bon, si charmant, si cultivé, il t'aime?

— Je pense que oui.

— Alors qu'il vienne habiter Moscou. Je peux lui obtenir une *propiska* [1].

1. Autorisation délivrée par les autorités, sorte de visa intérieur, indispensable pour pouvoir habiter une grande ville, et très difficile à obtenir.

— Il veut habiter une ville où l'on n'a pas besoin de *propiska*. Vivre là où on le désire.

— Ça veut dire qu'il ne t'aime pas et que vous serez malheureux. Il t'usera puis il te laissera tomber. Pis : il te vendra à une maison de passe. Les ex-Soviétiques n'ont aucun droit là-bas.

— Je n'ai pas l'impression de parler avec toi mais avec ta femme. C'est son style.

— C'est normal, nous sommes mariés. Laisse-le tomber tout de suite, tu trouveras un meilleur mari ici. Comme ça, on évitera la séparation, avec son cortège de larmes inutiles.

— Je te regarde et j'essaie de comprendre…

— Qu'est-ce que tu essaies de comprendre, fifille ? Pose des questions, je t'expliquerai.

— C'est ta vie qui t'a rendu dingue ou tu es réellement et fantastiquement mauvais ?

— Je ne sais pas si je suis dingue, je ne me vois pas. Permets-moi une question croisée. En quoi me suis-je montré mauvais ?

— En tout.

— Parce que je refuse de mettre mon paraphe paternel sur un document qui me rend complice d'une traître à la patrie ? C'est ça ?

— Tu penses vraiment ce que tu dis ou tu fais l'imbécile ?

— Ce que je pense n'a aucune importance en ce moment. Ce qui importe, c'est ce que pensent tous ceux pour qui le patriotisme n'est pas une perversion. La notion de patrie n'est pas un préjugé mais une chose sacrée. Pendant que tu rêvais de ce que serait ton existence bleu-rose au paradis capitaliste, tu ne t'es sûrement pas demandé ce que serait ma vie après cette histoire. Je ne suis pas encore mort. Je n'ai que cinquante-cinq ans, je suis, comme on dit, au zénith de mes capacités intellectuelles. Tu as pensé aux conséquences que ton mariage cauche-mardesque aurait sur mes projets ? Comment s'en empareraient tous mes adversaires et mes concurrents jaloux ? Collaboration avec le camp ennemi !

— J'espérais qu'un père aimant n'empêcherait pas sa fille de s'évader de la prison dont il est un gardien bien nourri !

— Il y a une petite erreur. Pour les uns c'est une prison, pour d'autres, leur pays. Pour les uns, je suis un maton, pour d'autres, un soldat fidèle de la patrie. Je devine qu'il est trop tard pour entreprendre ton éducation, mais tu dois me laisser libre d'avoir mes propres convictions.

— D'accord. Laissons tes convictions en paix.

Je voyais qu'elle était lasse. Non, fifille, tu n'es pas de taille à lutter contre moi. Tout est écrit depuis longtemps : vous devez me haïr et moi, vous torturer, vous, les juifs. Bien sûr, il aurait mieux valu ne jamais nous rencontrer, mais c'est ainsi. Et soudain, une fois encore, me revint le goût des pépins de pomme…

— Bien, dit-elle avec une grimace de dégoût. Tu peux écrire sur ce formulaire que tu t'opposes catégoriquement à mon mariage et à mon départ du pays.

— Et ça donnera quoi ?

— Tes ennemis et tes chefs n'auront rien à y redire et moi, j'aurai la possibilité de déposer un recours. Ou d'aller en justice.

— Ce serait parfait, mais ça n'irait pas.

— Pourquoi ?

— Ce serait un mensonge. Je ne m'oppose pas à ton mariage, je ne le connais même pas, cet oiseau-là. Je serais donc obligé de mentir et je ne peux pas mentir, je suis communiste. Pour moi, le mensonge, c'est comme un coup de poignard. Ne te fâche pas,

Maïka, je te le dis en face : même pour toi je ne peux pas m'y résoudre !

— Cesse tes pitreries ! Au moins, explique-moi pourquoi tu ne veux pas déclarer officiellement ton opposition ?

— Premièrement, parce que je ne m'y oppose pas, je te l'ai déjà dit. Deuxièmement, parce qu'en cas de refus ta demande sera examinée, ce qui veut dire procès, questions, interrogatoires, explications. En un mot, un battage indécent, une publicité indigne, et ainsi de suite, et ainsi de suite.

— Et il ne te vient pas à l'esprit que je pourrais me passer de ton accord pour provoquer ce battage indécent ?

— Les journalistes et tout le tintouin, c'est ça ? L'opinion publique internationale ? Processus démocratique et défense des droits de l'homme ? C'est bien ça ?

— Pourquoi pas...

Son visage était blême, avec des reflets bleus, comme du lait caillé ; ses yeux se bridèrent, m'éclaboussant de haine.

Je ris de bon cœur :

— Ce que tu peux être naïve, petite écervelée ! Tu n'as pas encore pigé que chaque fois que quelqu'un cherche de l'aide ou de la sympathie de l'autre côté du rideau de fer, il devient pour nous un ennemi qu'aucune loi ne protège plus ?

— Quelles lois me protègent actuellement ?

— Toutes ! Les morales comme les juridiques ! Sinon, rien. Le peuple, le Parti, même les dirigeants se mettront de mon côté. Dieu m'est témoin, et tout le monde le verra, que je veux t'empêcher de commettre l'irréparable. Les gens ne sont pas bêtes, ils ont du cœur, ils comprendront que tout ne dépend pas de la volonté d'un père !

Elle me regardait, muette d'indignation. Elle avait compris enfin que la situation était sans issue. Cette conversation éprouvante pouvait durer l'éternité. L'éternité. *Ad infinitum*. L'enfer. Enfer de passions éternelles et impuissantes. L'enfer où le Machiniste remue les charbons ardents.

Elle se cacha le visage et dit à voix basse :

— Je n'arrive pas à comprendre comment il a pu arriver que tu sois mon père…

Oh, ma chérie, quel bonheur que tu ne saches pas comment cela a pu arriver. Aucun cauchemar ne pourra te dessiller les yeux.

— J'ai connu beaucoup de salauds, de purs crétins soviétiques, de communistoïdes de base, mais des comme toi, jamais. Tu n'as rien d'humain. Ni âme, ni conscience, ni cœur.

Je hochai la tête d'un air compatissant : oui, oui, tout cela était vrai. Comme le disaient les anciens pharmaciens, *cor inscrutabile*. Cœur insondable.

— Tu es un monstre.

Petite bécasse, je ne suis pas un monstre. Je suis un Skorzeny, mis en bouteille à Moscou. Le génie de notre époque, le djinn emprisonné dans un deux-pièces dans le quartier de l'Aéroport. Destination ?

Je hochais toujours la tête, tandis que, désorientée, elle laissait courir la petite cuillère sur la soucoupe, enfermée dans un mutisme oppressant. Elle finit par demander d'une voix indolente :

— Tu accepterais de rencontrer mon fiancé ?

— Pour quoi faire, fifille ?

— Il me l'a demandé. Au cas où tu refuserais de signer les papiers.

Le petit malin avait tout prévu ! Ça ne fait rien, j'arriverai à m'en débarrasser. Ce ne sera pas la première fois que j'enverrai un blanc-bec d'étranger se faire mettre ailleurs.

— Si tu veux.

— Nous viendrons ce soir. Faire connaissance avec papa chéri.

Je la raccompagnai sur le palier, agitai la main, la cabine de l'ascenseur tomba dans le précipice, je me retournai et mon regard se posa sur une feuille de papier d'écolier épinglée sur la porte. Je la décrochai d'une main tremblante et lus l'annonce rédigée à l'encre violette : «Prière de régler la somme due à la compagnie d'exploitation dans un délai d'un mois. 4 mars 1979.» Je chiffonnai la feuille, la mis dans ma poche, me précipitai dans l'appartement et composai le numéro du père Alexandre.

5

Opritchnina — Service spécial

Le téléphone fit entendre un piaulement avant de laisser se répandre la voix douce, molle comme de la pâte, de la mère Galina. Elle est toujours contente de m'entendre. Elle m'aime. J'apporte une touche de fantaisie à leur vie aisée et ennuyeuse. Chez nous, les popes aussi mènent une drôle d'existence. Ils ressemblent aux boyards dans la *Khovantchina*, sauf qu'ils n'ont pas le droit d'enlever leurs costumes et de se démaquiller après le spectacle.

— Pachenka, mon trésor! s'égosillait la femme du pope. Alors, comme ça, tu oublies les vieux, tu ne viens plus et tu laisses tomber le père Alexandre...

Ah oui? Ça voulait dire que mon petit camarade, le saint père, n'avait rien raconté de la beuverie à la Maison des cinéastes. On a oublié de faire son rapport, ma colombe immaculée? Qui sait, on est peut-être allé aux putes, après?

— Viens nous voir, je te ferai des boulettes de porc aux champignons, comme tu les aimes. Et puis j'ai aussi de la liqueur de bourgeons de cassis. Je la garde pour toi.

— Comment ça, des boulettes, mère Galina? demandai-je perfidement. La deuxième semaine de carême vient de commencer.

Galina réfléchit un court moment et, sans changer le débit de la pâte à hosties, dit mielleusement :

— Mon chéri, mais c'est toi, mon cœur joli, qui vas le bouffer, le cochon, ce bestiau dégoûtant, cette viande pécheresse. Nous, on te regardera manger. Pour toi, c'est pareil.

— Oh, Galina, c'est moi que tu aurais dû épouser et pas le père Alexandre. On aurait tramé de ces magouilles, tous les deux !

— Je suis trop vieille pour toi, Pacha, ricana modestement Galina. Tu aimes bien ce qui est jeune, veau de lait, cochon de lait, fille de lait... Allez, si Dieu le veut, je finirai ma vie à coucouler avec mon petit père.

Ils avaient tous deux dans les quarante ans, quatre enfants, étaient riches. À les voir de près, on aurait juré qu'ils étaient vieux, humbles et qu'ils jeûnaient vraiment. Bref, des boyards d'opérette.

— D'accord, appelle-moi le père Alexandre, j'aimerais coucouler un instant avec lui.

— Pacha, comment veux-tu que je te le passe ? Regarde l'heure : le père Alexandre est en train de dire la messe à la cathédrale. Nous sommes dimanche !

— Diable ! J'avais complètement oublié. Bien sûr, nous sommes dimanche. Dès qu'il sera rentré, dis-lui, petite mère, de me rappeler. Une affaire importante.

— Ne me dis pas que vous allez encore à l'étranger ! Vous dépassez les bornes !

— Oui, les bornes de la conscience...

Et je raccrochai.

Tout le monde veut aller à l'étranger, c'est une véritable folie. J'ai l'impression que même nos chefs voudraient s'installer à l'étranger, aux mêmes postes, mais à l'étranger. C'est comme ça depuis que cet abruti de Khrouchtchev a joué avec le rideau de fer.

Parfois, j'ai l'impression d'être le dernier patriote. Jamais je n'irai à l'étranger. Je suis bien ici. Là-bas, c'est différent, il faut payer comptant. Les sentiments importent peu. On ne peut pas faire son beurre sur le dos des imbéciles et profiter du bordel général. Chacun paie pour soi, à l'allemande. Chez nous, tout est à tout le monde. Tout le monde paie et seul profite celui qui a des couilles au cul.

Non, rien à foutre de l'étranger. Les importations me suffisent amplement. J'aime mieux nos bois de bouleaux. Je suis bien ici. J'étais bien ici.

Maintenant, c'est le brouillard grisâtre. Et les ennuis. Incommensurables.

Je composai le numéro de Lida Rosanova. C'était quand même un témoin oculaire, elle avait vu le Machiniste.

Elle mit du temps avant de répondre.

— Mais quel diable..., finit-elle par dire d'une voix rauque et endormie.

— Vauvert, dis-je, ici le diable Vauvert.

— C'est toi, Pachka? demanda Lida en bâillant. Pourquoi tu ne dors pas, espèce de connard?

— Je me dispute avec ma femme dès potron-minet. Surtout elle.

J'entendis le cliquetis du briquet. Elle fume de monstrueuses cigarettes cubaines, noires et puantes. Elle avala une grande bouffée et dit avec compassion :

— Vos mariages, ce n'est que problèmes et chamailleries. Un être spirituel n'a que l'amour homosexuel pour en sortir.

— Pour s'en sortir, oui. Pas pour y entrer, ajoutai-je.

112

Lida s'esclaffa, s'étrangla avec la fumée noire et demanda en toussant :

— Qu'est-ce que tu veux ?

— Une sangsue. Âge dix-huit ans, poids soixante kilos. J'ai besoin d'une bonne saignée.

— Des clous. Je préfère garder mes petites sangsues auprès de moi. Tu n'as pas assez des tiennes ? Tu mens, en plus, ce n'est pas pour ça que tu téléphones. Qu'est-ce que tu veux ?

— Un renseignement. Je fais appel à ton regard perçant d'artiste. Qui était l'homme que j'ai chassé de notre table ?

— Quand ça ?

— Hier. Au restaurant.

Elle réfléchit un moment.

— Pavlik, dit-elle d'une voix sifflante, j'étais déjà partie, sûrement. Je ne me souviens pas.

— Lidia, qu'est-ce que tu me chantes ? me mis-je à hurler. Tu l'as toi-même traité de connard ! Tu te rappelles ? Il te collait. J'ai cru que c'était un admirateur... Et toi, tu l'as traité de connard.

— C'est sûrement un connard, si je l'ai dit. Un poète ne parle jamais pour ne rien dire et trouve toujours le mot juste. Et puis, qu'est-ce que ça peut te faire ? Si je l'ai chassé, c'est qu'il le méritait.

— Vraiment, tu ne t'en souviens pas ?

— Non. Je ne vais pas me bourrer la tête avec tous les minables qui passent. Qu'est-ce que tu lui veux ?

— Rien, dis-je tristement, absolument rien. Surtout en ce moment.

— Alors laisse tomber et oublie-le.

— Oui, je vais laisser tomber, promis-je. Je lui ai craché à la figure !

— À qui ?

— Ben, à celui d'hier soir. Au connard.

113

Et j'ajoutai à contrecœur :
— Au Machiniste.
— Quel machiniste ? Écoute, je crois que tu débloques. Tu es un mec bien. Si j'aimais les hommes, tu serais le premier, dit Lida avant de raccrocher brusquement.

Merci bien. Vraiment. Toute ma vie je n'ai rêvé que de cette putain qui sent le cendrier.

Dimanche. Bientôt midi. Le père Alexandre est en train de dire la fin de sa messe et les paroissiens couvrent de baisers sa petite main potelée. Mon anémone de mer frisée, Soliony, a dû trouver un parasite pour aller déjeuner à la Maison des écrivains. Marina roucoule avec une de ses copines imbéciles au téléphone, tout en recouvrant de morceaux de fourrure sa longue queue rouge, se muant peu à peu de rat en écureuil.

Maïka traîne quelque part, occupée à son mariage. Vas-y, Maïka, fais un effort, un peu d'astuce, ma fifille chérie ! Le mariage avec un étranger est une affaire sérieuse chez nous. Très sérieuse !

Et sa maman, Rimma, que fait ma première femme tant aimée ? J'essaie de ne jamais penser à elle. J'y parviens quand ces deux-là, elle et sa fifille merveilleuse, ne surgissent pas et ne me regardent pas de leurs yeux de juives, profonds comme des lacs noirs, et ne grimacent pas aussitôt, méprisantes et haineuses. Je n'y pense pas, voilà tout. Quand je veux. Quant à elles, leur rancune juive les empêche d'avoir la paix. Elles se souviennent de tout et s'arrangent pour que je n'oublie rien.

Surtout Rimma. Maïka, elle, ne sait presque rien. Rimma déteste tant ces souvenirs effrayants qu'elle n'a toujours rien raconté à Maïka. Ton papa s'est révélé un être si méchant que j'ai cessé de vivre avec lui : voilà une raison suffisante. La honte est un sentiment parfois plus fort que la peur.

Moi, bien sûr, je ne la contrarie pas. Je déteste tout cet amour de la vérité. Pourquoi devrais-je, moi, me rappeler tous les détails sinistres de cette vie passée, si ancienne qu'elle a fondu entre mes doigts ? Qui peut dire aujourd'hui lequel est le plus coupable des deux, Rimma ou moi ?

Ou le père Lourié.

Personne n'est coupable. La vie d'alors est coupable, si la vie peut l'être. À quoi ça sert de savoir, on ne peut pas la recommencer, on ne peut plus rien changer. À l'époque non plus, on ne pouvait rien changer.

Rien de rien ! Ne fût-ce que parce que tout le monde acceptait le rôle qu'on lui faisait jouer. Bien sûr, Minka Rioumine et moi, nous préférions jouer le nôtre que celui dévolu au père Lourié. Mais il avait accepté. Comme tous ceux qui, assis sur les tabourets vissés au sol dans les coins des innombrables bureaux du cinquième étage de la Boutique, jouaient avec application leur rôle d'ennemis du peuple.

Ennemis d'eux-mêmes.

Les uns, après une première gifle bien placée, avouaient tout et balançaient tous les complices, même ceux dont ils avaient entendu le nom pour la première fois pendant l'interrogatoire.

D'autres résistaient, écumant de rage.

Mais personne ne disait : « Le monde est devenu fou, la vie s'est arrêtée, je veux mourir ! »

Tous voulaient sortir, survivre dans ce monde fou et continuer leur existence odieuse. Je suis témoin. Celui qui le voulait pouvait mourir pour de vrai et rapidement. Mais c'était abandonner son emploi et chacun voulait jouer son rôle jusqu'au bout : prouver à l'agent qui l'interrogeait que les organes s'étaient trompés. Chacun cherchait à démontrer qu'il était un citoyen soviétique pur comme du cristal, qu'il était enchanté par cette existence sans joie, et qu'il le serait jusqu'à la fin de ses jours et encore davantage si l'on cessait de le frapper et qu'on le laissait sortir. Et suppliait, au cas où ce serait impossible, qu'on lui trouve un crime plus léger et un article du Code pénal plus généreux.

Personne ne voulait comprendre qu'il était vain de supplier Minka Rioumine. Que cet homme était vraiment inflexible et que ses principes étaient inébranlables. Et le plus haut de ces principes inébranlables consistait à leur pisser à la raie, à tous, sans exception. Leur plus grande erreur était de penser que Minka était un homme comme eux, qu'ils pourraient tout lui expliquer s'il consentait à les écouter. Avec autant de succès qu'une planche de bois qui supplierait le menuisier de ne pas la raboter, la scier, la clouer et la flanquer par terre : jamais ils n'ont pu se mettre ça dans le crâne.

Ouvrier du mal, menuisier des lendemains qui chantent, Minka Rioumine ne connaissait pas la pitié. Seulement la haine. Il ne considérait pas ces gens comme des êtres humains. Sur leurs corps, il élevait son monde futur.

Ah, comme je me souviens bien de ce soir lointain où je revins à la Boutique après la perquisition dans la maison dévastée de Sokolniki ! Je marchais dans le couloir du Département de l'instruction, recouvert d'un tapis rouge sang, passant devant les portes anonymes des bureaux. Les plafonniers s'embrasaient de lumière aveuglante, se reflétaient dans les poignées de porte en laiton, de grands gars pareillement baraqués allaient et venaient dans le couloir, semblables les uns aux autres comme les étoiles de leurs épaulettes toutes neuves, excités par une nouvelle journée de travail. Celle-ci commençait vers dix-onze heures du soir, ce qui était logique, puisqu'il avait bien fallu, en inversant la course du temps, mener à sa perfection l'idée que le monde marchait à reculons. La nuit était notre journée de travail ; le jour, une nuit profonde. Nous dormions le jour. C'était notre vie.

Minka Rioumine, qui avait emmené Lourié, n'était pas dans son cabinet. Il ne tenait certainement pas à interroger le vieux avant mon retour et avait dû aller voir ses copains et traîner dans les bureaux.

Afin qu'il pût rassembler ses esprits et se préparer à une conversation sérieuse, on avait enfermé le professeur dans un box, une sorte d'armoire de cinquante centimètres sur cinquante. Il était impossible de s'asseoir ou de se coucher, on pouvait juste tenir debout sur des jambes tremblantes de peur, de tension et de fatigue. Pour finir par perdre toute notion de temps, d'espace et de soi-même.

Je partis à la recherche de Minka.

Tapis rouge sang, des portes, des portes, encore des portes, comme dans un train. L'express Maudit Passé-Ville du Soleil. Important nœud ferroviaire : Phalanstère-Utopie-Moscou. Prière d'emprunter la sortie, munis de vos affaires.

Je poussai la porte du premier compartiment et demandai :

— Vous n'avez pas vu Rioumine ?

— Viens, Pacha, me cria de l'intérieur le capitaine Katia Chougaïkina. Il traînait dans le coin, il va revenir.

Katia aimait bien mes visites. Elle aimait parler avec moi, me peloter pour rire, m'offrir des cigarettes Severnaïa Palmira, demander conseil. Elle me proposait à chaque fois de passer la nuit avec elle, c'est-à-dire la journée du lendemain. Je lui plaisais. Une fille solide et en pleine forme, au visage enjoué parsemé de points noirs, increvable baiseuse et soûlographe.

Elle marchait de long en large, jouant de ses flancs charnus, hochant gravement du chignon, et pointait son doigt sur un juif lugubre, aux yeux rougis par les larmes et la longue veille, réfugié sur son petit tabouret dans le coin du bureau.

— Regarde-moi ça, Pavel Egorovitch ! Regarde sa gueule. Quelle arrogance ! Il refuse d'avouer, tu te rends compte ? Quel peuple ! Tous des enculés !

Aujourd'hui encore, je me souviens de son nom. Kloubis. Rouvim Iankelevitch Kloubis. C'est ce qui était marqué sur ses papiers. Dans le beau monde, bien sûr, on l'appelait Roman Iakovlevitch. Commandant de deuxième rang du génie aéronautique, Roman Iakovlevitch Kloubis. Médaillé et primé.

Avant la guerre, il avait mis au point un nouveau type d'avion. Quelque chose entre un bombardier et un avion d'assaut. À l'époque, il était vice-ministre de l'Industrie aéronautique. Presque un membre du gouvernement. Un malin. Ce que confirme l'histoire qui lui arriva en 1939 quand on avait commencé à embarquer tout ce qui traînait de militaires. Lorsque le groupe d'agents envahit son bureau pour l'arrêter, il leur dit sans broncher : je suis prêt, je voudrais juste retirer ma vareuse, je ne vais quand même pas traverser le ministère en uniforme de général ! Les gars, des petits merdeux, des lieutenants, se laissèrent impressionner et acceptèrent. Kloubis quitta le bureau et se rendit dans la pièce de repos contiguë, où une autre porte donnait sur le couloir.

Le temps pour les autres de s'en rendre compte qu'il prenait déjà l'ascenseur, sortait dans la rue, montait dans sa ZIS personnelle et demandait au chauffeur de le conduire à la gare de Kazan. Les gars se lancèrent à sa poursuite, mais il n'y avait plus trace de Kloubis. À la gare, il laissa partir la voiture, téléphona d'une cabine à sa femme, comme quoi, ma chérie, je dois disparaître momentanément, et toi, ne t'inquiète pas et attends-moi. Puis il traversa la place, monta dans le train pour Mojaïsk, et s'enfonça encore d'une centaine de kilomètres. On imagine le pataquès! Le chef du groupe d'intervention, Oumrikhine, fut traduit en justice, on surveilla la maison de Kloubis pendant trois mois, on mit son téléphone sur écoute, on ouvrit son courrier. Aucun signe de vie.

Rien d'étonnant, car Kloubis s'était installé dans un village où on n'avait jamais vu de téléphone et où il n'y avait pas encore d'électricité. Il alla voir le président du kolkhoze, déclara qu'il arrivait d'Ukraine, qu'il était mécanicien agricole, qu'il n'avait pas de papiers, qu'il fuyait la famine à travers le monde et qu'il cherchait du travail. Bien entendu, notre Koulibine Rouvim Iankelevitch était un peu plombier, un peu forgeron, savait réparer un tracteur et arranger une pompe. Pour couronner le tout, il ne buvait pas. Il vécut comme un coq en pâte.

Un an plus tard, il repartit pour Moscou. Dès son arrivée, il appela sa femme au téléphone, comme quoi tout va bien, attends-moi, avec toute notre belle maisonnée juive. Puis, rompez, et il retourna dans son trou, au village.

Pendant tout ce temps, l'affaire s'était tassée et on l'avait oublié. On avait mis un autre général en prison à sa place, pour la forme, et basta.

Puis vint la guerre. Le membre du kolkhoze Roman Iakovlevitch fut mobilisé et envoyé au front en tant que simple soldat, avec une capote misérable et des bandes molletières. Seulement, ces gens-là se débrouillent toujours. Il parvint à se faire affecter au service technique d'un aérodrome et il s'avéra tout à coup que personne ne s'y connaissait en avions mieux que lui. En quatre ans, pas une blessure, huit décorations et le grade d'ingénieur-capitaine.

Le vétéran décoré retrouva sa famille, sa maison, son nom et ses magnifiques prénom et patronyme, devint chef d'atelier dans une usine d'aéronautique et vécut sans souci jusqu'à avant-hier, où à trois heures de l'après-midi, au magasin de thé rue Kirov, il tomba nez à nez avec l'ancien responsable du groupe venu l'arrêter autrefois, le citoyen Oumrikhine, qui avait payé sa dette, et qui le traîna par le col à la Boutique. Ça tombait bien, c'était la porte à côté. Dix ans après. Tout juste. Trente ans aujourd'hui. Jusqu'à cette nuit où je rencontrai le Machiniste.

L'oubli! Donnez-moi l'oubli! Que tout le monde oublie tout. Réconcilions-nous, nous le pouvons. Mais… si je me souviens de tout aussi nettement, c'est qu'il en existe d'autres dont la mémoire n'est pas mauvaise! De ceux qui purent changer de rôle et survivre.

Katia Chougaïkina, elle, ne se souvient de rien. Elle est morte. De mort horrible.

À l'époque, elle ne s'imaginait pas que la vie pouvait changer de cours et qu'elle se retrouverait elle-même assise dans un coin du cabinet sur le tabouret vissé au sol. Sur le même tabouret où était assis auparavant le saboteur Kloubis, en reniflant piteusement, tandis que cette jument pétillante et sanguinaire trottait à travers le cabinet, lui collant

120

son poing dans les dents, tout en répétant sur un ton mêlé d'étonnement et d'indignation :

— Regarde sa gueule. Quelle arrogance ! Il refuse d'avouer…

En vérité, à ce moment-là, la gueule de Rouvim Iankelevitch n'avait rien d'arrogant. Peut-être le fut-elle lorsqu'il se pavanait avec ses épaulettes de général, assis derrière son bureau de ministre, ou lorsqu'il arborait la médaille du prix Staline, ou encore quand Kalinine, notre doyen national au petit bouc, accrochait les décorations sur sa vareuse.

Mais assis sur le tabouret vissé au sol, dans son uniforme crasseux, pas rasé, les yeux rougis par les larmes, il avait plutôt l'air pitoyable, abattu et malheureux. Kloubis avait déjà appris de Katia qu'il était un espion allemand, recruté en 1936 par les trotskistes de droite, et qu'il avait organisé un complot visant à démoraliser l'armée de l'air en compagnie de Jakob Smouchkevitch, ex-général, ex-double héros de l'Union soviétique, agent de l'Abwehr, canaille désormais mise hors d'état de nuire.

Il s'était résigné et avait presque accepté de jouer le rôle. Chougaïkina le savait. Et dès que Kloubis ouvrait la bouche, elle lâchait paresseusement, sans méchanceté aucune :

— Sale gueule ! Quelle impudence ! Comporte-toi en homme. Si tu as appris à trahir, tu dois aussi savoir avouer.

Et elle agitait son chignon menaçant. Un jour qu'elle s'habillait devant moi, je poussai un cri de plaisir lorsque je la vis dissimuler à l'intérieur de son chignon une petite boîte de conserve. Une boîte de conserve rouge en fer-blanc de viande américaine.

Kloubis tenta d'expliquer qu'en tant que juif il ne pouvait en aucun cas être un agent de la Gestapo, que, après tout, il était vice-ministre et pourquoi un vice-ministre juif se ferait-il recruter par les nazis ? Mais Katia continuait de lui titiller les dents avec son poing, en lui conseillant de cesser de se montrer arrogant.

Kloubis ne voulait pas croire qu'il s'adressait à la boîte rouge de conserve de porc.

Je finis ma Palmira et sortis du cabinet. Intéressant. Katia n'est qu'une conne, elle n'a d'imagination qu'au plumard. Elle n'aurait pas dû coller sur le dos de cet animal de Kloubis cette affaire du général fusillé et oublié depuis longtemps mais celle du centre des ingénieurs-saboteurs-sionistes de l'usine Staline, découvert récemment. Le jeu en valait la chandelle. Alors que là, il n'y avait pas grand-chose à en tirer. Dans un mois, il serait zigouillé et puis c'est tout.

Dans le bureau voisin, aucune trace de Minka, et rien de passionnant non plus. Vassia Rakine cognait sur un directeur de sovkhoze avec un barreau de chaise. Le nom du directeur était Bortsch. Ça faisait deux semaines que Vassia répétait tous les jours à la cantine : « Tu parles d'une galère : bortsch le jour et Bortsch la nuit. »

Bortsch était immangeable. Tout en veines et en os, maigre, bleu de peur et de haine. Il haïssait tout le monde, les siens et les autres, Vassia Rakine, le pouvoir soviétique et l'Occident opulent. À mon avis, sa haine de l'Occident et de sa famille était raisonnable, celle de Vassia et du pouvoir soviétique simplement stupide.

Un jour, à New York — ou était-ce au Canada ? —, on avait organisé une exposition de photos racontant notre existence lumineuse, pleine de transformations magiques et de réalisations inouïes. Sur l'un des clichés, Bortsch, le directeur du sovkhoze, faisait une démonstration agricole, la traite des chèvres ou la tonte des porcs, je ne sais plus. En tout cas, des juifs canadiens portant ce même nom merveilleux de Bortsch, émigrés avant la Révolution, tombèrent sur le cliché. Ravis d'apprendre l'existence d'un Bortsch de bouillon soviétique, ces connards, conscients de la menace permanente de ruine et de misère qui planait sur Bortsch, eurent la bonne idée de se cotiser et de lui envoyer une Chevrolet. Pour que Bortsch, en se prélassant dans sa nouvelle auto, ait toujours une pensée émue pour ses admirables congénères.

Les Bortsch en avaient fait trop. S'ils avaient envoyé une batteuse ou une autre machine agricole, rien à cirer ! Bien sûr, on s'en serait souvenu au moment opportun et on aurait rappelé à notre Bortsch cette triste et suspecte manifestation de générosité. Mais une Chevrolet ! Toute la direction régionale, et je ne parle même pas du district, roule dans de vieilles carcasses merdeuses, le chef local de la Boutique s'esquinte les fesses dans une Pobeda sur les routes de campagne, tandis que notre Bortsch, un moins-que-rien, un minus, un rat puant, se pavanerait dans une Chevrolet cerise ? Tous des enculés, comme dirait Katia Chougaïkina.

On dut confisquer la Chevrolet et travailler un peu avec ce Bortsch. Et maintenant il hait la terre entière, non sans avoir avoué ses liens avec la CIA. Mais refuse de livrer le nom du résident, les planques, le chiffre et la radio clandestine. Et ce pauvre Vassia Rakine qui se démonte l'épaule à lui taper dessus avec un lourd barreau de chaise ! Avec ce barreau tordu à la main, Vassia, un petit blond au nez retroussé, aux yeux stupides d'excitation, couvert de sueur, ressemblait au célèbre joueur de hockey Bobkov, au moment de marquer un point difficile.

Dans le compartiment suivant, l'écrivain Volnov racontait des blagues à l'instructeur Babitsyne et tous deux riaient de bon cœur. Ils buvaient du thé sucré avec des biscuits Maria, la sueur perlait sur le front satisfait de Volnov. C'était une ambiance amicale, polie, voire affectueuse.

Volnov, un beau vieillard, était une sorte de martyr prospère : il avait passé ses trois dernières années de camp comme responsable du pain. En tout il y était resté vingt-deux ans. On l'avait fait venir dare-dare à Moscou pour lui coller une charmante affaire d'étrangers : de quoi lui ajouter encore dix-quinze ans. Mais l'écrivain ne s'inquiétait pas pour ça. Il avait peur de perdre sa place encore toute chaude au camp, pendant qu'on le trimbalait ainsi. Babitsyne jura la main sur le cœur, foi de tchékiste, qu'il retrouverait sa place de vétéran des coupeurs de pain dès qu'il aurait fait une déposition sincère à propos de cette affaire dont on lui donnerait tous les détails.

Tout le monde avait dû jouer son rôle convenablement dans cette mise en scène, car je rencontrai Volnov vingt ans plus tard, cette fois-ci en liberté. Il faisait partie de la commission d'adhésion de l'Union des écrivains où j'avais déposé une demande. Naturellement, il ne se souvenait pas de moi, j'étais juste passé dans le bureau à la recherche de Minka et j'avais eu tout le loisir de l'observer, tandis que lui ne pensait qu'à sa place de coupeur de pain qui lui échappait si stupidement.

Dieu merci, il m'avait oublié ! Sinon, jamais il n'aurait accepté mon adhésion. Il aurait demandé des nouvelles de ce cher Babitsyne. Quoi, Babitsyne ? Il vit petitement, fait pousser ses radis pour les vendre au marché ; un retraité souriant et aimable.

En tout et pour tout, l'écrivain coupeur de pain Volnov se ramassa vingt-neuf ans et trois mois : deux fois Monte-Cristo. Dommage que l'abbé Faria ait calanché dans un autre camp. Aujourd'hui, Volnov se contente d'une pension de cent vingt roubles par mois. Et du petit deux-pièces dont on a bien voulu lui faire l'aumône.

Derrière la porte voisine, un médecin de Belostok refusait de jouer son rôle et on tentait de le convaincre. Il était accusé d'être polonais. Le médecin admettait cette accusation en partie, en ce qui concernait son origine, mais récusait une quelconque activité criminelle. Il hurlait, la bouche édentée, pleine de sang : «Allez vous faire foutre, chiens galeux !»

Puis ce fut le tour d'un élève de seconde, grand nigaud, crétin de malheur. Ce Guillaume Tell merdeux avait apporté son arc à l'école et soutenait maintenant, en sanglotant, que ce n'était pas de sa faute si la flèche s'était nichée dans le portrait du camarade Staline et avait traversé sa poitrine. Comment ça, pas de sa faute ? Comment était-il possible, sans viser, d'atteindre la poitrine de Notre Guide ?

La mère de l'adolescent attardé tomba à genoux devant l'instructeur Perepliotchikov et se mit à marmonner :

— Mon petit gars, mon joli, laisse-le sortir, Dieu te le rendra, il n'est pas bien méchant, c'est encore un enfant, il n'a pas fait exprès, et comment sa main pourrait se lever sur lui, c'est comme son père. En vrai, Joseph Vissarionovitch, c'est notre vrai père, le sien a été tué à la guerre, je n'ai personne, juste ce gamin, je fais des ménages, j'ai deux emplois, je ne le vois jamais, il n'y a personne pour l'éduquer comme il faut, alors il fait des bêtises, sinon il est doux comme un agneau. Pardonnez-lui, mon bienfaiteur, de grâce !

Le bienfaiteur, c'est-à-dire Perepliotchikov, opinait tristement du chef et lui disait sur un ton affligé :

— Votre devoir sacré de mère était de faire de cet enfant un patriote ardent. Et qu'en avez-vous fait ? Il n'est même pas membre du Komsomol[1] ?

— Mais il a eu quinze ans le mois dernier, mon joli !

— Et alors ? À son âge, nous autres mourions sur les champs de bataille, nous luttions dans la clandestinité, soupira Perepliotchikov, heureusement réchappé des champs de bataille. Non, nous ne pouvons plus vous confier l'éducation de votre fils…

Moui… Le môme allait écoper de cinq ans. Pour ça, ils allaient l'éduquer, chez nous, et le préparer à la lutte clandestine.

Dans le bureau voisin, un célèbre pilote entrecoupait son silence résigné de quelques aveux modérés. Son nom était quelque chose comme Kaki-naki ou Nate-kaki. Un pilote d'essai, un héros. La saison est bonne pour les pilotes. Ah, sacrés pilotes ! Quelle loi étrange : plus le bonhomme est courageux, là-haut, en liberté, et plus il vole vite, plus il est abattu une fois arrivé chez nous et plus vite il accepte son nouveau rôle, si amer et si inhabituel pour eux.

Les paysans tenaient le coup. C'est un peuple à part, aujourd'hui presque entièrement disparu.

1. Les Jeunesses communistes.

Comme les Babyloniens ou les Égyptiens de l'Antiquité.

Comme ils n'avaient jamais volé, ils ne pouvaient pas tomber de haut. Ils souffraient avec dignité et mouraient placidement. Et impassiblement.

Cela dit, la façon de mourir n'a aucune importance. Ce qui importe c'est la façon de vivre. Il faut savoir vivre agréablement. Avec intelligence. Distribuer les rôles soi-même et éviter que ce ne soit Minka Rioumine qui vous les confie.

Minka Rioumine, qui venait à ma rencontre dans le couloir, essuyant ses lèvres grasses avec un mouchoir bariolé, généreusement parfumé avec de l'eau de Cologne Krasnaïa Moskva.

Pourquoi colles-tu ainsi à mes basques, sale con de Machiniste ? Si tu sais ce que sont un but et une volonté, tu dois comprendre que nous ne sommes pas absolument libres. Même dans le choix de nos rôles. Moi-même, je n'étais alors qu'un des innombrables rouages qui, sans connaître le but de leur travail, faisaient tourner l'essieu gigantesque de l'histoire dans le sens contraire. Tous ensemble.

À cette époque, je n'allais pas encore chercher les savantes sentences latines dans le *Dictionnaire des mots étrangers*. Je serais forcément tombé sur celle-ci : *Audi, vide, sile*. Écoute, regarde, tais-toi. Magnifique ! Tout un programme. Pas besoin de dictionnaires ni de vieux Romains crevés pour comprendre cette phrase. À la soviétique.

Écoute. Regarde. Tais-toi.

Minka revenait de la cafétéria, visiblement satisfait de son existence, rassasié et déjà un peu ivre. Il fronçait ses sourcils blonds, ce qui donnait un peu plus d'importance à son visage intelligent. Les gens

127

stupides ont souvent un visage intelligent. C'est parce qu'ils ne font aucun effort pour penser.

Il m'aperçut, sourit et cria avec aménité :

— Comment vas-tu-yau de poêle ? Et toi-le à matelas ?

Il fait nuit noire dans son cerveau vulgaire.

— Où tu traînes ? demandai-je, contrarié.

C'était clair, pourtant. Dans la vie, Minka n'aimait que deux choses : la bouffe et les chefs. S'il n'était pas dans son cabinet, c'est que soit il traînait dans les couloirs de la direction, soit il était en train de s'empiffrer à la cafétéria.

— Je ne pensais pas que tu serais de retour si vite : elle t'a tapé dans l'œil, la petite juive, hein ? Je t'ai vu, tu sais...

Il éclata de rire et agita sa célèbre breloque devant mon nez. Une merveille, cette breloque : un petit bonhomme en bronze avec un énorme membre en érection. Lorsque Minka se déchaînait pendant les interrogatoires, il serrait le petit homme de façon que le membre passe entre ses doigts, et frappait comme avec un casse-tête. Ça ne tuait personne, mais ça pouvait faire de jolis trous dans le visage, et si la lèvre était touchée, on s'en souvenait pendant un bon moment.

En dehors des interrogatoires, Minka nous amusait avec sa breloque. Il chatouillait les mains des inspectrices et des dactylos avec le membre du bonhomme de bronze et demandait : « Ça vous excite ? » Les filles hurlaient de rire, le repoussaient gentiment, tandis que Minka me faisait des clins d'œil : « Toi, les filles t'aiment parce que tu es beau et malin, et moi, parce que je suis simple et gai. »

En gros, il avait raison. Minka était un homme sans histoires. On pouvait lire sur son visage transparent et grassouillet qu'il était capable de n'importe quelle saloperie pour le plus modeste des salaires. Même avec les putes, il se montrait peu engageant. Le plaisir qu'elles pouvaient lui procurer ne faisait pas partie de ceux qu'il considérait comme essentiels : une putain ne pouvait pas devenir chef et il était impossible de la bouffer.

Minka ouvrit la porte de son cabinet, alluma, s'assit dignement derrière son bureau en noyer, composa sans hâte le numéro du poste de garde et demanda qu'on amène le détenu.

Un à un, les derniers signes d'humanité disparurent imperceptiblement : d'une part, il n'avait pas faim et, de l'autre, pour l'ex-professeur Lourié, qu'on sortait en ce moment de son placard, il était lui-même un grand chef.

— Tu veux commencer ? demanda-t-il par politesse.

Non, il n'avait rien compris, décidément. Il n'avait même pas remarqué que, au lieu de m'asseoir comme d'habitude à côté de lui, ou un peu en avant, je m'étais éloigné et coincé sur le rebord de la fenêtre.

Je fis non de la tête, ce qui le satisfit amplement : c'étaient les meilleurs moments de sa vie. Comme un mauvais acteur, voué corps et âme à la scène, il voyait dans son rôle insignifiant un sens caché, et il l'extirpait de cette pièce non encore écrite, consacrée à lui, Minka-le-Chef. Il n'avait pas pensé une seconde que, si la journée de travail s'était muée en nuit de travail, que si le temps s'était mis à marcher à reculons, que si la vie humaine était devenue ce qu'il y avait de moins précieux sur terre, cette pièce sur lui, Minka-le-Chef, n'était qu'un vulgaire mode d'emploi pour l'un des innombrables rouages qui faisaient tourner la machine de l'existence d'avant en arrière.

Par la fenêtre, je voyais, au fond de la place Dzerjinski quasi déserte, les voitures s'agiter dans la
lueur pâle des phares comme des poissons dans un
aquarium. Les réverbères s'éteignirent. Les derniers
passagers sortaient du métro par petits paquets et la
lettre M, rouge comme de la viande hachée, clignotait, lugubre, au-dessus de l'arche.

L'horloge de la tour Spasskaïa sonna le quart de
onze heures. Lourié vivait la fin de sa dernière journée de liberté. Première journée d'une longue et
sûrement éternelle captivité. Pour redevenir libre,
il aurait fallu que Lourié naisse de nouveau, qu'il
se réincarne en oiseau, en arbre, en pierre. Peut-
être même en Minka Rioumine. Est-ce que le vieux
aimerait se réincarner en Minka Rioumine?

Sans quitter mon rebord de fenêtre, j'allumai
la radio et la pièce fut aussitôt envahie par les
altos sanglotant, pleins et harmonieux des sœurs
Ichkhnelli. Minka tapotait nerveusement des doigts,
et ses ongles courts et abîmés raclaient désagréablement les papiers posés sur le bureau. Les sœurettes géorgiennes chantaient la gloire de notre
Hérode national, de notre coryphée, le Patron.
Lorsqu'elles entamèrent «Souliko[1]», la porte s'ouvrit et le garde fit entrer le vieux Lourié, qui se mit
immédiatement à crier d'une voix de fausset:

— C'est un scandale! C'est illégal! J'ai soigné les
camarades Molotov et Mikoïan! J'exige de téléphoner au secrétariat du camarade Molotov!

Voilà tout ce qu'il trouva après deux heures passées debout dans le box. Voilà ce qu'il réussit à crier
en entrant dans le cabinet, après avoir rassemblé
ses dernières forces. Et par ce cri désagréable il
gâcha «Souliko».

1. La chanson géorgienne préférée de Staline.

130

Les sœurettes furent comme impressionnées par ce cri, mais Lourié n'eut d'énergie que pour ce hurlement unique et elles continuèrent de plus belle. Nous nous taisions, Minka et moi. Je ne bougeai pas de ma place sur le rebord de fenêtre, tandis que Minka commença à se lever, à gonfler au-dessus de son bureau comme un nuage menaçant. Cette image fit clairement comprendre au père Lourié qu'il ne devait pas gâcher par ses cris les voix mielleuses des sœurs Ichkhnelli, si appréciées de notre grand stratège. Peut-être que Lourié était devenu subitement aphone, car il continua d'une voix rauque :

— J'exige de pouvoir m'entretenir avec le ministre de la Santé.

Comme une bête traquée, il regarda autour de lui à la recherche d'un téléphone puis enleva poliment ses caoutchoucs et les posa dans un coin, se rendant compte qu'il se trouvait dans un lieu public.

Minka sortit de derrière son bureau, alla d'un pas majestueux jusqu'à la porte et demanda avec un air préoccupé :

— Autre chose ?

Manifestement, Lourié avait une idée fixe et pensait que le téléphone était directement relié à saint Pierre.

— J'aimerais téléphoner… Ils vont tout vous expliquer… Vous allez comprendre…

Minka se pencha, ramassa par terre un des caoutchoucs du professeur, le soupesa comme un joueur professionnel teste une batte et, avec une rapidité imprévisible, dans un éclair de semelle rouge, l'abattit sur le visage de Lourié. Puis il fit valdinguer le caoutchouc, secoua les mains d'un air dégoûté et se pencha sur le vieillard étendu par terre :

— Autre chose ?

Lourié entrouvrit les yeux, se passa la main sur le

visage et, étonné de voir des traces rouges sur ses paumes, dit sur un ton désemparé :

— Du sang ? C'est mon sang ?

Il n'était pas effrayé, non, mais stupéfait. Le grand nom de la science, l'académicien Lourié, venait de faire une découverte capitale : il était donc possible de provoquer le saignement de quelqu'un autrement qu'à l'aide de sangsues ou d'un bistouri. Par exemple, en frappant au visage avec un caoutchouc boueux. Le sang coulait de son nez et de sa bouche, couvrait sa chemise de taches sombres, dégoulinait sur sa veste grise. Il tenta de se mettre à quatre pattes, s'appuya sur les mains, puis retomba, et une flaque sombre et poisseuse se répandit sur le parquet jaune d'œuf en chêne.

Minka secoua la tête d'un air dépité, saisit le professeur par les aisselles et le traîna dans la flaque, rouge comme la semelle du caoutchouc dont il venait de cogner avec une telle dextérité sa sale gueule de juif.

Pendant qu'il traînait le professeur à travers le bureau, il grommelait :

— En voilà des façons de dégueulasser le parquet...

Il le saisit fermement par le col, le souleva et, d'un geste brusque, l'envoya sur le tabouret vissé au sol dans le coin du cabinet. Soit le vieux était évanoui, soit il était abasourdi et épouvanté, mais il avait quelque chose de l'animal condamné à l'abattoir, avec son corps pétrifié, sa barbiche trempée de sang et ses paupières closes.

Audi, vide, sile.

Minka Rioumine, un peu fatigué par l'effort physique, se remit derrière son bureau, manifestement ravi de l'effet produit par cette entrée en scène. Nous nous taisions et les faibles sanglots du vieillard ensanglanté se mêlaient à la chanson des sœurs géorgiennes, pleine de tendresse et de passion.

Dans un effort surhumain, Lourié souleva ses lourdes paupières et dit comme dans un rêve :

— Je suis décoré deux fois de l'ordre de Lénine.

Pourquoi disait-il cela ? Pensait-il pouvoir échanger ses deux ordres de Lénine contre la médaille du Mérite au combat de Minka ? Je ne sais pas. Minka, lui, ne pensait rien. Il n'avait pas besoin d'échanger quoi que ce soit, il savait qu'il les aurait bientôt, toutes ces décorations.

— Il ne faut pas dire *je suis*, mais *j'étais*, déclara Minka, se moquant de la bêtise du vieillard. Vos décorations vous ont été confisquées lors de la perquisition. La patrie donne à ceux qui méritent et reprend à ceux qui trahissent. Ne vous fatiguez pas à vous faire mousser ici pour vos mérites passés. La patrie, c'est Minka. C'est nous. Ce que Kalinine a donné, Minka le reprend.

— De quoi m'accuse-t-on ? zézaya Lourié, accablé.

— Sabotage. Vous ne voulez pas vous repentir ? Sincèrement ?

— Me repentir ? Sincèrement ? répéta Lourié. Je suis médecin, comment voudriez-vous que je me livre au sabotage ?

Minka ouvrit le dossier posé devant lui, fronça ses sourcils porcins, braqua sur Lourié son regard intelligent et martela :

— Vous êtes accusé d'avoir infiltré la direction de la clinique urologique dans le but de nuire aux cadres dirigeants du pays et du Parti qui ont sollicité votre aide, d'avoir posé des diagnostics volontairement erronés et pratiqué des ablations de reins, sous le prétexte qu'il n'existait pas d'autre solution.

Lourié chancela sur son tabouret et tendit en

avant ses paumes ensanglantées, comme si Minka allait de nouveau le frapper avec le caoutchouc.

— Arrêtez, supplia-t-il. C'est horrible… J'ai l'impression de devenir fou. Ce n'est pas possible.

— Horrible ?

Minka rit de bon cœur et se pencha en avant pour demander doucement d'une voix funeste :

— Et découper des reins de gens parfaitement sains, ce n'est pas horrible ? Mutiler les responsables de ce pays, ce n'est pas horrible ? Vous espériez vous en sortir ? Vous pensiez qu'on ne vous démasquerait pas ?

— Vous dites des choses monstrueuses, répondit Lourié après avoir rassemblé toutes ses forces. Un médecin ne peut pas nuire sciemment à ses malades, il a prêté le serment d'Hippocrate !

Minka éclata de rire à cette ineptie flagrante proférée par le détenu. Où avait-il été chercher ça, le serment d'Hippocrate ? Ha-ha-ha-ha-ha-ha-ha-ha-ha-ha-ha !

Il en pleurait, Minka. Il sortit son mouchoir, s'essuya, puis poursuivit :

— Et les médecins nazis ? Ceux qui sévissaient dans les camps de concentration ? Eux aussi ils ont prêté le serment d'Hippocrate !

— Ce ne sont pas des hommes, dit fermement Lourié. Ils ont été maudits par tous les médecins du monde.

— Vous aussi, vous serez maudit par tous les médecins honnêtes de notre pays ! répliqua Minka en pointant son doigt sur Lourié. Le médecin soviétique, il n'en a rien à foutre de votre serment d'Hippocrate de merde. Le médecin soviétique ne prête serment qu'au Parti et au camarade Staline personnellement ! Quant à vous, avec votre serment puant, vous êtes toujours prêts à comploter contre le peuple.

À dire vrai, quand il était excité comme ça, Minka Rioumine ne disait pas que des conneries. Il avait bien mouché le professeur. Après tout, nous ne l'avions pas convié à un colloque, avec toutes sortes d'argumentations et de démonstrations. Nous devions convaincre rapidement nos interlocuteurs que leur vie d'avant ne valait pas un kopeck, que ces crues noires des eaux nocturnes, c'était le jour lumineux, qu'hier serait demain, qu'Hippocrate se plaisait à pratiquer l'ablation des reins, que le temps marchait à reculons.

Lourié commençait à le comprendre. Il s'était ramassé sur lui-même, sa lourde tête blanche inclinée, reniflant de temps à autre pour aspirer les caillots de sang qui obstruaient ses narines.

— Alors, on est devenu muet ? Ou on est prêt à soulager sa conscience ? Ou plus exactement à avouer ? demanda Minka.

Lourié leva la tête ; nous observa longuement puis articula lentement, en s'adressant à moi, peut-être parce que je ne lui avais pas parlé de reins ni balancé de caoutchoucs à la figure.

— Il existe une maladie, qui s'appelle la maladie de Bechterev. À cause d'une déformation des vertèbres, on ne peut se tenir debout que courbé. La moindre tentative pour se redresser provoque des souffrances inouïes. On appelle ça la posture du suppliant. J'ai l'impression que c'est précisément la posture que vous voulez me faire adopter. Je pense que vous n'en aurez pas le temps. Je mourrai avant.

— Et les autres ? demandai-je par curiosité.

Il me fixa et hocha la tête :

— À mon avis, tous les crimes du monde ont été commis à cause de l'illusion qu'ils resteraient impunis. On vous a trompés, jeunes gens, on vous a trompés en vous inculquant l'idée qu'on pouvait frapper

135

les gens avec des caoutchoucs ou découper des reins sains. Vous aussi, on vous tuera. Pas pour vous punir, mais pour dissimuler ce gigantesque mensonge. Vous aussi, on vous tuera.

Et il se mit à pleurer comme un enfant.

Minka, après avoir tenté de comprendre les paroles de Lourié, lui balança son presse-papier en marbre. Les côtes du vieillard craquèrent sous le choc et il tomba de son tabouret...

Sonnerie. Sonnerie. Sonnerie.

Le téléphone sonne. C'est le téléphone. Il sonne, là, sur mon bureau. Trente ans après. Dans le quartier de l'Aéroport. Aéroport dont personne ne s'envole. Le vieux avait menti : personne ne m'avait tué. Je ne m'étais pas laissé faire. Minka, lui, ils l'ont tué.

Et moi, j'ai eu le droit à la visite du Machiniste. Le téléphone sonne.

Allô, je ne suis pas à la maison, je suis là-bas, à la Boutique, trente ans en arrière.

C'était l'archimandrite, le père Alexandre. Il avait fini par me trouver. Il riait à l'autre bout du fil, se bidonnait, racontait des histoires, l'archimandrite, mon bienfaiteur opulent au corps gras et rose comme du spermaceti.

J'entendis la fin de sa phrase :

— ... s'est bien marrés, quand même, hier soir.

— C'est vrai, on s'est bien marrés.

— Pourquoi tu m'as appelé, ce matin ?

— Comme ça. Je voulais savoir si tout allait bien.

J'avais décidé de ne rien lui demander. Il pourrait très bien déclarer que j'étais schizo. Par pure amitié.

— Ah bon, dit le prêtre. Dis donc, après la messe,

à la cathédrale, il y a un drôle de type qui est venu me voir...

— Comment ça ?

— Un drôle de type, je te dis. Très maigre, blond, le regard fuyant. Avec une veste d'écolier ! Il m'a donné une lettre pour toi.

— Brûle-la.

Il ne restait plus qu'un ou deux doigts de whisky dans la bouteille. Pas mal ! Je venais à peine de l'entamer. C'est vrai que j'étais parti depuis un moment. Trente ans.

Il fallait que je boive un coup. Tout ce brouillard dans ma tête.

6

Nous deux

Mon Dieu, que j'ai envie de boire un coup.
L'alcool, c'est la cinquième dimension. La principale. Toutes les autres se dissolvent dedans. C'est la
terre ferme de ce monde vacillant. C'est le gaz sans
lequel l'air ne serait que pur azote. Fraîcheur étonnante pour les âmes embrasées. Et la dernière
flamme qui nous réchauffe.

Il fallait que je boive un coup.

Ces imbéciles d'auteurs de science-fiction, qui ont
inventé des dizaines de mondes différents, n'ont
jamais compris cette chose très simple : la bouteille
de vodka, c'est comme une merveilleuse petite
fusée ; remplie jusqu'à la gorge de combustible
magique, elle ignore le pouvoir du temps, de l'espace, l'attraction terrestre, elle libère de la peur, de
la misère, de la responsabilité. Elle vole vers la
liberté et nous garantit le bonheur immédiat. Un
peuple entier vole dans ces petites fusées vertes.
Vers où ? Qu'y a-t-il au bout ? Où nous poserons-
nous ?

Il faut absolument que je boive un coup. Nous
sommes dimanche. Milieu de l'après-midi. Moment
de vide. Ce soir, Maïka viendra avec son fiancé de

Machinbourg. Ou de Köpenick ? Après tout, quelle importance ?

Ils voudraient que je leur réponde et ne veulent pas comprendre, bêtes comme ils sont, que je ne peux pas répondre, puisque je ne sais pas grand-chose moi-même. Quelques-uns savent deux ou trois choses. Quelques autres seulement — sur un quart de millions d'hommes ! — en savent même beaucoup. Plus personne ne sait tout. Morts, exécutés, partis dans les fusées vertes.

À quoi bon, d'ailleurs ? Qui cherche encore la prétendue vérité en retournant cette montagne de sang et de boue ? Des intrigants malins ou des idéalistes stupides. Distractions *ad vulgus*.

Il est urgent de boire. Plus une goutte dans la maison. Il faut boire et oublier toutes ces questions idiotes. C'est absurde : ce qui frappe ces questionneurs aux petits pieds, qui ont découvert un maigre morceau de l'effroyable vérité, ce sont les gigantesques proportions des horreurs commises. Mais ce n'est pas ça ! C'est une illusion ! Tout cela existait avant. Dans la vraie vie.

La grande majorité de la population n'a pas demandé à ces gens de chercher la vérité. La grande majorité, dans le fond de son cœur, ne veut pas la connaître. Personne n'a jamais aimé les souvenirs désagréables, tristes ou effrayants, et aujourd'hui encore moins qu'hier. On préfère mettre tout ça de côté et oublier le plus rapidement possible.

Admettons que certains se souviennent encore de ce passé. Même moi. Mais ça ne veut pas dire qu'il faille me faire cracher toutes les ordures terribles et puantes sur la place publique ! Poubelle des passions humaines.

Oui, oui, oui ! Je me souviens. Je me souviens.

Et alors ? Qu'est-ce que ça peut faire ?

Je me souviens de moi hier. Il y a trente ans. Je me souviens aussi de moi il y a quatre cents ans. Je galopais sur un étalon moreau, vêtu d'une courte tunique noire par-dessus ma cotte de mailles, avec, accrochés à la selle, un crâne de chien et un balai.

Seul le nom que je portais à l'époque m'échappe. Allez, ce n'est pas grave.

Depuis ce temps, nous avons germé à travers toute la Russie. À jamais. Seul le nom change. Comme le mien.

Opritchnina[1]. Hors de l'État, hors de l'Église, hors des lois. *Opritch*, ça veut dire «hors de tout».

Hors de tous, au-dessus de tous. Particulièrement, hors de tout ce qui nous est familier, des liens familiaux, du respect, de l'amour, de la bonté. Guerriers spéciaux. La garde particulière de notre Très Saint Patron, Ivan le Terrible, son Service À Part. Hors le peuple tout entier.

Opritchnina. À part.

Nous ne nous réincarnons pas en fleurs, en poissons ou en enfants, mais en nous-mêmes, redevenant ce que nous fûmes.

Il y a longtemps, je fus à part, je fus un *opritchnik*, un punisseur. Peut-être qu'on m'appelait Khvatkine. Ou Maliouta Belski, Griaznoï ou Basmanov[2]. Mais ça n'a pas d'importance. Tel est mon destin depuis

1. En février 1565, Ivan le Terrible publie un oukase divisant le pays en deux parties, la Zemtchina (la terre, le pays), qui conserve l'ancienne administration, et l'Opritchnina (la réserve), où tout le pouvoir est concentré entre les mains du tsar. Ivan crée un corps d'élite, les *opritchniks*, qui vont faire régner la terreur pendant sept ans. Bien sûr, Staline cherchera à réhabiliter ces ancêtres de la Tcheka-Guepeou-NKVD-MGB-KGB.
2. Grigori Skouratov-Belski, dit Maliouta, Vassili Griaznoï et Alexis Basmanov, chefs de l'Opritchnina.

des siècles. Je fais partie des services spéciaux. Des Services À Part. Allez, crâne de chien, renifle la piste. Allez, balai de fer, balaie autour de toi. Tout le monde. Les étrangers. Et les siens davantage encore! Pousse ta roue, moulin fou, c'est le sang qui la fait tourner! Plus il y aura de sang et plus la mouture sera fine.

Frappe tout le monde!

Hors le Saint Patron!

On recherche: Le Grand Tsar Ivan Grozny, alias Sosso Djougachvili, alias David, alias Koba, alias Nijeradzé, alias Tchijikov, alias Ivanovitch, alias Joseph Vissarionovitch Staline.

Signalement: trapu, roux, le visage grêlé, sur le pied gauche la «marque du diable»: les quatrième et cinquième phalanges soudées l'une à l'autre.

Signe particulier: adoré comme un dieu par des millions de sujets qu'il a torturés.

Je peux vous confier un secret. Chut! Seulement à vous! Il est enterré dans deux endroits différents. Le vieux cadavre se trouve sous l'autel de la cathédrale de la Dormition, au Kremlin. L'autre, moins ancien, est enfoui sous l'escalier de service du Mausolée, devant le mur du Kremlin.

Mais n'allez pas les déterrer. Vous ne tiendriez dans vos mains que des restes pourris de puissance. Je vous connais, vous reviendriez avec vos questions: où est le duc d'Albe? Où est Borgia? Où est Tamerlan? Où est Attila? Et Caligula? Et Hérode le Grand, que le Diable t'emporte?

Comment pourrais-je vous répondre? Je ne suis plus le gardien de mes patrons.

Je voudrais boire. M'envoler dans une fusée de verre monoplace. Je voudrais partir pour la cin-

quième dimension. Plonger dans la quintessence de
la vie.

Mon Dieu, quelle niaiserie! Que de mots stupides
a-t-on inventés!

Je me mis à hurler:

— Marina! Il y a quelque chose à boire, dans la
maison?

Elle grommela derrière la porte, renifla un peu et
se tut. Comme un aspirateur qui rend l'âme en
pleine force de l'âge.

Rien à foutre, après tout.

C'est quand même injuste: Hélène de Troie, la
copine de Thésée, la veuve de Pâris et de Ménélas,
qui était quand même une reine, a été étranglée et
pendue par les pieds à un arbre sec, comme Mussolini. Alors que ma garce à moi se porte comme
un charme. Ça ne fait rien, va, ma petite ourse mal
léchée, pour toi aussi viendra le *dies irae*, le jour de
colère, tu l'auras voulu, salope.

Où sont les chaussettes sèches? Ah, les voilà. Il
faut que j'aille au café du coin. La patronne vend
de la vodka au noir. Seulement à des gens bien.

Il faut sortir, plonger dans l'angoisse de ce mois
de mars pourri, de ce printemps tardif et humide. Il
n'y aura plus jamais de printemps, février sera directement suivi de novembre. Comme pour les révolu-
tions.

Escalier désert, lumière trouble. Je me surpris à
regarder autour de moi, comme si je cherchais une
nouvelle missive du Machiniste. Je tendis l'oreille:
et s'il s'était dissimulé derrière l'extincteur?

Silence. Je me sentis faible et m'accrochai au mur
pour ne pas tomber, en attendant l'ascenseur. Ma
tête était lourde, elle s'enfonçait dans les profondeurs, comme un bathyscaphe. Puis je fus happé

par l'ascenseur, qui descendit lentement, en ronronnant et en grinçant de tous ses câbles.

Mon garde-chiourme de Vologda, Tikhon Ivanovitch, nom de jeune fille Steiner, n'était pas à son
poste. En nous déplaçant dans le temps, nous ne
changeons pas d'espace, mais d'apparence et de
nom. Nous sommes des loups-garous.

Il dort, Tikhon Ivanovitch, il reprend des forces
dans son appartement, qui ressemble à un poste de
garde. Dans son entrée, il y a sûrement, à la place du
portemanteau, des fusils rangés en pyramide. Il faut
qu'il se repose avant ce soir où, le fusil à la main,
il prendra son tour de garde dans ce que les habitants stupides prennent pour l'entrée principale de
l'immeuble, alors que Tikhon, lui, sait que c'est un
sas de sortie. Le matin même, il les a laissés sortir
comme de vulgaires gens libres, malheureusement
pas en rangs par cinq, comme il l'aurait souhaité,
mais par paquets désordonnés, flanqués de leurs
petits chiens gentils ; mais le soir, il se doit de les
accueillir et de noter leurs noms sur sa feuille de
service. Tout le monde est-il bien rentré de permission ? Bien sûr, où pourraient-ils aller ?

Mais peut-être qu'il ne dort pas, mon garde-
chiourme, qu'il attend la relève assis sur son lit en
songeant à mon futur gendre de Machinbourg. Il a
juste enlevé ses bottes.

Dehors, il bruine. Une espèce de semoule bleuâtre
et glacée. Une couche de brouillard recouvre la ville,
gorgée d'humidité et de neige grise fondue. Ma
Mercedes chauffe et son capot se couvre de perles
d'eau et de verrues de glace. Elle brille et étincelle.
Dans ce monde sens dessus dessous, il faut voir
cette harmonie monstrueuse : un professeur lave
mieux les voitures qu'un ouvrier paresseux après
une nuit de beuverie.

Un morceau de papier blanc était coincé dans l'interstice de la vitre, comme un tampon d'ouate.

Une lettre du Machiniste! Ordure! Je la laisse? Je la jette sans la lire? Impossible, Tikhon la ramasserait. Je sortis le papier et le dépliai à contrecœur.

Deux roubles. Deux roubles enveloppés dans un morceau de papier.

Mon cœur se réchauffa, la peur s'envola pour laisser place à la fureur. C'était la monnaie rendue par le professeur. Toi aussi, tu es bête, juif refuznik. Tu crois que tu as choisi ton rôle, mais personne chez nous ne choisit son rôle, on te le donne et c'est tout. Toi aussi, vieux con, tu joues le tien. Ce n'est pas vous, peuple de Judas, qui allez nous imposer vos idées stupides d'honnêteté et d'intégrité. Vous avez passé votre existence à profiter de nos mensonges et de vos escroqueries. On sait depuis des siècles que l'homme russe est un menteur sublime, qu'il ment pour mentir, par fantaisie, par espoir. Tandis que vous, jamais vous ne direz la vérité si vous ne pensez pas en tirer profit. Et pour un kopeck, non seulement vous mentiriez, mais vous seriez capables d'étrangler.

Un motard passa tout près de moi dans un nuage de fumée bleuâtre et je reçus une giclée de boue. Sur la tête, il portait un pot de chambre; entre les dents, un billet de trois roubles. Il allait échanger sa moto contre une fusée de verre. Celui-là, il ne rendrait pas la monnaie, il mentirait comme un arracheur de dents, pas par intérêt, mais pour une petite place dans la fusée.

Je poussai la porte embuée du café. Au milieu de la salle, j'aperçus mes deux consolateurs, Kiriassov et Vedmankine, misérables et passablement ivres. Ils discutaient en buvant du ratafia. De vraies pipelettes. Chacun voulait parler le premier et ils agitaient les jambes comme s'ils avaient une envie pressante.

Quelle compagnie! Kiriassov, chauve et rougeaud, écartait ses mains larges comme des pelles et se penchait au-dessus de la table vers la petite tête pâle et ratatinée de Vedmankine. On ne pouvait pas voir depuis la porte d'entrée que Vedmankine était un nain, et l'on avait l'impression que sa tête était posée à côté de son assiette pleine de rogatons. Ses épaules ne touchaient pas le rebord de la table.

— Salut, les artistes, grommelai-je.

Kiriassov se précipita vers moi pour m'embrasser, tandis que Vedmankine se contentait de hocher gravement la tête. Solide gaillard, ce lilliputien, pas comme ce gros imbécile qui me bavait à la figure. Beurk, je déteste cette habitude russe de se lécher la pomme.

— Si tu m'embrasses encore une fois en public, je t'arrache les couilles, dis-je à Kiriassov, qui s'en fichait pas mal — si j'étais venu, c'est qu'il allait pouvoir boire à l'œil.

— Hé, les filles, criait-il à l'adresse des serveuses, deux scélérates rougeaudes. Vite, une bouteille de «Cheval»…

Il se mit à nettoyer la table, ordonna à Vedmankine de pousser sa sale gueule, courut à la recherche de verres. Il était submergé par la vague de bonheur parasite. Il faisait partie de cette drôle d'espèce de gens pour qui n'importe quel vitriol était plus doux que miel du moment qu'ils ne l'avaient pas payé. À voir l'empressement de Kiriassov, je compris que Vedmankine n'était plus disposé à raquer. Du style : j'ai assez bu pour aujourd'hui, j'ai eu mon content de conversation, c'est à toi de sortir la monnaie.

Ne sois pas stupide, Vedmankine. Dans ces joutes

soûlographiques, tu seras perdant à tous les coups. Kiriassov n'a pas besoin de payer à boire : il a la patience du parasite professionnel. Il finira toujours par coincer quelqu'un, un copain, un voisin, une vague connaissance, un ancien collègue. Ou un alcoolique inconnu mais solitaire. Ou moi. C'est le dernier arrivé qui paie.

Demain, Vedmankine, tu recommenceras. C'est encore toi qui paieras. Le principe du «chacun son tour» n'existe pas chez vous. Parce que tu as besoin de Kiriassov. Alors que mon vieux pote de guerre, mon collègue, la bête féroce répondant au nom de Kiriassov, n'a rien à faire d'un nain triste et bavard. Tout ce qu'il veut, c'est boire à l'œil.

Vedmankine, lui, aime la conversation, les émotions, les grandes souffrances. D'ailleurs, on devrait envoyer tous les nains dans une île déserte, loin des gens ordinaires. Leur existence contredit nos croyances essentielles au sujet de l'égalité et de la fraternité entre les hommes. Ces croyances ont été inventées pour des gens comme Kiriassov, qui vit intensément ces croyances, puisqu'il se sent l'égal de celui qui lui donnera à boire de son goulot. Tandis que Vedmankine est taraudé par l'idée étrange que l'argent, gagné dans un cirque seulement grâce à sa difformité et sa misérable petitesse et dépensé en alcool, le fait l'égal de ce stupide colosse de Kiriassov. En plus, lubie des sens, Vedmankine est antisémite. Il n'aime pas les juifs. C'est vrai qu'il n'est pas le seul, mais qu'est-ce qu'ils lui ont donc fait, à ce nain ? Et le voilà qui se repose éternellement la même question fatale : qu'en sera-t-il des nains et des juifs à l'époque future du bonheur universel et du communisme réel ? Difficile d'imaginer qu'un jour ils seront tout à fait libres, égaux et frères des autres hommes.

Vedmankine regrette que les théoriciens n'aient pas prévu de réponse à cette question, lui-même ne voyant pas d'issue à cette situation compliquée.

Alors il fait boire Kiriassov, discute âprement avec lui, et Kiriassov, après chaque gorgée, essaie de le raisonner :

— Fais pas chier, l'ami, on va bien trouver quelque chose pour ton petit peuple. Pour les juifs, c'est sûr, il n'y a rien à faire, mais pour les nains, qui sait...

Kiriassov ne tenait pas en place, il attendait que je lui donne l'argent pour le « Cheval » commandé. Le nain, avec ses petits problèmes de nain, ne l'intéressait plus. Et moi, pourtant assoiffé, je tardais à bourse délier, pour jouir de la souffrance de ce requin.

— Qu'est-ce que tu as à t'agiter comme ça ? demandai-je, mal-aimable.

— Pavlik, mon petit, tu sais bien, elles veulent de l'argent, ces salopes !

— Eh bien, donne-leur de l'argent.

— Justement, Pavlik, c'est le problème. C'est même le pire des problèmes. J'aimerais pouvoir te payer à boire, ce serait le bonheur absolu. Seulement, il n'y a pas de justice : toi, tu es riche et moi, je ne suis qu'un pauvre et pur esprit.

— Un pauvre alcoolique, oui, ajoutai-je. Mais avant tout, un parasite et une mouche à merde.

Je l'observai un moment, me demandant s'il allait se vexer. S'il se vexait, je ne lui donnerais pas à boire. Un pitre et un parasite n'a pas le droit de se vexer. On n'a pas le droit de changer de rôle, juste celui de le jouer comme il est écrit.

Kiriassov sourit à pleines dents et éclata de rire :

— Comme tu y vas, Pachka ! Cent ans que je te

connais et cent ans que tu vannes. Comme on dit, pour un bon mot, il vendrait père et mère!

Je lui tendis un billet de cent roubles tout neuf, qu'il serra contre sa poitrine comme un mendiant professionnel:

— Oh! Un «rouble géorgien»!

Il déplia respectueusement le billet, regarda au travers et sourit, attendri par l'image entrevue du visage suprême, promesse de la disparition prochaine de cette fortune.

— Petit père, quel dommage de te casser aussi vite, mon cœur se déchire! Pacha, tu ne veux pas m'offrir un autre portrait comme ça?

— Non, mon garçon, les portraits de Lénine sont réservés aux communistes. Et toi, tu n'es qu'un minable sans-parti.

— Pa-a-ardon! Pas sans-parti, exclu du Parti! Et toujours pas réhabilité. Mais bon, je ne suis pas formaliste, je n'ai pas besoin de toutes ces cartes savantes, rien à battre! (Il serra tendrement la coupure contre sa poitrine.) Ce qu'il faut, c'est que Vladimir Ilitch repose toujours sur mon cœur, qu'il bouge, qu'il vive, mon joli, qu'il croustille! Pas besoin de votre carte, avec ça, je peux arracher des montagnes. Ou des têtes. N'est-ce pas, Pachenka, que pour ce qui est des têtes, nous sommes tous les deux des spécialistes...

— Tu m'emmerdes, apporte le cognac.

— *Eine Minute, zwei Cognaken.* Le menu fretin, pas la peine, il a son compte...

Et il se rua au comptoir.

Vedmankine le suivit du regard puis tourna vers moi son visage jaunâtre et spongieux comme le gâteau de fromage blanc pascal, les grains de beauté en guise de raisins secs, et déclara tristement:

148

— Eh oui, Pavel Egorovitch, en un mot : *Homo hominem lupus*…

Pauvre nain de cirque. Instrument de laboratoire. Ma propre caricature. Et moi, de qui suis-je la caricature ?

Je ne sais pas. J'aime bien les monstres. J'ai envie de soulever Vedmankine en l'air. De le prendre sur mes genoux, pour qu'il ronronne comme un homme-chat. Quoique, ça le fâcherait sûrement, ça ne colle pas avec nos idées d'égalité. Ça a plutôt à voir avec la fraternité. Seulement voilà, la fraternité est fâchée avec l'égalité, comme l'égalité déteste la liberté.

Kiriassov revint en courant avec une bouteille de mauvais cognac ukrainien : ces putains rougeaudes le vendent au prix du Charles Martell. C'est normal. Dans notre pays athée, le dimanche est jour d'abstinence. Et puis, qu'importe ce qu'on boit, Charles Martell ou « Cheval » ukrainien, pourvu que le Machiniste me sorte de la tête.

Kiriassov me tendit la monnaie d'un air affairé — signe qu'il avait détourné un petit billet de trois — et remplit les verres de liquide brun comme la sève, en baragouinant d'une voix surexcitée :

— Je t'en foutrais, t'as vu ces prix ? Et l'argent, t'as vu cet argent ? Ça a l'air de quoi, ces bouts de papier merdiques, on dirait des talons ! Tu te souviens, Pachenka, du temps du Petit Père, avant la réforme, ça c'était de l'argent ! Autre chose que ce papier-cul de toutes les couleurs pour les nains ! Tu entends, Vedmankine ? L'État imprime les coupures exprès pour toi ! Avant, un billet de cent, je t'en faisais un drap, Vedmankine. On pouvait trouver une fille et, pour ces cent roubles, la faire boire, la faire manger et la niquer. Et maintenant ? Allez, les frangins, plongeons ensemble dans la félicité, à votre santé, avec tout le respect, glou-glou.

Glou-glou. Nous plongeâmes de conserve. La térébenthine me brûla les entrailles, j'étouffais, mais le feu ne faiblissait pas. Nous voguâmes ainsi quelque temps dans les ténèbres puis revînmes à la surface. Kiriassov, au comble de la félicité, et moi, dans un tas de fumier. Assis dans un café, entre un parasite collant et un nain triste. Vedmankine écoutait affligé les paroles de Kiriassov nageant dans le bonheur :

— Dis voir, mon tout petit bonhomme, comment tu veux comparer ce billet de dix à la con aux cent roubles staliniens ? Impossible, parce que c'est ce satané Khrouchtchev qui a grugé le peuple ! Avant lui, les billets étaient grands et beaux, comme notre vie ! Tandis que Nikita, ce petit misérable, notre belle vie, il l'a rétrécie, et les billets avec. Mets-toi une chose dans le crâne, Vedmankine : si le communisme est vraiment le règne de la justice, alors on me donnera tous les vieux billets et on te refilera les neufs à toi, le nain, et aux juifs...

— Pourquoi ça ? demandai-je.

— Parce que je suis grand et qu'il m'en faut beaucoup, alors que Vedmankine, il peut se contenter de peu. Et les juifs, c'est pour les punir de leur avarice. Jamais un juif n'offrira un verre d'eau à un assoiffé.

Kiriassov entreprit de raconter par le détail l'histoire d'une de ses connaissances, un homme en apparence estimable, le gynécologue Efraïmson, peut-être même une sommité scientifique, qui ouvrait toujours grand sa gueule quand c'était Kiriassov qui payait à boire mais qui aurait préféré se faire circoncire une seconde fois plutôt que d'offrir à boire à son ami et conseiller. Vraiment, l'avarice est le pire défaut de cette peuplade.

— Kiriassov, vous êtes une brute ingrate, dit Vedmankine dignement. Quelle importance peut avoir pour vous la taille des billets de banque, puisque vous ne payez jamais rien vous-même ? Votre histoire de juif aussi est un tissu de mensonges, parce que jamais vous n'offrirez à boire à personne, pas même à un gynécologue. Je suis sûr que cet Efraïmson n'existe même pas, qu'il n'est que le produit de votre imagination impudente...

Kiriassov éclata de rire comme si Vedmankine lui avait raconté une histoire particulièrement drôle, et son hilarité gagna ce dernier, un vague sourire éclaira son visage fané. Sur une affiche de propagande mauve collée sur le mur du café, des petits hommes musclés riaient eux aussi, en brisant avec des marteaux les chaînes de l'impérialisme mondial. Je me retournai et vis que tous les autres clients du café riaient également et souriaient douceâtrement, comme à contrecœur, indolents et stupides. Même ces monstresses de vendeuses montraient les crocs au-dessus de leurs boulettes abominables.

— Allez, les poteaux, on replonge ! On arrose nos foies gras, les frangins ! s'excitait Kiriassov de plus belle.

L'éternel resquilleur des voyages alcooliques était heureux de ce dimanche d'abstinence où il avait réussi à s'incruster dans toutes ces fusées à la fois. Et tout ça avant la nuit.

— Quelle rigolade, mon tout-petit, ça, c'est du bien balancé, disait-il en essuyant des larmes imaginaires. On va s'en jeter encore un derrière la cravate et tu vas voir comme il va bien descendre, le cognac, il va se promener dans les tréfonds de l'âme, comme Jésus marche sur les flots... Nous serons de nouveau pleins de force et de jeunesse, comme...

Sans trouver comme quoi nous serions pleins de force et de jeunesse, il s'envoya au fond de la glotte une rasade de « Cheval », tel un avaleur de sabres, et rota si fort que toutes les décorations et médailles accrochées à son veston se mirent à tintinnabuler.

Je plongeai à mon tour dans le cognac, comme dans un brouillard marécageux, et revins à la surface, la bouche pleine de vase.

Le nain but la moitié de son verre à petites gorgées avec une grimace de souffrance. Il me faisait pitié, cet écolier endormi pendant trente ans et réveillé quand il était déjà trop tard pour grandir. Des saloperies, voilà tout ce qu'il eut le temps d'apprendre.

— Je suis triste, aujourd'hui, se plaignit le nain. Un camarade est mort.

— Aussi petit que toi ? demanda Kiriassov sur un ton compatissant.

— Non, dit le nain en hochant sa tête ratatinée, c'était un grand.

Un grand. Le point de départ. Un malchanceux devrait toujours vivre avec des lilliputiens. Il se sentirait un Gulliver. Nous sommes tous des lilliputiens. Gouvernés par des Gulliver merdeux. Tout le monde pense que ce sont des géants, mais ils ne savent rien d'autre que gouverner des gens comme nous.

— Voilà, continuait tristement Vedmankine. C'était un musicien, qui faisait partie de l'orchestre du cirque. Il jouait de la guitare électrique. Il jouait merveilleusement... Comme Rostropovitch... C'est arrivé pendant la tournée, à Saratov... La plomberie a sauté, court-circuit... Électrocuté...

Kiriassov fut sur le point d'éclater de rire à nouveau mais son instinct de resquilleur des transports interplanétaires de la bouteille lui suggéra qu'il y avait une solution plus intéressante.

— Vedmankine, nous devons avoir une pensée pour ton ami, dit-il pompeusement. Tu es trop petit pour comprendre, mais nous, les anciens combattants, nous savons ce que c'est que de perdre un ami au combat. Allez, aboule une bouteille !

Sans rechigner, le nain sortit son porte-monnaie et se mit à compter des billets froissés. Kiriassov ne tenait plus en place, tapait des pieds, impatient de gagner encore une place dans la fusée et d'insulter une nouvelle fois celui qui la lui payait.

Une histoire absurde.

Des gens absurdes.

Une vie absurde.

Une mort absurde.

Dans le rôle de la chaise électrique, une guitare tuant un gaillard bienheureux. Qui devait ressembler à Kiriassov. Et face à moi, parle et souffre un triste lilliputien, assis sur sa chaise en aluminium, avec ses petites jambes qui ne touchent pas terre. S'il pouvait mourir de mort facile, en un clin d'œil, électrocuté en plein milieu d'une improvisation musicale, sous les ovations enflammées de ses admirateurs ! Car du talent, il en a bien plus que Rostropovitch.

Ce serait mieux pour tout le monde. Mais ce n'est pas possible. Vedmankine est indispensable. Peut-être les Gulliver sans talent ont-ils besoin de lilliputiens. Des grands, il y en a à la pelle.

Le bienheureux Kiriassov revint en courant, versa le cognac dans les verres et hurla :

— Il est temps de boire à la santé de Pacha ! Hip-hip-hip hourra ! À la santé de Pacha !

Il avait déjà oublié que la bouteille devait servir à pleurer le guitariste court-circuité.

La face jaunâtre de Vedmankine se mit à trembloter comme du fromage blanc :

— Kiriassov ! Pavel Egorovitch et moi-même, nous aimerions boire à la mémoire de mon défunt camarade.

Un voile épais me recouvrait les yeux. J'avais du

mal à respirer. Sur les murs de verre du café, la sueur dégoulinait en petites rigoles puantes. Les petits hommes musclés riaient sur leur affiche. Le coude glissait sur la table.

— Est-ce que je suis contre ? s'étonna Kiriassov. Si vous voulez boire à la mémoire de votre camarade, je suis pour ! Jamais Kiriassov n'a laissé tomber ses copains dans un moment difficile...

Voilà que j'avais un nouveau camarade. Trois camarades. Trois camarades. Où pourrions-nous dénicher un bon écrivain, champion du réalisme socialiste, pour qu'il raconte notre histoire dans un roman passionnant ?

Trois camarades. Un nain parlant, un escogriffe court-circuité et un tueur professionnel. Et le fait que l'*opritchnik* ne connaisse pas le guitariste et que le nain ne sache rien de l'*opritchnik* ne change rien à l'affaire. Au contraire, c'est plus intéressant, l'intrigue est plus forte.

Vedmankine essaie de trinquer avec moi, assis loin de moi, à l'autre bout de la table, j'ai du mal à le distinguer, comme si je voyais sa petite gueule de guenon imberbe affligée par l'autre bout des jumelles. J'ai envie de boire, mais j'ai peur : le mazout coule de mon verre, laissant sur les parois des traînées sombres.

Peut-être que les serveuses ajoutent du mazout à leur cognac ? Sûrement pas. Le mazout, ça se met dans les chaudières. Ça sert de combustible. Et les gens, est-ce qu'on les met dans les chaudières ?... Machiniste... Tu as peur, hein, tu ne dis plus rien ? Dans quel coin te planques-tu ?

Une gorgée de mazout, allez ! On se chauffe avec ce qu'on a. Le cognac tonne et rugit dans mes entrailles. Brûle-moi, incendie-moi ! Je voudrais mourir en jouant de la guitare électrique. Tout d'abord *piano*, puis *forte*, pan sur les doigts, à coups de décharges.

Qu'est-ce qu'elles ont, les gonzesses derrière leur comptoir, à me montrer les crocs? Et pourquoi les gens glissent le long des murs, comme des coulées de sueur puante? De quoi te plains-tu, petit homme? Pourquoi t'en prends-tu à Dieu, pourquoi le traites-tu de Procuste?

— Kiriassov, vous êtes un homme stupide et faux! Vous n'êtes même pas un homme, d'ailleurs, vous êtes un mirage, un caprice de la nature sans aucun intérêt, disait le nain ivre pleurant de chagrin. Je ne peux croire qu'un homme comme vous ait pu travailler dans nos services de sécurité. Vous avez passé toute votre existence à vous faire payer à boire! Je ne peux croire que le gouvernement vous ait donné toutes ces médailles. Des médailles pour quoi? Je serais curieux de savoir où vous les avez trouvées?

Je m'interposai, remuant ma langue avec peine:
— Trouvées? Il les a achetées. Il faut que tu le saches, Vedmankine, il les a achetées.

— ... 'rêt' d'inventer, dit nonchalamment Kiriassov, qui, à mesure qu'il buvait, avait tendance à manger les voyelles.

— ... vent' pas, P'cha! Keske tu vas ch'rcher?
— Comment ça, achetées? s'étonna le nain.
— Avec de l'argent. Au marché. Ne le crois pas, Vedmankine, quand il te dit qu'il est pauvre. Il est plus riche que nous. Il a beaucoup d'argent. Il le planque.

— Vous plaisantez, là? demanda-t-il indécis.
— Tu parles, des pl'sant'ries!
Kiriassov vacillait.
— Pacha, 'rêt', 'cul ta mère, kestudi? Quel 'rgent?
— Celui des confiscations. Tu te trompes, Ved-

mankine, il a bien été membre de nos services. Il était chargé des confiscations.

— Confiscations ?

Kiriassov se renfrogna, fronça les sourcils et s'approcha de moi :

— Dis, P'cha, tu charges les c'pains, à c't'heur' ? Keske j'tai fait ?

— Assis, tas de merde, dis-je d'une voix lasse. Je ne suis pas ton copain, je suis ton supérieur.

— Avant, t'étais mon pu… mon su… mon supreur. Aujourd'hui, pas sup…

— Je serai toujours ton supérieur. Et toi, Vedmankine, écoute-moi bien, puisque nous voilà à la vie à la mort avec ton défunt guitariste. Après le travail, Kiriassov n'allait pas se coucher, comme tout le monde, mais il traînait dans les tribunaux, avec son pote Philippe Podgarets, et repérait toutes les condamnations assorties de confiscation de biens. Le lendemain, ils mettaient leur uniforme et débarquaient à l'appartement du condamné : voilà, vos biens sont confisqués, apportez les objets de valeur…

— Et les gens donnaient ? demanda le nain effrayé.

— Et comment ! Qui pouvait imaginer que deux capitaines irréprochables travaillaient pour leur compte et pas pour la Boutique ? Ils ont bricolé comme ça pendant deux ans jusqu'à ce que Podgarets mange le morceau lors d'une beuverie. Un million chacun !

— Tu les as p'têt' vus, ces mil… lions ? demanda Kiriassov en montrant les dents. On n'a rien trouvé !

— Crétin, je les aurais trouvés, moi. Si j'avais voulu, je te l'aurais fait chier avec ta merde en vingt-quatre heures, ton pognon. Et malgré ça, au nom de notre vieille amitié, je t'ai couvert, sale porc.

Grâce à moi, tu t'en es tiré avec deux ans, alors que t'en méritais quinze, pour pillage de la propriété socialiste. Alors cesse d'aboyer.

— Tu mens, P'cha, l'amitié, j't'en fous! C'est à cause de ta youpine qu't'avais les foies. Tu l'as emmenée chez moi, non? T'avais peur que j'parle...

Vedmankine dormait depuis longtemps déjà, sa petite gueule froissée bien calée dans la soucoupe avec les rondelles de citron. Autrement, je n'aurais pas raconté toute cette histoire de Kiriassov. Ça ne le regardait pas. C'était notre vie à nous, *en dehors* des autres, de leurs convictions. Ils ne pouvaient pas comprendre la nature de nos rapports. *En dehors*. Qu'ils soient petits ou grands, ils sont pour nous des étrangers. Pour nous, les *opritchniks*.

Qu'il dorme, Vedmankine, plongé dans ses songes de nain. Ses joies sont petites et ses cauchemars aussi. Il doit rêver qu'il joue de la guitare électrique, comme Rostropovitch. Qu'il dorme. Il ne saura jamais que son ami Kiriassov, un homme stupide et faux, venait de dire la vérité : trente ans auparavant, j'avais en effet emmené chez lui ma petite youpine, la femme la plus merveilleuse que j'aie jamais connue.

C'est peut-être à ce moment précis, pour se venger de ma joie inhumaine, criminelle et contre nature, que le Seigneur a transformé le petit lit d'enfant de Vedmankine en couche de Procuste? Il fallait bien que quelqu'un soit puni pour les péchés de tous! Les Gulliver accouchent de lilliputiens. Comme tu as de la chance, Vedmankine, de n'avoir jamais rencontré la petite youpine que j'avais emmenée chez Kiriassov. Rimma Lourié. Comme tu as de la chance de ne t'être pas glissé, petit que tu es, derrière une armoire ou sous le canapé, pour me voir la déshabiller pour la première fois et elle se résigner, en résistant mol-

157

lement. Que resterait-il alors de ta folle espérance que ton destin de lilliputien s'arrangerait dans l'avenir radieux? Non, tu cesserais alors tes vaines errances, perdu dans tes pensées stupides, et tu te cognerais dans la pierre angulaire, la borne fatale, le nombril de l'humanité : le point de départ de l'idée triomphante de l'égalité obligatoire.

Cette idée, c'est un lilliputien qui l'inventa le jour où il vit comment on déshabilla la Belle Géante, comment on la coucha, comment on lui replia les jambes avant d'enfoncer dans son giron rose et noir un membre aussi grand que sa petite patte de nain. Le lilliputien vit tout cela et son cœur hurla son espoir irréel et inaccessible : ainsi donc tout le monde avait le droit à ça! Je ne veux pas d'une naine! Moi aussi, j'ai droit à une Géante! Ainsi rêve et espère en vain le chat qui a senti une tigresse en rut. Les lilliputiens et les chats cinglés ont promis le monde des Géants pour tous. Ce mythe est immortel jusqu'à ce que la Terre soit détruite. Vedmankine ne peut pas renoncer au rêve de grimper un jour sur Rimma Lourié. Mais il n'y a que moi qui aie ce droit-là. Dommage qu'il y ait de moins en moins de Géants et que les lilliputiens aient essaimé sur toute la Terre...

Oh, mon Dieu, comme tu étais belle alors! Tu sentais la pluie, la souffrance encore tiède, l'œillet! Petite idiote, tu comptais me parler fermement, tu signifiais aussi habilement que tu pouvais que notre rendez-vous était purement officiel, comme entre un avocat et son client : il faut discuter du service et du prix à payer. Tu avais mis au point un petit jeu, bécasse, où tu croyais te comporter comme une reine. Seulement, sur l'échiquier de ta vie, il n'y avait plus rien, à part le roi gardé par des officiers.

Que tu étais bête, ma petite fille ! Tu n'avais aucune idée de la pression égale des pions, de la menace des fous, des verticales condamnées par les tours, des fourches fatales des cavaliers et de la marche irrésistible de mon roi.

Ma reine ! Partie pour toujours, sans espoir de retour ! Mon adorée, haïe et disparue ! Je suis soûl et faible, tout m'indiffère, je n'ai même pas envie de me jouer la comédie. Tout est fini, tout a fondu, l'histoire ne se répète jamais. Et jamais plus personne, ni Marina, ni les putains de la Maison des cinéastes, ni tous les plâtriers du monde ne me donneront de joie plus grande que ton corps. Tu étais l'unique. Des comme toi, on n'en fait plus. Peut-être ta fille, Maïka. Un peu la mienne, aussi, tout de même.

Ah, Maïka, ma petite sotte jolie, toi non plus tu ne comprendras jamais que la loi fondamentale qui régit les hommes, c'est l'injustice. Car la justice, c'est comme une batterie à circuit fermé : le courant de la vie cesse de passer. Nos relations aussi sont une immense injustice. Sauf que moi, je ne me plains pas, je connais la loi, et toi, non. Si tu as pu venir au monde, naître dans cette vie insensée, c'est uniquement parce que j'ai obligé ta mère à le faire. Je l'ai séduite, effrayée, forcée : elle, de toute son âme, elle ne voulait pas. Je l'ai obligée.

Et maintenant, tu me hais, et elle, tu l'aimes. Tu crois que c'est juste ?

Si tu savais tout, aujourd'hui, tu me dirais avec une voix pathétique que j'ai d'abord violé ta mère, puis que je l'ai empêchée d'avorter pour l'accrocher à moi. À ce moment-là, je pensais à autre chose qu'à ton existence.

Eh bien, c'est la vérité. La vérité de ta mère.

L'amour du prochain est une invention, belle et

stupide, parce que si l'on creuse cette idée jusqu'au bout, on en arrive fatalement à considérer que l'homme est effroyablement seul sur la terre et que son proche est son pire ennemi, qu'il est le maître de son destin et son assassin virtuel.

Réfléchis un peu, Maïka : ta maman, Rimma, celle que tu aimes et à qui tu ressembles tant, eh bien, elle a voulu te tuer. Alors que tu vivais déjà, tu étais plus petite certes que Vedmankine, mais tu vivais à l'intérieur de son corps ! Et elle, elle a recruté un assassin en blouse blanche, qui devait te trouver dans l'obscurité chaude de l'utérus, te fracasser la tête avec une curette, déchirer ton petit corps et jeter les morceaux ensanglantés de chair tendre et de cartilages dans une cuvette ; toi, la fiancée merveilleuse aux jambes sans fin de l'étranger de Machinbourg — à la poubelle. Les chiens errants auraient bouffé tes restes.

Ça te plaît ?

Mais je ne l'ai pas laissée faire. Pourquoi, ça n'a aucune importance, même aujourd'hui. Ce qui importe c'est que je ne l'ai pas laissée faire. Dans la vie, les causes ne comptent pas ; seuls comptent les résultats.

Et le résultat, c'est que tu me hais.

Petite sotte, tu peux rendre grâce à cette haine. Si je n'avais pas tué ton grand-père Lev, si je n'avais pas effrayé puis violé ta mère, tout aurait été parfait. Rimma, ta mère, aurait rencontré un jour un jeune homme remarquable, pas un assassin, un « à-partiste », mais un fonctionnaire médical convenable, fils d'un professeur juif, comme il se doit, peut-être d'une famille d'homéopathes, ils se seraient aimés tendrement et il ne l'aurait pas renversée sur le canapé percé de Kiriassov, puant la sueur et le sperme, il ne l'aurait embrassée pour la première

160

fois qu'après avoir retiré sa couronne de mariée. On peut être fier d'un tel père, on ne peut que l'aimer.

Seulement, tout cela ne t'aurait pas concernée. Tu n'aurais pas existé. Pas surgi. Tu ne serais pas venue ici pour grandir, me haïr, adorer ta si merveilleuse maman, qui avait voulu te tuer, et pour te fiancer avec un businessman lié à la troisième compagnie d'exploitation de l'Enfer.

Tu me hais pour tout cela et voilà que tu aboies des choses étranges à propos de la justice. Et quand je cherche à t'expliquer, pour ton bien, que tous les hommes sont des ennemis, tu prends un air inspiré et tu me demandes si je suis aussi réellement et fantastiquement mauvais.

Je ne suis pas mauvais, je suis intelligent. J'ai tout vu, je sais tout. J'ai survécu à tout le monde. Je me souviens de tout. Voilà pourquoi je sais que tous les propos sur la bonté sont foutaises et escroquerie.

Ta maman aussi, il y a trente ans, lors de notre première rencontre rue Sretenka, me parlait de bonté, de l'indispensable bonté, de l'obligation salvatrice de la bonne action. Elle me parlait comme si j'étais un avocat : d'un côté elle me faisait comprendre que mes efforts seraient récompensés, mais, de l'autre, n'osait pas me proposer de l'argent. Il est vrai qu'on pense dans vos milieux que le pot-de-vin est une insulte pour l'honnête homme.

Tandis que moi, je ne disais presque rien, me contentant de remarques monosyllabiques et d'onomatopées pleines de sous-entendus. Je l'entraînai fermement vers la rue Daev, là où, au fond d'une cour, dans une annexe, se trouvait la petite chambre minable que Kiriassov appelait pompeusement son appartement.

Rimma pouvait à peine me suivre et c'est seulement lorsque nous nous trouvâmes sous l'arcade obscure qu'elle demanda d'une voix craintive :

— Où m'emmenez-vous ?

Je jetai un coup d'œil en arrière : il n'y avait personne dans l'obscurité tiède et humide du soir d'automne. Je m'arrêtai, serrant dans ma main la clef moite de la tanière de Kiriassov, la regardai droit dans les yeux et demandai gravement :

— Vous comprenez que je suis la seule personne en qui vous puissiez avoir confiance ?

Elle hocha la tête, traquée et désemparée :

— Oui. Personne d'autre...

Je ris doucement :

— Un officier du MGB ne peut pas se permettre de donner rendez-vous au Bolchoï à la fille d'un traître, d'un ennemi du peuple...

— Ne me dites pas que vous êtes suivi, vous aussi ? s'étonna Rimma.

— Ce n'est pas moi qu'on suit, mais vous, dis-je en posant la main sur son épaule délicate, et celle-ci tressauta. Il peut arriver qu'on me suive également. Chez nous, tout le monde est suivi.

Nous traversâmes la petite cour déserte, seules quelques fenêtres laissaient filtrer une lumière d'abat-jour pâle et souillée. Nous montâmes l'escalier puant, jonché d'ordures, jusqu'à l'entresol et je poussai la porte de la chambre de Kiriassov, ancien débarras d'un appartement de maître. Le plafonnier ne fonctionnait plus. Dans l'obscurité, j'essayai de trouver la lampe de chevet en ébonite et mes doigts rencontrèrent Rimma, qui se tenait immobile, et c'est ainsi que je la capturai, chaude, douce, souple, petit animal touffu et odorant.

— Il ne faut pas ! Ne me touchez pas ! Comment osez-vous !

— Le destin de ton père est entre tes mains.

162

— Chantage! Vous êtes un criminel!

— Petite sotte, tu peux le sauver, il suffit juste que tu te maries avec moi.

— Vous m'avez menti. Vous avez fait semblant de compatir.

— Il n'y a que les oiseaux qui chantent gratuitement.

— Nous paierons, tout ce que vous voudrez.

— J'ai déjà dit mon prix. C'est le dernier, il n'y en aura pas d'autre. Je t'aime!

— Et moi je vous hais!

— Aucune importance... Tu comprendras plus tard.

— C'est répugnant, c'est lâche... Vous n'oserez pas!

— Ne dis pas de bêtises. C'est le destin de ton père qui se décide. Comprends-moi, petite sotte, je ne te force pas. Je voudrais annoncer à mes chefs que je vais t'épouser. Je pourrai ainsi adoucir le sort de ton père.

Nous parlions comme si nous étions en plein délire, sur un ton passionné, vif et troublé, et cette conversation ne fut bientôt qu'un cri à l'unisson, mon «Oui!» hurlant et triomphant répondant à son «Non!» désespéré et impuissant, déjà vaincu par l'amour de son père.

Mes doigts couraient fébrilement le long de son corps, déboutonnant, dégrafant, arrachant les fermetures à glissière, tandis qu'elle tentait encore de m'en empêcher, et ses bras implorants étaient sans force, paralysés par la peur et l'espoir vague de sauver son père. J'en devins une espèce de Shiva, les bras démultipliés. Elle ne pouvait plus me résister. Au bord de l'hystérie, elle marmonnait, elle essayait de me convaincre d'attendre, non, pas maintenant, après, c'est mieux après, d'accord, elle m'épouse-

163

rait, pourvu que je sauve son père, mais pas maintenant, ce n'est pas bien, c'est horrible, c'est honteux, elle est encore une jeune fille, elle n'a jamais fait ça avec personne, elle a peur, pas maintenant, mais demain oui, elle a confiance en moi, mais pas maintenant — nous ne sommes pas des bêtes après tout, attendons encore un peu, je vous donne ma parole...

J'avais déjà dégrafé sa jupe, enlevé son corsage, le blouson gisait par terre depuis longtemps. J'arrachai le porte-jarretelles qui libéra ses bas, et ma main tremblante glissa le long de sa hanche, douce comme du daim, jusqu'à sa culotte. Je saisis le bouton chaud de son antre, ma main sentit l'humidité de son sexe et je compris que je devenais fou, que je ne pouvais attendre une seconde de plus, que je n'avais plus la force de la convaincre, d'expliquer, de la forcer. Serrant contre moi les moindres courbes de son corps voluptueux, jusqu'à faire craquer ses os, je fléchis les jambes et la pénétrai d'un coup sec. Elle poussa un cri et se relâcha aussitôt comme si je l'avais poignardée. Peut-être avait-elle perdu connaissance, je ne me souviens plus. Je continuai à la baiser debout. Puis, sentant qu'arrivait le moment suprême de la souffrance et du plaisir, je la couchai sur le divan de Kiriassov, affaissé par les centaines de coups tirés, gorgé de semence humaine, et, plein d'amour pour ma Rimma inoubliable, je hurlai encore plus fort, de douleur, et du plaisir que me donnait toute cette cruauté...

Jeunesse enfuie, ma vie de rêve.

Ah, Maïka, comme tu as de la chance que je sois comme je suis! Un *opritchnik*, fort et méchant. Et pas un vieux mendiant inoffensif, comme par exemple le Mahatma Gandhi avec sa doctrine brahmanique imbécile. Si j'y avais cru, j'aurais renoncé à la vie sexuelle, ta mère aurait été saine et sauve et toi, tu ne serais pas même née.

… Je revins à moi, et toute cette vie s'effaça aussitôt, comme la rue Daev et Rimma.

Un café étouffant, puant la transpiration. Je m'étais assoupi. Le nain Vedmankine avait disparu. Kiriassov ronflouillait, affaissé sur mon épaule, et sa calvitie était froide et humide comme une compresse oubliée. Je le repoussai et il ouvrit aussitôt des yeux pleins de vie et d'espoir :

— Tu as dormi… On n'a pas voulu te réveiller. On s'est dit : quand il se réveillera, on s'en jettera encore un derrière la cravate…

— Et le nain ?

— Il a fait connaissance avec un merdeux. Drôle d'oiseau. Il raconte des blagues. Un pochard. Il a vendu sa veste à Vedmankine…

— Quelle veste ?

— Une veste d'écolier. Tu sais, une veste d'uniforme bleue… Je te la vends un rouble, qu'il dit, tu la porteras toute ta vie. Ils sont partis chercher du porto. Écoute, Pacha, il a raconté une histoire : un architecte montre à Staline la maquette de la place Rouge…

Un guitariste électrocuté, un nain, un *opritchnik*. Et un Machiniste. Une monstrueuse parade.

Je me levai. La tête me tournait. Une voiture de milice passa dans la rue, toutes sirènes hurlantes. Peut-être que le Machiniste et le nain se sont envolés ? Non, no-on, les sirènes retentissent à mes oreilles, elles m'appellent, la milice, les pompiers, le Samu.

« … Repose ça, chien ! » Ha-ha-ha.

7

Possession

« Repose ça ! »

Machiniste, repose-moi. Laisse-moi tranquille.
De toute façon, tu ne m'auras pas. Rien à battre, de
tes délais ! Quoi, un mois ? Il me faut un an, au bas
mot. Parce que dans un an, tout juste, c'est mon
anniversaire.

Pas aujourd'hui, dans un an. Dans un an, ça sera
le 29 février, et pas le 1er mars. Je suis né un
29 février. J'aurai cinquante-six ans. Enfin, selon les
lilliputiens. En vérité, j'aurai quinze ans. Quinze ans
bissextiles. Mes années sont très longues et bien
remplies. Jamais vous n'en vivrez de pareilles. Tandis que moi, oui, et de nombreuses. Il faut juste
vaincre le Machiniste. Passer le mois de mars. Pourquoi n'emmènerait-il pas Vedmankine ? Ça le calmerait. Qu'on me laisse rentrer chez moi. Je suis
fatigué.

Pluie de neige fondue. Flaques puantes bleu marronnasse, on dirait des lacs d'iode. Une vapeur glacée monte vers le ciel. Pas de ciel, en vérité : le toit
de l'univers s'est écroulé sur nos épaules frêles. Des
lumières sourdes clignotent, nous appellent, nous
égarent. Et cette route est sans fin.

Encore cent pas.

Où es-tu, mon gardien de phare, la balise sur le chemin de mon lit ? Où es-tu, mon Bavarois de Vologda, Tikhon Ivanovitch ? Pourquoi n'agites-tu pas ta lanterne depuis le quai de brique de la porte d'entrée, pourquoi ne viens-tu pas accueillir ma barque remplie d'eau, luttant contre les eaux agitées des flaques de mars ? L'antichambre glacée de la chaudière infernale. Le vent humide sent la terre et le soufre. Lancez les amarres, descendez la passerelle. Je veux me rassasier du regard bleu et transparent de mon baliseur dans l'entrée, de mon gardien inamovible, fidèle au poste, caresser ses cheveux blancs, doux et un peu défaits, secouer la poussière de ses oreilles décollées et attentives. Mon avant-garde intrépide. Et entendre sa voix, douce et imposante, comme une feuille de service :

— Vous avez du monde… Depuis longtemps. Il y a bien une heure qu'ils sont là.

Du monde ? Nous n'allons jamais chez personne et personne ne vient chez nous. D'habitude, on se retrouve au restaurant. Avec des amis dont on peut baiser la femme.

— C'est votre fille. Avec l'autre, vous savez ? Ils sont arrivés en taxi. J'ai noté le numéro, au cas où.

Do ut des. Je donne, tu donnes. Je te donne pour que tu me donnes.

Développons les échanges d'informations. Programme de l'Unesco. Mon cher cerbère à trois têtes de Vologda, infatigable gardien des camps de chez Hadès, je n'ai pas besoin du numéro de la plaque du taxi. Je le connais, le numéro de mon gendre virtuel. Il doit être inscrit dans un fichier. Quelque chose comme 007.

L'ascenseur s'envole, se balance dans l'obscurité. Le treuil avale les câbles en hurlant, les poulies grognent, le relais claque. L'alcool brûle dans les ventricules, se consume en flammèches rouge et bleu.

Il est loin encore, le jour de mon anniversaire. Dans un an. Je me suis glissé entre les pages du calendrier, je me suis caché dans la coquille astronomique. Vous n'arriverez jamais à m'en faire sortir. Pour ça, il faut avoir des couilles au cul. Vous me connaissez mal. Je suis né une année bissextile, j'en ai tenu quatorze, un contre tous, et maintenant toute ma maudite existence suit cette tangente tordue. Pourquoi aurais-je peur d'un Machiniste pourri ? Et toi aussi, impérialiste de merde, avec toute ta famille de trous de bites de Machinbourg, je te ferai bouffer tes couilles ! Vous n'êtes pas de taille à lutter avec Khvatkine !

Ma carte est plus forte que les vôtres. J'ai toujours plus d'atouts en main. Le jour où le Seigneur a distribué le jeu, j'étais assis à sa gauche. No-on, chers messieurs, chers camarades, cessez de vous monter le bourrichon pour rien. Ma carte est plus forte que les vôtres !

Après avoir cherché en vain les clefs dans ma poche, j'appuyai de toutes mes forces sur le bouton de la sonnette. Je me retournai brusquement et bredouillai quelques menaces, pour me rassurer :

— Tu peux courir, Machiniste puant, n'essaie pas de me faire peur, salope, tu ne m'auras pas, espèce de viscère crevé, je t'emmerde, toi et ta chaudière à la con...

— Qu'est-ce qu'il y a ? demanda, inquiète, Marina, en ouvrant la porte.

— Va te faire foutre ! hurlai-je avec esprit d'à-propos en me précipitant dans l'entrée.

Je faillis la renverser mais derrière moi j'entendis le claquement salvateur de la serrure d'acier.

Viens, viens me chercher maintenant, putain de Machiniste, ici, dans mon home, mon château fort.

Dommage que j'aie une garnison de merde. Des mercenaires stupides, des parasites, des traîtres idéologiques. Ils voudraient introduire le cheval de Troie dans mon deux-pièces. Ah, qu'il est vain de défendre une forteresse en copropriété sur les rives de l'Aéroport, d'où personne ne s'envole!

Je suis le locataire responsable de la Troie numéro 123 au quinzième étage, compte courant à la Mosstroïbank, agence du quartier Frunzenski, j'ai violé et séquestré votre belle et provoqué les guerres de Judée.

Admettons.

Mais je n'ai pas tué Achille. J'ai tué mon fils Hector. Vous ne le saviez pas? Eh bien, sachez-le.

Une seule personne est au courant. Ou peut-être deux ou trois.

Et toi, maintenant, Machiniste, tu le sais à ton tour.

Ça suffit, peut-être?

Oublions tout ça. Si nous oublions, nous pourrons faire la paix. Moi aussi, je suis fatigué. Ce n'est pas de toi, Machiniste, que j'ai peur; et ce n'est pas avec toi que je veux faire la paix. Je veux faire la paix avec le monde. Je veux la tranquillité. Je veux vivre vieux, je n'ai que quatorze petites années bissextiles. Je veux recommencer...

— Encore bourré, espèce de porc? demanda Marina d'une voix sourde et théâtrale, pareille à celle qui s'échappe de sa gorge en gémissements passionnés, quand je m'enfonce en elle jusqu'à la garde et qu'elle est sur le point d'achever, avide et furieuse, regrettant déjà le plaisir cueilli sans être absolument sûre que l'occasion se représentera un jour.

— Encore bourré, ma toute belle, avouai-je. Encore bourré, mon aube rose. Je ne me sens pas bien, je suis fatigué. Allons au lit, tu me déshabilleras.

— Je te déshabillerai ?

Sa queue d'écureuil arrachée passa au-dessus de ma tête et disparut, chassée par le claquement de sa queue de rat rouge qui battait l'air.

— Où est ton caleçon, salopard ? Qui t'a enlevé le caleçon, cette nuit ?

Elle fit une très longue pause, qui, chargée de nos tensions intérieures, était censée grincer abominablement et nous vriller les oreilles de ses cris perçants. Où donc apprend-on à ces greluches la méthode de Stanislavski ?

Une nouvelle fois, l'air rance et épais de l'entrée se craquela en ululant, fendu par le coup de fouet de sa queue rouge de rate :

— Où est ton caleçon ?

En effet, où est-il, mon caleçon ?

Tu me sembles si loin, plâtrier borgne ! Est-ce toi, le gardien de mon caleçon ? Que peux-tu en faire ? Le vendre. L'échanger contre un soutien-gorge français. Le jeter. Le porter toi-même : quand il gèlera dehors, tu verras comme il te conviendra ! Ou bien le bourrer de coton et l'exposer à la tête de ton lit. Un morceau de saucisse de foie pendant de la braguette, et voilà la sculpture de mon bas-ventre. Titre de la composition : « Un jeune romantique à la station Lianosovo. » Le musée Guggenheim à New York l'achètera très cher et toi, mon cyclope lubrique, tu cesseras de plâtrer les chaudières et partiras en Occident avec le fiancé de Machinbourg.

— Où est ton caleçon ?

— Il flotte sur la coupole du Reichstag, dis-je,

résigné. Je l'ai porté jusque là-bas, je l'ai accroché et béni. Tous sont morts, je suis le seul rescapé.

Je repoussai mon inséparable, ma toute bleue, mon indissoluble épouse et pénétrai dans le salon.

Et sur la table, il y avait le cheval de Troie. Qui s'appelait «Cheval blanc». Pourquoi blanc? Est-ce que le cheval de Troie était blanc? À coup sûr, il était bai. Ou alezan. Un White Horse alezan. Un bon vieux White Horse alezan de maïs. Transpirant un peu dans la chaleur. Le fourrage était servi sur des assiettes: des amandes et des oranges avec des étiquettes noires collées sur leur front jaune, comme chez les Indiennes. Tout était prêt. Et le groupe de débarquement, le détachement d'assaut, avait déjà glissé hors du cheval pour s'affaler dans les canapés: ma fifille chérie, sang de mon sang, mon inséparable Maïka — dans les limites de notre pays —, et une vermine noiraude et musclée, tout en boucles, breloques, chaînettes et bracelets. Ah, dis-moi, en voilà un joli businessman, un vrai vendeur de capotes!

Vous n'auriez pas dû sortir de votre cheval, bande de glands! Je ne dors pas encore et vous n'égorgerez pas facilement ma garnison insouciante, je vous en fiche mon billet!

— Enchanté, enchanté, je suis enchanté! dis-je. J'ai beaucoup entendu parler de vous, et en bien! Grâce à Dieu, je peux enfin vous serrer la main personnellement. Allez, fiston, pas de chichis, embrassons-nous à la russe, trois fois. Nous voilà parents, en quelque sorte. Paix et amitié, comme on dit!

Et, avec délectation, je lui collai un suçon, à cet enculé, je salivais et lui soufflais dans le nez, pour qu'il goûte à notre bonne vieille haleine de gnole domestique, ce fils de pute, qu'il lèche toute la sueur, toute la puanteur, qu'il hume les relents fétides du cognac d'Odessa, de la bouffe pourrie, du dégueulis, de la sueur du café, qu'il respire l'odeur de soufre du Machiniste et celle, moisie, de Vedmankine.

Pas mal, bravo, petite vermine! Il riait et me tapait dans le dos, sans tordre le nez!

— Et toi, fifille, ma petite cerise, tu ne dis pas bonjour à ton papa? demandai-je à Maïka, cherchant son regard haineux par-dessus l'épaule de son fiancé.

— Écoute, Khvatkine, arrête ça! Finies, les embrassades!

— Aïe, ma toute douce, que tu es grossière! Ce jeune homme, mon futur gendre, pourrait penser Dieu sait quoi. Par exemple, que tu manques de respect à ton petit papa, que tu ne l'aimes pas, qu'il manque d'autorité. Comment pourrons-nous dans ces conditions construire un foyer socialiste et vigoureux? Comment allons-nous relever la conscience politique du nouveau membre de notre famille? Hein?

— Cesse ces pitreries. Conduis-toi en homme.

— Seigneur Tout-Puissant! Et comment je me conduis? En bête féroce, peut-être? Je vous ouvre grand mon âme! Mon âme slave, vous pouvez voir jusqu'au tréfonds! Que ne ferais-je pas pour vous, pour votre bonheur, pour votre union personnelle et occidentale, pour la détente de nos peuples? Dites un seul mot et je saute par la fenêtre, je me coupe un bras, je vous offre Marina, ma femme adorée... Et toi, mon ange, ma fille, tu ne perds pas une occasion de me blesser, de m'offenser, de me mortifier! Ce n'est pas bien, ma chérie. C'est un péché!

Le regard de Maïka pesait au bas mot le poids d'une dalle funéraire. Comme elle aurait voulu m'en recouvrir, une bonne fois pour toutes! Seulement voilà, c'est au-dessus de ses forces. Elle a dû engager un Machiniste. Je vous connais bien, chiens galeux.

Elle trempa ses lèvres dans la boisson troyenne et cracha le glaçon sur le tapis :

— Tu fais fort, Khvatkine. À force de boire, tu es devenu dingue…

— Oh ! là ! là ! dis-je tristement en me prenant la tête dans les mains. Il est dit quelque part dans votre livre juif : « Celui qui médit de son père et de sa mère — de mort mourra ! » Pourquoi médire ? Pourquoi me déchires-tu le cœur ainsi ? Et si c'était vrai, ce qui est écrit dans ce livre, et que tu clamecais et t'écroulais par terre, là, tout de suite ? Tu n'as pas peur ?

Pendant ce temps-là, mon gendre d'importation, l'Aryen noiraud et nordique, Allemand de l'Ouest très sérieusement mâtiné youpin, m'observait avec stupéfaction. Sa promise, ma fifille, ma toute belle, l'avait mis au parfum à mon sujet, mais il se rendait compte à présent que, à cause de son ingratitude filiale et de notre désordre familial, elle avait porté des accusations injustes, elle avait chargé son géniteur, un Russe simple, issu du peuple, un père sensible, sympathique et faisant plus jeune que son âge.

Quelque part à l'arrière-plan, je voyais le visage de Marina qui se confondait avec le papier peint. Il exprimait toute la douleur de me voir ainsi bafouer devant un étranger le caractère sacré du citoyen soviétique. Dans notre pays, n'importe quelle serpillière se prend pour Jeanne d'Arc. Un peuple entier de patriotes. Une ethnie, une race de patriotes. Et de témoins. Moi, j'aime ce peuple. C'est le mien. Russie, je suis ton fils, la chair de ta chair. Une brindille sur un arbre puissant. Nous ne faisons qu'un. Tous pour moi, moi pour tous. Et j'aime ce peuple d'un amour filial, de toutes les larmes de mes yeux, jusqu'au fond du cœur et des couilles.

Non, personne ne me brouillera avec mon peuple. Nous réglerons tout entre nous. Chacun aura sa part de gâteau et de châtiment. Alors viendra le temps de la paix, de la bienveillance et de l'amour universel pour tous les Soviétiques. Tous nos ennemis seront exterminés, s'ils refusent de se rendre.

— Toi, cher fiston et gendre importé, tu n'es pas un ennemi. Je suis sûr que tu veux du bien à notre maison! Nous sommes pour le commerce et les échanges culturels. Nous sommes pour la recherche des avantages mutuels sans conditions politiques, mais nous ne voulons pas jeter des ponts. Nous sommes contre les ponts! Ce n'est pas une invention à nous, les Russes, tous ces ponts. Surtout les ponts idéologiques. Tu comprends, fiston, tu comprends?

Le fiston avait compris. Il hochait gravement la tête, souriait et m'observait avec curiosité. C'est ça, regarde, observe, fais cligner tes grosses paupières de juif! Tu n'as pas encore tout vu...

— N'oublie pas, fiston, que nous sommes des gens simples, sans arrière-pensées. Chez nous, c'est donnant-donnant : à vous les biens, à nous les idées. Vos biens, rien à dire, c'est du sérieux. Mais la grande idée triomphante, elle est à nous, à nous...

Soudainement je fus saisi de fou rire, comme si on m'avait chatouillé sous les aisselles ; je me tordais en plein milieu de la pièce.

Le fiston me regardait et se forçait à sourire. Maïka se mordait les lèvres et me jetait des regards pleins de haine. Marina me tapota l'épaule et demanda :

— Allez, qu'est-ce qui te prend ?

— Je n'en peux plus, tellement c'est drôle !

174

Figure-toi que notre grande idée, elle vient de chez eux : c'est un juif barbu qui l'a inventée, je ne me souviens plus de son nom. Mais ces imbéciles n'ont pas su la garder pour eux, cette idée aussi pure et immaculée qu'un cygne, et elle est venue se réfugier chez nous, et c'est maintenant chez nous qu'elle étincelle de tous ses feux, tandis que ces crétins souffrent, avec tous leurs biens, mais sans idée. Elle est à nous, l'idée, rien qu'à nous ; le youpin poilu, tout le monde s'en tape aujourd'hui. C'est comme ça. Et cette petite idée comme une foudre noire transperce fièrement la voûte céleste. N'ai-je pas raison, fiston ? J'ai raison, non ?

— Oui, acquiesça le fiston et, la tête en arrière, il continua à me zieuter comme s'il me visait avec un fusil mais hésitait à brûler sa dernière cartouche.

Alors, fiston, comme ça, on n'aime pas son beau-père, le gentil papa de sa fiancée ? Ça ne fait rien, continue, moi, quand je tire, je n'ai pas besoin de viser.

— Alors, tout va bien, fiston ! À la bonne heure ! L'essentiel est de se comprendre. Après, on peut tout pardonner. La guerre et toutes les saloperies que vous avez faites, les horreurs que vous avez fait subir à notre peuple, ça, je ne peux pas te le pardonner. Même si tu me suppliais, je ne te le pardonnerais pas.

— Je n'ai fait aucune saloperie. Je suis né après la guerre.

— Et ton papa ? Qu'est-ce qu'il a fichu par ici, ton *Vater* ? Peut-être que chez vous les enfants ne répondent pas des crimes de leurs pères, mais dans notre pays, si. Tu vas me dire que ton *Vater* n'y est pour rien ?

— *Mein Vater* n'a rien à faire dans cette histoire, répondit le gendre à voix basse, et des petites rides méchantes apparurent au coin de ses yeux. Mon père a été arrêté et tué en mars 1945.

— Un communiste, certainement? m'animai-je soudain.

— Non. Dieu merci, non.

— Tant pis. On ne va pas faire le tri dans les morts, les bons et les méchants. Buvons un coup, fiston, à notre rencontre. Comment tu t'appelles?

Le fiston se leva, se pencha légèrement — une nation civilisée, après tout — et se présenta:

— Docteur en philosophie, Magnus T. Borovitz.

Magnust Borovitch. Nom de jeune fille, Mordechaï Borokhovitch, qui sait. Ah, race d'enculés! Ils changent de couleur comme les caméléons.

— Allez, ce n'est rien, et si on se tapait un coup de whisky, Magnust? Pour le jumelage de nos villes, pour la réunion des familles, le rapprochement des peuples. Si nous sommes contre la convergence, nous n'avons rien contre les devises convertibles... Verse, Magnust...

Audi, vide, sile.

Magnust versa le whisky dans les verres, juste un doigt, même pas de quoi faire tremper un glaçon. Ah, ces façons occidentales!

— Non, fiston, ce n'est pas comme ça qu'on fait chez nous, mon cher Magnust. Nos âmes sont insondables et nos estomacs itou. Passe-moi la fillette...

Je saisis fermement le cheval blanc par le cou, comme il y a quatre cents ans j'embrassais mon alezan, mon white horse moreau d'*opritchnik*, éperonnant ses flancs troyens, serrant sa gorge, et l'onde ambrée déferla dans les verres et les remplit jusqu'aux bords.

— Voilà. C'est comme ça qu'on boit chez nous.

— Pas mal, dit Magnust avec un ricanement.

Il haussa les épaules, leva le verre à hauteur des

176

yeux et le cylindre jaune, avant même de se répandre et d'exploser dans ses entrailles, le trahit : par un effet de loupe, la lentille magique révéla son pesant nez de rapace et accusa la noirceur de ses yeux d'écrevisse opiniâtre. Il n'avait pas de pupilles. Juste la mire noire de l'iris.

Il but son verre jusqu'au bout, sans souffrance apparente, lentement mais sûrement. Sa lèvre inférieure pendouillait dédaigneusement. Puis il reposa le verre sur la table, sans toucher aux oranges, sans boire un verre de bonne eau gazeuse russe, sans se tordre de douleur, et seuls ses sourcils se soulevèrent et ses narines remuèrent imperceptiblement. Puis il alluma une cigarette.

À moi, maintenant.

A-a-allez, en avant, du nerf, mon White Horse de Troie, mon cheval de course et de combat !

Ah, quel alcool que ce jus de maïs ! Ça te décoche un de ces directs au foie !

Hop-là ! Oh-oh-oh ! Après le virage, le White Horse déboucha dans la plaine où se déchaînaient mes artères, s'engouffra dans les conduits tordus des veines, dans les ruelles des vaisseaux capillaires.

Allez, hue, cocotte ! Les verres tintent comme des cloches, la deuxième course va partir. Lâche la bride, Magnust !

— Mon cher professeur, Maïa a dû déjà vous dire que nous aimerions...

— Je t'arrête tout de suite, fiston, ça ne peut pas aller ! Qu'est-ce que c'est que ces manières, cher professeur ? Nous sommes des gens simples, on n'aime pas toutes ces cérémonies. Encore un peu et tu vas me donner du «monsieur le grand écrivain» ou du «très respecté président de la fédération de football». Et pourquoi pas «cher lauréat» ! Restons simples. Appelle-moi papa ou, comme on le fait chez vous, *lieber Vater*.

— Arrête ces singeries, espèce de salaud! murmura Maïka, le visage bleu de haine.

Ah, les jeunes femmes d'azur, les petites filles de Degas! Magnust non plus n'apprécia pas cette sortie et lui lança un regard vif comme un coup de bâton. Ma fifille se tut. C'est que ça doit être sérieux, leur histoire.

— Pourquoi pas, Maïa? demanda Magnust d'une voix douce. Ce n'est pas difficile. Je peux même appeler notre *lieber Vater* monsieur le colonel, si ça peut lui être agréable.

Bravo, fifille! Tu as tout balancé, petite merdeuse. Bravo! Mais ça ne fait rien, je suis bien calé sur leur White Horse de Troie, et tout m'est égal.

— *Also*... Donc, nous avons décidé de nous marier, cher papa, et nous sollicitons votre collaboration.

C'est le bouquet: voilà qu'on dit *also* dans ma maison, comme à la Gestapo, au cinéma. La détente, je t'en foutrais. Si mon Tikhon Ivanovitch entendait ça, il serait sûrement ravi! Encore un peu et ils vont se mettre à causer yiddish à ma table.

— Je suis heureux pour vous, fiston, tous mes vœux, que Dieu vous garde, mon bon.

— Nous avons quelques problèmes...

— Et alors, mon ami, qui n'en a pas? Tout le monde a des problèmes. Surtout les jeunes mariés. Souvenez-vous, mes enfants, de ce que dit le Talmud: «Il est moins aisé pour Dieu de créer un mariage heureux que d'écarter les flots de la mer Rouge.»

— Je commence à croire, dit sans hâte Magnust, que Dieu a encore plus de mal à écarter les frontières soviétiques...

178

— Mon petit Magnust, pourquoi s'écarteraient-elles? C'est pour Maïka qu'elles sont fermées, pour toi, le portail est grand ouvert. Installe-toi chez nous, Marina et moi vous céderons une de nos deux pièces, je pourrais t'arranger une *propiska* provisoire, tu verras, nous vivrons ici comme des dieux, en famille. Après, vous pourrez vous inscrire sur une liste d'attente pour acheter votre propre appartement. Hein? C'est bien, ça? Non?

Magnust ricana et demanda sèchement:

— Vous êtes sérieux?

— On ne plaisante pas avec ces choses-là. Le mariage, c'est important. Personnellement, je ferais tout pour vous. Si je pouvais vous offrir mon squelette, je le ferais. Je n'ai personne à part vous. Et Marina, bien sûr, consolation de mes vieux jours.

Au moment où j'avais parlé de donner une de nos pièces, Marina s'était mise à remuer dans son fauteuil, sa poitrine se soulevant d'inquiétude: elle voulait dire son mot, planter ses griffes dans la gueule des enfants. Mais, grâce à son sixième sens, à ces faibles et mystérieux courants de son cerveau lymphatique, elle devina que si elle ouvrait la bouche, je lui casserais la tête aussitôt.

— Nous n'avons pas besoin de votre squelette, usez-en à votre guise, remarqua pensivement Magnust. Ce qu'il nous faut, c'est votre accord écrit pour le mariage.

— Vous, les étrangers, vous avez une âme de bureaucrate, dis-je avec un profond regret dans la voix. Un morceau de «papir», voilà ce qu'il y a de plus sacré pour vous. Je vous l'ai déjà proposé en toute sincérité: venez vivre avec nous.

— Merci, mais ça ne nous convient pas, dit brusquement Magnust, tandis que je voyais s'allumer dans les yeux de Maïka la nostalgie d'un destin d'orpheline.

— Dans ce cas-là, mes enfants chéris, déclarai-je, comme Jésus-Christ l'a dit à Ponce Pilate avant son exécution, je m'en lave les mains.

Nous nous tûmes un moment, je versai encore un peu de Cheval blanc dans mon verre, le bus avec délectation et sentis la chaleur intense me chatouiller la rate.

Pas un muscle ne bougea sur sa trogne basanée, un sourire poli fleurit juste sur ses lèvres :

— En vous observant attentivement, je commence à croire que vous êtes réellement un peuple spécial, différent de tous les autres…

— Tout juste ! Tu as raison ! Crois-moi ! Ce n'est pas moi qui mentirais ! Tu sais comment on appelle la Russie en latin ? Non ? La Ruthénie. Ruthénie ! Ça doit venir de « routine ». La routine, c'est le respect stupide des coutumes, des traditions, des légendes. Et il n'existe pas chez nous de tradition qui consiste à distribuer ses filles à tort et à travers.

Il hocha sa tête hébraïco-infernale, pleine de boucles et de pensées profondes, balança d'une main ferme une rasade de whisky dans son verre — pas un doigt cette fois-ci, mais la paume entière — et l'avala sans grimacer. À part ça, il se tenait plutôt bien.

Devant son calme apparent et celui de Maïka, je savais, averti par mon instinct de joueur, mon sixième sens d'aventurier, que toutes les cartes n'étaient pas encore distribuées et qu'il restait des atouts à annoncer. À vrai dire, son affaire était fichue. Ma carte est toujours plus forte que les vôtres.

— Et l'avenir de nos enfants, de vos petits-enfants vous laisse également indifférent ? demanda Magnust avec indolence, presque indifférent.

180

Brusquement, je sentis les feux de l'inquiétude s'allumer au fond de moi, signal d'un danger encore lointain, et je compris qu'il n'essayait pas de m'attendrir, qu'il ne me questionnait pas comme ça, simplement, pour rien, mais qu'il menait un véritable interrogatoire selon une tactique mystérieuse. Il avait un plan, il avait un but : il y avait quelque chose de plus important qu'un accord écrit pour son mariage. Seulement, je n'arrivais pas à comprendre de quoi il s'agissait exactement.

— Pourquoi, vous avez déjà des enfants ? m'inquiétai-je soudain.

— Pas encore. Mais nous en aurons, si Dieu le veut.

— Eh bien, quand vous en aurez, nous en reparlerons. Mais je ne te le conseille pas, Magnust. Pourquoi des enfants ? Un homme important, un homme véritable, un homme d'action n'a que faire d'enfants. Ils le distraient, le dérangent, le désolent. Un homme qui a des enfants sur les bras ne sera jamais un vrai leader. Tiens, par exemple, votre Adolf, je veux dire Adolf Schiklgruber[1], aurait-il réussi à devenir führer s'il avait eu cinq marmots ? Jamais !

— Certainement, dit mon gendre. C'est pareil pour votre Lénine.

Maïka murmura entre les dents :

— Les mulets ne se reproduisent pas. La nature ne permet pas de telles horreurs.

— Ah, Maïka, Maïka, dis-je en hochant la tête d'un air désolé.

— Pourquoi insultes-tu ainsi le saint homme ? En plus, historiquement c'est faux : le camarade Staline avait des enfants.

1. Véritable nom d'Adolf Hitler.

— Pourquoi pas Ivan le Terrible et Pierre le Grand, tant que tu y es?

Maïka éclata d'un rire sonore:

— Chacun de ces tyrans avait deux enfants: un qui les a trahis et un autre qu'ils ont tué de leurs mains. C'est plaisant.

Petite putain, ne me déchire pas le cœur. Que sais-tu d'eux? Je ne suis pas un tyran, moi, je ne suis qu'un *opritchnik*. Pourquoi dois-je subir la même disgrâce — un enfant mort et un enfant traître?

Magnust demanda:

— Vous estimez avoir le droit de disposer de notre avenir?

J'éclatai de rire:

— Ce que tu peux être drôle, mon garçon! Qui donne le droit et à qui? On donne des devoirs. Quant au droit, chacun n'a que ce qu'il sait prendre.

J'écoutais le silence, j'écoutais ce qui se passait en moi-même, la combustion de l'alcool dans mon système nerveux, j'entendais l'orageuse activité chimique de mon organisme. Tout était en ordre.

— Vous n'avez jamais peur de rien? demanda brusquement Magnust.

Sa voix était douce, presque tendre, et cette tendresse précisément déclencha dans mon sang une montée d'adrénaline, mon cœur cessa de battre un court instant, puis hésita, sursauta et se lança dans un galop effréné. Le système de refroidissement actionna ses gicleurs et libéra la sueur sous pression, le signal d'alarme résonna brièvement dans les oreilles et le réservoir de la vessie se tendit, le sphincter se contracta, prêt à lâcher le trop-plein d'urine.

Il avait annoncé son atout. Atout pique. Un cœur noir inversé. Pique — peur.

«Vous n'avez jamais peur de rien?»

J'avais déjà entendu cette question. Et cette voix. Peut-être pas la voix, mais l'intonation. Douce et terrifiante, de quoi tomber dans les pommes. Qui m'a déjà posé cette question ? Qui ? Où ? Quand ? Dans quelles circonstances ?

Mon Dieu ! Mais c'est ma propre voix ! C'est moi-même qui avais posé cette question. Moi ! À qui ?

Audi, vide, sile.

Comment pourrais-je me les rappeler tous ? Je levai la tête et rencontrai le regard de Magnust. Pour la première fois. Ses rondes cibles noires me vrillaient le cerveau.

Ainsi, cher gendre, tu annonces du pique ? Bien, tant pis pour toi, moi aussi j'aime bien les parties impitoyables, j'aime frapper à la tête. Tant pis pour toi.

— Vous n'avez jamais peur de rien ?

— Je ne te comprends pas, fiston. Pourquoi aurais-je peur ? Je suis blanc comme neige ! De quoi aurais-je peur ?

Il se pencha au-dessus de la table et ses yeux étaient maintenant tout près des miens. Ses chaînettes et breloques chamaniques cliquetèrent désagréablement et il dit d'une voix si faible que je fus le seul à l'entendre, comme s'il me transmettait un signal convenu en remuant les lèvres :

— Du tribunal, par exemple...

Je lui répondis, aussi faiblement :

— Il n'y a pas de tribunal. Pas de juges non plus au-dessus de nous. Et plus de plaignants.

— Si, dit-il fermement. Je vous affirme qu'il en reste.

— Non, répondis-je ; plus personne. Ils sont tous morts.

Le coin de sa bouche tordu par un ricanement, il insista :

— Pas tous.

— Qui donc ? J'aimerais savoir. Tu n'as aucun droit de leur parler.

Magnust ferma ses yeux un court moment et chuchota :

— Quant au droit, chacun n'a que ce qu'il sait prendre.

Sale gueule de youpin... Non, pas gueule, visage... C'est nos youpins à nous qui ont une gueule. Eux, c'est un visage, un masque...

Ah, boire un coup ! Mais il n'y a plus rien, le White Horse troyen est couché sur le flanc, il a rendu son dernier souffle de maïs, jeté bas le bouchon. Plus une goutte dans la maison non plus, ma petite putain de femme veille sur moi et sur ma santé et garde tout l'argent pour ses chiffons.

Ah, l'angoisse du manque ! Désert brûlant sous le firmament aride. La rage du coït interrompu. Le soupir de l'affamé devant le morceau arraché de sa bouche. L'énergie tarie de mon cœur insatiable.

Les femmes silencieuses dans les coins de la pièce. Et mon gendre, devant moi, indifférent et calme. Calme comme le doigt sur la détente, comme la brique suspendue au-dessus de la tête, comme une bouche d'égout béante dans l'obscurité.

Ce n'est pas qu'un morceau de papier qu'il cherche à obtenir. C'est ma tête. Pas moins. Tant pis pour lui. Maïka, il doit s'en foutre comme d'une guigne, en vérité. C'est moi qu'il cherche, le salaud.

Alors, petit con, tu m'as trouvé ?

— J'ai l'impression, fiston, que tu essaies de me menacer ?

— Non. Je vous explique les règles du jeu que je vous propose.

— Il y a quelque chose que je ne comprends pas.

Fais-moi une faveur, explique-moi en quoi consiste ce jeu et quelles sont ses règles.

— Ce n'est pas le moment, dit Magnust en se levant, et je me rendis compte qu'il était de la même taille que moi : cent quatre-vingt-un centimètres, format *king size*.

Il me sourit avec bienveillance et me gronda gentiment :

— Il ne faut pas transformer la première rencontre familiale en rendez-vous d'affaires. Nous parlerons de ce petit jeu demain. Aujourd'hui, nous sommes agréablement excités, un peu fatigués et exaltés. Il faut nous reposer, nous calmer. Je vous souhaite une bonne nuit, mon cher *Vater*.

Je lui tendis la main. Je n'avais pas spécialement envie de la lui serrer mais je voulais savoir de quelle pâte il était fait. Une main solide, taillée dans du bois de chêne. On ferait de belles lattes de parquet avec du bois comme celui-ci.

Sa voix me parvint depuis l'entrée, douce comme une prière :

— Réfléchissez, prenez votre temps. Mettez de l'ordre dans votre mémoire. Parce qu'il y aura beaucoup, beaucoup de questions...

Puis tout redevint calme.

Maintenant, il est en train de sortir de l'ascenseur avec Maïka, ils défilent devant Tikhon Ivanovitch, mon garde-chiourme munichois de Vologda, qui les laisse quitter la zone ; comme il n'a pas d'ordre, il note leur passage sur son ardoise, il ne sait pas que ce ne sont pas des êtres libres et qu'il pourrait leur coller une rafale dans la nuque. Ce sont des évadés, on les raie du registre, ni vu ni connu. Ah, quelle sottise ! Il pleut et on ne peut même pas envoyer des chiens à leur poursuite, les dresser pour qu'ils les retrouvent, à leur odeur poisseuse de juifs. Mais voilà que le Machiniste approche la voiture et, cherchant à croiser le regard de son recruteur, de son patron, se frotte les mains, tout en zigzags et en courbettes, et se pelotonne dans son veston d'écolier trempé.

Ils sont partis, les salauds, partis.

Mon Dieu, comme j'ai envie de boire! Les dernières gouttes d'alcool se consument en flammèches bleues sur les braises mourantes de mon organisme. Boire n'importe quoi, mais boire. Je me fous de la forme, des additifs, des diluants. Il me faut ce combustible au nom cabalistique de C_2H_5OH.

Ô, délice suprême de la lotion bronzante au concombre! Ton odeur des champs me poursuit!

La forêt tropicale de l'eau de Cologne Chypre m'appelle et m'entraîne.

La dérouillée, la brûlante lampée du liquide incolore «contre la transpiration des pieds» descendant dans la gorge.

Mon délice — «Dinotchka» —, ciel bleu, calme magique de l'alcool à brûler.

Engourdissement exquis, rosée des forêts, lait de sylvain — décoction de champignons noirs.

Quiétude du velours noir «Paul Robeson»: la colle BF, pure, non diluée.

Allez, un petit flacon de parfum français dans un verre d'eau! Je pourrai roter à mon aise, mes renvois sentiront les violettes de Montmartre et Pigalle, je dégueulerai la place de l'Étoile, je chierai le mur des Fédérés.

«Pas de bonheur sur cette terre.» Pas d'alcool, pas de gosses gentils, pas de gens sûrs, pas de putains convenables. «Je n'oublierai jamais ma mère chérie et j'irai chercher de par le monde» un petit coup à boire.

— Marina, mon manteau!

Elle cria depuis la chambre à coucher:

186

— Qu'est-ce qui te prend, à vouloir sortir à cette heure-ci ?

Je me mis à chantonner, doucereux :

— J'aime les monts Lénine, mes amis. Comme il est doux d'être deux et de voir le soleil se lever…

Je me traînai jusqu'à l'entrée et fourrai la main dans l'armoire à la recherche de ma putain de canadienne. J'allumai, ouvris grandes les portes de l'armoire et reculai. La vapeur montait du veston bleu d'écolier, trempé de pluie.

8

Lucullus déjeune chez Lucullus

— *Quo vadis ?* demanda Tikhon Ivanovitch Steiner, Hambourgeois de citoyenneté vologdane.

— Chercher à boire, répondis-je sur le ton de la
confidence.

Il rit, me montrant ses dents marron, son œil
bleu s'alluma : il ne me croyait pas. Il avait raison,
bien sûr. Mais il me pardonna et dit, plein de sollicitude et de compassion :

— La journée n'en finit pas ! Qu'ils crèvent tous...

Il se dissimulait derrière l'autorité de notre grand
livre rituel : «Dormir — se reposer — en position
allongée (sans se déshabiller).» Alinéa 28 du règlement des forces intérieures. Harmonie des règle-
ments ! Profondeur évangélique des articles, sagesse
cabalistique des alinéas et ravissement déchirant
des notes et remarques !

Pourquoi, gens stupides, vous tourmentez-vous
ainsi et tourmentez-vous les autres, pourquoi ne
voulez-vous pas comprendre que cette recherche
de Dieu, du bien, de la beauté et de la justice n'est
au fond que balivernes et vanité ?

Ô liberté infinie de la discipline militaire !

Magie de la subordination !

Grandeur et humour délicat des casernes !

Beauté enchanteresse des forces intérieures bien alignées!

Générosité des ordres de l'adjudant-chef!

Ça ne vous plaît pas?

Vous ne voulez pas?

Comme vous voudrez. Allez vous faire foutre et vivez comme bon vous semble. Si nous en avions l'opportunité, Tikhon Ivanovitch et moi, nous vous gaverions de bonheur. Mais nous n'en avons pas l'opportunité, et pas la force. Pour l'instant. Qui sait, avec le temps vous saurez peut-être vous montrer raisonnables. Alors on essaiera encore une fois.

Soyons honnêtes, soyons francs, les hommes n'ont que faire de la liberté. Qu'en feraient-ils? Depuis la nuit des temps, depuis sa naissance, jamais l'homme n'a été libre. Cette connerie, là, l'insubordination, est une invention de l'homme faible. Le ventre, lui, a toujours réclamé la liberté, surtout les intestins, c'est eux qui crient le plus fort. Ravis que leur pouvoir augmente en même temps que diminue celui des muscles. Ensuite, c'est la hernie. Ça ballotte jusqu'aux genoux et qu'est-ce qu'on peut faire? Ça incommode, c'est inélégant. Et dangereux. En lieu et place de deux petites noix pleines de sève, nous voilà affublés d'une grosse bourse de boyaux gargouillants et entortillés qu'on doit porter en pensant sans cesse à cette hernie qui nous étrangle. Qui aime ça?

— Qui a une hernie? demanda, très intéressé, le garde-chiourme de Brunswick-sous-Vologda, mon cher Tikhon Ivanovitch; et il tendit la main vers l'ardoise, pour vérifier s'il avait tout noté correctement.

Voilà que je pensais tout haut, ce n'est pas bien. Mon âme réclame la liberté et voudrait sauter à pieds joints dans une grosse hernie. Tu l'auras cherché, espèce de gourde. Tu vas empêcher les couilles de vivre en paix, à force de poser des questions, dommage.

— Je pense, Tikhon Ivanovitch, que l'humanité a une hernie, dis-je avec des accents de douleur dans la voix.

— Ah bon? demanda-t-il d'un air préoccupé.

Il réfléchit un court moment et me donna ce conseil:

— Il faut mettre un gros bandage.

Je pris dans mes bras cet homme simple et travailleur: sa sagesse lui vient de la terre; son Dieu, il le porte en lui-même. Je l'embrassai par trois fois, ainsi que l'exigent nos vieilles traditions, et sortis dans la nuit de mars nauséeuse.

Ruthénie. Légendes. Coutumes.

Lumière blanche, aveuglante, le ciel fendu d'un coup de hache — un ciel d'éponge grise, ramolli comme une balle de tennis. Un éclair bleu hurlant, cordon ébréché, au-dessus de la coupole des nuages de feutrine.

La pluie s'abattant en reflets violets, taillant dans ce qui reste de neige noire affaissée, enfumée, jonchée de mégots et de crachats.

L'orage de mars, c'est l'hystérie de la nature, extravagance folle d'un monde fatigué.

Les aurores boréales dansent, l'aube tente de s'échapper de la chaudière infernale, le Machiniste tisonne sauvagement le charbon.

Il faut plonger dans la capsule confortable de ma Mercedes, fermer la lourde portière derrière moi, sortir de l'évanouissement humide de cette nuit insensée, tourner la clef de contact et sentir la centaine de chevaux, lassés d'attendre sous le capot dans l'humidité et le froid, partir au galop, hennir, faire résonner leurs sabots nus dans les flaques et emmener vers la lumière et la chaleur le traîneau de ma solitude, tandis que les baffles chanteront des psaumes homosexuels avec la voix mielleuse de Demis Roussos.

Ô magnifique troupeau d'acier gris souris, mes Pégases de pétrole, élevés à l'eau de source dans les écuries aux cadences impitoyables de ce vieil exploiteur de Flick, ô mes chevaux chéris, mon troupeau d'élite, plaque MKT 77-77, emmenez-moi dans vos pâturages lointains, dans les prés de l'Éden ou, encore mieux, sur les Champs-Élysées. « Prochain arrêt, place de la Concorde ! »

Là-bas, je pourrai me débarrasser du Machiniste. Là-bas, les machinistes n'existent pas. Ils ne sont que le fruit des orages de mars, de nos beuveries, de notre haine.

Allons, partons vite d'ici. Je plongeai la main dans la poche du raglan. Point de clefs. Restées dans la canadienne emportée par le Machiniste.

On a volé son fouet au gardien du troupeau.

Je décidai d'aller à pied. Les Champs-Élysées, c'est trop loin. Va pour l'hôtel Sovetskaïa. Là-bas, dans l'entrée, j'ai remisé une hache pour toute cette racaille.

Deux pâtés de maisons jusqu'au métro, puis une station. Non, je n'irai pas en métro. Je hais le métro. Ces couloirs souterrains, ces tunnels, ces escaliers, sombre intestin de la ville qui transbahute l'habitant mal digéré et malodorant.

Vive le système intelligent de la voiture de fonction individuelle ! Elle garantit à tout piéton qui se respecte la possibilité d'y monter pour une modeste somme. C'est ce qu'on appelle la redistribution informelle des richesses.

La seule façon de voter librement, c'est de se tenir debout sur le trottoir et d'agiter sa main ; vote pour qui tu veux, une Zaporojets, une Jigouli, même un minibus. Mais avant tout, pour la Volga noire privée.

Démocrates! Votez pour les bennes à ordures! Radicaux! Levez la main pour les pompiers!

Machinistes de tous les pays! Donnez vos voix au bloc des catafalques!

Tiens, voilà un privé, libre, mis à ma disposition par notre peuple. Les privés de la région nord-ouest de notre vaste capitale aiment entendre le doux bruissement des roubles dans ma poche.

Mon ambulance, une Moskvitch râpée, approchait, petit papillon grisâtre, attiré par la douce lumière de mon billet dans le mauvais temps, le portrait de l'inoubliable Patron, ce cher Iossif Vissarionovitch, ami des sportifs et des voyageurs, le camarade Staline, collé sur le pare-brise.

La portière froissée me cueillit au passage et mon ambulance m'emmena vers les premiers secours.

— Où va-t-on? demanda le chauffeur, un jeune homme d'aspect agréable au menton escamoté de dégénéré.

— Hôtel Sovetskaïa.

Il réfléchit un moment et la voiture plongea à deux reprises dans un nid-de-poule profond. Puis il répéta pompeusement:

— Sovetskaïa... Sovetskaïa... C'est où, ça?

— On prend d'abord la Krasnoarmeïskaïa, puis la Krasnokourantskaïa, puis la Krasnogvardeïskaïa, puis la Krasnoproletarskaïa, puis la Krasnokazarmennaïa, puis la Krasnobogatyrskaïa, puis nous tournerons place Rouge, descendrons la Krasnosovetskaïa, c'est à deux pas de la Sovetskaïa tout court. Compris[1]?

1. Khvatkine fait ici un inventaire moqueur de rues de

192

— Compris, dit le chauffeur. Enfin pas tout à fait...

— Alors roule tout droit, connard, suggérai-je gentiment.

La voiture plongea une nouvelle fois dans un nid-de-poule, agita son derrière sur le verglas et trottina de l'avant.

— Tout de même, les routes sont merdiques, dit le chauffeur étonné, c'est le bordel partout...

Son menton escamoté de témoin idéal n'exprimait ni fureur ni haine. Le bordel était son élément, une loi de la nature.

— Pourquoi tu te promènes avec un portrait de Staline sur le pare-brise? demandai-je.

— Ah, ça! On peut dire que c'était un vrai chef... Il y avait de l'ordre, en ce temps-là.

Je me radoucis quelque peu et le pris en pitié, ce débile.

— À gauche, dis-je, lorsque nous arrivâmes au tournant de la rue Raskova. Maintenant, à droite. Maintenant, prends cette rue.

— Je n'ai pas le droit, dit-il timidement. C'est un sens unique.

— Tourne, je te dis! Moi, j'ai le droit. Freine, on est arrivés.

— Déjà? Ce n'est pas ce que vous avez dit...

Je lui tendis un rouble et dis en ouvrant la portière:

— Et maintenant, essaie de t'enfoncer dans ta cervelle de poulet ce que te dit un homme qui a très bien connu Staline. Si le Patron ressuscitait pour rétablir cet ordre que tu sembles regretter si amè-

_____
Moscou qui commencent par *krasno*, c'est-à-dire «rouge», jusqu'à la place Rouge, évidemment. Son itinéraire est fantaisiste.

rement, il commencerait par fusiller tous ceux qui collent son portrait sur leur pare-brise.

— Pourquoi? demanda le jeune homme, et son menton se mit à trembler de peur.

— Réfléchis un peu, imbécile! L'ordre repose sur la discipline.

Pauvres faibles d'esprit qui n'arrivent pas à comprendre que le grand édifice de l'harmonie sociale, l'apogée des relations entre les hommes — la pyramide du pouvoir totalitaire —, écrase tout le monde de sa magnificence, qu'on soit de gauche ou de droite, ami ou ennemi. Il détruit l'initiative. La religion de ce système majestueux est l'obéissance. Tout le monde est informé quand il le faut et par ceux-là qui en ont le droit de la mesure de leur protestation et du degré de leur joie. Celui qui ne comprend pas cela est semblable à Anoufri, notre idiot du village, qui arpentait les rues en exultant: «Vive Lénine, vive Trotski, vive Boïko!» Lénine était le prophète de la Révolution, Trotski le premier des apôtres et Boïko, le milicien du village. Tout le monde appréciait. Puis Trotski fut déclaré ennemi féroce de notre Parti, de notre peuple, de notre pays et de notre chef. Rien à faire pour le faire comprendre à ce crétin d'Anoufri: non seulement il n'entendait rien aux lois de la lutte des classes, mais il n'arrivait même pas à retenir correctement son propre nom. Ce qui obligea une de ses trois idoles, le milicien Boïko, à l'emmener au Guepeou local. Nous, les mômes, on courait derrière la charrette, tandis qu'Anoufri, debout comme César sur son char, hurlait, ivre de bonheur: «Vive Lénine, vive Trotski, vive Boïko!» De temps à autre, Boïko laissait tomber les rênes et collait sa main sur la bouche de l'idiot au milieu de la phrase pour préserver nos oreilles chastes de pionniers de ses appels antisoviétiques. La nuit même, sans bureaucratie paperassière, sans chicanes juridiques, Anoufri fut étranglé dans la cave avec une bride et Boïko, regrettant sincèrement son troubadour à jamais silencieux, l'enterra derrière la palissade du vieux cimetière.

Mais la spirale du destin n'avait pas bouclé là sa boucle fantaisiste. En 1937, au cours d'un mariage, Boïko rossa le rouquin Pryjov, secrétaire du soviet du village, ivrogne et voleur. Le lendemain matin, Pryjov, dévoré par les contusions, la gueule de bois et l'excès d'instruction, alla expliquer au NKVD qu'il avait vu, de ses yeux vu, pleurer Boïko après l'exécution du criminel trotskiste Anoufri le sans-nom, ce bâtard koulak qui avait simulé la folie pour cacher son activité de propagandiste antisoviétique. On ne prit même pas la peine d'aller chercher Boïko. Il fut convoqué au comité de district et, une semaine plus tard, on renvoyait le cheval avec la charrette.

On aurait pu croire que l'histoire s'arrêterait là, que ça suffisait comme ça. Mais les caprices du destin ont ce goût secret d'achever leurs arabesques. Pendant la guerre, les Allemands occupèrent notre village pendant une semaine, juste le temps de bouffer les poulets, de pendre le boiteux président du kolkhoze — un bolchevik — et de désigner Pryjov bailli du village. Ce qui explique pourquoi, après que les Allemands eurent été chassés, la veuve du milicien Boïko s'était précipitée à la rencontre de nos troupes, précédée de ses propres hurlements, pour dénoncer le traître Pryjov. On dut alors régler son compte à Pryjov.

C'est notre *jus talionis* à nous, les Soviétiques : œil pour œil, étron pour étron.

Qui peut expliquer pourquoi le destin joue de pareilles farces homériques dans ces villages sauvages habités par de misérables paysans et des ivrognes ? Peut-être est-ce pour qu'un seul nom soit gravé sur la plaque rouge au-dessus de la porte du soviet local, un nom unique et lumineux, et pas celui de quelque bandit : «Vive le grand Lénine.» Point.

Je frappai avec une pièce de monnaie au carreau de la porte-fenêtre, accès secret de l'hôtel fermé, tout en essayant de comprendre dans quel méandre de mon cerveau malade avait surgi l'association entre le Lénine du soviet du village et le Staline du pare-brise. Et de cette confusion de mentons tordus, de grosses mains collées sur une bouche hurlante, de brides se tortillant comme des serpents, de nids-de-poule sans fond sur la route et peut-être même de tombes oubliées puis ouvertes —, de l'angoisse devant un orage de mars menaçant, de tout cela surgissait quelque chose d'effrayant, de désespéré et de répugnant.

... Mangouste. Un garçon capable. De tout. Petit. Mais rapide. On verra bien. On verra lequel de nous deux est le plus rapide. Pas de juges pour nous juger. Tu ne seras pas mon juge, Mangouste.

Aimerais-tu opérer une saignée dans ce théâtre d'ombres ? D'accord, je ne t'ai pas cherché, c'est toi qui m'as trouvé.

Ouvre, Kovchouk ! C'est moi !

Derrière la vitre ovale, éclaboussée de giboulée glacée, apparut un visage blanc et gras, inflexible et inexpressif : le destin de Mangouste.

Le visage me regardait avec indifférence et ses sourcils stupides, épais comme des moustaches, ne bougeaient pas. Pourtant, il m'avait reconnu tout de suite : se souvenir de n'importe quel visage et le reconnaître sur-le-champ faisait partie de ses attributions ; il n'avait pas droit à l'erreur. Ses lèvres remuèrent imperceptiblement et j'aurais juré tous les diables qu'il avait chuchoté : «Te voilà, quand même.»

Oui, me voilà, Kovchouk, ouvre-moi et montre-moi ton visage fantastique d'ange de la mort. Rampe hors de ta tanière, vieux burin, un peu rouillé, certes, mais toujours aussi tranchant.

Le burin me désigna la porte.

Le loquet de bronze cliqueta, l'immense porte céda et je plongeai dans la chaleur du sas, porté par le vent sec jusque dans la pénombre mauve du vestibule, à la rencontre de l'amiral Kovchouk.

Joie du mimétisme, magie de la réincarnation ! Uniforme de drap noir, épaulettes jaunes, casquette cousue d'or ! Amiral de la flotte des concierges. Stupide mousse marine, as-tu déjà entendu la clameur que font les vagues de l'océan humain aux pieds de Kovchouk, véritable contre-amiral ? Connais-tu seulement le vent salé du vice, s'engouffrant en rafales dans tous les recoins de son port ? Et la violence des abordages devant les portes du restaurant ? Et le trésor de Flint, pourboires arrachés aux clients apeurés ? Et les continents et les îles inconnues, découverts dans le troc avec les indigènes naïfs, arrivés dans les pirogues de leurs Volga noires ? Et les recherches hydrographiques dans ses chiottes de marbre ?

Kovchouk, mon ami et compagnon d'armes, fils spirituel d'Ouchakov et Nakhimov, je suis venu pour tailler une petite bavette, mon cher contre-amiral, mon précepteur et maître, camarade concierge-chef. Ne fronce pas ton sourcil moustachu, ne joue pas l'indifférence avec ta bouche aux lèvres absentes, ne m'écrase pas de tes bajoues lugubres, blanches et charnues! Tu es vieux, intelligent et méchant, et, même s'il est vrai que tu t'appelles Kovchouk et moi, Khvatkine, que nous ne nous sommes pas vus depuis longtemps, que tu es un concierge-amiral et moi un professeur de droit privé de droits, que tous deux nous sommes des patriotes, des camarades du Parti et des hommes soviétiques, tu sais que ce n'est pas ça qui compte. Non, nous sommes deux *opritchniks*, voilà ce qui compte, Semion, il n'y a rien à faire. Nous sommes semblables aux fourmis ou aux abeilles, nous avons tous la même volonté, la même intelligence et les mêmes buts. En apparence, nous vivons chacun pour soi, mais la fourmilière ou l'essaim ont un dessein unique: survivre. Nous vivons ensemble, mais nous mourons chacun de notre côté.

— Certainement, dit Kovchouk, répondant à mes pensées.

— Toi, Senia, considère que je suis semblable à de la moisissure de pénicilline. Ça a l'air répugnant mais c'est bon pour la santé, lui conseillai-je en lui tapant sur l'épaule.

Il hocha sa casquette d'amiral d'un air important et m'emmena dans une petite pièce située derrière le vestiaire.

Tout le reste de l'amirauté, les employés du vestiaire, les suisses et les messieurs-pipi, la brave et chauve avant-garde de la conciergerie, tous ces beaux gaillards me regardaient de biais, avec respect et crainte, puisque le grand contre-amiral lui-même m'emmenait dans son rouf, dans le saint des saints. Quelle belle confédération de suisses! Ces fils de putes ne m'oublieront plus, maintenant, c'est comme s'ils avaient ma photo. Tous des nôtres: retraités, en réserve ou virés pour mauvaise moralité.

De toute façon, je n'avais pas d'autre issue. Et pas le temps de rencontrer Semion clandestinement : mon gendre Mangouste était du genre rapide.

Dans le rouf, le travail battait son plein : on se préparait à l'assaut nocturne. Un chasseur à la noble allure de cardinal et un serveur noiraud et agile étaient occupés à « écrémer ». Expression suprême du génie vinicole, apogée du manufacturing alcoolique, voilà ce qu'était l'écrémage.

Tout ce qui restait au fond des verres, des coupes, des flûtes et des bouteilles du grand restaurant était déversé dans un bac en zinc où bouillonnaient pêle-mêle du vin sec, du champagne éventé, des restes de liqueurs, les fonds de cocktails, la piquette infâme des portos et le kérosène multicolore de la vodka de sciure. Le tout agrémenté d'une chope de sirop brun de sucre cuit et d'une bouteille d'alcool industriel.

Et voilà, la « crème » était prête. Qu'aimeriez-vous boire ? Muscat du Midi ou champagne brut ? Liqueur de café ou marasquin ? Baume de Riga ou calvados ? Gin-fizz ? Whisky ? Et tout ce que boivent les hommes et les femmes dignes de ce nom, amoureux de la bringue et de la nuit, bambocheurs, fêtards et autres viveurs. Tout, vous pouvez tout obtenir — deux roubles le verre — chez l'amiral, juste après minuit, quand vous commencez à vous presser devant sa petite fenêtre et que dans l'immense ville on ne trouve plus une seule bouteille, même à un million de roubles. Alors la « crème » des caves de l'amirauté récolte 1979 fait très bien l'affaire.

— Allez-y, les enfants, je finirai, dit Kovchouk, qui libéra ses aides-vignerons.

Il cria à la suite du cardinal :

— Stiopa, prends des tulipes, tu vas voir qu'ils vont se radiner, les poivrots, chercher de quoi gâter leurs poules !

Le cardinal Stiopa acquiesça gravement, tandis que Kovchouk ajoutait d'un air préoccupé :

— Ne les vends pas à moins de trois roubles pièce, elles tiendront bien jusqu'à demain.

La porte se referma derrière lui et nous nous regardâmes un long moment. Je ne sais pas ce que Kovchouk pouvait voir sur ma gueule décharnée, mais il me sembla que la drôle de moustache collée par le Créateur au-dessus de ses yeux s'était affaissée tristement. Ses yeux étaient invisibles, noyés dans les mamelons blancs de sa face œdémateuse.

— Comme on dit, les vieux amis se retrouvent, dit pesamment Kovchouk.

— C'est comme ça qu'on dit, approuvai-je. Quoique, si l'on voulait rester impartial, il faudrait dire : le disciple retrouve son maître.

— Tu parles d'un maître, dit Kovchouk en écartant les mains, me montrant ses paumes larges et blanches comme celles d'un noyé. Toi, Pacha, tu étais si dégourdi que tu n'as jamais eu besoin de leçons.

— Ne sois pas si modeste, Semion. Le poète a dit : « Maître, enseigne à l'élève pour qu'il puisse enseigner à son tour. »

— Je ne lis jamais les poètes, mais c'est vrai que tu m'as appris deux ou trois choses.

— Tu as bien fait, Sioma. Je suis intelligent. Tu aurais quelque chose à boire ?

Semion regarda le bac de « crème » mais je ne lui laissai même pas le temps d'ouvrir la bouche :

— Sioma, Sioma, je n'ai pas les moyens de me payer une boisson aussi chère. Donne-moi quelque chose de plus simple. De la vodka, par exemple.

Kovchouk soupira, se tortilla sur sa chaise mais j'avais déjà intercepté son regard. Je savais que sa vodka de bootlegger, vendue la nuit, se trouvait dans la petite armoire, derrière la table. Je me levai d'un bond, ouvris la porte, saisis la bouteille sur le dessus de la pile et la tendis à mon hôte, avec un sourire tendre et confiant :

— Allons, Semion, arrosons nos retrouvailles, buvons à notre longue séparation et à notre future vie commune.

Kovchouk remua ses sourcils courroucés, les rassembla au milieu du front, ce qui lui fit comme un collier de cheval, puis secoua la main avec dépit :

— Vas-y.

Vanité des hommes ! Course insensée après les honneurs et les distinctions : décorations, grades, titres. Le vrai signe de distinction c'est de prendre une bouteille à Kovchouk sans demander sa permission. Il aurait démembré n'importe qui d'autre à ma place.

Kovchouk remplit les verres et secoua la tête d'un air étonné :

— Tu n'es pas un homme, Pachka, mais un kamikaze.

Je levai mon verre de bonne vodka russe, fabriquée selon la vieille recette « à partir de grains de blé soigneusement sélectionnés », regardai les gouttes, lourdes comme du pétrole, couler le long de la paroi, et dis avec franchise :

— Nous sommes tous les deux des kamikazes, Sioma. Nous n'hésiterions pas à sacrifier la vie pour tuer un ennemi. La vie de l'ennemi. Pas forcément d'un ennemi mais d'un crétin quelconque. Nous sommes, toi et moi, des kamikazes d'un type particulier : en tuant nos ennemis, nous savons rester en vie.

— Sans doute, dit Kovchouk en haussant les épaules.

Il trinqua avec moi et but. À mon tour, je serrai délicatement le verre dans ma main, ma sœur de verre, ma coupe à facettes, trouble et crasseuse, et avalai le liquide froid et brûlant, miracle de l'alchimie soviétique, capable de fabriquer des grains de blé soigneusement sélectionnés à partir de la sciure de pin et de pétrole merdique.

Mon foie s'enfla de colère contre moi, fit entendre quelques ratés comme un carburateur qui aurait avalé de travers, puis rugit de nouveau et me porta en avant, léger et puissant. Je sentais les feux de l'alcool déchaînés au fond de moi, le sifflement du sang gonflé dans les veines, je voyais des éclairs jaunes surgir devant mes yeux avant de glisser sur les côtés.

— Il paraît que tu es devenu quelqu'un, Pacha, dit Kovchouk. Raconte-moi comment tu vas, parle-moi de tes succès.

— Mes succès sont tes succès, Sioma. Comme dit la chanson : «Comme deux aigles perchés en haut du Caucase, nous sommes assis sur la même cuvette des chiottes.»

— Je ne connais pas cette chanson, mais je n'ai pas à me plaindre. Je vivote tranquillement, avec une demi-retraite, un salaire et ce qui tombe en plus...

La porte s'ouvrit et l'agile serveur de tantôt apporta une énorme cuvette remplie de restes de viande.

— Semion Gavrilytch, il est temps de bricoler les sandwichs, les gens vont arriver. Je commence ?

— Pas la peine, fiston, va, je me débrouillerai tout seul. Vous avez tranché le pain ?

— Bien sûr. Voilà le sac.

Kovchouk prit sur la table un couteau de cuisine bien aiguisé et, avec une dextérité insoupçonnable, se mit à hacher dans la cuvette les restes de boulettes, brochettes, côtelettes, rumstecks, entrecôtes, poulets, biftecks, en les mélangeant avec la diarrhée de bœuf Stroganov. Il semblait avoir oublié ma présence et remplissait les plateaux avec les tranches de pain couvertes de ragougnasse.

— C'est pour nous ? demandai-je avec dégoût.

— Pourquoi ? Les gens vont arriver pour la « crème », alors on leur prépare de quoi manger un peu, à cinquante kopecks la part.

Générosité de la vie nocturne, prodigalité stupide des bamboulas de nantis, perverse recherche du plaisir !

— Continue de parler, Pacha, je t'écoute. La conversation ne m'empêche pas de travailler.

Rien à foutre, après tout. Ce n'est qu'une question de proportions. Parce que c'est par ce genre de travail qu'avait débuté la carrière du jeune Semion Kovchouk.

Quarante ans auparavant, le Saint Patron avait décidé qu'il était temps d'en finir avec le commissaire du peuple Balitski, qui avait déjà massacré tout ce qu'il avait pu en Ukraine, était devenu trop puissant et avait placé des hommes à lui à tous les postes de commandement. Il téléphona personnellement à Kiev et ordonna à Balitski de se rendre la nuit même à Moscou avec un millier de ses collaborateurs les plus fiables. Pour assurer la liquidation d'un gigantesque complot.

Deux express quittèrent Kiev cette nuit-là, dont les passagers se réveillèrent à l'aube non pas à Moscou mais entre deux stations, en pleine campagne déserte, pas loin du village Mikhaïlovskoïé, sur une voie de garage, coincés entre deux trains blindés. Un jeune homme de haute taille au visage œdémateux, sans armes et en civil, portant une enveloppe rouge avec la mention « Pour Balitski, de la part du camarade I. V. Staline », monta dans le wagon-salon de Balitski. Celui-ci, épouvanté, le reçut dans son cabinet. Le jeune homme — c'était Kovchouk — tendit l'enveloppe et, pendant que Balitski essayait d'ouvrir la missive d'une main tremblante, s'approcha de lui et lui trancha la gorge avec son couteau. Puis il passa la tête dans la salle d'attente et dit à l'aide de camp que Balitski souhaitait voir son assistant. Une minute plus tard, celui-ci pénétrait dans le cabinet et mourait le couteau enfoncé dans la gorge jusqu'au manche.

Avec l'obstination propre aux idiots, Kovchouk passa de nouveau la tête dans la salle d'attente et demanda le chef de train. Il n'eut pas à le charcuter. Devant le spectacle de Balitski, la gorge tranchée, derrière son bureau, il devint tout bleu et s'écroula mort.

— Fais sortir tout le monde des wagons, ordonna Kovchouk au commandant, en lui chatouillant la poitrine avec la pointe de son couteau.

Celui-ci s'exécuta. Un millier de combattants d'élite, spécialistes des «affaires mouillées[1]», inspecteurs et instructeurs hardis, armés jusqu'aux dents, sortirent des wagons sans tirer un coup de feu, se mirent par colonnes de cinq, marchèrent rapidement jusqu'au ravin le plus proche, où ils furent immédiatement exécutés à la mitrailleuse.

Notre ministre de glorieuse mémoire, l'inoubliable Viktor Semionytch Abakoumov[2], se marrait

1. C'est ainsi qu'on appelait les opérations spéciales du NKVD, ou plus simplement les assassinats.
2. Né en 1908. Commissaire du peuple adjoint à l'intérieur (NKVD) en 1940, chef du Smerch (contre-espionnage militaire) en 1943, ministre de la Sécurité d'État en 1946. Il dirige la liquidation du Comité antifasciste juif et fait assassiner l'acteur Mikhoels en 1948. Il supervise égale-

comme une baleine au-dessus du ravin et disait à Kovchouk, en lui tapotant joyeusement le dos :

— Bravo, Senia ! Tu iras loin.

En effet, mon maître Kovchouk est allé loin, il est devenu l'amiral des concierges. Il sait découper la viande et aime ça. Ruthénie, ma patrie ! Simplicité de tes coutumes, pérennité de tes traditions !

— Levons nos verres, Senia ! Buvons à toi, à ton travail ! La vodka efface tout. C'est le dissolvant de nos soucis, ma chère vodka de bons grains, de sciure et de kérosène !

— C'est un travail comme un autre, signifia Kovchouk avec autorité. Tu as quelque chose de mieux, peut-être ?

— Rien de rien, Sioma, avouai-je sincèrement. Tu comprends, il y a des mauvaises passes dans la vie. On ne croit plus en soi...

— Ça, ce n'est pas bien, dit Semion dans ses bajoues. Passé cinquante ans, un homme doit avoir le respect de soi. Quand on est jeune, on peut espérer. Mais quand on a vécu un demi-siècle, ou on a le respect de soi ou on va se faire foutre.

— Senia, je suis ton ami, dis-moi, pourquoi tu te respectes ?

— Pour tout, répondit-il simplement. Pour avoir survécu. Tu sais où je suis né ?

— Quelque part en Sibérie, dis-je, avant d'ajouter comme par hasard : J'ai lu ton dossier, tu sais.

---

ment l'affaire de Leningrad qui coûtera la vie à une grande partie des dirigeants de cette ville. En juillet 1951, il est arrêté sur une dénonciation de Rioumine, qui l'accuse de retarder l'instruction à propos d'un complot juif. Malgré les tortures, Abakoumov refuse d'avouer. Jugé trois ans plus tard, comme complice de Beria, il est fusillé en décembre 1954.

La fente de ses lèvres rigides s'entrouvrit :

— Sûr que tu l'as lu. Seulement, ce n'est pas moi qui t'intéressais, mais ce qu'on y disait de moi. Je suis né dans l'île de Sakhaline, dans le golfe de l'Endurance, dans la petite ville de Paranaïsk. Et me voilà aujourd'hui qui parle avec toi, alors que mes *pays*, les Paranoïaques, endurent toujours la misère au bord de leur océan, en attendant que le temps change. Comment voudrais-tu que je n'aie pas de respect de moi-même ?

Mon ami Semion n'aimait pas ses *pays* paranoïaques, ce n'étaient pas des professionnels comme lui.

— Toi et moi, Pacha, nous sommes des gens très différents et tu ne peux pas me comprendre. Tu as toujours été désinvolte, ce que tu aimes, c'est faire sauter la banque, tu adores le jeu, le risque, les saloperies, le hasard, la course. Moi, je n'ai pas besoin de tout ça. Je voulais mener une vie normale, j'avais bu la coupe jusqu'à la lie, dans mon golfe de l'Endurance. Je ne voulais pas devenir paranoïaque.

Peut-être qu'il mentait ? Peut-être qu'il ne voulait pas non plus devenir un *opritchnik* ?

— Comprends-moi, Pacha, pour rien au monde je ne voudrais d'une existence comme la tienne. Tu as toujours frayé avec les chefs et bouffé à tous les râteliers, il n'y avait que le fric qui t'intéressait, d'ailleurs tu en devais à tout le monde. Et toujours deux femmes à la fois et trois autres fauchées dans le pieu des autres. Et moi je ne veux rien de tout ça !

— Et qu'est-ce que tu veux ?

— La paix et l'aisance. Que personne ne vienne me déranger. J'ai commencé à travailler dans les services dix ans avant toi, maintenant je ne suis qu'un capitaine à la retraite, et toi, tu es colonel, avec tout le tralala. Il s'en est fallu de peu que tu passes général.

— Et alors, qu'est-ce que ça fait?

— Ça fait que tu continues, que tu essaies encore d'obtenir je ne sais quoi, alors que moi, je me fous du passé. Si, il y a quarante ans, on m'avait engagé ici comme concierge, est-ce que je me serais mis à égorger les gens? Jamais de la vie! Seulement, les choses ont tourné comme ça. J'étais bien obligé de les zigouiller. Sans aucune méchanceté, je ne les connaissais même pas.

Il était assis en face de moi, ses énormes paluches de noyé posées sur le ventre, il avait un air las et paisible, préoccupé comme d'habitude. Semblable à son père, sans doute, quand il discutait des maigres récoltes de seigle qui poussait si mal sur leurs terres arides au bord du golf de l'Endurance. Ah, l'impitoyable dialectique!

La porte s'ouvrit brusquement et deux filles hurlant de rire entrèrent en courant.

— Gavrilytch! Aboule la gnôle! Les caves commencent à s'exciter, ils vont tout lâcher dans leur froc. Allez, papy, bouge, on dirait que t'es mort!

Les putains étaient déjà bien avancées, la bamboula battait son plein. Elles essayaient de fourrer deux billets de dix roubles dans la main de Kovchouk, le cajolaient, lui tapaient sur le ventre, glissaient la main dans son pantalon. Kovchouk alla chercher la vodka dans la petite armoire, tout en grondant gentiment:

— Foutez-moi la paix, les morues. Prenez votre bouteille et tirez-vous, génisses mal baisées.

L'une d'elles, avec une gueule de chien, étroite et dentue, courut vers moi et me tendit deux petites mains bronzées:

— Mais qu'il est mignon, celui-là! Viens avec nous, pourquoi tu restes avec ce vieux con?

Semion se mit en colère:

— Je vais te flanquer dehors, sous la pluie, espèce de pétasse. Et te confisquer ta patente!

Elle éclata de rire, prit la pose et dit doucement:

— Arrêtez de déconner, cher Semion Gavrilytch! Ma patente, c'est ma fente, jamais tu la prendras!

La deuxième fille, glapissant de plaisir, cria à la première:

— Nadka! Laisse Gavrilytch contrôler ta patente! Je lui montrerais bien la mienne, mais j'ai les mains occupées par les bouteilles.

En un clin d'œil, Nadka souleva sa large jupe au-dessus des aisselles, et découvrit deux cuisses de lait, réunies en haut par le triangle de poils noirs de la patente. Une vraie patente, pas une contrefaçon, et je m'y connais. J'y aurais volontiers trempé ma mèche.

— Ne fâchez pas Semion, les filles, ce n'est pas sa spécialité. Venez quand il faudra vous étrangler.

Je les poussai dehors et Semion me dit, dépité:

— Je n'aime pas les putains. On ne peut jamais compter sur elles.

— On peut se faire plaisir, affirmai-je le plus sincèrement du monde. Moi, Sioma, j'aime bien les putains et j'ai confiance en elles. N'oublie pas que, dans les moments difficiles pour notre patrie, on en a fait des héroïnes.

— Pouah, sales bêtes! Si elles ne m'étaient pas utiles ici, jamais elles ne mettraient les pieds à l'hôtel!

Toujours ce combat incessant entre le devoir et la vocation! Combat singulier entre la nécessité et les mouvements de l'âme.

Je l'appelai doucement:

208

— Hé, Senia !

— Quoi ?

— Et Gruber ? Tu l'as tué par nécessité ?

Il souleva ses gros sourcils jusqu'à la visière de sa casquette, ses petits yeux apparurent un instant, puis il demanda :

— C'est pour ça que tu es venu ?

— Non. Je voulais te dire que nous n'étions pas si différents. Nous sommes pareils. Conçus dans les mêmes entrailles, portés dans le même ventre, nourris du même sang. Nous sommes des jumeaux.

— Et en quoi sommes-nous si semblables ? demanda Kovchouk d'un air soupçonneux.

— Toujours la même chose ! Si nous avons tué des gens, ce n'est pas par nécessité ni parce que nous le voulions ou que ça nous faisait plaisir.

— Pourquoi, alors ?

— Parce qu'on pouvait. Et qu'on savait qu'on pouvait. Et si tu as tué Gruber c'est parce que tu savais qu'on pouvait le tuer.

À l'inspecteur principal des affaires spéciales auprès du ministère de la Sécurité d'État de l'URSS, lieutenant-colonel de la Sécurité d'État, Khvatkine P.E., de la part du collaborateur secret Tsyrkatch.

RAPPORT

Hier, le 26 octobre 1948, lors de la soirée d'anniversaire de l'artiste émérite de la Fédération de Russie, Margarita Kokh, Boris Fiodorovitch Tedder, l'artiste du Cirque de Moscou, responsable du numéro de dressage, étant sous l'emprise de la boisson, a raconté aux invités ce qui suit :

Quelques jours auparavant, il se trouvait à Krasnodar où il venait de terminer sa tournée. Le train pour Moscou avait un retard important à cause des fortes averses. Les accessoires de son numéro — les fauves — avaient passé vingt-quatre heures enfermés dans les cages à la consigne de la gare de Krasnodar et étaient très excités car on n'avait pas pu les nourrir. À minuit environ, trois personnes se rendirent à la consigne, l'un d'eux se présentant comme l'officier de garde de la section ferroviaire du MGB. D'après Tedder, il était petit, gros et ressemblait à un citoyen de nationalité arménienne. Le deuxième se comportait en chef, puisque son collègue arménien l'appelait «camarade Kovchouk». Le troisième homme avait été fortement battu, le visage couvert d'ecchymoses et de blessures, il avait des menottes aux poignets.

L'officier de garde de la section ferroviaire du MGB demanda à Tedder de leur fournir une cage vide, afin d'y enfermer le prisonnier le temps que le camarade Kovchouk et lui aillent dîner.

Il sembla à Tedder qu'ils étaient très ivres, il expliqua qu'il n'avait pas de cage libre, que les fauves étaient déjà entassés d'une façon inadmissible, sans aucun respect des normes de sécurité, et qu'il était plus convenable de conduire le détenu à la prison de la gare ou à la section du MGB.

Sur ce, le cam. Kovchouk donna un coup dans le ventre de Tedder, comme en plaisantant, mais de façon à lui faire très mal, et dit qu'il n'avait pas de conseils à recevoir de lui et qu'il ferait mieux de s'occuper de ses affaires de fauves. À la suite de quoi, il poussa à coups de pied le prisonnier dans un coin de la pièce, lui et l'officier de garde sortirent de leurs poches trois bouteilles de vodka Moskovskaïa, ouvrirent un paquet contenant du saucisson, des tomates et du pain et ordonnèrent à Tedder de boire avec eux.

Tedder essaya de protester, mais le premier collègue dit qu'il allait enlever les menottes au prisonnier pour les lui mettre à lui.

Pendant qu'ils s'adonnaient aux boissons alcoolisées, l'officier de garde prononça d'abord un toast à la santé du cam. Staline, puis à celle des braves tchékistes et des dresseurs de fauves, selon ses propres mots : «À tous ceux qui ont en charge le travail difficile avec les bêtes sauvages qui ont perdu apparence humaine.»

Tedder souligna, lorsqu'il raconta cet épisode chez la citoyenne Kokh, qu'après avoir bu une bouteille entière de vodka sans rien manger, il était devenu rapidement ivre et, pour cette raison, incapable de se souvenir de tous les détails et de dire qui avait eu l'idée de s'amuser avec le prisonnier...

Moi, je peux le dire. C'est Oganès Babayan qui avait eu cette idée. Tedder avait mal compris — Babayan n'était pas l'officier de garde mais le chef de la section ferroviaire du Caucase du Nord du MGB. Haut comme trois pommes et plus large que grand. Une sorte de singe velu, petit mais fort. Sur son épaule gauche, il y avait un tatouage : «Je ne t'oublierai jamais, Albert, mon frère, mort à cause *que* d'une gonzesse.» Sur l'épaule droite, l'épitaphe était plus réconfortante : «Dors en paix, Albert, mon frère, *que* j'ai tué la gonzesse.»

Un type terrible, ce chien sanguinaire de Tiflis.

Bien sûr, il avait envie de s'amuser avec Gruber, un juif fou qui, au lieu de rester tranquillement chez lui à *que* sauter «une gonzesse», avait découvert la trente-deuxième façon informelle de démontrer le théorème de Pythagore. Il avait bassiné toute la faculté avec sa découverte inutile, au point qu'il fut déclaré cosmopolite et fichu à la porte. Alors, il récidiva et démontra la double nature du système périodique de Mendeleïev. Gruber plia le tableau de Mendeleïev en forme de cornet, comme un paquet de lait, et il se trouva que tous ces sodium, potassium et chlore possédaient, à part la valence, une autre propriété énigmatique, très importante en chimie physique.

On peut se demander ce que la bonne vieille table de Mendeleïev avait fait à cet imbécile heureux.

Elle restait là, tranquille, accrochée au mur. Il pouvait à n'importe quel moment s'approcher d'elle, vérifier le poids atomique, le numéro d'ordre, la quantité d'électrons, puis aller se rasseoir tranquillement, sans faire d'histoires. Eh bien non, le juif est insatiable, il faut qu'il plie le tableau, juste pour voir ce que ça donne. Eh bien, ça donne un joli merdier.

À ce moment-là, à Moscou, on commençait à arrêter les biologistes-généticiens. Toute la clique juive des Mendel, Morgan, Weismann, Rappoport et autres Rabinovitch. On trouva au complot une double nature : on replia toute la bande en cornet, on lui donna une profondeur, un volume, des ramifications. Et on se mit à recruter les figurants en province.

Pendant deux jours, Gruber fut mis à la question à Krasnodar, mais cette crevure débile refusa d'avouer. Alors on envoya Kovchouk pour le ramener à Moscou et «raccorder» son dossier à l'instruction générale.

[...] Tedder dit qu'il se souvenait parfaitement que Kovchouk avait traîné le prisonnier et lui avait ordonné d'avouer. S'il refusait de dire la vérité, il lui montrerait, disait-il, comment on s'y prenait pour extraire la vérité des tripes. Le prisonnier ne répondait rien et se contentait d'agiter la tête. Tedder remarqua que toutes ses dents étaient cassées et qu'une partie de ses cheveux avaient été arrachés. Le prisonnier était très maigre, faible et semblait vieux...

Gruber avait trente-neuf ans.

[...] L'officier de garde courut vers la cage du lion Chakh et ouvrit le loquet. Tedder tenta de l'en empêcher, mais le premier le rejeta violemment et menaça de l'enfermer lui-

212

même dans la cage. Le cam. Kovchouk saisit le prisonnier par le col, l'officier de garde entrouvrit la porte et Kovchouk précipita le vieillard à l'intérieur de la cage.

Ce qui se passa ensuite, je ne puis le rapporter de manière certaine, car à ce moment-là de son récit, Tedder se mit à bafouiller, eut une crise d'hystérie et, sous l'emprise de l'ivresse, cria les mots «Bandits», «Assassins», dont je pus déduire que le lion avait déchiqueté le prisonnier.

À part les propriétaires de la maison, le récit de Tedder fut entendu par le professeur d'histoire de l'art Dmitriev, le clown Roumiantsev (Caran d'Ache), l'artiste Outiossov et un homme que je ne connaissais pas. Aucun d'eux n'exprima de sentiment à propos du récit de Tedder, à part le clown Caran d'Ache, qui dit : «C'est très drôle aussi», avant de s'éclipser. Les autres se sont abstenus du moindre commentaire et Outiossov emmena Tedder dans la salle de bains pour l'arranger un peu.

Je pense que ce genre d'élucubrations haineuses pourraient nuire à la réputation des glorieux organes de la Sécurité d'État.

Tel est l'objet de ce rapport.

Coll. Sec. Tsyrkatch,
27 octobre 1948.

Tout était vrai dans le rapport de Tsyrkatch : le récit de Tedder n'était qu'élucubrations haineuses. Le lion Chakh n'avait pas déchiqueté Gruber, il ne l'avait même pas touché. Gruber mourut de sa belle mort. Son cœur avait cédé dans la cage de Chakh. Comme gladiateur il ne valait pas un kopeck. Je pense que Tedder, lui, aurait fait un bon gladiateur, lui qui n'avait pas peur des fauves, mais au moment où il me raconta cette histoire dans mon bureau, je crus bien qu'il allait faire sous lui.

Pourtant, je ne l'avais pas frappé ! Je ne lui avais pas cassé les dents, comme l'avait fait le tchékiste

Babayan à Gruber, ni arraché les cheveux, je n'avais pas menacé de le jeter dans la cage d'un lion auquel il n'eût pas été présenté. Non, au lieu de crier, j'avais posé des questions, poliment et tranquillement. Et lui était au bord de l'évanouissement. Va savoir après ça ce que les gens ont dans le ventre !

J'obtins de Tedder — il m'écrivit un rapport détaillé à propos de ce qui s'était passé à la gare de Krasnodar — à peu près la même chose que ce que m'avait raconté Tsyrkatch.

Si ce papier était monté jusqu'à la direction, Kovchouk aurait eu de grands ennuis. Ce n'est certes pas le service du personnel qui se serait désolé de la conduite inqualifiable de ces deux abrutis. Mais au Département de l'instruction ils auraient été furieux parce que le hooliganisme de deux ivrognes aurait privé le complot des généticiens d'un figurant pittoresque.

Pour cette raison, j'enfermai le rapport de Tedder dans mon coffre-fort et le priai d'en rédiger un autre où il expliquerait que Gruber était mort tout à trac, ni une ni deux, dans les bras affectueux de Kovchouk et de Babayan.

Le candidat gladiateur s'exécuta sans broncher.

Ensuite, je priai Tedder de faire le tour des invités de l'artiste émérite Margarita Kokh et de leur déclarer que toute cette histoire n'était que mensonges et bavardages d'un homme ivre et fatigué. Ce qu'il fit. Aucun d'eux ne fit le moindre commentaire à propos de la nouvelle version de l'histoire, à part le clown Caran d'Ache, qui dit en passant : « C'est très drôle aussi. » Pour finir, je demandai à Tedder d'oublier cette histoire. Elle n'avait jamais eu lieu. Il l'oublia. Pas moi.

— Quelle mémoire, dit Kovchouk avec un petit sourire. Alors, comme ça, tu te souviens de Gruber...

— Je me souviens de tout, Senia, l'assurai-je, et je sortis de ma poche deux feuilles de papier pliées.

Elles étaient défraîchies, jaunies sur les côtés, mais même pas froissées au milieu. C'est normal, elles n'avaient été pliées et dépliées qu'à deux reprises, la première fois, il y a longtemps, quand je les avais rapportées de la Boutique, et la deuxième aujourd'hui, quand je les avais sorties de mon secrétaire avant d'aller rendre visite à mon vieil ami.

— De tout ? s'étonna Kovchouk.

— De tout ! confirmai-je.

— Peut-être, après tout.

Il n'y avait dans sa façon de dodeliner de la tête ni étonnement ni ingénuité. Une sourde menace émanait de son immobilité. Néanmoins, je lui tendis les feuilles. Le jeu était sérieux et les mises importantes. J'étais prêt à faire un échange : sa tête contre la mienne, kif-kif.

— Tiens, Senia, ça te sera plus utile qu'à moi. Un jour j'ai eu l'occasion de les prendre dans ton dossier.

Il saisit les feuillets et se mit à lire, remuant lentement les lèvres, tandis que ses gros sourcils se déplaçaient sur sa face de faïence comme deux souris repues.

Il tenait loin des yeux le rapport de Tedder décrivant leurs exploits, à lui et à Oganès Babayan, comme s'il cherchait à voir au travers. Il lisait lentement, avec application, retenant chaque mot. Puis il posa les feuilles sur la table, appuya dessus sa grosse main et se tourna vers moi ; mais avant qu'il ait pu dire un mot, le cardinal Stiopa, nonce à la conciergerie soviétique, se glissa dans la pièce.

— Semion Gavrilytch, je prends les sandwichs, les gens réclament.

— C'est ça, Stepouchka, prends. Comment marche la «crème»?

— À peine le temps de remplir les verres.

— Fais attention, Stiopa, pas plus de trois verres par tête de pipe. Sinon, ils vont être bourrés comme des Polonais, il va y avoir du scandale, la milice va rappliquer. Pas la peine...

Muni de cette encyclique et d'un plateau de sandwichs à la merde, le nonce s'en alla nourrir les hordes affamées et Semion dit:

— Je savais, Pachenka, que tu viendrais un jour ou l'autre.

— Pas possible, dis-je, levant les bras au ciel, et comment le savais-tu?

— Tu es différent des autres. Pour toi, rien ne compte, ni l'amitié, ni l'amour, ni la fidélité, ni la famille... Rien. Même les loups ont une loi dans leur meute. Pas toi. C'est le diable qui t'habite.

— Arrête, Sioma, tu inventes. Tu m'effraies et tu me fais du chagrin, je vais me mettre à pleurer.

— Rien, Pacha, ne te fait du chagrin. Combien de temps tu as gardé ces papiers avant de me les apporter aujourd'hui?

— Tu sais lire, ce n'est pas pour rien que tu as pu sortir de Paranaïsk? Regarde la date.

— Trente ans, dit Semion en hochant la tête. Tu essaies de me faire peur?

— Tu débloques, Sioma. Pourquoi te donnerais-je ces papiers si je voulais te faire peur?

— Je ne sais pas, avoua Kovchouk. Ta petite cervelle de salaud a toujours fonctionné plus vite que la mienne. Tu devrais t'adonner aux échecs. Tu pourrais battre Karpov, à force d'anticiper.

— Ah, c'est vrai ce qu'on dit, Senia: aucune bonne

216

action ne reste impunie. C'est comme ça que tu remercies un ami?

Kovchouk riait jaune.

— Je sais bien qu'un simple merci ne te suffirait pas. Qu'est-ce que tu veux comme preuve d'amitié?

Je soupirai profondément, comme avant de sauter dans le vide, et dis d'un air indifférent:

— Il y a un homme, vraiment gênant...

— Vraiment?

— Vraiment.

Kovchouk se taisait. Mais pas à la manière de celui qui réfléchit à un problème posé; non, il semblait lointain comme si quelque souvenir l'avait soudain assailli.

— Si je mourais..., dit-il lentement, et d'après son ton, il ne doutait pas d'une telle éventualité.

— Que se passerait-il si tu mourais? demandai-je.

Il secoua la main d'un air dépité.

— Rien. Aucune importance. Dis-moi seulement, Pavel, qu'est-ce que tu cherches à obtenir?

— Difficile à expliquer, Sioma. En deux mots, je veux gagner dans la vie.

Semion dodelina de sa casquette noire d'amiral:

— On ne peut jamais gagner, Pachenka, la vie est un jeu où l'on perd à chaque fois... Peut-être n'aurais-je jamais dû quitter Paranaïsk...

Puis d'un soupir il balaya cette éventualité:

— Toute vie se conclut par la mort.

— Senia, mourir, ce n'est pas perdre. C'est la fin du jeu.

— C'est la même chose, dit-il d'un air las, et il poussa vers moi le rapport de Tedder. Reprends-les, Pacha, je n'en ai pas besoin.

Ah, que le silence était lourd entre nous! Le néon crépitait doucement, la pluie grattait contre la vitre, la voix joyeuse d'une greluche ivre nous parvint de la rue : «C'est pas le pied, la vie de chien !»

Je sortis mon Ronson, levai les feuilles au-dessus de la table et mis le feu en bas à gauche, à l'endroit de la signature tracée d'une main molle et tremblante à l'encre violette, qui avait légèrement verdi avec le temps : «B.F. Tedder, 28 octobre 1948.»

La flamme jaune et bleu lécha tendrement le feuillet, le tordit en un rouleau noir, je sentis sa chaleur courir jusqu'à mes doigts et alors seulement je laissai tomber ce morceau vivant de flamme dans le grand cendrier en fer. L'incendie de papier passa à travers la pièce en nuage de fumée grise et j'éparpillai les cendres qui crépitaient faiblement. Sur un morceau de papier apparut, légèrement argenté, le nom de Gruber et je l'écrasai aussitôt. C'était fini.

Le souvenir de Gruber avait brûlé. À jamais.

— Alors, Senia ? C'est toujours non ?

— Pourquoi, non ? Je vais t'arranger ça.

— À la bonne heure.

— Pourquoi tu ne le fais pas toi-même ? Tu n'es pas plus mauvais que moi.

— Je ne peux pas. Je suis grillé.

— D'accord, je le ferai. C'est qui ?

— Je te le montrerai demain.

— Très bien, dit Kovchouk, et il saisit sur la table son couteau de cuisine sale, tranchant comme un rasoir. Ça ira ?

— Parfaitement.

Nous nous tûmes un moment. Puis il me sembla que Kovchouk poussa un soupir de soulagement.

— Tu as bien fait de venir. Ce n'était pas très correct, j'avais comme une dette envers toi…

— Mais qu'est-ce que tu racontes ? Pas de ça entre nous.

— Pardon ! Une dette est une dette.

Mon Dieu, quel bonheur que nous sachions si peu de choses les uns sur les autres ! Comme notre existence serait compliquée si nous en savions davantage ! Si Semion savait tout, peut-être qu'il n'irait pas nous attendre demain avec Mangouste, et qu'il m'enfoncerait son couteau dans le ventre, là, tout de suite.

— À demain, donc, Pavel ?
— À aujourd'hui, plutôt. Je viendrai vers trois heures.
— Alors porte-toi bien.
— Salut.

Devant la porte de l'hôtel je retrouvai la putain Nadka en train de s'amuser avec le cardinal Stiopa. Elle cria en m'apercevant :

— Tiens, voilà mon petit castor joli !
— Où ils sont passés, tes caves ?
— Qu'ils aillent se faire foutre ! C'est des ploucs… Je leur ai posé un lapin. On va chez moi ?
— D'accord. Tiens, voilà dix roubles, va prendre une bouteille chez Gavrilytch.

Elle courut vers mon brave amiral, déjà monté sur le pont de l'invisible *Jolly Roger*.

Je sortis sous la pluie, me disant que pour la première fois j'avais réussi à blouser le Machiniste et à le semer. Peut-être parce que j'avais fait ce plongeon dans la vie d'avant. Il n'y avait pas accès.

Nadka sortit en courant et me tira par la manche :
— Tiens, y a un privé, dépêche-toi de voter !

Je descendis sur la chaussée et levai la main en direction d'une Volga noire voguant lentement à travers les flaques. Elle ralentit doucement et s'arrêta presque à notre niveau. Je me penchai, le conducteur baissa la vitre et éclata d'un rire strident.

— T'es dingue, papa ? lui demanda Nadka.

Pétrifié, je suivais des yeux cette gueule au rire hystérique qui s'éloignait lentement, une gueule longue, fanée, avec un nez d'esturgeon et, sur la joue, la trace d'un crachat.

Le moteur rugit et la voiture disparut dans un crépitement de pneus.

— Branleur, taré ! fulminait Nadka.

Puis elle secoua les éclaboussures de boue et me demanda :

— Tu le connais ?

9

Un têtard explosé

Je chantais : « Ville bien-aimée, tu peux dormir tranqui-i-ille. »

Bien sûr qu'elle peut. Si elle veut. De toute façon, dans ma ville bien-aimée, Moscou-la-Belle, capitale du monde, cœur de la Russie, la nuit, il n'y a pas grand-chose d'autre à faire. Chez nous, on n'aime pas la vie nocturne. Ce jazz beuglant, cette débauche de réclames lumineuses, ces singeries cauchemardesques de la Cité du Diable Jaune, on s'en fout. Toutes ces distractions dégoûtantes dans leur jungle de néon, ta-ta-ta ! Chez nous, on aime se coucher tôt, et tous vos ha-ha-ha de bêtes sauvages, on s'en tamponne le coquillard. On plonge dans la nuit, impatients, sans se retourner, comme dans une nappe de pétrole, pour se noyer jusqu'au matin, tandis que vous, vous êtes condamnés à connaître la joie effrayante de la gueule de bois et la brûlure heureuse de la descente.

Non, nous n'aimons pas nous amuser la nuit ! Nous aimons travailler. Ou peut-être pas. De toute façon, il n'y a rien d'autre à faire.

Peut-être n'y a-t-il que moi qui aime m'amuser la nuit. Peut-être pas. De toute façon, il n'y a personne à qui le demander. Tout le monde dort.

Les gens qui s'amusent la nuit sont inquiets, angoissés et mal à l'aise. Seuls ceux qui dorment sont calmes et bienheureux, comme des morts.

L'obscurité, le froid, la pluie et le vent, la boue épaisse et poisseuse sous les roues. Une fourmilière inondée dans la nuit. Taudis des boîtes noires de béton, désert désolé des routes crasseuses, pâle lumière des réverbères. Qui a inventé ces horribles lanternes, suant les vapeurs d'iode et de fumée jaunâtre ?

Tout le monde dort. Il n'y a que moi et Nadka qui ne dormons pas. On s'amuse. Plantés sur le trottoir, sous la pluie, nous suivons du regard un bus-ambulance avec cette charmante inscription sur le flanc : « Service des maladies infectieuses, transport spécial. » Qui avait-il transporté avant nous ? Tuberculeux ? Syphilitiques ? Pestiférés ? Lépreux ? Ça nous est égal. On n'a pas peur des infections. On peut nous-mêmes contaminer qui on veut.

Rien à dire, le « transport infectieux » est un bien joli autobus. On avait commencé à baiser sur le brancard, Nadka et moi, mais je finis par m'assoupir, bercé par les secousses et l'odeur d'essence, tandis que les doigts froids et agiles de la jeune fille tripatouillaient ma braguette. Je dormis le temps que le « transport spécial » nous menât de l'obscurité aux ténèbres, à travers la ville déserte et noire.

Nadka me réveilla en me bourrant de coups : « Sors de là, sinon je te laisse tomber et tu vas te retrouver en quarantaine ! » Nous nous déversâmes dans la rue, craintifs, tremblants et mal réveillés, sous la pluie battante, dans la pénombre striée de reflets d'iode. Nadka arracha la bouteille de son sac, la déboucha avec ses crocs de chienne et me la fourra dans les mains :

— Tiens, bois un gorgeon, ça te remettra !

Elle, elle sait, elle me comprend. Et c'est vrai que cela me fit le plus grand bien. Nous nous tenions serrés l'un contre l'autre, pour nous réchauffer un peu. Elle m'avait saisi fermement la tête et m'embrassait à pleine bouche, comme si elle avait voulu m'aspirer, et me caressait, me titillait de sa petite langue agile et dure. J'avais froid, j'étais fatigué et je ne sentais qu'un immense vide au creux de l'estomac, comme si j'avais avalé un ballon gonflable.

Quel beau couple, un mouton et une agnelle. Un assassin épuisé et une putain amoureuse.

Je sentais sur mes lèvres le froid de ses couronnes métalliques et aspirais avec délectation son haleine avinée. Je la repoussai et l'observai attentivement. Ses yeux étaient déments, gais et stupides. Des yeux très écartés. À la regarder ainsi de très près, on eût dit qu'ils étaient accrochés à ses oreilles.

— Nadejda, ma toute belle, mon elfe merveilleux, viens avec moi à Machinbourg.

— Qu'est-ce que j'en ai à foutre? éclata de rire Nadka. Je suis très bien ici.

— Là, tu as raison, Nadka: Moscou est la meilleure ville au monde, la plus radieuse et la plus insouciante! J'aurais aimé vivre et mourir à Paris, si Moscou n'avait pas existé!

— T'as fini de baratiner? dit doucement Nadka. Vous êtes tous pareils, la chefaille, vous ne savez que mentir: «la meilleure», «la plus radieuse», tu parles! Si ton chauffeur te jetait quelque part à Bibirevo ou à Dangaouerovka, tu ne retrouverais jamais le chemin pour rentrer chez toi...

— Nadenka, ma copine, ma petite colombe aux yeux bleus! Quelle chefaille? Je suis le poète de la séparation et de la tristesse, je suis un corbeau d'ici. Je suis un *opritchnik* exténué. Je n'ai pas de chauffeur, juste une modeste Mercedes, modèle 220, immatriculée MKT 77-77.

— T'as peur de rien, dit Nadka, complètement baba. Ce que tu peux être fort, pour les craques ! Toi, mon tout doré, je t'ai tout de suite pigé : il y a deux mots inscrits sur ta grosse gueule.

— Blanc-bec naïf ?

— Non, mon joli, soupira Nadka en remuant ses yeux-boucles-d'oreilles : «Mufle et baratineur !» Voilà ce qui est écrit, mon tout doux.

Je me mis à rire et demandai au hasard :

— Et sur ta tête à toi, qu'est-ce qui est écrit ?

— Sur la mienne ? Tu sais pas lire ? Regarde : «Nadia Vertiporokh, brin de rosée, goutte de caramel, vierge de Valdaï.»

— C'est toi, Vertiporokh ?

— Qui d'autre ? Toi, peut-être ? Dis-moi, mon tout chaud, on va rester longtemps à discuter sous la pluie ? Tu ne veux pas monter ?

— Emmène-moi dans ton tourbillon, Vertiporokh, qu'ils aillent tous au diable !

Dans l'entrée du taudis à neuf étages régnait une forte odeur d'urine : atmosphère tiède, chargée d'ammoniaque, de l'antre de Vénus. Des tourbillons de pisse et de méthane virevoltaient dans les escaliers crasseux, les pâles loupiotes s'envolaient en une danse tortueuse de planètes dans le ciel des ténèbres vénériennes.

Nous étions, Nadka et moi, les premiers Terriens à sortir sans scaphandre dans le cosmos empoisonné de Vénus, dans la rue 3e Dangaouerovskaïa.

Ô destin de l'explorateur ! Une fois c'est sur Mars que tu me projettes, chez une plâtrière borgne, une autre fois sur Vénus, dans les bras de Nadka la gaie, ses yeux de folle en boucles d'oreilles.

Et voici l'ascenseur dont je doute qu'il nous conduise vers le salut. La capsule tremblotante monte jusqu'au vaisseau vénérien expérimental de l'appartement de Nadka. Pauvre cabine bringuebalante, aussi sûre que les injures qui recouvrent ses pauvres parois. Impénétrable Kabbale russe...

— Qu'est-ce que tu racontes comme conneries, mon bonbec joli ? roucoulait Nadka en me poussant hors de l'ascenseur.

Au revoir, Vénus, au revoir, disais-je en agitant une main débile à la cabine retombant dans son puits, tandis que Nadka ouvrait la porte de son appartement. Sur les chemins poussiéreux des planètes lointaines, il y a encore la trace de nos pas ! hurlais-je au module pisseux avec la voix du cosmonaute terrien priant Dieu pour que tous ces phallus hérissés de l'échafaudage autour de la fusée n'éclatent pas sous le choc de l'avénussage. Que ferais-je alors ? Si la cabine explosait, je devrais passer le restant de mes jours en compagnie de Nadka...

— Allez, entre, maintenant, ma jolie pêche, ma graine de connard !

Nous nous retrouvâmes dans le sas, et, une fois les hublots condamnés, l'embarquement était terminé. Nous étions prêts pour le décollage.

Quel drôle de type !

Il souriait aimablement. Une espèce de gandin, nu-pieds, vêtu d'un caleçon noir et blanc, les cordelettes pendantes, et d'un tee-shirt fringant, presque neuf, frappé du sigle du championnat du monde de football à Londres, 1966. Une sorte de hippie russe un peu chauve.

— Bonjour, le saluai-je d'un ton engageant, quoiqu'un peu déçu.

Qu'est-ce qu'il vient faire ici? Ça doit être le commandant du vaisseau d'exploration répondant au nom d'Armstrong-Terechkov: pendant qu'on arpentait Vénus avec Nadka Vertiporokh, il effectuait quelques boucles sur son orbite, tournant inlassablement en nous attendant.

— Bonjour! Bienvenue! cria l'heureux commandant du vaisseau vénérien, et il se rua sur moi, la main tendue en avant comme un karatéka, et cette poignée de main, rapide, humide et rafraîchissante, était aussi effrayante que le frôlement d'une chauve-souris dans l'obscurité.

Nadka se faufila dans la cuisine, non sans avoir déposé au passage un baiser sonore sur sa joue:

— Salut, Vladilentchik! Va, mon tout ramollo, aboule la bouffe.

Le ramollo Vladilentchik, débordant de bienveillance et de relents de vieille vinasse, me prit gentiment par la main et m'emmena dans la cuisine. Il souriait de toutes ses rides et m'expliquait à voix basse:

— Mon nom, c'est Tsybikov, Vladilen Mikhaïlovitch, ne faites pas attention à ces vilains surnoms que me donne Nadiouchka. Elle n'a pas inventé la poudre mais elle a bon cœur. Et toujours contente de recevoir des amis. C'est agréable de pouvoir parler avec un homme d'expérience, c'est comme boire de l'eau de source.

Il marchait les pieds en dedans, traînant ses guêtres de misérable citadin. Dans la cuisine encombrée, il me fit asseoir et exhuma d'on ne sait où une casserole enveloppée dans une couverture en layette, souleva le couvercle en se brûlant les doigts et je sentis une forte odeur de pommes de terre en robe des champs.

— Elles sont toutes tièdes encore, je les ai gardées au chaud pour ma Nadiouchka. Quand la fiancée revient, toute frigorifiée, y a rien de mieux qu'une bonne patate brûlante.

Sa petite tête, parsemée de touffes rouquines, ses épaules, maigres et étroites, plantées directement dans son ventre proéminent, tout cet amas incongru de membres reposait sur d'énormes fesses, sous lesquelles on voyait remuer ses pieds blancs et potelés. Ma parole, c'était un kangourou ! Un vrai kangourou des bas-fonds, capturé dans les poubelles de la Dangaouerovka.

Je vis apparaître quelques quignons de pain, deux têtes de hareng et un brouet rougeâtre de tomates dans une boîte de conserve ouverte depuis longtemps. Pour me réchauffer, je jonglai avec une pomme de terre fumante.

— Bon, on y va ? grommela Nadka.

Je ne savais pas si elle s'adressait à moi ou à son kangourou en tee-shirt.

Mais Tsybikov roulait déjà vers la table, avançant comme un rouleau compresseur sur les roues massives de ses deux jambonneaux, agitant ses sabots incertains. Il apportait trois verres à facettes, qu'il essuyait avec le bas crasseux de son tee-shirt. En un clin d'œil il versa la vodka de la bouteille entamée par Nadka et moi lorsque nous étions encore sur Vénus, s'assit sagement à l'écart et cala ses petits bras sous son épaisse poitrine de veuve. Puis il fixa sur Nadka un regard de chien fidèle. En un mot, la planète sauvage.

Nadka leva son verre et se tourna vers moi :

— Un gorgeon à la santé de Vladilentchik ! À mon

époux illégitime, à mon compagnon inestimable, à son âme de colombe. Je l'aime beaucoup !

— Moi aussi, je t'aime beaucoup, je t'assure, dis-je au kangourou. Mon cœur t'a tout de suite adopté. Moi aussi, j'ai une âme de colombe !

La gorgée de vodka bouillonnante avait à peine franchi ma glotte que le kangourou d'un saut malhabile s'était rapproché de moi, déjà gros des embrassades futures, des étreintes fraternelles et des effusions, de l'extase de l'amitié.

— Sans les mains ! criai-je d'une voix dramatique. Sans les mains ! Nous ne sommes pas encore sûrs de nos sentiments.

Nadka éclata de rire :

— Tu es un vieux renard, Pachetchka, quel salaud !

Le kangourou chassé se jucha pesamment sur sa chaise et, presque sans cligner de ses paupières lourdes, me regarda avec tristesse. C'est vrai, ça : le Valdaï, c'est la boucle de la ceinture qui réunit les deux capitales.

... À mi-chemin, à mi-peine, on change de chevaux,
Bon lit à l'auberge et bon vin aussi
Et la fille du patron,
Pucelle forcément...

La vodka bouillonnait maintenant dans mes veines et ma déception commençait à s'émousser. En fin de compte, tant pis pour ce coup pas tiré. Quand j'étais jeune, nous croyions tous au mythe selon lequel pour chaque vie d'homme il fallait compter un seau de sperme. Fais ce qui te plaît : renverse-le quand tu es jeune, ou jouis-en à l'âge mûr, ou bien laisse-le rancir jusqu'à la vieillesse. Je ne sais pas quel est le gus qui a élaboré cette théorie scientifique, mais je pense que c'est la psychologie du fichage perpétuel et du rationnement systématique des denrées qui en est l'origine. En tout cas, je serais incapable de confirmer ce phénomène médical.

Était-ce à cause de mes solides origines paysannes ou parce que toute ma vie j'ai pu avoir accès aux denrées alimentaires dans les magasins de la nomenklatura, en dehors de toutes les normes, mais mon seau de sperme, dédaignant la contenance traditionnelle, c'est-à-dire un peu plus de douze litres, se transforma en un tonneau, rempli de cette gelée clapotante comme une méduse. Une vie entière ne suffira pas à vider mon réservoir de liquide nacré, de laitance vert-de-gris. Spermatosaure, comme me surnomma un jour ce lèche-cul d'Actinie.

Tant pis pour la giclée! De toute façon, dans ce monde il n'y a ni bien ni intelligence. Il faudra que je lègue mon fonds de semence au professeur Daniele Petruccio: il pourra fabriquer dans ses éprouvettes de petits brigadiers rouges et ces connards d'Italiens n'auront plus qu'à leur lécher le cul! Au diable, ce coup pas tiré! Je suis un artiste, après tout, et ma rencontre avec Nadka et l'amitié naissante avec le kangourou m'importent davantage! C'est vrai, il n'y a pas que le cul dans la vie!

— ... j'ai un ami, c'est un Turkmène, pérorait le kangourou.

— Qui ça?

— Un Turkmène, il s'appelle Kourban. Il vient du Turkménistan, de la ville de Mary, expliqua le ramollo.

Le visage de Nadka était devenu gris. Elle balançait paresseusement sa jambe d'avant en arrière et écarquillait les yeux pour éviter de s'endormir.

— Elle est fatiguée, la pauvre. (Tsybikov plaignait sa compagne illégitime.) La vie est devenue difficile. Ça me fend le cœur de la voir comme ça. Elle est mon hobby.

— Buvons, proposai-je.

Le kangourou sauta sur ses extrémités, remplit promptement nos verres à moitié et se mit à caqueter :

— J'ai comme une idée, la voici : il faut que les hommes se comprennent. Je veux lever mon verre à ce que les hommes soient meilleurs !

— Bravo, Tsybikov, dis-je pour l'encourager. Ça, c'est une idée ! Et un verre pour la compréhension mutuelle ! Citoyenne Vertiporokh, on ne vous entend plus.

— Allez vous faire foutre. Je suis crevée.

Elle me fixa de ses grands yeux écartés, sourit, vida le verre, cracha par terre en grimaçant et son doigt ivre s'agita devant moi :

— Ma petite fleur est pollinisée par les papillons de nuit.

Le kangourou me déclara avec ardeur :

— J'ai un ami… Il est peintre. Un génie, il paraît. Il n'y a pas longtemps, il a peint un tableau, très beau. Ça s'appelle « Le viol ». Pour l'instant, personne ne l'a acheté, dommage… Il paraît qu'il faut attendre, qu'en ce moment personne ne peut comprendre.

J'allumai une cigarette et m'assis confortablement. Bien sûr, j'aurais mieux fait de rentrer chez moi, mais la compagnie de ces animaux me faisait du bien. Et comment aurais-je trouvé une voiture en pleine nuit ? Il valait mieux rester au chaud.

— Vous aimez les cigarettes cubaines ? J'en ai quelques paquets… Non, moi-même je ne fume pas, c'est pour ma collection. J'ai même du caviar… J'ai des réserves : des œufs de saumon, une boîte, du caviar, une boîte. Vous avez du whisky ? Non ? Dommage. J'en ai, moi. Du hongrois, « Club 69 » ça s'appelle… Et est-ce que vous avez l'édition de Shakespeare parue avant la Révolution ? Dommage. Avec les gravures sur plaque de platine chromé ? Non ? Et John Locke non plus ? C'est très regrettable. J'adore les illustrations.

Manifestement, le kangourou fonctionnait comme un magnétophone oublié. Je ne doutais pas que viendrait le moment où le bouton de marche se relâcherait : alors, malheureusement, il se tairait et l'indicateur de son œil stupide et blanchâtre s'éteindrait. Présentement, il m'aimait de l'amour d'un artiste amateur sollicitant l'indulgence du public. J'étais le public à moi tout seul. Une salle entière. Un auditoire. Le monde entier, avec lequel il voulait partager sa précieuse expérience de la vie.

Et son instinct d'écorché vif lui soufflait qu'il fallait se dépêcher, qu'il fallait en dire le plus possible parce que son triomphe pouvait cesser à tout moment. Par exemple, son public, c'est-à-dire moi, pouvait se lasser. La lumière s'éteindre. Ou le patron somnolent de ce théâtre d'avant-garde, la citoyenne Nadka Vertiporokh, nous envoyer tous chier. D'innombrables vilenies parsèment le chemin de l'artiste inspiré.

— ... je travaillais au camping, en été, comme gardien. J'ai eu le temps d'en voir, des choses. Des étrangers, venus de tous les continents. De Cuba, de Bulgarie, et même du Viêtnam. Les bonnes femmes toutes maigres. Je comprends, ils ne mangent pas assez. Ils ne bouffent que des sandwichs. Ce n'est pas de la nourriture, ça. Une dentelle de pain et une petite rondelle de saucisson. Quand je pense à cette merveille de camping qu'on leur a construite, de vrais jardins de Sémiramis. Les étrangers, ils nous craignent, jamais on ne les voit se promener tout seuls, toujours en troupe.

231

Tout en bourdonnant, le kangourou s'enflammait, il devait éprouver un plaisir quasi sexuel.

— ... notre vie, avec Nadiouchka, elle n'est pas simple non plus. C'est comme dans ce livre, il y a une nouvelle, on l'a vue à la télé il n'y a pas longtemps, ça s'appelle *Le Caméléon*, c'est l'histoire d'un professeur qui a pris en charge l'éducation d'une fille des rues... Elle est devenue quelqu'un...

— Ce ne serait pas *Pygmalion* plutôt ?

— Peut-être *Pygmalion*. C'est ça, *Pygmalion* !

— Alors, buvons encore un coup, glorieux statuaire, dis-je, buvons à notre amie, Galatée Vertiporokh, et à toi, professeur Higgins.

— Voilà que vous m'insultez, maintenant, dit-il en hochant tristement la tête. Et pourquoi ? Je ne mérite pas ces offenses. J'ai eu une existence malheureuse. Mon père a été fusillé... Par des ennemis du peuple... J'aurais pu vivre autrement...

— Quel âge as-tu donc, Tsybikov ? demandai-je, incrédule.

— Trente-deux ans, bientôt trente-trois... Cette année, j'aurai l'âge de Notre Sauveur...

— Eh ben, dit soudain notre tendre Galatée en relevant la tête.

— Il a quand même eu le temps d'en voir, cet enculé.

Moi, je ne lui en aurais pas donné moins de cinquante. Ou seize. Il était sans âge. C'était un mort vivant. Un têtard humain. Un têtard. Un vieux souvenir enfoui s'agita quelque part au fond de moi.

— Et si les ennemis du peuple n'avaient pas zigouillé ton papa, qu'est-ce que tu serais devenu, toi, Tsybikov ?

— Moi ? Mon Dieu ! Tout ce que j'aurais voulu ! Mon papa faisait partie des organes. Il était vice-ministre...

J'éclatai de rire : le kangourou était non seulement un grand interprète mais également un improvisateur inspiré.

— Le vice-ministre Tsybikov ? Je ne m'en souviens pas, remarquai-je.

— Pourquoi Tsybikov ? se vexa le kangourou. Tsybikova, c'était le nom de ma mère. On m'a donné ce nom à ma naissance pour me sauver des ennemis du peuple. C'est elle qui a inventé cette conspiration. Le nom de mon père, c'était Rioumine. Rioumine, c'était son nom.

Rioumine. Minka Rioumine était son nom.

De profundis.

Quelle histoire, merde !

Comment avais-je pu oublier qu'elle s'appelait Tsybikova ? Petite blonde rigolote et impudente, elle travaillait comme infirmière à la polyclinique de la Boutique. Mince et souple, on avait l'impression qu'elle était montée sur des ressorts et, lorsqu'elle dandinait de son petit croupion de putain, ses seins, deux lourdes demi-lunes, s'échappaient immanquablement de sa blouse blanche amidonnée. C'est le ministre Abakoumov qui l'avait sortie d'on ne sait où. Lorsqu'il n'en voulut plus pour sa pitance, il la fit valser d'une pichenette et c'est Minka qui se rua comme une buse sur ce morceau de choix. Il était heureux avec elle, elle l'aimait bien aussi et le pilotait comme une bicyclette, décontractée et ferme.

Pauvre kangourou aveugle ! Peut-être que ton père n'était pas Minka, le vice-ministre, un débile malheureux et provisoire, grillé en un an, mais l'indomptable chef de la Sécurité soviétique lui-même, le général-colonel Viktor Semionytch. Peut-être ta généalogie est-elle plus noble et considérable grâce aux appas génétiques de ta maman. Enfin, tout ça n'a plus aucun sens : tous deux ont été fusillés par les ennemis du peuple.

Comme dirait le poète, la chaîne du temps a été rompue. Citoyen kangourou, cher camarade Tsybikov, mettez-vous à genoux devant votre hobby, votre gaie compagne, votre Galatée des trottoirs ! C'est grâce à son métier que cette sirène me ramassa dans le hall de l'hôtel et me traîna jusqu'ici dans le fourgon spécial des transports épidémiologiques. C'est elle qui vous amena un homme d'expérience, dont vous buvez les paroles comme si c'était de l'eau de source.

Buvez l'eau transparente du temps ! Avalez de pleines gorgées d'eau distillée des années perdues ! Moi, moi, je suis témoin. Je suis le dernier à avoir vu tes pères — quels qu'ils soient — puissants, honorés et libres. Parce que, la vie est ainsi faite, mon pauvre kangourou qui n'as pas mérité qu'on t'offense —, c'est moi qui les ai arrêtés. Puis d'autres les ont fusillés. Des ennemis du peuple.

Ennemis du peuple.

Et voilà le travail, animal stupide des antipodes. Lointains pays, temps et gens oubliés. *De profundis*, vraiment.

— Ne l'écoute pas ! cria Nadka. C'est des mensonges. Il est cinglé, ce type. Dès qu'il a bu un coup de trop, il commence à la ramener avec son père, ministre ou vice-ministre. Il n'a jamais existé, celui-là ! Un chien errant tout ce qu'il y a de normal, graine d'orphelinat, voilà ce qu'il est, un enfant trouvé...

— Nadia, Nadetchka, mais qu'est-ce que tu racontes ? dit Tsybikov, désorienté. Pourquoi tu

234

m'insultes? Tu cherches à m'offenser? Pourquoi me priver de ma seule joie? Bon, d'accord, je n'ai pas connu mon père, mais ma maman, je m'en souviens très bien…

— Vladik, tu me fatigues! Arrête de déconner une minute! Général, ministre, tu parles d'une huile… Écoute, s'il est vrai que ton père a été buté pour rien, va au NKVD et demande-leur une pension! S'il était une aussi grosse légume que ça, peut-être qu'ils te refileront une cinquantaine de roubles par mois…

— Nadia, Nadia, murmura le kangourou dont les yeux s'emplirent de larmes. J'ai peur, Nadia, j'ai peur. J'ai si peur d'aller là-bas…

J'eus un haut-le-cœur car les maillons de la chaîne du temps s'étaient brusquement raccordés: ce monstre chétif et asexué avait prononcé les mêmes mots que sa mère: «J'ai si peur.» Le têtard était mûr.

— J'ai si peur, avait-elle dit.

Quel était son prénom? Pas la moindre idée. Nous étions étendus dans l'herbe haute au bord de l'étang à Rassoudovo. Comment nous étions-nous retrouvés là, je ne sais plus. Nous avions pris le train de banlieue et avions roulé longtemps. Puis nous étions descendus au premier arrêt venu. Personne ne nous connaissait par ici. Et nous non plus, nous ne connaissions personne. Nous avions marché à travers la forêt. Nous ne pouvions nous donner rendez-vous en ville ou prendre la voiture pour venir jusqu'ici: le mari de l'ex-infirmière n'était plus un obscur commandant du Département de l'instruction, mais vice-ministre, connu et craint de tous, du chauffeur au moindre piétineur, en passant par le patrouilleur, lesquels n'auraient pas hésité à nous dénoncer. En août 1952, tout le monde avait perdu la raison, les gens se tapissaient dans l'ombre ou s'agitaient dans tous les sens à la recherche d'une planque avant que tout n'explose.

Ici régnait le calme et il n'y avait pas âme qui vive. Seul un bourdon bourdonnait comme un avion-piqueur en se débattant dans sa fleur.

— J'ai soif, dis-je.

Elle se leva, alla chercher une bouteille de soda dans l'étang, la décapsula et dit :

— J'ai si peur…

Elle cacha son visage et je crois bien qu'elle pleurait.

— De qui ? De Minka ?

— Je n'en ai rien à cirer, de celui-là.

— Alors pourquoi tu as si peur ? demandai-je sur un ton faussement naïf, parce que je savais à ce moment-là de quoi elle avait peur, parce que moi-même j'étais menacé et que je vivais dans la terreur quotidienne, le moindre de mes muscles tendu à l'extrême.

— Minka m'a raconté ce que vous tramiez tous les deux… Tu es en train de nous détruire, Pacha, tous… Lui, moi, tous. Et à toi aussi, ils t'arracheront ta tête de lard…

— Comme ça, tu t'inquiètes pour Minka ? C'est que tu l'aimes, alors ? demandai-je avec un petit sourire.

— Comment une femme pourrait aimer un homme comme lui ? Il est terne. Il arrive le matin, après le travail, ivre et furieux, me grimpe dessus et vas-y que je te laboure. C'est triste, c'est lugubre. On dirait une punaise… Ce n'est pas à lui que je pense, c'est comme ça, en général.

— Si c'est en général, alors n'y pense plus. Viens, viens par ici, dans mes bras. Je suis gai, moi.

Elle se mit à rire, un peu dépitée. Le soleil d'août, jaune et granuleux comme du beurre fondu, lui dardait le visage; elle me regardait, plissant ses yeux bleu profond et insolents.

— Viens, lui dis-je de nouveau.

Repue et mince, telle une jument de course, elle tremblait d'impatience, se tapotant les hanches, comme si elle se donnait des coups d'éperon. Il me semblait que son corps était parcouru de petites crampes piquantes et j'imaginais déjà toute la volupté dorée qui tempêtait à l'intérieur.

— Viens! dis-je, et je la comparai mentalement à un sablier — le temps s'écoule à travers la taille fine…

Le kangourou sauta lourdement à travers la pièce sur ses gros jambons et exhuma une énorme bouteille remplie de liquide marronnasse. Je ne sais pas d'où il l'avait sortie, peut-être de sa poche abdominale dissimulée sous le tee-shirt londonien.

Il remplit les verres et m'en tendit un:

— Buvez!

Et ajouta, devant mon hésitation:

— C'est de la décoction de champignons noirs. Très bon pour la santé.

— J'en ai assez de vous deux, dit Nadka. J'ai sommeil.

— Nadetchka, ne te fâche pas, supplia le kangourou Tsybikov. Juste un verre à la mémoire de nos défunts parents.

La mémoire. Un don de la nature étonnant et qui nous fait souffrir. Un don rare, comme celui de dessiner, d'écrire des vers, d'écouter de la musique. Arrière-grand-mère de notre personnalité, l'âme de nos talents.

J'ai la flemme de me souvenir, je n'ai pas envie, tout le monde a oublié, tout oublié.

Et voilà que je subissais les tortures de la mémoire, la douleur du souvenir, des sentiments, l'amertume d'une tentative sans espoir de revivre les sensations évanouies de la vie d'avant, à jamais disparue.

Je martyrisais ma mémoire, je la malaxais, je la pétrissais avec passion et obstination, comme le bidasse maltraite un gros nichon. Il fallait que je presse une goutte encore vivante des sentiments morts depuis longtemps, que je prélève un peu du pâton des anciennes inquiétudes, sur lequel aura levé la pâte magnifique de ma vie d'aujourd'hui, pain riche et pourpre au goût impérissable d'arroche et d'absinthe.

« ... Tsybikova, c'était le nom de ma mère. C'est elle qui a inventé cette conspiration... »

Mais quel était son prénom ? Ça n'a pas grande importance, d'ailleurs. Je me souviens juste que pendant longtemps je n'y avais pas prêté la moindre attention. Nous étions alors copains, Minka et moi. Je ne répondais à ses avances que par des plaisanteries, des rires et des clins d'œil.

À ce moment-là, Minka, son époux aimant, que j'asticotais quotidiennement, remonté comme un gramophone, avait déjà allumé la mèche de la machine infernale, qui devait tout détruire autour d'elle, et le cours détraqué des événements, que dans ses rêves de flic minable il n'était pas capable d'imaginer, poussait Minka à gravir les marches glissantes du pouvoir.

Il emménagea dans un immense appartement sur la Sadovaïa-Triomphalnaïa et, le temps bref de cette existence délirante et triomphante, il tenta de se convaincre — secrètement mort de peur et à côté de ses pompes — qu'il avait été choisi pour vivre un destin exceptionnel. Ce crétin bête et méchant ne comprenait pas son véritable rôle d'élu : le destin l'avait choisi pour en rire ou pour le montrer aux autres en exemple et s'était cruellement moqué de lui. De moi. De nous tous.

Je n'étais plus tellement son copain, il ne m'invitait presque jamais dans sa nouvelle maison, comme s'il avait peur que je lui porte la poisse ou que ma présence ne déconsidère son nouveau mode de vie triomphal par des allusions à son insignifiance d'hier.

Minka se montrait bienveillant et protecteur avec moi, il me tapotait l'épaule avec condescendance, mais je voyais déjà se consumer une haine farouche dans ses yeux plissés de faux-cul. Seulement, il n'avait pas les épaules assez solides et savait que, sans moi, il ne parviendrait jamais à son but, que son entreprise était vouée à l'échec.

Si Minka avait eu conscience du véritable destin qui lui était assigné, peut-être que son cœur lui aurait soufflé, que son foie lui aurait révélé qu'avec moi non plus il ne parviendrait pas à son but. Le destin se moquait de lui. De nous.

Il m'avait quand même invité pour son anniversaire.

Kangourou, tu m'entends ? Nous fêtions le trente-troisième anniversaire de ton papa. Comme toi cette année.

La décoction de champignons noirs explosa à l'intérieur de mon corps et m'écrasa les reins. Mes yeux s'obscurcirent. Très, très bon pour la santé. Le glacier de la mémoire s'ébranla, dans les failles je vis passer des gens, le visage mort de Minka et Tsy-

239

bikova heureuse et riant aux éclats, qui disparurent peu à peu dans les ténèbres.

— Buvons à ta mère, proposai-je au kangourou, et je me surpris à déclarer : J'ai connu tes parents...

Le kangourou ne comprit rien, ou bien il ne me crut pas, en tout cas il se réjouit à l'idée de prouver à Nadka l'importance de sa généalogie.

— Tu entends ça, Nadioucha ? Tu entends ? Ce monsieur confirme ce que je t'ai dit. Et toi qui refusais de me croire !

De fatigue, les yeux-boucles d'oreilles de Nadka émigrèrent vers sa nuque. Elle hocha paresseusement la tête :

— Bien sûr, c'est un témoin de confiance ! Il ment comme un arracheur de dents.

Je bus une gorgée de décoction et dis à Nadka :

— Il te dit la vérité.

— Va te faire mettre, me dit-elle avec une grande cordialité. Tu mens comme la radio.

Je ne mens pas. Je dis la vérité. Je me souviens. De dessous le glacier de l'oubli surgit la grande fête de Minka. On peut dire que l'événement fut célébré depuis Moscou jusqu'aux quatre coins du pays. En tout cas, les tchékistes envoyaient leurs vœux au chef de nos organes d'instruction depuis les régions les plus malpropres de la patrie. Au grand organiste, en quelque sorte, qui avait déjà composé une jolie musiquette qui aurait suffi à leur dévisser la tête.

On peut dire que la citoyenne Tsybikova avait organisé un véritable festival gastronomique avec tous les cadeaux envoyés par les collègues et subalternes. Le saumon d'Arkhangelsk et les melons de Tchardjou. Les anguilles de Lituanie et les crabes du Kamtchatka. La lèvre de renne aux baies et les tomates de Kherson. Les concombres de Nejin et les agneaux du Daghestan. Le hareng de la Sosva et la prune de Sotchi. L'esturgeon d'Astrakhan et les grenades de Bakou. Le chevreau d'Abkhazie cuit au lait, le jambon de Tambov. Les Arméniens envoyèrent de l'oie fumée, les Ukrainiens un dindon de la taille d'une bonne autruche. Et un panier de feichoas — fruit magique à l'arôme du communisme triomphant : un croisement de banane, de framboise et de fleurs. Cadeau de nos valeureux combattants de la République des Chachliks géorgiens.

Bien sûr, un tel banquet valait largement Paris, Moscou, le monde entier, les gens du monde entier que Minka était prêt à tuer. Il avait déjà allumé la mèche. C'est moi qui la lui avais tendue. Avec les allumettes.

Où étais-tu pendant cette fête, cher kangourou ? Je ne t'avais pas remarqué.

Minka, ton papa, vice-ministre jeunot, blondasson joyeux, trinquait et se congratulait. Il se réserva le droit exclusif de porter trois toasts à la santé de notre Maître Suprême, notre Glorieux Patron. Puis deux toasts à la santé de son disciple préféré, le dirigeant de nos organes intrépides et inflexibles, le cher Lavrenti Pavlovitch Beria. Plus un autre toast, sensible mais prudent, à la santé du nouveau ministre, le camarade Ignatiev S.D. [1]. Notre ancien ministre,

---

1. Semion Ignatiev (1904-1983). À la Tcheka dès 1920. Au Parti depuis 1926. Il occupe diverses fonctions au sein de l'appareil dans les années quarante, en Bachkirie et en Biélorussie. Il devient ministre de la Sécurité d'État en juillet 1951 après la chute d'Abakoumov. C'est lui qui monte avec Rioumine l'affaire des « blouses blanches ». Il est révoqué après la mort de Staline, mais, protégé par Khrouchtchev, il sera nommé au secrétariat du Comité central.

Viktor Semionovitch, le colonel-général Abakoumov, ton père putatif, mon pauvre kangourou, n'eut droit à aucun toast et fut privé de vœux de réussite dans la vie publique, sociale et privée. Parce qu'à ce moment-là il était en prison. Au quatrième bloc G. Prison intérieure du ministère de la Sécurité d'État, cellule individuelle numéro 113. C'est moi-même qui l'y avais conduit. Le directeur de la prison, le colonel Grabejov, avait failli s'évanouir de peur après avoir poussé les deux verrous de la porte de la cellule et refermé le mouchard.

Voilà pourquoi, kangourou, le nom de cet autre père putatif ne fut pas prononcé à la soirée d'anniversaire. Quelqu'un avait juste dit qu'on devait l'exécuter prochainement. Pendant la nouba, soit qu'ils aient oublié que les ministres étaient souvent exécutés, soit que, au contraire, ils n'aient pu l'oublier, les invités s'étaient soûlés à mort, comme si on leur avait annoncé la fin du monde.

Minka se traîna difficilement jusqu'à la chambre à coucher, mais il n'eut pas la force de se mettre au lit et s'écroula par terre. Il ronflait furieusement, le groin enfoui dans le tapis épais. Certains invités étaient partis, d'autres s'étaient dispersés dans les coins. C'est dans le couloir obscur, en sortant de la salle de bains, que je rencontrai ta maman, citoyen Tsybikov.

Elle était ivre, endormie et tiède. Elle portait une de ces robes de chambre transparentes en dentelle que nos soldats victorieux avaient rapportées d'Allemagne dans leurs innombrables valises de butin de guerre et que nos femmes, ces génisses incultes, arboraient fièrement rue Gorki, les prenant pour de luxueuses robes d'été.

— C'est toi ? demanda-t-elle à mi-voix.

— Oui.

242

L'aube grise commençait à ramper dans l'appartement. Les gens ronflaient partout, marmonnant des inepties d'ivrognes, quelqu'un sifflait fortement en respirant par le nez. Dans la demi-pénombre du couloir, elle cherchait à me toucher, en écartant les bras, comme si elle nageait, comme si, dans une eau noire et stagnante, elle essayait de saisir le bord du quai. Je fis un pas vers elle, la serrai contre moi et sentis au bout de mes doigts son sein élastique et rembourré, une grosse pêche enveloppée dans le papier de soie de la robe de chambre.

À cette époque, on trouvait à Moscou des oranges et des pêches qui venaient d'Israël, avant qu'il ne sombre définitivement dans son putain de sionisme. Chaque fruit était enveloppé dans une feuille de papier à cigarettes. Trucs de juif, ruses de femme.

— Pourquoi tu ris ? demanda-t-elle à mi-voix.

— Je suis bien, répondis-je en chuchotant.

Je ne pouvais quand même pas lui dire que j'avais l'intention de la baiser, pour me payer la tête de Minka, justement ici, dans sa maison triomphante, le jour de son jubilé, que nous allions, par cette saloperie, transformer définitivement en mythe, en outrage, en perfidie.

Je la soulevai et la portai dans la chambre à coucher. Comme j'étais pieds nus, je ne faisais pas de bruit. Elle me saisit vigoureusement par le cou et me dit à l'oreille :

— Pas ici... Pas ici...

Et moi, doublement enragé parce qu'ivre mort, je branlais de la tête — ici, justement, ici — et, le temps que je l'étale sur le lit, son désir et sa frénésie de putain avaient eu le dessus sur ce qui lui restait de raison. Elle se mit même à gémir doucement à l'idée de ce plaisir incomparable : se taper un copain à côté du mari endormi qui, s'il s'était réveillé ne fût-ce qu'un moment, nous aurait tués sur-le-champ.

La voilà, la véritable roulette russe. Le chargeur avec une seule balle, un seul coup à tirer. La douceur de la nuit éternelle. Diable, c'est que j'avais du cran! Baiser l'ourse dans sa tanière, à côté de son mâle endormi!

Lueur blanche des jambes relevées, gouffre du mystère unique et essentiel de l'existence! Tulipe noire de sa substance, tiède et humide! Profondeurs rouge et rose! Moire magique des plis!

Elle se mordait les lèvres, ses yeux insolents riaient. Lorsque je la pénétrai à fond, elle ferma les yeux et se mit à meugler sourdement de plaisir et l'âme aimante de Minka répondit à ce plaisir: il gémit, roula lourdement sur le dos, ses lèvres remuèrent et il marmonna quelque chose dans son sommeil. Nous nous figeâmes, elle s'agrippa à ma poitrine jusqu'à me faire mal et ouvrit grands ses yeux lascifs, agités de peur et de confusion.

Je me soulevai au-dessus d'elle, me tournant légèrement de façon à être prêt, au moment où notre organiste vigilant ouvrirait ses paupières, à lui cogner sur la citrouille de toutes mes forces. Couper le courant le temps qu'il revienne à lui après ma raclée. Après, qu'il se débrouille: le lendemain matin, Tsybikova lui ferait un scandale et lui prouverait qu'il s'était fracassé la gueule lui-même en tombant du lit, ce sac à vin.

Je levai la main, le poing lourd comme un fléau d'armes. Mais Minka soupira profondément, émit un bruit de succion et lâcha un pet assourdissant. Puis il se calma. Et ce fut tout. *Out!*

Nous nous mîmes à rire doucement, jusqu'à l'épuisement. L'élu du destin, le grand organiste, le metteur en scène de la féerie triomphante et familiale, avait atteint les sommets. Seul un minable génie est capable d'un vrombissement aussi fantastique, pendant que sa femme se fait soigner à côté avec tendresse et délectation.

Et même à l'instant où je sentis l'incroyable douleur, la crampe splendide descendre depuis la colonne vertébrale jusque dans les reins, je ne pus, tout en retardant le moment des dernières convulsions du bonheur suprême, détacher mon regard du visage rose et paisible, des grosses lèvres suçotant de béatitude du triomphateur insouciant et assoupi, voguant à travers la nuit.

Un peu plus tard, au bord de l'étang, envahi d'épilobes et de chèvrefeuille, alors que dans l'air flottait une riche odeur de foin et de framboises blettes, elle me dit :

— J'ai si peur…

— Viens, lui dis-je.

Mais elle ne voulut pas. Peut-être Minka lui avait-il dit que la nuit précédente j'avais passé la tête dans son bureau pour lui annoncer, comme si ça n'avait aucune importance, que j'avais trouvé la personne adéquate et que je l'avais préparée ?

Minka s'était pétrifié, comme si on lui avait coulé du béton à l'intérieur.

— Quelle personne ?

Son visage était devenu officiel, sévère et responsable. Il ne savait pas que je connaissais aussi son autre expression, celle du commandant endormi et triomphateur avec toute sa poupine insouciance.

— Quelqu'un de très bien. Une jeune femme soviétique, médecin et communiste. Une vraie patriote.

— Nom ?

— Lioudmila Gavrilovna Kovchouk.

— Tu es sûr d'elle ?

— Oui, absolument.

— Tu la tiens comment ? Argent ? Chantage ?

Je fis non de la tête.

— Et comment peut-on les tenir autrement ? s'étonna Minka.

— Par le plumard. J'habite avec elle.

Minka éclata de rire et demanda par curiosité :

— Tu habites avec tous tes agents ?

— Seulement avec les belles.

— D'accord, dit-il. C'est toi qui vois. Fais gaffe, Khvatkine, si ton plumard ne suffit pas, je t'arracherai la tête.

Son emploi d'organiste en chef ne lui permettait pas de dire «on nous arrachera la tête», bien que ce fût clair comme de l'eau de roche.

— Kovchouk... Kovchouk..., répéta-t-il pensivement. Ce nom me dit quelque chose.

— Semion Kovchouk, son frère, travaille à la deuxième direction générale. C'est lui qui a tranché la gorge au général Balitski...

— Ah oui, je comprends. Pas mal. Jolie famille.

«... À toi aussi, ils t'arracheront ta tête de lard...», avait dit Tsybikova.

Elle ne vint pas vers moi, elle se pencha au-dessus de l'eau, plongea brusquement la main et en sortit une bulle noire et brillante.

— Qu'est-ce que c'est ? demandai-je.

— Un têtard.

Elle s'approcha de moi et me montra au creux de sa paume la grosse bête lisse, gris-noir, comme une balle de revolver.

— Laisse-le, il est déjà grand, aujourd'hui ou demain il sera grenouille.

— D'accord, chuchota-t-elle, me regardant fixement, et elle serra sa main de toutes ses forces :
Voilà ce qu'ils feront de nous.

À la même seconde, le têtard éclaté m'envoyait
au visage une giclée gluante de sang, le liquide puant
coula sur ma poitrine et le long de mes bras. De peur
et de dégoût, le malaise me monta à la gorge.

La voix perçante de Nadka Vertiporokh me
ramena sur terre :

— J'en ai marre de ta tête de bois, pauvre cloche !
Si c'est comme ça, vas-y donc, essaie de mendier
une pension, peut-être qu'ils te la donneront.

— Comment ça, mendier, Nadetchka ? Ils se
vengeront. J'ai peur.

Pauvre kangourou stupide, il ne sait pas qu'on
leur a pardonné. À tous. Personne ne se venge, tout
est oublié : tel est l'ordre que nous devons exécuter.

La loi de la vengeance par le sang avait été abolie
secrètement, sans faire de bruit, la vague de haine
appelée l'« isolation des M.F. » — membres de
famille — était retombée, cette forme perverse de la
vendetta qui vous obligeait, après avoir assassiné un
homme, à détruire, à exiler, à réduire en cendres
tous les membres de sa famille, vengeurs présumés,
probables et virtuels.

Pour être honnête, nous n'avons jamais eu peur
de la vengeance de qui que ce fût, mais cet ordre
parfait, selon lequel tous les membres d'une famille
devenaient des otages et des complices, nous permettait d'éduquer correctement une population
idéologiquement déficiente.

Non, quoi qu'on en dise, le système des otages
a du bon. Qui sait ce qui serait advenu du monde
si les gendarmes avaient embarqué comme « M.F. »
la maman et les frères et sœurs d'Alexandre

Oulianov [1], après qu'il eut fabriqué sa bombe destinée à l'empereur ? Peut-être que mon père aurait
été assis dans cette cuisine en compagnie de Vladilen Oulianov, le petit frère, qui à coup sûr aurait
pris un autre chemin ; il aurait observé ce kangourou chauve qui prononçait les *r* à la française, bu
de la décoction de champignons noirs et écouté
rugir sa Nadka aux yeux exorbités :

— Allez vous faire foutre ! Moi, je me couche,
faites ce que vous voulez, démerdez-vous !

Le monde, Dieu merci, est retombé sur ses pieds.
Il n'y a plus de « M.F. ». Ni pour les ennemis du
peuple ni pour ceux qui, sous la sage direction du
Saint Patron, ont défendu la population contre les
ennemis du peuple. Et même ce sigle, « M.F. », tei-
gneux comme la gale, il nous fut ordonné de l'oublier. Plus de « M.F. », nous sommes tous membres
de la même et grande famille soviétique.

Tsybikov roula sur ses grosses pattes de dinosaure
en direction des toilettes. Je demandai à Nadetchka,
ma chère Elisa Doolittle, la fille des rues :

— Et moi ?
— Viens avec moi.
— Et Tsybikov ?
— Quoi, Tsybikov ? Il dormira là, sur son petit
matelas.

1. Alexandre Oulianov, frère aîné de Lénine, avait été
l'auteur, en 1887, d'un attentat contre Alexandre III, à la
suite duquel il fut exécuté. Selon une légende popularisée
par un tableau célèbre en URSS, le jeune Lénine aurait dit
à sa mère : « Nous prendrons un autre chemin. » La simili-
tude est complétée par le fait que les prénoms des deux personnages ressemblent à ceux de Lénine et de sa femme,
Nadejda Kroupskaïa.

— Je ne crois pas qu'il soit bien convenable de faire coucher le professeur Higgins par terre. C'est un foyer familial, après tout, habité par Pygmalion, l'immortel sculpteur.

— Tu commences à me gaver, je suis fatiguée et j'ai sommeil. Tout ça, lui, il s'en fout. Sa seule joie, ce serait de nous regarder forniquer, il resterait là à se caresser, à renifler... C'est tout ce qu'il sait faire, ton Pygmalion.

Dans la pièce presque vide, il y avait un matelas posé sur quatre briques. Je me déversai littéralement hors de mes vêtements, m'écroulai contre le mur froid et le matelas s'envola vers le plafond, comme une balançoire.

Nadka se glissa sous la couverture et se canfouina à mes côtés. Elle était frigorifiée et toute rêche : elle avait la chair de poule. Dans le demi-sommeil, je passai une main sous sa tête, coinçai ses jambes glacées entre mes cuisses et la serrai contre moi. Ses cheveux sentaient le tabac.

J'entendais l'eau couler dans l'évier de la cuisine. Le kangourou se déplaçait sourdement sur ses gros métatarses, fâché et amer, et marmonnait :

— ... alors je lui dis : les étoiles les mieux visibles sont celles des Chiens de chasse... et lui me regarde avec mépris... il rit et me dit : c'est le malheur d'avoir de l'esprit[1]... ce n'est pas de ma faute... ils l'ont dit à la télévision...

Nadka m'embrassa sur la poitrine et me murmura d'une voix lasse :

— Dormons. Je n'ai plus de forces.

— D'accord.

Tsybikov bourdonnait, continuant à se plaindre,

1. Allusion à la pièce de Griboïedov, *Le Malheur d'avoir de l'esprit* (1824), devenue proverbiale en Russie.

s'adressant probablement aux étoiles, Nadka reniflait doucement, roulée en boule. Je m'enfonçais mollement dans le sommeil et, avant de sombrer définitivement, j'eus le temps de penser à Notre Seigneur qui, lentement mais sûrement, sarclait son potager.

— J'ai rencontré la femme de Rioumine, de feu Mikhaïl Kouzmitch l'épouse, me dit Poutintsev lorsque je le croisai il y a une vingtaine d'années.

Poutintsev, ex-instructeur, était une créature de Minka, un flatteur et un malin. En deux ans, grâce à Minka, ce larbin était passé de lieutenant à sous-colonel. Pour le remercier, c'est lui qui chargea le plus Minka lors de son procès et s'en tira avec seulement sept ans de camp.

— Comment va-t-elle ? demandai-je sans le moindre intérêt.

— Comment va-t-elle ? Comme une pute ! C'était une paillasse, c'est toujours une paillasse ! Elle a trahi sa mémoire, la salope ! (Poutintsev en postillonnait d'indignation.) Oui, oui, elle est putain dans les chemins de fer du Midi. Les contrôleurs l'emmènent dans les trains à destination du Caucase et la refilent aux Géorgiens. Ces salauds gagnent des sacs de fric sur les marchés, tu penses qu'ils font la fête ! Et cette pute nous fait honte !

« Voilà ce qu'ils feront de nous ! » Éclaboussure du mucus puant sur le visage.

Je m'endormis profondément. Et la torture habituelle revint, banale. La course insensée de mes délires nocturnes. Châtiment subtil.

Le goût des pommes gelées dans le jardin de Sokolniki persiste encore dans ma bouche. Comme persiste l'odeur des pépins mous. Étais-je dans les jardins d'Éden ? Ce vieux pommier était-il l'arbre de la science ? Pourquoi le fruit n'avait-il que le goût unique du mal ? Pourquoi étais-je à la fois Adam et le serpent tentateur ? Est-ce parce que l'homme et Satan possèdent une double nature ? Et que les tentations du diable sont justement nos désirs les plus secrets ? Il n'existe sûrement pas d'autre diable que celui qui nous habite ; c'est pour cette raison que ce que nous avons fait est diabolique. Alors pourquoi cette hallucination absurde : quelle que soit la femme que je couche dans mon lit, je ferme les yeux, je rêve, j'espère, je me mens jusqu'à ce que je croie moi-même que c'est Rimma…

Sinon, le robinet de vidange refuse de fonctionner. Le tonneau du liquide vivifiant qui clapote en moi est fermé à double tour, tout ce bien va rancir et sera perdu : les tuyaux ne fonctionneront pas tant que je ne me serai pas convaincu que c'est Rimma qui est couchée à mes côtés.

Elle s'est bien vengée. Me voilà inséminateur artificiel, le verrat-donneur de sperme de pedigree.

Tu n'en as jamais vu ? Moi, si.

Avec un copain, nous étions venus à la porcherie chercher un cochon de lait. L'éleveur se vantait de ses succès :

— L'insémination artificielle est un progrès dans la reproduction du bétail. Nous abattons la truie reproductrice au moment des chaleurs et nous l'empaillons. Ensuite on fabrique un vagin en caoutchouc poreux chauffé à l'huile tiède. Le verrat se précipite à l'odeur et donne en une fois jusqu'à cinq cents grammes de sperme conditionné. Ce sperme est dilué dans une proportion d'un pour vingt, puis injecté à l'aide d'une seringue spéciale directement dans l'utérus de la truie. Le lendemain, le verrat est de nouveau mûr pour les réjouissances : à lui le plaisir, à nous le profit...

Tu comprends, maintenant, ce que tu as fait de moi, Rimma ?

Quand j'étais plus jeune et plus bête, et que j'avais encore de l'espoir, j'avais inventé une fable réconfortante : la vie de Raphaël fut également gâchée par une femelle splendide, la Fornarina, alias Margarita Lutti, putain des bas-fonds, la seule qui ressemblât pour lui à la Madone. Jeu des sens, dément et vain : se persuader, affalé sur une putain, qu'on couche avec la Sainte Vierge.

L'absurdité du diabolisme.

Je ne suis pas un peintre, je suis un « à-partiste », et je m'embrouille la tête. C'est bête. Que vient faire Raphaël là-dedans ? Je dors avec une prostituée, je dors, je dors, je dors. Et si je ne me réveille pas, peut-être que je m'affalerai dessus, en espérant que ce soit Rimma ; alors je serai aussi heureux que le verrat attiré par l'odeur de la truie empaillée.

10

Verglas

Avant même d'ouvrir l'œil et de me rendre
compte où et avec qui j'étais couché, je sentis que
quelque chose n'allait pas : je devais être malade.
Dans la pénombre gris-bleu de la chambre presque
vide, je distinguais le matelas poussé contre le mur
et, à côté de moi, Nadka, décoiffée, le visage gris de
la beuverie d'hier. J'entendais la voix cartonnée de
la radio dans la cuisine et comme un lourd piétine-
ment. Le kangourou. La peur de la gueule de bois
me cingla le cœur. Je ne veux pas revenir sur terre,
je veux rester dans le vaisseau spatial. Je suis un
émigré vénusien. Ce serait bien de s'enfouir sous
l'oreiller sale, de tirer le corps de Nadka Vertiporokh sur le mien et de m'endormir.

Mais la radio glapissait ses bonnes nouvelles,
annonçant d'une voix stridente que les cultivateurs
du Tadjikistan s'engageaient à terminer les semailles
une semaine plus tôt que l'année précédente.
Salauds, ils m'empêchent de dormir... Je ne me sens
pas bien, j'ai très mal dans la poitrine. Ça pique,
ça serre, ça pèse. On dirait un gros caillou pointu.
Les boyaux noués par l'inquiétude, grise comme
ardoise, lourde comme plomb. Qui me traîne dans
le ruisseau asséché du sommeil. J'ai mal dans la

poitrine. Angine de poitrine. Comme un crapaud diabolique qui ne se calme que lorsqu'il a réussi à vous étouffer.

L'énorme crapaud de l'angoisse est assis sur ma poitrine. Froid, gluant, couvert de verrues, il m'écrase et me regarde sans un mot avec ses yeux jaunes, ses fines membranes battent perfidement.

Dieu miséricordieux, serait-ce la vieille maladie qui se réveille, qui avance, qui rampe vers moi, vénéneuse ? Non, non, non ! Mon anniversaire, mon faux anniversaire n'est tombé qu'hier. Dans un an, je fêterai mes quatorze années bissextiles.

Le désespoir fit jaillir de la mémoire des mots presque oubliés : «Notre Père qui es aux cieux, que ton nom soit sanctifié, que ton règne vienne, que ta volonté soit faite, sur la terre comme au ciel...»

Je me voyais petit, effrayé, tête baissée, mais presque délivré de cette douleur menaçante dans la poitrine qui me poursuit comme un rêve et de ce quelque chose qui, énorme et terrifiant, barre la route de mon prochain anniversaire. Peut-être serais-je soulagé et retrouverais-je toutes mes forces, toute mon assurance, grâce à cette prière, apprise tout gosse ? Mais voilà qu'elle était bafouée, ridiculisée, outragée par ces noms surgissant sans discontinuer du poste de radio : *Hua Guo Fen, Deng Sio Ping, Hua Ho Ban*[1], *Hua Guo Fen, Hua Ho Ban*...

La radio racontait qu'un Hua avait chassé un autre Hua, et ces putains de Hua chassaient de mon cœur tout espoir de repos.

— Donne-nous chaque jour notre pain quotidien, suppliai-je.

1. Hua Guofeng, Deng Xiaoping, Hu Yaobang.

Et mon cœur se serra à l'idée que ce pain quotidien, je devrais le rompre aujourd'hui avec Mangouste.

— Mon Dieu, mon Dieu. Pardonne-nous nos offenses comme nous pardonnons à ceux qui nous ont offensés...

Mais que te demandé-je, Seigneur? Serais-je devenu fou? Qui m'a offensé sur cette terre? Comment pourrais-tu nous pardonner toutes nos offenses? Pourquoi toute cette bureaucratie? Vos offenses, nos offenses. Liquidons le passé, comme une entreprise en faillite!

— Et ne nous soumets pas à la tentation...

C'est le diable qui me poussa hier à aller voir l'amiral suisse Kovchouk. Que pouvais-je faire d'autre? Si tu es plus puissant que le diable qui m'habite, et tu l'es, j'en suis sûr, ne me soumets pas à la tentation et envoie paître ce Mangouste! Fais-le rappeler d'urgence chez lui, annule son visa. Ou fais en sorte qu'il passe sous un tramway, peu importe, ça m'est égal, je n'ai rien contre lui personnellement.

C'est toi-même, Seigneur, qui as mélangé à la poussière et à l'argile de mes membres les hormones et la bile de Satan! Sans ça, la pâte humaine ne lèverait pas.

Mais délivre-nous du mal. Je te le demande de tout mon cœur: délivre-moi du mal. Arrange-toi avec Mangouste. Libère-moi du péché inévitable. Je te le demande. Gentiment.

Car c'est à toi qu'appartiennent le règne, la puissance et la gloire pour les siècles des siècles. Amen. Amen. Que tout cela s'accomplisse. Tu as tout, le règne, la puissance et la gloire. Et moi, je me contenterai de peu.

La radio jouait une musique alerte et pleine de bonne humeur, le kangourou chantonnait à mi-voix, j'entendais des bruits de vaisselle. Nadka ouvrit un œil : elle souleva la paupière et j'eus l'impression qu'elle avait remué une oreille. Puis elle gigota un peu et, reniflant et soupirant, entreprit de se glisser sous moi, tout en palpant de ses petites mains agiles mon appareil génital ramolli. Elle fronça les sourcils comme si elle pensait à quelque chose de précis.

Je n'avais pas envie d'elle. Aucune excitation. Rien. Je fermai les yeux, tout en caressant légèrement son corps tendre et chaud comme du poulet, et essayai de m'extirper mentalement de ce lit pour me retrouver, trente ans auparavant, dans les bras d'une tout autre femme.

— Laisse-moi jouer un peu avec ton souriceau, meuglait Nadka d'une voix langoureuse et passionnée, tandis que je me revoyais en train de fourrer ma queue tendue dans les mains de Rimma, pétrifiée de dégoût et de haine.

Avec un seul attouchement de ses paumes glacées, mon souriceau devenait un rat furieux, prêt à ronger la promise jusqu'au dernier morceau.

Je croyais à l'antique sagesse : à force de supporter, on finit par aimer. Bien sûr ! Des peuples entiers ont fini par aimer les chefs à force de les supporter, alors pourquoi pas nous ? Puisque j'aimais vraiment Rimma. Pourtant, tu me haïssais avec toutes les fibres de ton corps. À ce moment-là, tu ignorais tout de ce qui était arrivé à ton père, tu n'avais pas entendu ses côtes craquer sous le choc du presse-papier balancé par Minka. Tu croyais qu'il était encore en vie et je soutenais cette croyance de toutes mes forces en t'expliquant que grâce à moi vous pourriez un jour vous revoir, toi et ton papa juif si tendrement adoré. Et que c'était grâce à mes seuls efforts intéressés, et l'on peut dire au préjudice de la Sécurité d'État de notre grande nation, si le professeur Lourié était encore en vie et menait une existence relativement prospère en prison.

Je ramassais quelques miettes de temps pour qu'elle puisse supporter. Et elle supportait. En souffrant horriblement, en se forçant. Parfois, comme saisie par quelque doute, elle se levait d'un bond, comme une folle, et partait en courant. Elle était bouleversée, le regard éperdu et aveugle. Je ne la retenais pas, parce que je savais que, si je la retenais, le ressort tendu de sa patience finirait par céder, elle se mettrait à crier et, en proie à l'hystérie, pourrait bien me planter ses dents dans la gorge.

Mais il m'arriva aussi — très rarement — de gagner sa tendresse. Par exemple, le jour où je lui avais apporté le mouchoir de son père : un bon signe, non, elle ne pouvait pas lui écrire, c'était très dangereux, et d'abord pour lui. Rimma caressait ce mouchoir défraîchi avec ses fines mains brunes, le portait à son visage, respirait le parfum presque évanoui de lavande et de bon tabac. Et elle pleurait, demandant encore et encore : comment va-t-il ? Mange-t-il ? Se tourmente-t-il ? Il a maigri, non ? Il a un catarrhe et une cholécystite.

Puis elle me serra dans ses bras — moi ! — et m'embrassa. Drôle de peuple, qui ne ressemble à aucun autre. Chez eux, même l'amour est un sentiment mercantile et égoïste, un objet de spéculation.

Mon cœur débordait d'amertume et de rancune et aussi du désir ardent de lui dire que j'avais ramassé ce mouchoir par terre, à côté du corps recroquevillé, bleuâtre et négligé, figé par la mort, du professeur Lourié. Les cheveux blancs en désordre, la

bouche noire de sang séché, les yeux exorbités.
«… Mort provoquée par une insuffisance cardiaque
aiguë», dit le médecin de la prison Zodiev, qui signa
le procès-verbal et me tendit la feuille :

— Signez, vous aussi.

Je cachai la main dans mon dos :

— Ce serait avec un grand plaisir, mais je n'ai
pas le grade requis. L'instructeur principal Rioumine va descendre tout de suite pour signer.

— Ça m'est égal, dit Zodiev.

Il alluma une cigarette et désigna le cadavre du
menton :

— Il faudrait emporter ça aujourd'hui…

Ça lui était égal. Minka, ça lui faisait plaisir. Moi,
à cette époque déjà, je ne signais jamais aucun
papier. Tenez-vous-le pour dit, mon cher gendre
Mangouste ! Comme je n'avais pas signé le certificat
de décès du grand-père de votre fiancée, ma fifille
chérie Maïka.

Cependant, j'accompagnai le cadavre au crématorium. Ça ne faisait pas partie de mes attributions,
comme la signature du certificat de décès, mais
j'avais la certitude mystique qu'il y avait des affaires
qu'il fallait mener jusqu'au bout. Du début jusqu'à
la fin. Et le début et la fin de l'existence humaine
sont les mêmes : poussière.

Voilà pourquoi, par cette impénétrable nuit d'octobre, je montai dans le camion avec l'inscription
«Produits alimentaires» qui me mena derrière la
masse obscure du monastère Donskoï, où un unique
réverbère tachait de jaune les bâtiments gris du crématoire municipal, orgueil de l'industrialisation de
notre ville.

Il y a très longtemps, avant même que je
n'aie commencé à travailler dans les services, les
membres de la Société des amis de l'inhumation

par le feu avaient fait construire ce crématoire juste sous les murs du monastère Donskoï, à deux pas de la résidence du patriarche de toutes les Russies, exprès pour emmerder les popes avec d'horribles rites païens et récupérer par la même occasion quelques paroissiens grisés par l'opium de la religion. Ça avait marché.

Seulement, chez nous, le diable se promène bras dessus bras dessous avec la vengeance. À peine avaient-ils eu le temps d'étouffer les popes avec leur fumée puante que les Amis de l'inhumation par le feu furent désignés comme espions et ennemis du peuple. Ils comptaient certainement réduire en cendres notre peuple. On emmena ces putains d'adorateurs du feu à la Loubianka, où on leur colla à chacun dix ans de camp, et ils partirent pour Petchorlag. Là, c'est le lieutenant Kachketine, un garçon brave et sérieux, qui s'en occupa. Il « raccorda » leur affaire à celle des trotskistes, ou ce qu'il en restait, des fanatiques religieux et des anarchistes de droite et les fusilla tous dans la vieille briqueterie.

Les hommes d'escorte de Vologda, paresseux et indifférents, enterrèrent les Amis de l'inhumation par le feu dans les glaciers éternels. Juste à côté des frères du monastère, qui eux aussi avaient fait le voyage.

Peut-être avais-je réussi à me persuader que ce n'était pas Nadka mais Rimma que je tenais dans mes bras, jeune, lointaine, inoubliable — ou m'étais-je replongé dans l'oubli? —, mais les plis tendres le long de la courbe douce de la hanche ne pouvaient qu'appartenir à la chair vivante, émouvante de Rimma. Non, il ne pouvait pas s'agir de cet orgasme bon marché, vendu par Nadka dans le hall de l'hôtel Sovetskaïa, où régnait le lugubre commandant de flotte suisse Kovchouk.

En tout cas, elle parvint à ses fins et se vissa sur mon chibre indifférent et fatigué, mais sans réussir à m'entraîner dans le tourbillon brumeux de la volupté par ses secousses brûlantes et humides ; ce n'était qu'un travail ennuyeux et vain, une corvée interminable, comme couper du bois pour tout l'hiver à une vieille femme.

Le kangourou avait cessé de bourdonner et de sauter dans la cuisine et restait tapi dans son coin, à vivre sa vie de pervers crépusculaire et clandestin.

Ils me dégoûtaient tous les deux. Je ne voulais pas les entendre, je ne voulais pas les voir, je ne voulais pas sentir l'odeur âcre de la sueur de Nadka. Je voulais retrouver le souvenir de Rimma, c'est elle que je voulais sentir. Mais c'est le souvenir du crématorium qui revenait.

... Comme il se doit, nous évitâmes l'entrée principale. Le professeur Lourié aurait eu droit à une telle cérémonie s'il s'était décidé à mourir d'infarctus avant notre visite dans la maison à l'ombre du vieux jardin à Sokolniki. Le triste catafalque aurait alors solennellement pénétré dans la petite cour intérieure, suivi de toute une procession de voitures et de cars, et le grand savant émérite, membre de l'Académie de médecine, décoré et primé, aurait été accompagné dans son ultime voyage par son innombrable parentèle juive, les collègues attristés, les collaborateurs accablés, les fonctionnaires affairés, les étudiants impavides, les patients en larmes et, bien sûr, les maîtresses, allant et venant discrètement dans la foule. On aurait porté le cercueil en bois de chêne, serti de serge rouge, dans la salle des adieux en marbre, dans cette église de Satan, où les adorateurs du feu avaient fondé une nouvelle et démoniaque liturgie des morts. En reniflant un peu, l'organiste juif aurait libéré toute la puissance des trompettes pneumatiques, pendant qu'auraient défilé lentement les décorations, les médailles et les insignes posés sur les coussins, les bouquets de fleurs, les innombrables couronnes, que la veuve se serait tourmentée au-dessus de son cher cadavre, que Rimma aurait sangloté, étouffée de larmes. Venant du fond de la salle, il y aurait eu le cri aigu poussé par la maîtresse du professeur, l'infirmière en chirurgie, tandis qu'à travers le grondement de l'orgue on aurait entendu voler les répliques tels des petits oiseaux : «... C'est comme s'il était encore vivant... On dirait qu'il est simplement endormi... Dieu merci, il n'a pas souffert... Pourtant il n'était pas très âgé... »

Voilà de quoi tout cela aurait eu l'air, plus des sanglots et quelques évanouissements au moment où le cercueil aurait quitté l'impressionnant piédestal pour s'abaisser et disparaître derrière un petit rideau de velours, dernier salut de celui qui part à ceux qui restent, avec son cortège obligé de pensions, d'allocations, d'héritage à partager, de digne tristesse et de souvenirs radieux.

Voilà de quoi tout cela aurait eu l'air si, la veille de son arrestation, le papa de Rimma avait été emporté par un infarctus, au lieu de mourir d'une insuffisance cardiaque aiguë, ainsi que l'établit le médecin de la prison Zodiev, alcoolique et sadique paresseux. Les obsèques dépendent aussi du diagnostic. Et c'est pourquoi nous arrivâmes devant l'entrée de service située du côté de l'académie militaire Vorochilov, devenue aujourd'hui l'université de l'Amitié entre les peuples Patrice-Lumumba. Grimaces de la vie, pitreries du destin. Je ne savais pas encore, en attendant devant les portes du crématorium, qu'aujourd'hui j'enseignerais dans cette même université le droit public aux va-nu-pieds jaunes et noirs.

Le chauffeur klaxonna trois fois, fit un appel de phares, les portes s'ouvrirent et un soldat en manteau trempé nous désigna au fond un amas chaotique de bâtiments :

— Le sous-sol technique, c'est par là...

La nuit, le gardien habituel était remplacé par quelqu'un de chez nous, parce que la nuit le crématorium accueillait nos propres clients. Décédés d'un infarctus le jour, morts d'insuffisance cardiaque la nuit. Des patients du docteur Zodiev.

Le chauffeur, pas le moins du monde préoccupé par l'obscurité et un chemin assez tortueux, conduisit notre camion de produits alimentaires jusqu'au sous-sol technique. Ce n'était pas la première fois, ni la dernière, qu'il livrait des produits alimentaires à ces fourneaux. Il ouvrit la petite lucarne qui sépare la cabine de la benne et annonça d'une voix ennuyée que nous étions arrivés, avant de s'endormir sur son volant.

Je sortis dans la pluie et le silence me frappa par son intensité ; on pouvait presque le toucher tant il était rugueux. Ça sentait le brûlé.

Le colombarium : rayons d'une ruche sans vie, fenêtres aveugles d'une ville-fantôme.

Trois surveillants saisirent le sac de toile marqué « Poste » et le traînèrent sur l'asphalte de la cour. La toile chuintait, bruissait en traversant les flaques, puis le sac cogna contre les marches. Il était long, ce sac, je n'avais pas remarqué que Lourié était si grand.

Personne n'éclata en sanglots. Personne n'apporta de fleurs. Ni de couronnes. De toute façon, où les aurait-on posées ? Les surveillants déversèrent le corps de Lourié directement sur le tapis roulant noir s'engouffrant dans la gueule de fer du fourneau.

Pas de décorations posées sur des petits coussins non plus. Elles étaient enfermées dans le coffre de Minka. Le surveillant en chef pliait avec application le sac de toile, c'était un bien appartenant à l'État, un matériel précieux dont il avait la responsabilité.

Et puis, bien sûr, aucun de nous n'exprima l'avis que le défunt était encore bien jeune, ni qu'il semblait dormir : c'était un vieillard ébouriffé, couvert de bleus et de taches de sanie séchée. Peut-être que lorsqu'on meurt d'un infarctus, on ne change pas d'aspect, mais quand le docteur Zodiev écrit « insuffisance cardiaque aiguë » dans son procès-verbal, le défunt n'a pas vraiment bonne mine.

Ici aussi régnait le silence. On n'entendait que le bourdonnement coléreux de la flamme derrière la porte du four.

Le surveillant, après avoir solidement roulé le sac en un gros ballot, regarda pensivement le corps de Lourié et dit :

— Une âme chrétienne brûle dans le feu. Il ne pourra jamais ressusciter.

L'autre surveillant toussa fortement, cracha par terre un glaviot noir comme du charbon, et remarqua :

— Pour lui, ça n'a pas d'importance. C'est un youpin. Tu ne vois pas qu'il est coupé ?

Le troisième lui répondit avec un geste de dépit :

— Pas seulement pour lui. Personne ne ressuscite. Contes de bonne femme que tout ça.

J'étais sur le point de lui dire que j'étais d'accord, que moi non plus je ne croyais pas à la résurrection, quand la porte en bois latérale s'ouvrit pour laisser passer un drôle de bonhomme, boiteux et tordu, avec une tête anguleuse de chacal roux. Il demanda d'un air affairé, nous soufflant au visage son haleine acide d'oignons et d'alcool éventé :

— Un « ordinaire » ou un « spécial » ?

— Un « spécial », répondis-je.

— Donnez-moi les papiers.

Le défunt Lourié était en effet un « spécial » — sa crémation suivait une procédure particulière. Comme le crématorium était une entreprise commerciale de services, nous n'avions aucune envie que les factures pour la crémation de corps d'inconnus transitent par les canaux bancaires ordinaires. Voilà pourquoi nous remplissions des formulaires spéciaux fournis par la milice pour les personnes décédées du genre de Lourié dont il était impossible d'établir l'identité, par exemple des vagabonds sans papiers morts de mort naturelle. Et l'on signait le permis d'inhumer aux frais de la municipalité.

De son œil jaune, le chacal tordu parcourut rapidement les papiers, rangea le procès-verbal et le formulaire spécial dans le dossier, passa devant le cadavre, ouvrit mine de rien la mâchoire de Lourié et regarda à l'intérieur. Il cherchait les dents en or. Ivre Anubis de la nécropole gazéifiée sous les murs crasseux du monastère Donskoï !

— Hé, toi, l'andouille ! l'apostrophai-je. Qu'est-ce que tu attends ?

— L'opérateur est sorti.

— Et toi, tu fais quoi ?

— Je suis le gardien des cendres.

— Alors, contente-toi de les garder, chacal ! Ne laisse pas traîner tes pattes partout. Parce que tu pourrais bien tomber dans le four par inadvertance.

— Je n'ai rien fait... Je passais...

L'opérateur arriva essoufflé, croisa promptement les bras de Lourié sur sa poitrine, pour éviter qu'ils n'accrochent les portes du four, pressa un bouton, le moteur se mit à ronronner, et le tapis roulant emporta le vagabond anonyme, le professeur Lou-rié non identifié, dans la gueule béante.

Le gardien des cendres se tortillait près de moi, cherchant à gagner mes faveurs. Je sentais son haleine me brûler l'oreille tandis qu'il chuchotait, chacal de l'enfer :

— Si vous voulez, il y a une ouverture sur le côté, on voit tout. C'est rigolo quand ils agitent les bras et les jambes. C'est la chaleur qui fait ça. On dirait qu'ils dansent.

Je le repoussai et me dirigeai vers la sortie. Vrai-ment, nous sommes tous des vagabonds sur cette terre...

Il n'y a pas longtemps de cela, je faisais partie de la délégation des juristes-démocrates soviétiques qui visitaient le mémorial de Sachsenhausen, dans un ancien camp de concentration. Je regardais les fours mécanisés du crématoire, les rails, les plates-formes roulantes, les portes forgées aux verrous automatiques. Tout était fait à l'allemande : c'était professionnel, industriel, inhumain. Il pleuvait et je pensais à mon beau-père, vagabond anonyme, à ce four que le destin lui avait réservé pour couronner son existence : quoi qu'il eût fait, le four était là, qui l'attendait, dans un faubourg riant de Berlin, dans le centre de Moscou ou dans la rue Donskoï. Il était écrit que, au bout de son voyage, il perdrait sa mai-son, sa famille, son nom et retomberait en cendres.

J'étais triste et nous fîmes le serment sincère avec nos amis allemands que tout cela ne devait plus jamais recommencer. Et une larme perlait dans l'œil jaune du directeur du mémorial, Anubis von Chacalburg, lorsqu'il répétait :

— Rien *ist* oublié. Personne n'est *vergessen*!

Je ne sais pas si c'était une promesse ou une menace. Pendant que je m'étais assoupi, plongé dans mes pensées, Nadka avait glissé à mes côtés, lassée de ses petits jeux inconvenants et désagréables, comme la leçon de gymnastique de la radio.

Il ne faut jamais baiser une femme après une cuite, alors qu'on a horriblement mal dans la poitrine et que, malgré soi, on associe cette douleur écrasante au souvenir du crématorium. On essaie vainement de fourrer à l'intérieur de ce corps gratuit et insipide le souvenir d'une autre femme, partie pour toujours, inoubliable et inaccessible.

Je restais étendu, les yeux fermés, et pensais que dix minutes plus tard je serais déjà habillé, que les mots inévitables seraient prononcés, les regards définitifs échangés et que je me déverserais hors de cette poubelle dans la rue. Nadka avec son kangourou m'étaient devenus insupportables.

Et, comme si elle l'avait senti, Nadka se leva sans bruit, j'entendis ses pieds nus sur le sol, elle grommela quelque chose au kangourou et juste après la voix chantante de la chasse d'eau retentit dans les tuyaux.

Cette douleur dans la poitrine. Ou bien j'ai attrapé la crève hier soir ou bien cette saloperie s'est réveillée.

Pourquoi je suis ici ? Qu'est-ce que je fais là ?

Dans mon groupe opérationnel, il y avait un capitaine du nom de Djandjagava, un joyeux noceur. Lorsque, au lieu de faire la fête, il lui fallait prendre son service, il disait, triste et fâché : « Où suis-je ? Et où devrais-je être ? »

Ce pauvre Zaour Djandjagava n'eut pas de chance. En plein sabbat khrouchtchévien, après avoir quitté la Boutique pour diriger un magasin, ce qui lui permettait d'être tous les jours là où il devait être, c'est-à-dire à la noce ou au bordel, une bonne femme entra dans son bureau, le fixa un moment et se mit à brailler sauvagement. Il se trouvait que dix ans auparavant il lui avait percé le tympan et cassé deux côtes lors d'un interrogatoire. Notre Zaour, démasqué, essaya d'abord de l'effrayer, puis proposa de l'argent, en ajoutant : «Femme, qu'est-ce que tu ferais d'un tympan? Tu comptes jouer du tambour?» Mais rien n'y fit. Elle trouva même des témoins, la salope.

Il en prit pour trois ans. J'imagine aisément la question qu'il posait tous les jours à ses codétenus.

Puis il fut amnistié.

Et moi, qui suis-je? Et où devrais-je être?

Nous sommes lundi. Je devrais être à la faculté.

J'ai très mal dans la poitrine.

Et je dois encore rencontrer Mangouste.

Et la faculté? Un visiteur d'Angola. Un juriste jeune, mais prometteur, venu préparer le projet d'une nouvelle Constitution. C'est moi qui l'aide. Ensemble, nous créons la loi fondamentale de la démocratie qui a triomphé là-bas, selon laquelle les citoyens ont tous les droits collectifs et aucun droit individuel. Un faiseur de lois nègre au nom bien propret de Chaïo Douche Vannouche. Un garçon alerte. Avec des fesses en goutte d'huile.

Le deuxième visiteur est le journaliste progressiste de la radio tchécoslovaque Oldrjikh Svinka. Il voudrait m'interviewer à propos de la prescription dont pourraient bénéficier les criminels nazis et des conséquences de cette situation intolérable. Il aimerait avoir mon avis sur les tentatives des revanchards ouest-allemands pour faire sortir Rudolf Hess de sa prison de Spandau. Messieurs les néo-nazis, nous ne vous laisserons pas faire. Ce petit vieux merdeux n'a fait que quarante ans de prison. Qu'il y reste encore. Ce n'est pas un homme, mais un symbole. Ça veut dire que tous les coupables ont été punis.

Vers treize heures, Nouchik Khatchatourian, modeste fille de l'université d'Erevan, viendra demander une bourse pour préparer sa thèse. Elle est aidée dans sa tâche par Sarkissian, un respectable directeur d'une chaîne de restaurants, millionnaire et escroc, qui me disait, en parlant d'elle : « Une jeune fille très pure ! Tu verras, quoi que tu lui demandes à l'examen, elle ne te répondra pas ! Elle est très timide ! »

Puis encore quelqu'un, puis encore. Et encore…

Réviser les notes pour la conférence « Sionisme — fascisme d'aujourd'hui ».

Et après encore, Mangouste.

J'ai mal à la poitrine. Et un point à l'estomac.

D'un bond, je me dressai sur le lit, les yeux fermés, nauséeux. Puis je m'habillai. Je me levai, mes articulations craquèrent, menaçant de se briser, et tout se brouilla, l'angoisse me saisit le cœur, une angoisse à hurler !

Où suis-je ? Et où devrais-je être ?

Une chambre vide et sale, brumeuse dans la naissance du jour. Sur le mur, la photo d'un lieutenant mafflu dans un cadre en plâtre. En travers du cliché, ces vers tracés d'une main émue :

> *Si nous ne nous revoyons plus jamais,*
> *Si telle est notre destinée,*
> *Garde au moins ce souvenir*
> *Figé de ma personnalité.*

Je touchai le cadre, pour mieux voir la personnalité figée du lieutenant, et un petit sachet en papier tomba par terre. Je l'ouvris — des préservatifs.

Pouah! Remarquables produits de l'usine de caoutchouc industriel de Bakov. Lourds comme des galoches, épais comme des costumes de plongée. «Taille 2, article n° 18036.» Magie des chiffres, paramètres du bonheur! Code arithmétique de l'harmonie amoureuse.

Où suis-je? Je ne peux pas. Je ne peux pas. J'ai mal partout. Je ne peux plus respirer. Mon âme transpire. Je suis gluant comme le poisson-chat bondissant hors de l'eau.

J'entrai dans la cuisine. Nadka, en peignoir crasseux, échevelée, le visage gonflé, l'air absent, était assise dans un coin. Le kangourou sautilla vers moi et glapit joyeusement, tandis que je fermai les yeux de dégoût:

— Bien le bonjour! Le petit déjeuner est prêt. Nous allons manger un morceau. Après, j'irai faire un tour au magasin. Bien qu'il ne soit pas onze heures, ils ne me refuseront pas une bouteille de vodka, je les connais, ils me respectent[1].

— Ce n'est pas la peine, criai-je. Je ne veux pas. Je n'ai pas le temps! Je suis en retard.

— Et le petit déjeuner? s'étonna le kangourou. J'ai déjà fait des œufs au plat, regardez si c'est pas beau. Ça fait chaud au cœur.

Je n'ai pas chaud au cœur. J'ai mal au cœur. Et je ne veux pas de tes œufs au plat. Qu'est-ce que vous avez à me regarder comme ça, avec vos yeux jaunes? Vous ne savez rien et vous ne pouvez rien

---

1. Au moment où se déroule le roman (1979), les boissons alcoolisées n'étaient vendues qu'à certaines heures.

répéter. Œufs au plat, vous êtes muets, gluants, à peine chauds, jaunes comme la trahison. Comme mon âme malade. Quand on a autant mal quelque part, on doit nous laisser passer sans faire la queue. Appelez l'ambulance, je souffre de douleur aiguë à l'âme, faites venir l'ambulance des malades de l'âme, trouvez le camion spécial «maladies infectieuses»!

Il faut vite m'éjecter du vaisseau vénérien, qui s'est décroché de son orbite. Il se dirige vers le bord de la vie, à l'autre bout de l'univers. Moi, je veux retourner sur la terre, loin d'ici, loin de l'équipage condamné, bouffant ses œufs au plat.

Je jetai sur la table un billet de dix roubles.

Adieu, je me sauve! Douleur dans la poitrine. C'est le changement d'air. Le cliquetis des verrous. Le clignotement de la loupiote de l'ascenseur. Le hurlement des câbles, le grincement du contrepoids. Adieu, nous ne nous reverrons plus jamais Dieu merci! *Nevermore!*

Nevermore! Nevermore! Nevermore!

Jamais [1] *!*

Que le diable vous emporte!

La rue. Le vent. Il fait très froid. Mais quelle est cette odeur pénétrante et agréable? L'air peut-il sentir ainsi? Odeur de linge propre, de rivière calme, de pommes gelées.

Je respirai profondément et la douleur me déchira la poitrine. Je fis un pas en avant et agitai les bras comme si je cherchais à m'envoler. Le dernier voyage de l'avion abattu. L'asphalte se déroba sous mes pieds, mes semelles gluantes glissèrent stupidement sur le trottoir verglacé et toute ma carcasse

---

1. En français dans le texte.

lourde, avec mon crâne pour cabine de pilotage, se laissa entraîner dans un piqué fatal.

Tapi derrière le hublot de Plexiglas de mes yeux, je voyais, effrayé, le trottoir couvert de glaçure scintillante s'approcher de moi à une vitesse vertigineuse. Collines de boue séchée, mégots tordus et gelés, pellicule de givre sur la flaque, une capsule rouillée de bouteille de bière avec le chiffre 18, verrue à ramages blanc et gris, comme le cliché radiographique d'un crâne.

Ma chute était interminable et pourtant la terre vint à ma rencontre avec la rapidité de l'éclair.

L'ascension est toujours longue et difficile. Et, comme la terre ferme, galope au-devant des mauvaises nouvelles, de la maladie, de l'échec. De la chute.

Encore un peu et ça va craquer! Os contre pierre, flanc contre glace, coupante comme du verre brisé, la gueule écrasée dans la flaque de boue figée... Les vêtements dégueulasses et mon corps sanguinolent. Au loin, les sirènes d'une ambulance indolente.

Grâces te soient rendues, ma nature de bête sauvage, ressort secret de mon moi, ma force vive! Laissée longtemps sans exercice, inutile, presque oubliée dans le calme de ma vie actuelle, tu as survécu, sans t'atrophier, comme la queue et les griffes. Du plus profond de mon être tu surgis, aveuglante, et, sans demander son avis à ce connard en train de se fracasser la gueule sur la glace — moi —, tu m'entraînas sur le côté, le bras gauche baissé, l'épaule droite en avant, un peu plus haut, le coude souple, le poing serré. La main claqua contre la glace, un choc léger — et je roulai. Silence. Calme.

L'air pur empli de l'odeur des pommes enneigées. Le ciel gris — tout là-haut. Et, en fondu enchaîné sur la glace transparente, les images des fils électriques, des arbres, coulés dans un verre bleuâtre, la rue. La pluie glacée. Le verglas.

La journée commence pas trop mal. Vraiment pas trop mal. Ça pouvait être pire. Et si je n'ai pas fait le plein de gonocoques chez Nadka, ce sera encore mieux. J'aurais dû laisser plus d'argent à ces avortons. C'est trop tard maintenant. Je n'allais quand même pas y retourner ! Et puis, ont-ils encore besoin d'argent, eux qui s'envolent pour l'éternité, qui sont déjà au point de non-retour. Au bout de la vie.

Dans le ciel gris souris je vis passer un ballon rose, avec un bonnet de laine et d'épaisses lunettes. Il s'immobilisa au-dessus de moi, puis se pencha avec douceur :

— Vous vous êtes fait mal ? Je peux vous aider ?

Dieu miséricordieux, qui pourrait m'aider maintenant, à part ce diable musclé qui m'habite ? Allez, cher Vauvert, lève-toi, pourquoi traînes-tu par terre alors que tu n'as mal nulle part ? Seulement une petite aiguille dans la poitrine.

J'essayais de voir à travers le triple foyer de ses lunettes, deux taches de lumière sur la face du ballon, brillantes et humides comme la couche de glace qui recouvrait tout, et pensais qu'il m'aiderait vraiment s'il sortait de la poche de son survêtement en jersey une bouteille de vodka. Mais c'était un homme d'un certain âge, aimant la vie et le sport, qui ne planquait certainement sur son sein pour son trot matinal ni vodka ni ratafia explosif. À la différence du kangourou, personne ne le connaissait au magasin le plus proche, personne ne le respectait et personne ne lui vendait d'alcool avant les onze heures réglementaires.

— Vous vous êtes fait mal ? Vous voulez que je vous aide à vous relever ? insistait le trotteur rose

aimant la vie, la lunette scintillante comme un glacier.

Je me dépliai lentement et me mis en première
position de danse, prêt pour le voyage sur la terre
figée par le verglas et, tandis que le ballon rose,
plein de sollicitude, me soutenait par le bras, un
souvenir me revint, vague et imprécis, de ce jour, il
y a déjà très longtemps, où j'étais pareillement
étendu sur le trottoir, à Cracovie ou bien à Prague,
je ne me rappelle plus...

... Près de la maison de ce petit vieux avec son
chien en laisse. Il était journaliste, ou bien évêque,
je ne me rappelle pas non plus. Le soir tard. En
automne. Je ne sais plus pour quelle raison, mais il
n'était pas question de l'emmener dans une cave. Si
j'ignorais cette raison, c'est qu'à l'époque je n'étais
que du menu fretin, personne ne nous expliquait
rien, on nous disait juste ce qu'il fallait faire. Et
l'école, dont j'étais un élève modèle, avait pour
devise : « Obéis sans réfléchir. » Voilà pourquoi j'étais
étendu sur le trottoir gelé : j'obéissais sans réfléchir.
On n'arrivait pas à cueillir le vieux dans la journée,
il traînait toujours du monde autour de lui et, le soir,
une voiture le raccompagnait jusqu'à sa porte.
Ensuite, il se promenait, tenant son chien poilu en
laisse. De dix à onze. Le chien était sérieux, il ne laissait personne approcher à plus d'un mètre vingt.
Le chien nous gênait beaucoup : la réaction des animaux est plus rapide que celle des humains, surtout
lorsqu'ils sont âgés.

Voilà pourquoi j'étais étendu sur le trottoir : « La
force repose sur la stupidité de la bienveillance »
était notre deuxième commandement. Un homme
couché est un symbole d'impuissance, de sécurité
garantie. Un homme couché est un appel à l'aide, la

clef de la charité petite-bourgeoise. La bienveillance idiote fait fléchir le cou et les genoux, nous oblige à nous pencher sur celui qui est étendu là, à nos pieds.

— Vous vous sentez mal ? Je peux vous aider ?

Le vieux se mit à marmonner fiévreusement quelque chose dans une langue slave, je ne sais plus laquelle au juste.

Le chien grogna haineusement, je sentis son haleine fétide sur mon visage, mais il n'y avait pas d'inquiétude dans ce grognement : le pistolet serré dans ma main droite était dissimulé sous ma chapka. Un chien comprend mal ce genre de tours de passe-passe. Le vieux s'accroupit, prit mon visage dans ses mains, le tourna vers lui et, en découvrant mes yeux calmes et rieurs, soudain prit peur. Mais j'avais déjà levé la main avec le pistolet silencieux enveloppé dans la chapka et tiré dans la gueule du chien. Tout de suite après, j'alignai plusieurs balles dans la poitrine et le ventre du vieux. Et je m'étonnai de le voir soulevé en l'air par ces petites claques silencieuses et retomber sans bruit sur son chien, gros et poilu comme du feutre épais.

Je tanguais sur la couche de glace friable et sonore comme un bateau sur l'eau. Le pas bref et glissant, les bras pliés légèrement, écartés du corps. De l'extérieur, on aurait pu penser que je voulais me lancer dans une danse caucasienne, monter sur les pointes et, en poussant des hurlements de bête sauvage, tourner en vrille au-dessus du trottoir glissant, du crachat gelé de l'orage hivernal, du verglas et de toutes ses embûches.

Je sentais — à cause de la douleur aiguë dans la poitrine, de l'angoisse insupportable — que je ne quitterais plus jamais ce verglas bleu-gris pour la terre ferme.

274

La vie était devenue verglas.

J'entrai dans une cabine téléphonique, fouillai longuement à l'intérieur de mes poches à la recherche d'une pièce et regardai stupidement le graffiti gravé dans la peinture grise. C'était une croix gammée, accompagnée de ce slogan agité et angoissé : « Mort aux juifs ! »

11

Il était une fois un petit haricot du nom de Tumeur

Ô Seigneur Immense, Clément, Tout-Puissant et Éternel ! Mon Dieu !

Il me faut à boire, absolument ! Mais comment ? Je te demande, Tout-Puissant, comment pourrais-je boire maintenant, alors que chez moi c'est le désert, qu'au magasin c'est l'émeute et que, dans le café embué de sueur, le répugnant Kiriassov et le lilliputien lugubre tourbillonnent au-dessus des tables ?

J'habite une drôle de rue qui porte le nom d'Aéroport : des deux côtés elle se termine par une impasse. On ne peut y entrer ni en sortir. Pour l'atteindre, il faut passer par le milieu, par les cours et les ruelles, celles qui ne sont pas barrées définitivement. Les bâtisseurs de l'Aéroport avaient-ils pensé que nous nous servirions de la chaussée comme de piste de décollage ? Mais, sans autorisation de décollage, personne ne s'envole de l'Aéroport, nulle part.

Mon immeuble porte le numéro 16. Il n'y a pas de 14. Pas plus que de 18. Il existe bien un numéro 20, avec son magasin d'alimentation, le royaume de Golconde, richissime oasis dans notre Kalahari gastronomique, un distributeur de bouffe ouvert aux indigènes. Ce magasin s'appelle «Komsomolets». Petite file d'attente pour le gruau, ordinaire pour les pommes de terre, honorable pour le poisson, impressionnante pour la viande, majestueuse pour l'alcool.

J'ai honte pour vous, concitoyens. Ce n'est pas bien d'aimer à ce point-là les produits alimentaires et de céder à la tentation de la chair. Tous ensemble, pendant de longues décennies, vous êtes restés debout près du comptoir, à attendre le sarrasin et le cabillaud. Une époque historique. J'ai honte de vous devant les étrangers. Imagine-t-on la population de l'Empire romain venue au monde uniquement pour faire la queue pour le fromage et le saucisson ? Je souffre devant votre inconscience, je souffre d'imaginer que les peuples du Moyen Âge, du début de la Reconquista à la fin de la Renaissance, de la naissance à la mort, de l'ouverture à la fermeture des magasins, aient pu attendre debout la livraison de lait concentré et de concombres.

Si tous les peuples d'avant s'étaient conduits comme vous, chers camarades, jamais nous n'aurions connu nos grandes et radieuses réalisations ! Seulement, mes chers compatriotes, ce ne sont que vains mots, car vous avez complètement oublié ce que signifient la honte et le déshonneur. Même si on vous crachait à la figure, vous diriez encore que c'est Dieu qui fait la pluie. Pourvu que vous parveniez à arracher une livre de saucisse de foie ! Difficile de se battre avec de telles personnes qui, par exemple au bureau des commandes, lorsque vous essayez de passer devant tout le monde avec vos multiples cartes — de vétéran, de porteur de décoration, d'invalide de guerre —, rugissent aussitôt : « Dommage, enfoiré, qu'ils ne t'aient pas achevé à la guerre, vous nous emmerdez à la fin, bande de nœuds ! »

Je renonçai à tricher au rayon vodka : les braves travailleurs qui attendaient l'heure d'ouverture n'auraient pas hésité à me déchiqueter pour une bombinette de ratafia.

Je pense que le révolutionnaire Kaliaïev a assassiné le grand-duc Serge avec une bombe de ratafia. Le général-gouverneur avait essayé de resquiller au magasin sur la Dmitrovka et Kaliaïev lui a tiré à bout portant avec une bouteille de porto Caucase à deux roubles quarante-sept.

Au bureau des commandes, c'était un vrai bonheur! Très peu de monde et, sur le comptoir, presque rien. Un lot: une bouteille de champagne doux, un kilo d'orge perlé, une boîte de conserve de poisson, plus dix pour cent de service, en tout sept roubles soixante-douze.

— Sans l'orge perlé et le poisson, ce n'est pas possible? demandai-je avec le secret espoir d'économiser un rouble et demi.

— Ça va pas la tête? Tu parles d'un petit malin! Si tout le monde me demandait le champagne sans le poisson? Je ne vais quand même pas dépareiller les lots!

L'extincteur des flammes de mon enfer intérieur, rempli de mousse verte magique, reposait dans un carton, indissociable de la conserve de poisson, comme Marina et moi.

Bien sûr, le champagne, ce n'est pas ce qu'il y a de mieux pour la gueule de bois. Tout ce qu'on gagne, c'est de roter comme un malade. Mais que faire, quand il n'y a rien d'autre? En temps de guerre, ces gens ne laissent pas passer les tanks et, pour les déloger de la queue pour le ratafia, il faudrait au moins une bombe à neutrons.

Je comptai mes roubles et mes kopecks, les posai sur le comptoir, sortis la bouteille du carton et me dirigeai vers la sortie, accompagné du glapissement de la vendeuse :

— Hé, abruti ! T'as laissé l'orge et le poisson dans le carton !

J'en veux pas, de ton poisson. Ni de ton orge perlé. Il faut être juste : où seraient la fraternité et l'égalité, si j'emportais le champagne doux et le poisson ? Pendant qu'au même moment des millions de nos petits frères par la pensée gonflent de faim, victimes des menées impérialistes ! Je serais si triste que je ne pourrais pas avaler une gorgée de champagne. Qu'ils bouffent donc l'orge perlé, qu'ils se goinfrent avec ce putain de poisson.

J'allais quitter le magasin quand la douleur me transperça la poitrine et ce poinçon creva le ballon rose de ma bonne espérance champanisée. Il y avait quelque chose de sadique dans cette douleur. Comme si Celui qui est Là-Haut, Là-Bas, m'avait pincé le cœur avec le bout de ses doigts et avait chassé mon allégresse, banni ma furieuse vivacité, me rappelant que Marina m'attendait à la maison, que j'avais rendez-vous avec Mangouste, que le verglas s'était abattu sur la terre.

La bête en moi se réveilla, la chauve-souris remua à l'intérieur de ma cage thoracique. Était-ce le Machiniste qui l'avait réveillée ? Ou était-ce la chauve-souris qui l'avait envoyée me prévenir qu'elle m'étoufferait un mois plus tard ? Et tout le reste ne serait que le produit de ma fantaisie, prisonnière de la peur ?

Un gros haricot blanc séreux, niché dans le médiastin. En un mois, il boira tout mon sang, sucera le suc, deviendra gros comme deux poings, et basta.

Une fois déjà, ce haricot avait germé dans ma gorge. Six ans de cela. Il portait un nom bref et menaçant : tumeur. Tumeur maligne. Petit crabe corrosif. Cancer. Définitif et inexplicable, comme une condamnation à mort. Pourquoi ?

Pour rien. C'est comme ça. Cancer.

Mais alors, je m'en étais débarrassé. J'avais échangé ma vie contre une de mes réincarnations, dont le nom était Thymus, et cet enfant mort-né me sauva la vie. La tumeur aveugle ne s'était aperçue de rien.

Mais voilà que le haricot reprenait du poil de la bête, je n'avais plus personne pour me protéger, plus de Thymus, et toute cette histoire passée me sembla tout à coup invraisemblable, inventée de toutes pièces. Jusqu'à ce matin, je l'avais complètement oubliée. Mais la cosse gonflée du haricot craqua et la tumeur se répandit dans un hurlement de douleur : tout cela avait bien existé ! Comme avait existé mon sauveur, mon médecin, que je haïssais et qui me haïssait, le merveilleux docteur Zelenski, qui rêvait de m'empoisonner.

La tête me tourne, le haricot pousse dans ma poitrine. Peut-être Mangouste n'avait-il jamais existé ? Quelle différence ça ferait, qu'il ait existé ou non, quelle différence puisque le haricot niché dans le médiastin, en plein milieu de la poitrine, avait déjà éclaté et répandait, indomptable, le poison de ses métastases ?

Si je devais mourir dans un mois, je n'en avais plus rien à foutre du Machiniste. Et ma visite à Kovchouk était inutile. Si le Machiniste, prophète de l'Enfer, avait vu juste, plus rien n'avait d'importance. Si je mourais dans un mois, le monde mourrait avec moi. En bon communiste, je considère le monde du point de vue idéaliste. Je suis le monde. Sans moi, il ne serait rien.

Et cette Mercedes, bleu nacré dans la glaçure

scintillante, soigneusement lavée par le juif refuznik, est-ce qu'elle va mourir aussi ?

Oui, elle mourra avec moi. Tout en restant la propriété de Marina, voilà le tour de passe-passe ! Comment ? Cette Mercedes-là, idée pure et immatérielle, ce symbole d'une vie réussie et de toutes les joies de mon existence, serait détruite en même temps que moi par le haricot verdâtre et séreux qui vient tout juste d'exploser dans ma poitrine ? Tandis que cette autre Mercedes, bleu ciel, presque neuve, d'occasion, arrachée au prix de combien de difficultés et de ruses, continuera son existence ?

Mon Dieu, je me souviens encore avec quel soin les copains de la Boutique avaient veillé à ce qu'aucun étranger ne bazarde sa voiture au noir. Comment arriva un homme d'affaires japonais auquel on expliqua au ministère du Commerce extérieur que, s'il se débarrassait de sa Mercedes bleue, son dossier serait étudié avec une attention particulière. Comment, après l'accord du Jap malin, le ministère de l'Intérieur envoya au Commerce extérieur un papier menaçant, ordonnant que cette voiture-là, précisément, me soit attribuée, sans m'inscrire sur la liste d'attente. Ce serait l'exception qui confirmerait la règle. Comment, enfin, l'escroc Sarkissian, directeur d'une chaîne de restaurants, entra dans la combine et fit pression sur le directeur du magasin d'occasion, car nos gangsters du Commerce extérieur étaient capables de revendre la voiture en un clin d'œil, malgré tous les papiers officiels.

Je ne l'avais pas laissée s'envoler, j'avais tout prévu et je m'étais battu comme un tigre. Et maintenant, il faudrait que je laisse ce petit bijou à Marina ? Jamais de la vie ! Je viens tout juste de lui trouver des pneus crantés. Non, pas question, je ne veux pas en entendre parler. Je ne veux pas !

Je n'ai rien dans la poitrine. Il y a longtemps que le haricot s'est ratatiné, desséché, dissous dans l'urine et la sueur, sa blanche substance expulsée de mon corps.

J'ai pris froid. C'est juste un refroidissement.

Tu n'auras pas un radis, compagne de ma vie, et sûrement pas la Mercedes avec ses pneus tout neufs !

Et cette tripaille juive de Mangouste va aussi s'en manger une ! Là, tout de suite, je vais monter chez moi, foutre une baffe à Marina, vider mon extincteur en verre, prendre une douche, me raser et ensuite nous aurons une petite conversation tous les deux, mon cher gendre youpin de Machinbourg !

Je pénétrai dans l'entrée de l'immeuble et la vue de mon garde-chiourme fidèle, le cher Tikhon Ivanovitch, mon espoir, telle la myrrhe, apaisa mon âme et mon cœur de combattant en alerte. Quand même, je ne pouvais pas mourir avant lui. Il était beaucoup plus vieux que moi et ses péchés étaient certes moins graves mais plus nombreux que les miens, puisqu'il avait commencé à servir il y a bien longtemps. Et s'était retiré plus tôt.

Il était assis calmement, les deux mains croisées sur sa brioche, des mains de paysan plus très jeunes, culottées par le fusil modèle 1897, année 1930, remplacé par le mitrailleur à disque seulement à l'ère de l'industrialisation, et ce n'est qu'à l'automne de sa vie professionnelle, à l'époque de la détente universelle, que ses mains travailleuses avaient pu se reposer enfin sur la crosse de la Kalachnikov.

Ses yeux bleus de chanvre et de lin, aux bords rougis encombrés de dépôts blanchâtres de chassie, irrités, étaient à moitié fermés, ce qui lui conférait l'aspect d'un Chinois endormi. Mais mon chien fidèle ne dormait pas. Il m'observait attentivement, avec même un soupçon de méfiance. Il était mou et méchant comme un moustique d'automne.

— Salut, vieux, lâchai-je en passant.

Il répondit doucement, sans soulever la paupière :

— Salut, salut…

Il était mécontent de moi et me le signifiait par ses «salut, salut» contraires au règlement et au respect élémentaire de la hiérarchie. C'est qu'il avait senti quelque chose, l'animal. Il devait y avoir une odeur de soufre et de brûlé qui flottait dans l'air.

Pendant que j'attendais l'ascenseur, je dis :

— Tu as l'air bien moite.

— Pas moite, fatigué. Je n'ai pas dormi. Je vous ai attendu toute la nuit. Je ne voulais pas fermer la porte. Une sacrée nouba…

Il souleva un instant sa paupière lourde et darda sur moi son regard bleu d'enfant, coupant comme un rasoir.

— Il ne fallait pas, dis-je avec un ricanement, je ne suis pas une jeune fille. Tu aurais dû te coucher. Si j'avais eu besoin de toi, je t'aurais réveillé.

— Eh non, impossible, dit-il en secouant sa casquette d'adjudant-chef toute neuve. Je ne peux fermer la porte que quand tout le monde est rentré à la maison.

Âme sublime du Vologdan de Braunschweig! Tes actions sont claires et naturelles! Tes réflexes de garde-chiourme, je les lis à livre ouvert!

Voilà une petite énigme que pourraient tenter de résoudre les futurs ethnologues : pourquoi? Pourquoi ceux de Vologda se sont-ils illustrés dans le gardiennage, comment se sont-ils révélés dans ce domaine et ont-ils assis leur réputation? Qui pourrait l'expliquer? Hein? Pourquoi tous les serveurs sont des moujiks de Iaroslavl? Les cochers viennent de Tver et les nattiers de Viatka. Kimry est célèbre pour ses tailleurs, Ivanov regorge de tisserands. Quant au Vologdan, l'hiver, il hiberne, et l'été, il garde la maison des autres.

Vous ne le saviez pas ? Tant pis, les futurs ethnographes non plus n'en sauront rien. D'ailleurs, ils n'ont pas à le savoir. Mais moi je sais, mon cher Tikhon, vétéran du premier régiment de gardes du NKVD, pourquoi tes *pays* sont devenus le muscle du corps encore jeune et fragile de la Révolution. On me l'a dit, mais ce n'est pas le moment d'en parler. Il n'y a aucune nécessité. S'il le faut, gueule de con, je te le rappellerai.

Je serrai la bouteille sous le bras et m'envolai dans la cabine de l'ascenseur vers la compagne de ma vie, la seule, l'unique, indissociable de moi-même comme la Tchéco de la Slovaquie, comme Boyle de Mariotte, comme l'ivresse de la gueule de bois. Dès qu'elle aura ouvert la bouche pour brailler, je lui foutrai sur le claque-merde, comme ça, elle restera hors service pendant une petite heure, le temps pour moi de me changer et de repartir.

Tu parles d'une petite maligne ! Voilà qu'elle vise ma Mercedes, pour, après ma mort, emmener ses gigolos en promenade ! Sur des pneus crantés tout neufs ! Je préfère encore, je préfère…

Je n'eus pas le temps de trouver ce que je pourrais faire de ma Mercedes, parce que c'est très difficile, croyez-moi, très difficile de trouver ce qu'on pourrait faire d'une Mercedes si on mourait et que, par la même occasion, le monde cessait toute activité.

Finalement, je n'eus pas à foutre sur le claque-merde de Marina, parce qu'elle est capable, grâce à l'instinct de conservation, de brancher son faible cerveau sous-développé sur le pilote automatique des réflexes animaux. Sans me prêter la moindre attention, elle fixait le volume jaune et brun des œuvres de Sartre. Triste destin pour cet existentialiste de mes fesses. Il ignorait que si Marina lisait un livre — faisait semblant de lire un livre — c'est qu'elle se préparait à un scandale. Son esprit faible et son goût vulgaire ne concevaient la lecture que comme le prélude à une scène de ménage. Peu importait le titre du livre et le nom de son auteur. Elle aurait pu avec la même attention regarder l'album de reproductions des peintures de Glazounov, par exemple cette toile passionnante, intitulée «Icare russe — président Allende, dans les bras de la prima donna de la Scala répondant au nom de Pinochet, sur le champ de la bataille de Koulikovo».

Mais elle lisait Sartre. Voilà ce que c'est, le progrès, la détente, la convergence. À l'époque de ma jeunesse, il suffisait de toucher un de ces livres pour que le bras se gangrène aussitôt jusqu'au coude. Enfin, il me semble qu'aujourd'hui non plus on n'encourage pas beaucoup ce genre de lectures. Mais c'est provisoire.

À mon avis, Sartre n'a jamais existé. Il est le résultat d'une plaisanterie littéraire. Il était une fois une petite bonne femme énergique appelée Simone de Beauvoir qui a pris un jour le pseudonyme masculin de Jean-Paul Sartre. Comme l'autre, j'ai oublié son nom, qui se faisait appeler George Sand. Avec ça, elle s'est bien débrouillée, la mère Simone. Tantôt elle était contre le capitalisme, tantôt contre le communisme. Avec cette putasserie toute féminine, hier encore elle hurlait avec nous et, aujourd'hui, la salope, elle nous calomnie. D'un autre côté, on les emmerde tous, et Jean-Paul et la nouvelle gauche et la vieille droite et les «intellectuels» inquiets. On n'en a rien à foutre, de leurs conneries. Ces débiles pensent, mais ce n'est qu'une illusion, que nous habitons sur la même planète et qu'il faut chercher la compréhension mutuelle. Alors que nous vivons sur des planètes différentes. Vous verrez, lorsque viendra le jour où, Dieu le veuille, nous vous rencontrerons, chers petits frères, cadets par l'esprit, et où nous tomberons dans les bras les uns des autres, que mon garde-chiourme thuringeois de Vologda, Tikhon Ivanovitch, saura une bonne fois pour toutes faire régner la compréhension mutuelle pendant l'appel du matin, au camp.

En même temps que je m'adonnais à ce genre de pensées élevées et sublimes, je me dépêchais d'enlever mes vêtements sales, tout en louchant, comme au billard, dans deux directions à la fois, sur ma bouteille de mousse verte et sur Marina, toute rose et bouclée d'or, comme Aurore. La bouteille promettait la paix et la réconciliation avec le monde ; Marina, la guerre et la lutte des classes.

Les larmes coulaient sur son visage. Ce n'était sûrement pas les recherches existentialistes de Simone de Sartre qui l'émouvaient ainsi. C'était moi, aussi tendre que le chevalier Des Grieux, qui avais fait pleurer ces gouttes claires et transparentes d'urine. Une urine particulière, ophtalmique, car dans ses larmes il n'y a ni sel, ni tristesse, ni sucres fondus ; toute sa haine, sa fureur, son dégoût de moi, elle les stocke au fond de son âme, comme dans une tirelire, pour une bonne occasion. Me voir mourir est, bien entendu, le meilleur de ses scénarios.

Veuve de P. E. Khvatkine. Jeune, belle, blanche, roulant en Mercedes bleue avec des pneus tout neufs, habitant un magnifique appartement dans un immeuble de standing, dans un quartier en vogue, donnant sur une rue élégante, dont les deux extrémités sont des impasses. Et à la tête d'un trésor de provenance étrangère : meubles, hi-fi, électroménager, chiffons.

Bouffe ma pine, ma chérie, ta tête va se décrocher de bonheur.

Je pris la bouteille de Veuve-Clicquot soviétique dans les bras ; elle devait encore regretter sa couche matrimoniale de carton, partagée avec la boîte de conserve de poisson et le kilo d'orge perlé. Je la serrai contre mon cœur, pour qu'elle s'attache vite à moi, mon unique amie dans cette maison, où il n'y avait plus rien à boire, juste avant d'arracher les nœuds de fil de fer sur sa gorge, de faire sauter son bâillon de plastique, et de m'unir à elle dans l'extase, ma bouche collée contre sa petite bouche verte, comme dans une épreuve de secourisme.

J'ai eu beaucoup de compagnes dans ma vie. Mais toi seule peux te targuer d'avoir été ma veuve. Et notre baiser fut enivrant et très long, au moins trois cents centilitres. En tombant d'épuisement, je sentis que la veuve m'avait redonné des forces.

Entre-temps, la candidate pour le poste de veuve, mon adorée Marina, avait laissé tomber Jean-Paul Glazounov et m'observait avec un dégoût croissant. Une lueur passa dans ses yeux charmants, l'espérance que l'inattendu se produirait, évident mais incroyable, au moment nécessaire, pour une fois, merde alors. Ce moment serait celui où j'avalerais de travers, où je m'enfoncerais le goulot dans la gorge, où l'aorte, gonflée à bloc, éclaterait, ou bien une bulle de champagne se retrouverait je ne sais comment projetée dans mon sang et me boucherait le cœur, me laissant impuissant et sans défense dans mon dernier chant d'amour, écroulé par terre, secoué par les crampes de l'embolie, comme un coq de bruyère en rut.

Non, compagne de ma vie et de mes combats, nos chemins se séparent. Comme disait notre chef d'avant : avant de se réunir, il faut délimiter ses frontières.

— Maïka n'a pas téléphoné ? demandai-je, et, à l'expression de furieuse concentration qui avait voilé le visage de Marina comme un tchador, je compris que j'allais avoir droit à une déclaration en règle.

— Premièrement, je ne veux plus te parler, sale connard. (Ma douce épouse commença son discours du trône.) Deuxièmement, fils de pute, j'en ai assez d'être une femme honnête, c'est-à-dire une conne, et de te pardonner tout, rat immonde... Tu vas voir, chien puant, je vais te foutre dans un tel merdier que toute ta vie pourrie n'y suffira pas, cochon merdeux...

Oui, le vieux poète rêveur avait raison lorsqu'il disait que l'amour n'était pas seulement soupirs sur un banc et rendez-vous au clair de lune. Et encore moins paroles chuchotées, soupirs timides et roulades de rossignol.

Pour parler poétiquement, l'amour est un combat éternel sans espoir de répit.

Alors, comme il faut toujours que quelqu'un cède le premier pour ne pas briser la délicate construction qu'on appelle le bonheur conjugal, je lui dis sur un ton conciliant et presque tendre :

— Calme-toi, ma pâquerette, maîtrise-toi, ma petite fleur de vanille... connasse, t'as reçu un coup sur la tête, ou quoi ?

Et je me réfugiai dans la salle de bains avec mon champagne. L'eau cognait contre les parois d'émail de la baignoire, moussant au contact avec la pâte verte du shampooing. Je plongeai dans ces flots tièdes, épuisé, la bouteille de champagne toujours serrée dans la main. Je regardais au travers de son cylindre pétillant faiblement et le monde de la salle de bains apparaissait calme et vert, sphérique et aplani, sans angles.

Tout en buvant des gorgées de raisin gazeux, je m'enfonçai dans un demi-sommeil, dans un *Schlaf* léger, exilant mes ennuis à la périphérie de la réalité.

Je pensais paresseusement, sans dépit et même avec une certaine joie mauvaise, que, si le gouvernement américain avait compris les nôtres comme je comprenais Marina, la paix universelle se serait répandue dans le monde.

La preuve de la bêtise de l'Occident, c'est que tous ces présidents à la noix, tous ces trous de bite de parlementaires, tous ces enculés de diplomates voudraient comprendre la stratégie, la tactique et l'idéologie inflexible et mystérieuse de nos dirigeants. Il ne leur vient pas à l'esprit que leur seule idéologie mystérieuse, c'est de bien vivre.

Très bien vivre. Comme Marina. Et, à l'instar de mon épouse chérie, notre jeune contrée socialiste voudrait devenir la veuve du capitalisme vieillissant. Avec toutes ses Mercedes aux pneus flambant neufs, les continents à la mode, les villes de grand standing et les gratte-ciel en copropriété. Sans parler de l'épargne. Et tout ça, nous le voulons sans l'effroyable scandale du choc nucléaire, le divorce définitif de la guerre mondiale.

Sophia Vlassievna, notre jolie jeune fille de soixante-cinq ans, espère devenir la veuve de l'oncle Sam et calcule comment elle pourrait ajouter à l'héritage, obtenu légalement, sans coups, sans casser de vaisselle ni autres objets de valeur, quelques-uns de ses anciens amants pour embellir sa maison : John Bull, Klaus Miller et Pierrot, le bêtassou.

Mais n'être qu'une divorcée? Jamais. Couverte de bleus, pleurant des larmes de sang dans la maison ruinée? Vous pouvez toujours attendre, sale porcs, connards d'impérialistes, maudits sionistes, militaristes, extrémistes, hégémonistes et autres onanistes!

Nous, Sophia Vlassievna et Marina, nous n'avons pas besoin de la guerre, des combats, des divorces: nous attendons notre heure. Bien sûr, ce serait encore mieux si vous nous faisiez veuve d'un coup, d'un seul: si vous avaliez de travers, si vous faisiez sous vous, si votre cœur éclatait ou si, tel un jardin printanier, vous vous laissiez bouffer par les haricots blancs du type Tumeur.

Mais si ce n'est pas possible, nous pouvons attendre. Après tout, l'Occident vieillissant et Pachka Khvatkine rendent cette attente tout à fait supportable. Nous, Sophia Vlassievna et Marina, nous sommes des jeunes filles sans dot, nous apportons la force de notre jeunesse et notre beauté, et vous, vieux connards, l'agréable richesse.

Mon inséparable Marina arpente la maison de long en large: tout l'ONU est là, le Marché commun, la Banque internationale pour la reconstruction de notre mode de vie attardé et le développement de nos besoins croissants. Tous les pays sont invités dans ma maison.

Le réfrigérateur finlandais Rosenlev, toujours vide, bourdonne quelque chose dans sa langue nordique.

L'âtre de la maison, la cuisinière programmable yougoslave, est froid comme la mort.

L'évier métallique anglais avec mélangeur brille, chatoyant comme des pièces d'argent.

La cuvette des toilettes polonaise, jaune citron comme la bile de Solidarnosc.

Les lustres de cristal tchèques résonnent et se répandent en arc-en-ciel dans toutes les pièces.

L'insoutenable éclat de la marqueterie de la salle à manger égyptienne, jamais utilisée, avec l'argenterie espagnole, ensevelie dans les vaisseliers.

Des bons gros fauteuils du cabinet Louis XIV — salut de Roumanie.

Les plaids écossais couvrant le lit de nos plaisirs en bois sculpté hongrois.

Les mendiants viets, nos frères, ont garni notre couche de linge délicat, tandis que les Chinois belliqueux ont apporté la couette et les oreillers.

Sur la coiffeuse de ma chère et tendre, des flacons, des pots, des tubes et des boîtes en abondance, cadeau de la belle France. Il y en a tant qu'on a envie de sentir un étron.

Des bagues, des chaînes, des colliers d'or, bijoux mexicains.

Des tapis du Pakistan, câlinant les pieds si fatigués dans leur jeunesse.

Le tourne-disque hollandais Philips, le magnétoscope japonais Akaï et le poste de radio américain Zenith ronronnent, hurlent et informent d'une seule voix.

Le blouson canadien Golden Dak, les chandails d'Italie, les manteaux de cuir de Turquie, les pelisses doublées de Belgique, les chapkas de Suède, les imperméables d'Islande.

N'ai-je rien oublié ? Que manque-t-il à la liste des trophées ? Qu'ai-je oublié dans mes pérégrinations de par le monde, où je portais la bonne parole et tout l'argent de la mission ?

La montre suisse Philippe Patec tictaque doucement sur le poignet.

Seuls ont échappé à ton impôt, Marina, le minable Monaco et cette république qu'on appelle

San Marino en ton honneur. À Monaco, on ne te laisserait pas emporter la roulette et le Musée océanographique ne t'intéresse pas. Quant à la république qui porte ton nom, tout va bien : les deux capitaines-régents sont des communistes. Peut-être même que bientôt on m'y enverra comme colonel-régent.

Et alors, avec ça, il faudrait un Troisième Divorce mondial ? Faire la guerre ? Mais vous êtes devenus complètement fous, chers politiciens occidentaux ! Avec le temps, de toute façon, tout nous appartiendra. Comme la Mercedes bleue presque neuve avec ses pneus crantés.

Donc, tout va bien. Une fois, je t'ai entendue, Marina, minauder avec une idiote quelconque au téléphone, lequel téléphone, soit dit en passant, j'avais rapporté de Singapour :

— Il n'y a pas un seul clou soviétique dans toute la maison.

C'est vrai, même si ce n'est pas très patriote. Les carreaux dans les chiottes viennent de RDA, les papiers peints du Portugal et les rideaux de Syrie.

Alors, que reste-t-il de soviétique dans notre maison ? Les murs. Les murs indestructibles de notre grande maison. Tout le monde sait que ce sont les murs qui soutiennent les maisons. Voilà pourquoi, Marina, tu devrais regarder attentivement ton aînée, Sophia Vlassievna, et en prendre de la graine. Si elle ne casse pas les murs, fais comme elle, reste tranquille dans ton coin, si tu ne veux pas te retrouver à poil, à te geler le cul dans la rue.

Je terminai le champagne et regardai au travers du cul de la bouteille. L'émeraude patinée du bien-être, verdeur moscovite, bleu de Prusse.

J'ouvris le robinet de la douche, restai quelques

292

instants sous la pluie tiède et me décidai à ramper, stupide et résigné comme le lézard préhistorique, dans un monde tout vert. Où suis-je et où devrais-je être ?

Et de nouveau je sentis l'aiguillon de la douleur me couper le souffle. Les semailles de haricots blancs Tumeur avaient commencé plus tôt que la dernière fois. Allons-nous récolter les céréales et les légumineuses avant la date prévue ? Je ne veux pas ! Je ne me laisserai pas faire ! Mon Dieu, j'en ai vu d'autres ! Ça va bien s'arranger cette fois-ci encore. C'est impossible !

La sonnerie du téléphone me déchira les oreilles. Maïka ! Mangouste ! Mes chers petits enfants, si longtemps nourris et portés ! Je courus vers l'appareil, décrochai le combiné et une voix de fausset à l'accent juif me vrilla l'oreille :

— S'il vous plaît, je voudrais parler à Lev Davidovitch...

— C'est une erreur.

Je jetai le combiné et allai me raser. J'entendais Marina remuer dans le fond. Même sans la voir, je sens toujours sa présence, avec l'instinct sanguinaire, le dégoût et le désir du chat qui sent une souris derrière une plinthe.

Lisait-elle encore Simone de Glazounov ?

À peine m'étais-je rasé le menton que le téléphone sonnait derechef. La même voix juive pénétrante demanda, s'il vous plaît, à parler avec Lev Davidovitch.

— Il a été tué, dis-je d'une voix ferme.

— Comment ? Qu'est-ce que vous dites ?

— Oui, il est mort, confirmai-je tristement. Exécuté par Ramón Mercader, il y a quarante ans de cela. Pour les renseignements, adresse-toi au Mexique, sale gueule de youpin.

— Voyou! hurla le combiné, tout tremblotant, en se couvrant peu à peu de la sueur puante du juif en colère. Insolent! Espèce de porc! Vous allez me payer ça! Porc!

Et ce cri déchirant, cette insulte — «Porc!» — me transperça la poitrine. C'est drôle: la seule chose que les juifs n'arrivent pas à maîtriser mieux que nous, les maîtres de ce pays, c'est l'art de l'injure. Leurs injures ne sont pas convaincantes, elles ne sont pas organiques, elles ne viennent pas de l'âme, du foie, de la moelle épinière. Dans leur bouche, l'injure ressemble à une traduction maladroite, à un maquillage.

Tandis que cette injure familière — «Porc!» — partit, elle, du fond de son cœur et me vrilla les oreilles.

Un beau jour, c'était il y a longtemps, mais je ne pourrai jamais l'oublier, Fira Lourié, ta grand-mère, Maïka, ma belle-mère, si je puis dire, avait dit quelque chose en yiddish, dans une grimace doulou-reuse.

— Traduis! avais-je ordonné à Rimma.

Elle s'était mise à rougir, à se tortiller, désempa-rée, mais, clouée par mon regard implacable, elle qui ne savait pas mentir, avait fini par bégayer:

— Ça vient des Écritures. Maman s'est souvenue de cette allégorie, dans Isaïe: «Je vis parmi un peuple dont la bouche est souillée…»

Elle avait peur que je me mette en colère. J'avais éclaté de rire. C'est comme ça que Fira, ma belle-mère par alliance, avait parlé de ses voisins.

Eh oui! Maintenant, ils vivaient dans un apparte-ment communautaire. Parce que ton grand-père, Maïka, n'avait pas trouvé bon de mourir d'infarctus mais d'insuffisance cardiaque aiguë entre les mains du médecin de la prison Zodiev, sa famille n'avait plus le droit d'habiter l'appartement du vieil hôtel particulier de Sokolniki. Et avait échangé le marais de l'autarcie petite-bourgeoise pour le mode de vie communautaire, nettement plus élevé.

Le chauffeur Chmakov quitta le sous-sol du pavillon et s'installa dans la salle à manger du professeur Lourié avec son enfant tuberculeux et sa femme, Douska, manutentionnaire, une jument éternellement fatiguée avec du poil aux pattes. C'étaient des gens tranquilles : après son travail, Douska n'avait simplement pas la force de faire du bruit, tandis que son respectable époux, le chauffeur Chmakov, n'en avait pas le droit, puisqu'il avait été «filtré».

En 1942, il avait été encerclé par les Allemands près de Kharkov et envoyé en camp de concentration. Trois fois évadé, trois fois repris par les Allemands, il s'en sortit par miracle et fut libéré par les Américains en avril 45. Bien sûr, s'il avait été libéré par les nôtres, à Auschwitz ou Sachsenhausen, il aurait été interné dans un camp de rééducation par le travail classique, le temps de le contrôler. Seulement, il avait été libéré par les Américains et il n'y avait pas l'ombre d'un doute qu'ils l'avaient recruté comme espion. Chmakov se retrouva dans un camp de «filtrage», où il fut «filtré» pendant quatre ans. Il ne fit aucune tentative d'évasion, peut-être pour endormir la méfiance, peut-être simplement parce qu'il n'avait pas où aller. Il n'allait quand même pas retourner chez ses patrons, les maîtres espions !

En tout cas, avant la vague d'arrestations de la fin des années quarante, il fut décidé de laisser sortir les plus faibles, dont Chmakov, qui pesait quarante et un kilos, avec un poumon en moins, vêtu du caban de prisonnier et chaussé de souliers à semelles de caoutchouc.

Douska, la manutentionnaire, sa femme, qui l'avait enterré depuis longtemps et qui vivait avec un joli petit gamin blond de père inconnu, se consumant à petit feu de tuberculose, accueillit son époux ressuscité des camps, s'occupa de lui, le lava, le nourrit, lui trouva une place comme chauffeur de poids lourds et ils vécurent ainsi tranquillement, dans la haine lugubre et impuissante.

Le samedi soir, ils se soûlaient à mort et Chmakov, qui d'ordinaire ne prononçait pas un seul mot, comme s'il était muet, retrouvait sa voix et se mettait à injurier méthodiquement Douska, avec des expressions compliquées et virtuoses. Celle-ci n'interrompait jamais le scandale tout de suite : elle devait avoir une idée personnelle de la dramaturgie du roman familial ou peut-être avait-elle pitié de Chmakov, sentant que si elle l'empêchait, il mourrait, déchiqueté par la haine qui l'étouffait. Les traces d'engelures rouges et noires sur le visage de Chmakov pâlissaient, des cicatrices bleuâtres apparaissaient sur sa peau sèche et tendue, tandis que, au milieu de ses gencives mauves, deux crocs épargnés par le scorbut pointaient, menaçants. Sa haine acharnée pour Douska suintait littéralement de son corps, Douska, qui était pour lui aussi vaste et immense que le monde, aussi indifférente et incertaine que lui, ignorant tout des souffrances qu'il avait endurées pendant la guerre, dans les camps allemands et les nôtres, Douska, si grasse et si saine, alors que lui était une épave, qu'il allait bientôt mourir, Douska, qui, avec la même indifférence et la même pitié, aurait laissé un autre pauvre hère entrer dans son lit et l'aurait réchauffé, cajolé et nourri, alors que lui ne serait plus là.

Et il se déchaînait en choisissant avec soin ses

mots insultants et sales, et c'est à son propos que Fira Lourié avait parlé de «bouche souillée».

Douska finissait par se lasser, ou peut-être les insultes réveillaient-elles son cerveau paresseux de bête de somme, ou encore pesait-elle sur une balance invisible la portion de haine déjà déversée; en tout cas, au moment où Chmakov se montrait particulièrement virtuose, elle le cognait si fort qu'il tombait invariablement de son tabouret.

Ils se battaient à la cuisine. D'ailleurs, il s'agissait plutôt d'une exécution. Elle frappait Chmakov sans faiblir, mais sans passion, et cessait le combat dès qu'elle avait la conviction qu'il n'essaierait plus de se relever pour lui rendre la pareille. Ensuite, elle lui attachait les pieds et les mains avec une corde à linge et le mettait au lit jusqu'au matin, sans jamais oublier de préparer un quart de vodka ou deux bouteilles de bière pour soigner sa gueule de bois. Voilà l'idylle qui se nouait dans la salle à manger du grand-père Leva, ancien membre de l'Académie de médecine.

Dans le cabinet de grand-père Leva, on avait installé un infirme de naissance, l'idiot Seriojka, âgé de vingt ans, avec sa mère, comptable à l'administration de l'immeuble et militante, Anissia Bouldyguina.

Lubies inexplicables de la mémoire, mnémosynes, énigmes sans réponses. Pourquoi ai-je oublié tant de choses, mais pas les insultes de Chmakov ni le visage gris et congestionné comme du boudin pourri d'Aniska Bouldyguina, pourquoi leur souvenir est-il aussi clair que si je les avais quittés ce matin? Peut-être parce qu'ils étaient les derniers vrais prolos, les derniers communistoïdes moyens typiques que j'aie rencontrés de près. Après cette histoire, Dieu merci, je n'eus plus jamais de contacts avec des Soviétiques ordinaires, hormis lorsqu'ils étaient assis en face de moi en leurs qualités de prévenus ou d'agents. Mais ces deux qualités ne se conduisent pas de la même façon dans mon bureau et dans un appartement communautaire.

Peut-être ne m'en souvenais-je aussi clairement que parce que ces gens étaient le fond humain hurlant et détestable du tableau des événements exceptionnels de mon existence, à la fois effrayants et magnifiques. Peut-être. En tout cas, jamais je n'avais vécu depuis dans un tel état de tension, de bonheur et de peur, d'espérance et de désespoir. C'est alors que j'avais compris une fois pour toutes que les juifs étaient des créatures diaboliques, de vrais démons. Ils m'avaient porté la poisse, jeté un sort. La fumée noire de la confusion avait envahi ma tête et troublé mon esprit. Rien d'autre ni personne que Rimma ne comptait désormais.

Que je m'endorme ou que je m'éveille à ses côtés, que je roule au volant de ma Pobeda, que je perquisitionne la nuit, que je force avec délice la porte de son fourneau à creuset, ou que je frappe avec dégoût sur la gueule de ces idiots de prévenus, à tout moment et quoi que je fasse, je ne pensais qu'à Rimma. N'importe quel mec sait que dans sa vie il y a toujours une femme-chimère. Ce n'est pas une question de beauté, ni d'intelligence, ni d'âge. Peut-être de race ? J'ai connu un gars dégourdi qui était tombé amoureux d'une négresse ! Bien que je pense personnellement qu'on ne peut baiser une négresse que parce qu'on a faim, qu'on veut s'amuser ou qu'on est bourré. Comme les prisonniers des camps qui niquent les haridelles porteuses d'eau, ou les Tchoutchmeks leurs chèvres.

298

Non, c'est autre chose. Une syncope sexuelle, une hallucination, le délire.

Lorsque je prenais Rimma dans mes bras, elle était dégoûtée comme si un chien lui léchait le visage et lui soufflait son haleine fétide dans le nez. Je le voyais. Mais je supportais, parce que j'espérais qu'elle finirait par m'aimer. Et cette salope de juive refusait de m'aimer. Un point, c'est tout. Les gens s'habituent à tout. À la pauvreté, à l'humiliation, à la mort. Même à me donner leur papa en otage. Les mois passaient, interminables, et ils finirent par accepter l'idée que le père Lourié était mon otage et que de leur seul comportement dépendait qu'il revienne ou qu'il disparaisse à jamais. Ils ne savaient pas, ne pouvaient pas savoir que leur père aimé et tendre mari, le professeur Lourié, membre de l'Académie, s'était depuis longtemps évaporé au-dessus de Moscou, cette ville humide, sombre et désolée, en une petite fumée grise emportant à jamais les vagabonds anonymes et sans papiers. Ces connes de juives, elles étaient remplies d'amour et donc d'espoir. Elles croyaient aux sornettes que j'inventais. Et acceptaient, presque sans résister, le rôle que je leur avais imposé. Fira, la mère, peu à peu s'habitua à moi, le gardien de leur gage inestimable, mais pas Rimma. Je me souviens de chacune des cellules de son corps, de chacun de ses cheveux, de sa moindre ride. C'est un souvenir de statue vivante, car presque jamais elle ne m'adressait la parole. Elle se taisait sans me regarder. Si je lui posais une question, sa réponse était courte et polie. Lorsque j'avais envie de jouer à mon jeu préféré, le «make love», elle obéissait, silencieuse et impassible. Sans manifester le moindre dégoût, elle se considérait comme un objet m'appartenant sous des conditions particulières, comme un robot érotique ou un animal, dont je pouvais faire ce qui me plaisait. Et toutes ses forces, dans ces moments-là, étaient concentrées pour lutter contre sa propre physiologie. J'étais alors un jeune gaillard et mon désir d'elle était tel que je pouvais rester couché sur elle jour et nuit ; j'avais réussi à trouver le chemin de l'orgasme et son sang de Sémite méridionale, trahissant sa volonté, se mettait à bouillonner sous mes coups de boutoir infatigables, et Rimma, se tordant de dégoût d'elle-même et de haine pour moi, finissait par se contorsionner et gémir dans les spasmes du plaisir magique, échappant à son contrôle, et elle considérait que c'était une horrible perversion, comme si j'avais été un étalon ou un chien.

Mon Dieu, ce que j'ai pu souffrir de cette orthodoxie sexuelle, que de joie j'ai perdue !

Non, elle ne s'habitua jamais à moi, même à force de me supporter. Moi qui pouvais faire d'elle ce que je voulais, pas une fois je ne connus le bonheur de l'homme qui a comblé sa femme de plaisir. Je brûlais dans les flammes de l'insatisfaction, comme s'il n'y avait jamais rien eu entre nous, comme si j'avais été un écolier boutonneux, amoureux d'une fille de ma classe, rêvant de ce jour ardemment désiré et inaccessible où elle se donnerait à moi. Mais, butée dans son satané orgueil de juive, elle refusait d'oublier son incompressible haine judaïque.

Voilà pourquoi je pensais toujours à elle comme un gamin rêve à la première fille qu'il possédera : inlassablement, profondément et avec délice. Comme lorsqu'on pense au mystère final, à la vie après la mort.

Même Fira, sa mère, avait fini par accepter ma présence. Il faut dire qu'elle était très diminuée. Elle traînait la patte et se plaignait : « J'ai si mal au bras droit que je suis obligée de tenir ma tasse à café de la main gauche.»

Allez vous faire foutre, bande d'intellos youpins, professeurs de Jérusalem!

Mais c'est aussi grâce à elle que je pus dormir avec Rimma en toute légalité. Notre relation se transforma peu à peu pour devenir un mariage d'occupation ordinaire. Fira Lourié avait peur de rester toute seule dans l'appartement. Si elle s'était résignée à l'arrestation de son mari, ne tombait plus en syncope à la vue du milicien de quartier et acceptait les conséquences inévitables d'une existence contrôlée par le MGB, sous une cloche gigantesque et menaçante comme un ciel d'automne, elle avait peur d'Aniska Bouldyguina et de son crétin de fils Serioja, les nouveaux voisins.

Les antécédents d'Aniska n'étaient que des gros plus sur sa fiche : origines ouvrières-paysannes irréprochables, études secondaires inachevées, inscription au Parti en 1937. Sans oublier qu'elle était depuis de longues années un informateur consciencieux de nos glorieux organes. Avec une telle biographie, nous aurions pu en faire n'importe qui, un membre du Conseil mondial de la paix, un dirigeant stakhanoviste ou même un commissaire scientifique! Nous avons toujours besoin de gens comme elle.

Malheureusement, tous ces gros «plus» étaient barrés par un «moins» tout aussi important qu'était l'amour quasi animal qu'elle portait à son fils débile. Pour rester près de lui et lui consacrer le plus de temps possible, elle travaillait au bureau de l'administration de l'immeuble.

Le crétin était haut de deux mètres au moins. Un grand couillon sec et osseux, coiffé à la bidasse en brosse grise et poussiéreuse. Qu'il fût assis sur un tabouret dans la cuisine, qu'il traînât en marmonnant dans l'appartement, qu'il se cachât dans un coin sombre du couloir, et quelle que fût sa position, il ne cessait jamais de se balancer d'avant en arrière, d'avant en arrière, c'était effrayant. On aurait dit qu'il faisait d'innombrables révérences en signe de quelque pénitence éternelle, et que les sons désordonnés qui sortaient de sa bouche comme des bulles de savon faisaient partie d'une prière infinie, demandant obstinément le pardon pour un crime qu'il n'avait pas commis.

Mais le plus effrayant était son visage lippu bouffé par le lupus. Des yeux incolores, égarés dans le marécage de la folie, des lèvres épaisses et baveuses, des boutons rouges sur la peau bleuâtre nécrosée, ponceau comme des pépins de grenade, avec un point blanc au milieu.

Toute la journée, son ombre sombre clignotait comme un phare et, la bave aux lèvres, saluait et marmonnait inlassablement. Quels que fussent l'heure et le lieu, le crétin se masturbait. Son esprit mort-né ou envolé s'était incarné dans ce morceau de chair stérile, dont il tirait un sperme poisseux et gélatineux. Comme une pompe infatigable, dans un mouvement confus de révérences répétées à l'infini, dans un hommage ému à maître Onan.

Quand Fira, ou Rimma, ou Douska Chmakova, entrait dans les toilettes ou la salle de bains, le crétin se collait contre la porte et se frottait contre le bois dur en poussant des gémissements de douleur et de plaisir, geignait comme un chien, serrant, tirant, tordant et cajolant son malheureux morceau de corps caverneux inhabité. Comme un pantin désarticulé, il s'abattait par terre, dans l'espoir d'apercevoir quelque chose sous la porte avec ses yeux blancs d'idiot, tandis que ses naseaux tremblotaient : l'odeur magique et terrible de la femme lui donnait des crampes et ses oreilles molles se dressaient furieusement.

Ces gémissements frénétiques, ces efforts inhumains provoquaient chez moi de la compassion, chez Fira et Rimma, de la terreur et chez Douska Chmakova, de la haine. Il essayait de les toucher avec ses mains rouges et moites d'onaniste, Fira se débattait furieusement et Rimma, venue à son secours, le repoussait sans dire un mot, le visage pétrifié, le temps qu'elles atteignent leur chambre, tandis que Douska, méprisant ces cris de souris et autres hurlements de juives, renversait simplement l'idiot par terre et le bourrait de coups de pied, visant l'aine de son gros sabot poilu, tout en marmonnant sans méchanceté, comme une infirmière parlerait à un patient récalcitrant : « Si seulement il pouvait sécher, ton sale bâton, si ta bite puante pouvait se décoller ! Ce serait mieux pour tout le monde et surtout pour toi, tu n'as pas honte ? »

Un soir, je trouvai ces deux connes de juives en train de sangloter. Le débile Serioja essayait de peloter Fira devant la salle de bains.

— *Gott ! Gottiniou maïn taïrer !* disait-elle. *Farvouss ? Farvouss ?*

Rimma lui faisait écho. Elles voyaient dans le penchant purement animal du dégénéré le signe de leur chute définitive dans le gouffre du malheur, le symbole de leur destin outragé à jamais.

Ah, ce que c'est, l'orgueil juif ! Il y avait davantage de miséricorde et de dignité dans les coups de pied de Douska...

Anissia Bouldyguina était à la cuisine et préparait le dîner avec une certaine frénésie. Son crétin de fils était debout près de la cuisinière et saisissait à même la poêle les boulettes et les macaronis, longs et blancs comme des morves, se brûlait, s'étranglait, hoquetait, avalait bruyamment, sans cesser ses révérences. J'étais debout à la porte et Aniska, sentant mon regard sur ses omoplates maigres et dures, à travers son chandail de vigogne déteint, se tortillait et tourbillonnait, les couvercles lui échappaient des mains, son chignon minable tremblait de peur et d'inquiétude et l'odeur âcre de la transpiration se mêlait à la puanteur de l'eau de Cologne Héliotrope et de l'oignon frit.

De toutes les fibres de son corps, elle essayait de montrer que mon arrivée dans la cuisine n'avait produit sur elle aucun effet, que cela ne la concernait pas, qu'elle était juste pressée de préparer le repas et de nourrir son rejeton.

Le gaz chuintait dans la cuisinière, la bouilloire grelottait, le crétin remuait sa bouche baveuse et soufflait dans l'effort, tandis que Douska Chmakova, ivre, chantait dans sa chambre en berçant son gamin : « Il était une fois un téton, il était une fois un sein, coupé par un méchant garçon… »

La puanteur dégagée par Aniska devint si insupportable que je crus qu'elle se muait en smog jaune. C'était la couleur de l'effroi d'Aniska, qui se retourna brusquement et me demanda, presque en chuchotant :

— Qu'est-ce qu'il y a ?

— Ne laisse plus sortir ton gaillard de sa chambre.

— Comment ça ?

— Comme ça. Enferme-le quand tu sors.

— Pavel Egorovitch, mon petit, il reste tout seul toute la journée. Il faut bien qu'il aille aux toilettes ou je ne sais quoi.

— Pas de « je ne sais quoi ». Tu profites de mon humanisme. En Allemagne, il y a longtemps qu'on l'aurait — crac-crac, et adieu! Alors, mets-toi bien dans le crâne que si tu le laisses ne serait-ce qu'une fois sortir de la chambre, tu ne le reverras plus jamais.

— Comment ça, crac-crac, Pavel Egorovitch? (Et Aniska se mit à pleurer.) C'est mon unique enfant, ce n'est pas de notre faute si nous vivons un tel malheur!

— Je ne suis pas juge pour te dire à qui c'est la faute. Je m'en fous, vous pouvez crever tous les deux. Un conseil: mets-le à l'hôpital psychiatrique, tant qu'il est encore temps. Fais attention, si tu ne m'écoutes pas, tu vas attirer de grands malheurs sur ta tête.

— De grands malheurs? Encore plus grands? Pavel Egorovitch, je...

— La conversation est terminée, l'interrompis-je. Tu sais que nous ne sommes pas du genre à lancer des paroles en l'air.

Entre-temps, le crétin avait cessé de mâcher et de se balancer. Il m'observait attentivement, puis il poussa un meuglement et éclata de rire.

Ma bien-aimée et sa maman, pendant ce temps, buvaient tristement du thé, ou plus exactement un breuvage un peu coloré. Elles n'avaient pas eu le courage d'affronter une nouvelle fois le crétin ou tout simplement n'avaient-elles plus de thé. Je faisais en sorte de ne pas apporter trop de cadeaux et tous les livrets d'épargne leur avaient été confisqués lors de la perquisition. Il était plus convenable qu'elles vivent dans une certaine gêne, sans toutefois tomber dans la misère. En tout cas, c'est ce que je pensais. Un chien affamé a le pelage plus doux.

Au moment où j'entrai dans leur chambre, Fira marmonnait d'une voix effrayée:

— Depuis Fallope, personne n'a jamais osé accuser un médecin d'une telle chose...

Elle s'interrompit dès qu'elle me vit et se mit à boire à petites gorgées son thé incolore.

— Qu'est-ce que vous avez dit? demandai-je sévèrement.

Fira cligna de ses yeux rougis, ses lèvres remuèrent et je vis tout de suite que la douleur s'était réveillée dans son poignet droit. Rimma me dit d'une voix morte:

— On a raconté à maman qu'on a arrêté aujourd'hui le vieux docteur Eroukhimovitch, celui qui me soignait quand j'étais petite.

— Tout à fait possible, dis-je. Et qui est ce Fallope?

Rimma sourit du coin de la bouche, presque imperceptiblement, comme elle faisait à chaque fois quand je lui demandais quelque chose: mon ignorance la réjouissait et elle prenait un plaisir masochiste à penser que son bourreau était un analphabète.

Pauvre idiote! Il n'y a pas de quoi se réjouir. C'est vrai que, à l'époque, j'étais aussi instruit que des sous-vêtements militaires. Mais même alors je savais ce qu'une vie entière ne vous avait pas suffi pour apprendre. *Ignoramus*, nous, les ignorants, nous ignorions tout ce qui pouvait nous empêcher d'appliquer la loi suprême du temps: «Que tous meurent aujourd'hui, et moi demain.»

— Alors, c'est qui, ce Fallope?

— Un grand médecin du Moyen Âge, chirurgien et anatomiste, Gabriel Fallope. Un criminel qui testait sur les condamnés les effets des poisons.

— Il y a beaucoup de ces criminels en ce moment, remarquai-je d'une voix indifférente.

— C'est faux! cria Rimma en s'étouffant. Vous savez que c'est faux!

Elle disait toujours «vous» en s'adressant à moi.

J'avais à peine froncé les sourcils que Fira, dans un élan de courage inexplicable, dit tout à coup:

— Je pense qu'en ce moment ce ne sont pas les empoisonneurs et les criminels qu'on met en prison, mais les juifs. On trouvera toujours quelque chose contre eux. Mais j'entends de telles choses que je ne serais pas étonnée d'apprendre que les juifs cherchent à assassiner Staline.

Elle fut aussitôt effrayée par ce qu'elle venait de dire. Rimma pâlit. Toutes deux me regardaient comme des bêtes traquées, recroquevillées, terrorisées. Est-ce qu'elles avaient imaginé que j'allais les arrêter, les fusiller sur-le-champ, ou bien me précipiter au milieu de la nuit à la Boutique et exécuter le papa, mort depuis longtemps d'insuffisance cardiaque? Mais le mot avait été lâché. Pourtant, je ne me mis pas en colère. Mon visage se pétrifia, je fronçai les sourcils et pinçai les lèvres pour qu'elles ne voient pas la joie qui avait rempli mon cœur, la vague d'enthousiasme qui me submergeait, et que je jubilais au fond de moi de ce que la vieille juive imbécile m'avait inspiré le dernier mot manquant de la grille. C'est cela qu'on doit appeler Apocalypse. Tout le monde croit que l'Apocalypse c'est la catastrophe. Apocalypse veut dire révélation. Révélation de la catastrophe.

Fira m'avait inspiré la révélation. De sa mort, de celle de toute sa descendance, de ses sœurs et frères, elle m'avait inspiré la révélation de la catastrophe qui attendait son peuple tout entier. L'Apocalypse des juifs.

Je craignais que les deux femmes ne se rendent compte de mon allégresse, je ne voulais pas que la vague de bonheur les éclabousse, qu'elles partagent le triomphe de ma découverte définitive. Je me levai de table et entrai dans la chambre de Rimma, qu'on continuait d'appeler la chambre des enfants, où nous avions l'habitude de jouer à des jeux pas très enfantins. Sans retirer mes bottes, je me couchai sur le lit et restai ainsi étendu un long moment, immobile, essayant de transformer l'idée en formule. Mes pensées battaient contre les tempes, sur un rythme régulier, sans hâte, comme le forgeron frappe doucement mais précisément sur le bout de ferraille pour indiquer au marteleur l'emplacement et la direction du coup de massue qui transformera une boule de métal chauffée à blanc en faucille ou en sabre. Ou en hache. J'étais en train de forger une hache pour les juifs.

Dans la pièce à côté, derrière la porte entrouverte, mes petites juives allaient et venaient sans bruit, les tasses tintaient craintivement. Elles parlaient à voix basse et, derrière le mur, dans le cabinet du défunt professeur Lourié, où vivait Aniska Bouldyguina, beuglait furieusement le crétin Serioja, et d'encore plus loin, depuis ce qui avait été jadis la salle à manger, me parvenait la voix de Douska Chmakova chantant une interminable berceuse à son fils poitrinaire :

> *Il était une fois deux juifs et un youpin*
> *Qui couraient sur un fil.*
> *Le fil se cassa,*
> *Le youpin s'écrasa.*

Non, Douska, le fil ne s'est pas encore cassé. Je tiens le bout de ce fil entre mes doigts, et deux millions de juifs dansent dessus, sans compter le million de youpins.

L'invisible forgeron de leur destin tapotait dans mon cerveau, vif et habile, forgeant, modelant, martelant l'idée de la mort des juifs.

Ce n'est pas les marteleurs-équarrisseurs qui manquent, ni la matière première pour les cuisines de l'Enfer. Il faut juste suggérer au commanditaire que nous n'avons besoin ni de faucilles, ni de fers à cheval, ni de moyeux.

Il nous faudrait une hache.

Pas question de cesser de forger. D'ailleurs, dans tout le pays, on forge sans répit. Des gens nouveaux, des gens de l'après-guerre. Et même ceux qui ont été forgés avant, on les fond et on les forge de nouveau. Les forgerons habiles forgent sans répit : les étudiants, les paysans, les commandants membres du Parti, les juifs et les Mordves, tout le monde, sans trier. Le chaos de la forge nationale.

Nous sommes les forgerons. Notre âme, c'est la massue. Nous forgeons les clefs du bonheur...

Il faut donner une direction à la vague de haine générale et de peur, un lit où s'écouler et déterminer son but. La hache doit être aiguisée par la définition précise de la tâche à accomplir. Il n'y a qu'un chemin pour y arriver.

La terreur générale et anonyme doit être transformée en protubérance solaire de l'antisémitisme national.

C'est drôle à dire, mais, à ce moment-là, tout avait été presque réglé. Il ne manquait qu'une petite brique, la clef de voûte de cet édifice parfait et grandiose. Et c'est moi qui la trouvai, avec l'aide de ma belle-mère, morte de peur.

J'appelai cette clef de voûte sacrée de la colère et de la vengeance « La vie et la santé de I.V. Staline ».

Mon Dieu, depuis le temps que cette idée flottait

dans l'air! Combien de fois l'avait-on approchée? Mais personne n'avait eu le courage de la transformer en hache.

J'étais couché. Sur le lit. Avec mes bottes. Et je réfléchissais. Mes pensées étaient claires. Avec quelle netteté vis-je alors la machination dans son ensemble!

Le vent chargé de neige tapait furieusement contre la fenêtre, derrière laquelle je voyais un nuage de fumée s'élever au-dessus de la gare. Quelque part dans la cave les canalisations bourdonnaient comme un basson lugubre. Fira reniflait doucement, tandis que Rimma lui disait des mots tendres à l'oreille. Douska Chmakova s'endormait en marmonnant sa chanson. Le crétin gémissait, rugissait et criait d'une voix perçante derrière le mur. Aniska Bouldyguina lui parlait d'une voix fâchée et geignarde. Ils remuaient et transportaient des objets en soufflant et en grinçant.

Et la boule de métal chauffée à blanc vivait déjà dans mon cerveau, elle tournait et tournait, prêtant ses flancs embrasés de haine aux coups légers de mon petit marteau et s'allongeait, durcissait et s'accentuait dans les flammes rouges et noires de la forge du massacre futur.

Nonobstant mon ignorance crasse d'alors, du point de vue de Rimma j'entends, je voyais précisément tous les détails du mécanisme, son moteur, ses sources d'alimentation, le caractère de son activité et les buts de son existence. Ils n'étaient pas nombreux, ceux qui pouvaient se vanter d'en savoir autant! Moi, je savais.

Le navire était immense, lugubre, rouillé et lent, l'équipage, fatigué et sauvage, avait depuis belle lurette zigouillé les passagers débonnaires et les capitaines imprudents et avait installé aux postes de commande une joyeuse clique de pirates, persuadés de détenir la carte de l'Île au trésor.

Mais l'équipage était énorme et il n'y avait pas assez de bouffe et de carburant pour tout le monde. Alors les pirates réussirent à convaincre les autres que la seule solution pour parvenir jusqu'à l'île magique, le paradis sur terre au bout de l'océan de la vie, était de bourrer les chaudières avec les membres de l'équipage. Avec un tel carburant, le moteur fonctionne parfaitement et ça laisse aux autres largement de quoi bouffer et boire.

Bien sûr, tout l'équipage ne devait pas servir de carburant, mais seulement les inutiles, les nuisibles, les ennemis et mécréants, tous ceux qui retardent l'arrivée du navire au Pays de la Félicité, où chacun recevra selon ses besoins, et jamais selon ses capacités.

Le moteur du grand pays se mit en marche, sans à-coups, lentement, comme une machine géniale mue par l'énergie de la haine et de la peur.

Et nous, ceux de la Boutique, nous sommes les chauffeurs. Les machinistes du moteur infernal. Nous devons, sans répit, approvisionner le feu hurlant de combustible.

J'étais descendu prendre mon quart dans la chambre des machines juste après la guerre et je n'avais pas assisté à ces branle-bas périodiques quand, en même temps que le charbon quotidien des petites gens, on jetait dans le feu une fournée de dissidents de la Révolution, des paysans révoltés, des généraux, des hauts fonctionnaires, des académiciens — c'est ainsi qu'enflaient les vagues successives de haine populaire, de tout l'équipage indigné par tous ceux qui tentaient d'empêcher d'avancer vers le Bonheur, déjà si proche, juste derrière l'horizon, derrière la ligne imaginaire qui sépare la vie de la mort.

Je compris vite que mes frères, les chauffeurs, étaient si occupés à ajouter du charbon humain qu'un détail important et triste leur avait échappé : chaque équipe de chauffeurs qui travaillait lors du branle-bas de combat, par distraction, par bêtise ou obéissant à un ordre mystérieux, en même temps que la nouvelle portion de combustible, enfournait avec application la précédente équipe de chauffeurs, fatiguée et méritante. Ce qui donna ce drôle de système : celui qui descendait dans la chambre des machines, en qualité de combustible ou de général-chauffeur, ne pouvait plus en sortir.

J'étais étonné. Bon, d'accord, personne ne demande au combustible s'il a envie ou non d'aller au feu, même s'il proteste. Le combustible, c'est le combustible, son destin est tracé. Mais le chauffeur, mon frère ? À quoi pensait-il ? Aucun chauffeur n'a jamais voulu devenir combustible. Pourtant, presque tous le sont devenus.

Pourquoi ?

Pourquoi, année après année, de nouvelles équipes descendaient-elles dans les enfers, brillant de leurs épaulettes, grinçant de leurs bottes en box toutes neuves ? L'équipage de va-nu-pieds avait-il soudain envie d'une paire de bottes ? De la viande pour rassasier les affamés ? Le pouvoir et la force sur des gens complètement abrutis, privés de tous leurs droits ?

Sûrement.

Mais, surtout, ils étaient tous persuadés que l'équipe précédente était la dernière qu'on envoyait au feu avec le reste du combustible. Ils espéraient que, dorénavant, les chauffeurs méritants, après avoir bien travaillé à remplir les chaudières de combustible, remonteraient pour commander, vivre et se reposer dignement. Mais personne ne remontait, personne ne ressortait de la chaudière : on l'avait conçue pour cela.

Couché avec mes bottes sur le lit dans la chambre d'enfant du vieil hôtel particulier à Sokolniki, j'essayais d'imaginer les dimensions et la direction que prendrait le prochain raz de marée de haine et de sang. Et je trouvai comment enfourcher cette vague, comment m'envoler sur sa crête sanglante, comment l'obliger à m'obéir, à suivre le cours que je lui aurais choisi, à apaiser ma faim, à étancher ma soif, à me distraire, à me choyer, à me donner des forces et à m'offrir le plus grand pouvoir qu'un homme puisse posséder : choisir entre laisser la vie à son prochain ou la lui prendre.

Et, surtout, je me préoccupai de la façon de sortir de ce jeu. Je ne voulais pas être ce chauffeur insouciant que la nouvelle équipe jetterait au feu avec ses anciens camarades. Même alors je savais qu'il n'existait pas de dernière équipe. Il y en avait toujours une nouvelle qui venait prendre le quart et anéantir l'équipe précédente. Voilà pourquoi je devais réfléchir et ruser pour sauter d'un bond sur la vague suivante, juste avant que la première ne retombe.

J'avais compris que le seul but du voyage de notre sinistre navire vers les lendemains qui chantent était le voyage lui-même. Les Îles Heureuses, que les pilotes avaient promises à notre équipage, n'existaient pas derrière l'horizon brumeux, mais se trouvaient sur une autre planète. Ainsi, le problème était simple, bien que difficile à résoudre : il fallait faire en sorte que le voyage sur ce navire soit permanent et plus ou moins supportable. C'était un voyage sans but et sans fin. Et ceux qui naissaient pendant ce voyage mouraient en chemin.

Elle a raison, la sagesse populaire qui dit : Dieu rend sage l'aveugle, et le diable inspire le forgeron.

Mon idée était remarquable parce qu'elle était simple. Le mécanisme diabolique grâce auquel je comptais mettre notre monde cul par-dessus tête était enfantin.

Ce projet comportait trois parties.

Première partie, le matériau : les juifs.

Ça, bien sûr, je ne l'avais pas inventé. Pendant des millénaires, cette idée avait été appliquée avec le même succès. J'avais simplement deviné que les juifs seraient l'objet de la prochaine colère du Saint Patron. C'était de leur faute, d'ailleurs, c'est eux qui avaient provoqué ce juste courroux. Le Patron n'a jamais beaucoup apprécié les juifs, mais, pendant leur première guerre contre les Arabes, il avait pris le parti des youpins. Il comptait sur Israël pour briser toute cette clique de culs noirs d'un coup de barre de fer. Et tout ce qu'il a obtenu en échange, c'est l'ingratitude des juifs soviétiques : le jour où la youpine en chef, Golda Meierson, s'est ramenée par chez nous, ils ne se sont plus sentis et se sont rués à la synagogue par paquets entiers pour porter l'inestimable Golda dans leurs bras. Comme quoi, l'huile remonte toujours à la surface de l'eau : si l'homme est né juif, tout pro-soviétique qu'il est, il restera toujours, au fond de lui, un renégat et un sioniste. Voilà ce qui nous sauta aux yeux.

Alors le Guide se fâcha pour de bon. Comme dit la chanson : « Et il fronça ses sourcils menaçants… » Nous arrêtâmes quelques juifs et préparâmes une gigantesque souricière. Comme il se doit, ce fut le haut du panier qui y passa en premier. On commença par régler discrètement son compte à leur plus célèbre metteur en scène national, l'hypocrite

Mikhoels[1]. Puis on embarqua la youpine savante —
et académicienne ! — Lina Stern. Ensuite, ce fut au
tour du jazzman à la mode Eddie Rosner de plonger. Puis nos sous-sols se remplirent de physiciens,
de généticiens, de linguistes. À Kiev, on organisa un
vaste complot d'écrivailleurs juifs. Je ne peux pas
me souvenir de tout.

Seulement, tout cela était désordonné. Il fallait
donner une forme à ce chaos. Construire un édifice. C'était la deuxième partie de mon projet.

Les médecins. Un gigantesque complot de médecins. Les médecins juifs contre le peuple tout entier.
Cette combinaison n'était pas non plus complètement inédite : il nous est souvent arrivé d'arrêter des
médecins. Mais la profession ne jouait pas de rôle
décisif : l'accusé pouvait être physicien, linguiste ou
sidérurgiste, l'important était qu'on puisse « raccorder » son dossier à l'affaire principale. Mon projet
consistait à déclarer criminelle toute la profession
et, par conséquent, le peuple juif dans son ensemble.
C'était une brillante idée commerciale ! Un bon débit
et une forte demande. Dans le bordel de notre système de santé gratuite unique au monde, elle devait

1. Solomon Mikhoels. Né en 1890. Grand acteur et metteur en scène, directeur du Théâtre yiddish de Moscou,
président du Comité antifasciste juif, fondé en 1942 sur
ordre de Staline, pour récolter des fonds auprès de la communauté juive internationale. Son assassinat par le MGB,
le 1er janvier 1948 à Minsk, donne le signal de la campagne
antisémite visant les « cosmopolites sans famille », dont le
complot des « blouses blanches », stoppé par la mort de
Staline, sera l'« apothéose ». C'est le sujet de *La Corde et la
Pierre*, le roman des frères Vaïner, qui forme un diptyque
avec *L'Évangile du bourreau*.

permettre de dégager d'immenses bénéfices pour notre peuple.

Qui peut s'intéresser, dans cet immense pays aux nationalités innombrables, à un complot de pisse-copie juifs, écrivant des âneries dans une langue inexistante, le yiddish ou l'hébreu, je ne sais plus ? Qui se préoccuperait des vils agissements des généticiens youpins, les Mendel et les Weismann, avec leurs histoires d'hérédité du haricot ? Ou du complot des disciples de l'inventeur bourgeois, le faux savant Norbert Veiner, ou Vaïner, ou Viner, qui a mis au point une machine inhumaine, capable de battre aux dames le plus malin de nos juifs, Bronstein lui-même ?

Les gens se contentent de hausser les épaules quand les youtres demandent perfidement : qui en Russie est le plus fort ? le plus intelligent ? Qui maîtrise le mieux la langue russe ? Et ils rient, lorsqu'ils répondent, la mine réjouie : le plus fort, c'est Guirshl Novak ! Le plus intelligent, Moïshe Botvinnik ! Celui qui maîtrise le mieux la langue russe, mais c'est Yousia Levitan !

Les gens s'en foutent, s'en tapent, s'en branlent. Mais si on leur explique que les enfants sont malades et que les parents meurent uniquement parce que d'innombrables médecins juifs ne les soignent pas ou les soignent de travers, les contaminent et les empoisonnent délibérément, ils comprendront vite d'où viennent tous les malheurs ! Pourtant, beaucoup refuseraient de le croire. Tant pis, tous les grands desseins ont leurs mécréants. C'est pour les convaincre que j'avais mis au point la troisième partie de mon projet, le couronnement de l'édifice, sa clef de voûte.

Tous les juifs sont des criminels.

Les médecins juifs sont les criminels les plus dangereux, car ils ont fomenté un complot contre le peuple tout entier.

Leur crime le plus grave : les médecins-académiciens juifs ont décidé de tuer Iossif Vissarionovitch Staline.

Au cas où leurs projets réussiraient, ce serait la ruine garantie de notre pays. Et bientôt, c'est sûr, de l'humanité tout entière.

Les idées, claires, nettes et rondes comme les boules de boulier, tournaient dans ma tête et se mettaient peu à peu en place. Le vent dément de décembre ponctuait de ses sifflements le silence qui régnait dans la maison, j'entendais le crétin meugler et gémir derrière le mur mince, sans qu'on sache très bien si c'était de plaisir ou de souffrance qu'il ululait ainsi, et la lueur immense derrière la fenêtre enflait de plus en plus et illuminait la petite chambre d'enfant de reflets rouge sang.

Rimma entra dans la pièce et s'assit sur le bord du lit, ses mains tristement posées sur les genoux et, dans le mirage du crépuscule rougeoyant qui se reflétait en taches dansantes sur son visage, au lieu d'une tendre jeune fille juive, je crus voir une bonne femme russe fatiguée, les cheveux défaits.

— Couche-toi, dis-je en me poussant un peu.

Elle me regardait de biais et je voyais dans ses yeux sombres passer les reflets rouges de l'immense lueur de la rue. Il m'était impossible de savoir si elle regardait mes bottes, si elle tendait l'oreille vers les halètements furieux du débile derrière le mur, ou si elle voulait me dire quelque chose d'important.

Je l'attirai vers moi, elle me repoussa et dit :

— Je suis enceinte.

C'était un cri de désespoir, un hurlement de mort, l'aveu de la honte finale et indélébile. Pour moi, c'était une joie, la récompense inattendue pour ce glorieux projet que je venais de mettre au point. Avec un petit enfant, que ferait-elle sans moi, maintenant ?

Alors, avec une joie non dissimulée, une tendresse sincère et un désir incommensurable, je la serrai vigoureusement dans mes bras et lui dis à l'oreille :

— Je te remercie ! C'est merveilleux ! Je suis si content !

Elle me repoussait, sourde, tendue, tournée vers le mur, comme si elle était davantage inquiète des gémissements et des sanglots douloureux du crétin que de ce que je lui disais. Elle marmonnait, bouleversée :

— Il n'y a rien de merveilleux... Il ne se passera rien. Je vais me faire avorter.

Je la pris tendrement dans mes bras, ma bien-aimée avec son polichinelle dans le tiroir, ma fiancée au petit ventre, et tu étais déjà là, Maïka, toute petite, minuscule comme un grain de riz, mais bien vivante, et je riais de bonheur, et j'embrassais ta *Mutter*.

— Avorter ? Dieu merci, l'avortement est interdit chez nous. C'est un péché, une offense à Dieu, et, surtout, au camarade Staline !

— Ça m'est égal. Je le ferai quand même. Nous connaissons des gens. Je ne veux pas d'enfant.

Et dans ces mots prononcés à toute vitesse, j'entendis de la haine, de la haine pour toi, Maïka, qui n'étais pas encore née, encore innocente, la haine de moi qu'elle avait reportée sur toi. Je riais toujours, la serrant de plus en plus fort et, tout en commençant à la déshabiller, lui expliquai posément :

— L'avortement est impossible. C'est un crime

prévu par l'article 140b du Code pénal. On appelle
ça «la puce», toutes les citoyennes soviétiques
savent ce que c'est : trois ans de travaux forcés.

— Ça m'est égal. Je préfère encore aller en prison...

— Tu as pensé à ton père ? demandai-je tendrement. Il sera ravi d'apprendre que tu t'es retrouvée
dans un camp. Et ta mère, qu'est-ce qu'elle va faire ?
Non, n'y pense plus.

Le cri heureux du débile retentit dans la chambre
voisine avec la force d'un éclair et fut suivi de grin-
cements, de coups et de cliquetis confus.

D'une main tremblante je déshabillais Rimma et
caressais avidement ses épaules blanches comme
le lait, les petites collines de ses seins ; je baisais,
défaillant de désir, le petit pli sous le ventre et le
triangle noir de son sexe — voile voluptueux, gonflé à bloc par le vent de mon désir.

Le crétin se remit à brailler et je compris que
l'animal était en train de faire jaillir le puissant
courant de sa rage sexuelle. Cela ne me dégoûtait
pas et, comme s'il m'avait chargé de sa force insensée, j'attirai Rimma sur moi et le plaisir chauffé à
blanc commençait déjà à monter lorsque retentit le
cri perçant de Douska Chmakova :

— Seigneur ! Seigneur, c'est un monde, ça !
Seriojka est en train de baiser sa mère !

Et sa voix résonna de nouveau, nette et sidérée :

— Regarde-moi ça, Chmakov ! Le débile se tape
Aniska !

Le hurlement triomphant du crétin ; les cris de
Douska ; la voix faible de son mari : «Va-t'en, va-
t'en, ça ne nous regarde pas...» ; le silence de mort
de Fira terrorisée et les hoquets de Rimma, qui se
débattait :

— Toi... Toi... Toi... C'est toi... C'est vous qui...

Tout le monde... Comme ça... Maman chérie, nous sommes perdus, nous sommes tous perdus.

Je ne la laissai pas m'échapper ; jamais elle ne me fut aussi douce, jamais je ne l'avais autant désirée, jamais je n'avais éprouvé à ce point le sentiment de ma puissance qu'en cet instant cauchemardesque où le hurlement fantastique du monstre stupide avait transpercé la lueur rougeoyante derrière le carré bleuâtre de la fenêtre.

Rimma gémissait et pleurait à chaudes larmes.

— Bientôt, bientôt, nous serons tous morts, chuchota-t-elle.

Je la câlinais et la rassurais :

— Le futur appartient à ceux qui naîtront après nous.

Paroles du serpent tentateur.

Sa tête s'agitait sur l'oreiller trempé de larmes et elle répétait :

— Il n'y a pas de futur... La vie retourne en arrière.

J'avais un peu pitié d'elle, comme d'un papillon de nuit argenté, né dans l'obscurité, promis à la mort avant l'aube et convaincu que la vie, c'étaient ces ténèbres et que les ténèbres, c'était l'éternité.

Le crétin rugit, jubila, glapit toute la nuit.
Pauvre fou !

Tout passe. Comme passa cette nuit-là. Comme passèrent les longues années. Jusqu'à ce jour où le haricot blanc empoisonné du nom de Tumeur se réveilla de nouveau.

Et il y eut aussi ce rendez-vous avec Mangouste. Je suis déjà rasé. Le téléphone stridule. Marina chuinte depuis l'entrée :

— Maïka te cherche.

Voilà. Il faut préparer ses affaires et y aller. J'ai la bouche pâteuse, la langue chargée. Il faut trouver à boire. Le plus rapidement possible.

La douleur se réveilla dans ma poitrine, bondit, aboya, puis se mit à tempêter, en s'extirpant de l'oubli de cette nuit lointaine et terrible.

Tumeur. Le haricot éclate et germe en moi.

Mangouste contre haricot. Tous les deux — contre moi.

Je mis une chemise propre et songeai avec une certaine indifférence que, à eux deux, ils viendraient sûrement à bout de moi.

Marina mit la radio à fond, uniquement pour m'emmerder. La mère patrie appelait les jeunes à devenir ses bâtisseurs, à la rendre plus belle, à la défendre.

Vive les jeunes !

Vous avez le bonjour d'Aniska Bouldyguina.

Patrie, maman chérie !

12

Le gouffre

Je pensais que Maïka demanderait à me voir.
Mais elle dit :

— Magni m'a demandé de fixer le lieu et l'heure
du rendez-vous. Il n'a pas de préférence…

Magni. Bravo, Magni. Mangouste, petit animal
qui saute à la gorge des serpents à sonnette et qui
les étrangle. Nous allons te voir à l'œuvre, mon
petit Magni.

— Tu ne dis rien ? se fâcha Maïka. Qu'est-ce que
tu mijotes ?

— Qu'est-ce que tu veux que je mijote ? Dans
deux heures ? Disons à quinze heures.

— D'accord, je transmettrai à Magni. Où ?

— Où ? Où ? Laisse-moi réfléchir, fis-je comme
si j'étais préoccupé, car à quoi aurais-je réfléchi ?
L'heure du rendez-vous, je m'en moquais autant
que Mangouste. Quant au lieu… Il y avait un film
de gangsters qui s'appelait *Impossible de changer
le lieu du rendez-vous*[1]. C'est comme s'ils avaient
inventé ce titre pour Mangouste et moi : impossible
de changer notre lieu de rendez-vous. Surtout pour

1. Téléfilm avec Vladimir Vyssotski, sur un scénario…
des frères Vaïner.

moi, je veux dire. Il existait un seul endroit où nous pouvions nous rencontrer.

— Écoute, fifille, dis-lui, à ton, comment déjà, Mangouste, c'est ça ?

— Il s'appelle Magnus Teodor !

— Mazette ! Je suis un homme simple, c'est trop compliqué pour moi. Je préfère Mangouste. Dis-lui que je l'invite à déjeuner, on pourra discuter de tout ça. Qu'il vienne au Sovetskaïa, on n'y mange pas trop mal. Donc, je l'attends à quinze heures, au restaurant. Il n'aura qu'à dire au maître d'hôtel qu'il est mon invité.

Voilà une belle conversation amicale en perspective, un déjeuner de famille, en quelque sorte, une rencontre chaleureuse et détendue. Sous l'œil endormi peut-être mais toujours vigilant de Kovchouk.

Allez ! Il est temps de s'extraire de cette baraque pourrie, dehors, vite, dans la rue, à l'air libre, peut-être que je n'étoufferai plus, que la douleur dans la poitrine se calmera, que le haricot séreux cessera de germer dans le médiastin. Ah, comme j'ai besoin d'un verre de quelque chose de vraiment bon ! Pas du mousseux sucré sorti de son extincteur vert, mais du vrai carburant, vodka, cognac, whisky, rhum ! Pas une goutte à la maison, c'est le désert. Des produits importés en veux-tu en voilà, mais pas une goutte à boire.

J'aimerais bien savoir ce qu'on a fait de tout le rhum dans lequel on ramena Nelson chez lui. Le gros tonneau de rhum jamaïcain, dans lequel on avait plongé l'amiral tué lors de la bataille de Trafalgar. Tout ce bon rhum dont ils s'étaient privés pour que le vieillard borgne ne pourrisse pas pendant son voyage de retour dans la brumeuse Albion. Seigneur, ils n'auraient quand même pas jeté tout ce rhum ? Sûrement que si, je les connais, ces salauds, ces bêcheurs petits-bourgeois. Nous, nous ne l'aurions pas jeté, ce rhum, nous l'aurions bu. Nous ne sommes pas des bêcheurs et ce n'est pas un cadavre qui nous ferait peur. Je me serais jeté sur le tonneau de Nelson comme un gosse s'accroche au sein de sa mère : j'aurais sucé le rhum jusqu'à la dernière goutte, même si j'avais dû tomber raide mort et éternellement reconnaissant au sauveur de la patrie.

Il fallait tenir jusqu'au bar du Sovetskaïa. L'ascenseur, l'alerte Mercedes, le hall de marbre — port d'attache de l'amiral Kovchouk —, la demi-pénombre rose du bar et, pour finir, le rhum vivifiant coulant le long du tube digestif asséché directement dans le ventricule de mon cœur souffrant mille douleurs.

— Marina ! criai-je à travers la porte entrouverte de la cuisine, si on m'appelle du bureau, dis que je suis en réunion à l'Union des écrivains. Si c'est l'Union des écrivains qui appelle, dis-leur que je passe à la télévision.

Elle surgit de la cuisine comme le coucou de sa boîte. Son visage était rouge de colère, les pommettes blêmes de rage. Sa chevelure rousse flamboyait au-dessus de sa tête et les mots sautaient hors de sa bouche, comme des jets de poix brûlante :

— Et si la télévision appelle, je leur dis que tu es parti aux putes ?

— Ma petite conne chérie, ma fleur débile, qu'est-ce que tu racontes ? Tu étais pourtant là quand je me suis mis d'accord avec Maïka.

Elle poussa un hurlement strident et la haine effaça le sens de ce cri, comme le brouilleur couvre la Voix de l'Amérique, dont il ne subsiste qu'un bourdonnement furieux et inintelligible. Je regardais son visage enflammé et sentais le désir monter en moi. Cette sensation était obscure, inattendue, morbide, c'était un désir nécrophile qui venait de loin, prenant naissance quelque part dans les glandes surrénales, il était répugnant et irrésistible, il surgissait des cachettes les plus secrètes, les plus lointaines de la mémoire, de la nuit profonde de l'inconscient. Cette sensation avait un jour fait pousser dans ma poitrine le haricot vert-de-gris du nom de Tumeur.

Je connaissais cette sensation, je me souvenais vaguement que je l'avais éprouvée il y a longtemps, un très court instant — cet instant net et comme isolé dans le cours du temps, où tout s'éclaire —, quand je compris que le coït et le meurtre n'étaient pas le point de départ et le point d'arrivée sur la ligne droite de la vie, mais le lieu de convergence sur une circonférence de deux sentiments semblables, la superposition émotionnelle des deux visages opposés de la conscience de soi à son maximum.

C'était aux temps immémoriaux. D'ailleurs, cela avait-il eu lieu? Peut-être jamais. C'était un rêve. Ou la tentation. Mais plutôt la réalité.

Un quai de métro à Berlin-Ouest. Station Porte-de-Brandebourg. La prochaine, c'est Cherrie-Checkpoint et après, c'est notre Berlin à nous. Station Friedrichstrasse, changement à Alexanderplatz. C'était simple à l'époque, on montait dans le wagon encore chez nous, on en sortait chez eux. Dans l'autre monde où nous accueillait le sourire carnassier de l'impérialisme.

Cette femme voulait tant m'échapper! Elle s'appelait Kertis ou Kernis. Elle ne comprit pas tout de suite que je la suivais, mais une fois qu'elle s'en rendit compte, elle devint comme folle. Au lieu de s'accrocher à la patrouille anglaise ou de sauter dans les bras d'un policier, Kertis, sans réfléchir — elle voulait se décrocher elle-même —, marchait de plus en plus vite, le sac serré sur sa poitrine, et je voyais ses jolis mollets sous l'imperméable blanc.

Le sac m'importait peu maintenant, tant pis pour le sac, pourvu que je ne la loupe pas, sinon on m'aurait arraché la tête. Kernis avait peur, elle se retournait, louchant de son œil mauve, essoufflée, une longue mèche de cheveux échappée du foulard. Elle était si pressée qu'elle courait presque.

La foule sur le quai nous sépara un instant, elle me perdit de vue, on voyait à son dos qu'elle avait repris son souffle, se sentant libérée. Au moment où je me retrouvai de nouveau tout à côté d'elle, après avoir fendu la masse compacte des corps, la rame surgit du boyau noir du tunnel au bout du quai, précédée d'un sifflement strident. Kernis se retourna et, voyant que j'étais de nouveau à côté d'elle, essaya de crier quelque chose aux gens qui s'entassaient autour; mais, paralysée déjà par l'idée de la mort, sa bouche se tordit douloureusement et personne n'entendit ses mots chuchotés en anglais d'une voix rauque. Le monstre électrique s'approchait, clignant des phares, sifflant et grondant. Les freins hurlaient, la rame était déjà tout près et Kertis se prépara à sauter dans le wagon. La rame avançait doucement, il restait environ cinq mètres. Kertis se retourna. Au même instant, sans que personne s'en aperçût, je lui donnai un bref coup de pied derrière les genoux, le «coup du tailleur», comme on l'appelle chez nous, et poussai son corps titubant du bord du quai à la rencontre de la rame cliquetante.

La chute de Kertis dura une éternité. On aurait

dit qu'elle se noyait. Je voyais son visage suspendu au-dessus des rails, ses cheveux noirs emmêlés, l'imperméable blanc gonflé comme un parachute, les jambes à la verticale, la blancheur aveuglante des hanches au-dessus des bas beiges et le talon cassé de sa chaussure.

À ce moment, je ressentis pour elle un désir d'une puissance inhumaine et faillis me noyer dans l'océan magique de la concupiscence, sauvé de cette explosion des sens par le râle bref, le choc sourd, le sifflement sauvage et le cri faiblissant de l'acier.

Une seconde de silence, et puis le vacarme, les hurlements, le tourbillon humain, et puis la fraîcheur de la rue, le désert, pareil à celui qui sépare les amants après l'étreinte...

Était-ce un rêve, Kertis, ou la réalité ? Ou bien s'appelait-elle Kernis ?

Seigneur, quel est ce cours capricieux que tu donnes à ma vie ? Pourquoi m'as-tu mené à Kertis, sur le quai du métro Porte-de-Brandebourg, pourquoi est-ce avec elle et non pas avec Marina que tu m'as permis de connaître le plaisir suprême du meurtre-coït ?

Peut-être parce que, à l'époque, Marina allait encore au jardin d'enfants ?

Moi, les enfants, ça ne m'intéresse pas. Mes enfants, eux, s'intéressent à moi : ma fifille Maïka et le gendre Mangouste. Ce petit Mangouste meurt d'envie de me sauter à la gorge, de la serrer très fort, de la déchirer, d'y planter ses crocs ! Je ne voudrais pas l'en empêcher. C'est un petit animal stupide, il ne sait pas que ce vieux cobra de Khvatkine P. E. cache dans son dos une hache aiguisée.

Quant à mon cou, il en a vu d'autres, il s'en

remettra. Il y a erreur, mon petit gendre, je ne suis pas un cobra, je suis un requin. Si ce poisson omnivore est éternel et invincible, c'est parce qu'il ne ressent pas la douleur. Le Sauveur l'a prémuni contre cette faiblesse et le requin se bat jusqu'à son dernier souffle. Je suis comme lui, je ne connais pas la douleur. Sauf quand le haricot du nom de Tumeur germe dans ma poitrine. Sinon, la douleur, je m'en tamponne. Parce que la douleur est indissociable de l'amour, comme le coït d'avec la mort. Rien à faire, c'est comme avec les lots au service des commandes : on ne peut pas avoir le champagne sans les conserves. Et si la nature vous a donné de connaître les extases de l'amour, prenez, chers citoyens, la douleur qui va avec. Et si vous n'aimez ni vous-mêmes, ni personne, alors vous ne connaîtrez pas la douleur. Sauf lorsque éclatent les valves piquantes du haricot blanc dans votre poitrine.

Ah, Marina, ma compagne, que le diable t'emporte, je cours, je vole à mon rendez-vous avec le petit animal stupide, qui n'a pas encore compris que, plein de tout cet amour, il devra vivre la terrible douleur.

Je fermai la porte derrière moi et sautai dans l'ascenseur comme sur le marchepied d'un tramway. La cabine descendit rapidement les quinze étages et atterrit en douceur sur un point précis du désert eurasien, habité par un peuple étrange appelé « les Russes ». J'ouvris l'écoutille et les indigènes, en la personne de Tikhon Ivanovitch, m'accueillirent solennellement. Solennellement, mais tristement.

— Il y a un mort dans la maison, m'informa-t-il sur un ton officiel.

Je dois dire que même ce vieux chien de garde a pâti du relâchement général de la discipline dans ce pays : il sait bien, pourtant, que d'après le règlement des camps, il doit mentionner dans son rapport non seulement les prisonniers décédés mais également ceux qui sont envoyés à l'hôpital ou en dehors de la zone, pour quelques travaux publics. Il le sait, le garde-chiourme, mais il est trop paresseux et se contente de broutilles.

— Mort foudroyante ? Il a communié ?

— Pas le genre à communier, dit-il, et son bouton de fièvre se fendilla dans le sourire. C'est le juif de l'appartement 96, Girchfeld, il s'appelle.

Comme je ne réagissais pas, ce qui lui sembla anormal, il crut bon de préciser :

— C'est celui qui voulait se tirer en Israël. Le professeur. Il a lavé votre voiture tantôt...

Ah, voilà ! Je ne connaissais même pas son nom. Quel peuple pressé ! C'est comme les récoltes au kolkhoze : effectuées dans les plus brefs délais. Hier encore, il lavait ma voiture et refusait le pourboire, espérant ainsi augmenter son capital moral, et aujourd'hui, le voilà qui casse sa pipe. Sans attendre le réchauffement des relations internationales que je lui avais promis. Pauvre refuznik, te voilà refusé pour toujours. Il est vrai que les juifs n'en tirent aucune conclusion ; ils ont du mal à admettre que nous sommes tous des refuzniks, que le Refus Définitif est notre lot commun. À les voir aussi pressés d'arriver sur leur Eretz Israël, on croirait que là-bas, au bout du voyage, on peut obtenir un visa de sortie pour l'autre vie. Et portant, ça fait des millénaires que les juifs meurent d'une façon plus abondante et plus énergique que les autres peuples. Plusieurs époques se sont succédé et eux sont toujours au bord de la disparition. Seulement, ils sont vivaces.

— C'est l'infarctus. Une minute avant, il était vivant et puis, hop, plus personne.

Tikhon continuait son rapport sur un ton à la fois attristé et préoccupé, et je devinais en lui la joie secrète du garde-chiourme qui avait pincé à la dernière minute un prisonnier qui tentait de s'échapper. Si les peintres cherchent la perfection, les hommes ordinaires aussi aiment contempler le résultat de leur travail.

— C'étaient des gens tranquilles, disait Tikhon. Je ne sais pas ce qu'ils pensaient vraiment, peut-être qu'ils étaient aigris, mais je n'ai rien à dire, ils étaient tranquilles, ils respectaient le règlement.

Ils respectaient le règlement. Pas de remarques sur leur conduite. Tu parles, ils s'apprêtaient à foutre le camp! Ils n'ont pas eu le temps. Et si je lui avais raconté hier, pendant qu'on discutait de ma Mercedes et qu'il cherchait à m'offenser en voulant absolument me rendre la monnaie, si je lui avais dit que, bien des années auparavant, j'avais presque réussi à organiser pour son peuple un refus général et définitif? Il en aurait oublié sa monnaie et se serait mis dans un tel état de peur, de trouble, de haine et de colère qu'on aurait pu se passer de nitroglycérine pour lui dilater les artères. Et il ne serait pas mort! Personne ne sait en quoi consiste le salut. Et moi non plus, je ne savais pas qu'il passerait l'arme à gauche. Et même si j'avais su, je ne le lui aurais pas dit.

Si je l'avais sauvé de la mort, qu'aurais-je gagné en récompense? En proie à l'agitation, il aurait certainement violé le règlement, réuni les correspondants américains pour leur révéler mon secret et je me serais retrouvé dans un joli merdier.

Non, la vie est assez difficile alors que la mort est étonnamment simple, il ne faut pas mélanger les torchons et les serviettes et ne jamais oublier le premier commandement de notre *vita nuova* : nous sommes tous des ennemis. Notre grand-père à tous, le respecté autodidacte Mikhaïl Vassilievitch Lomonossov, le coryphée de l'alphabétisation russe, avait très bien expliqué que si quelqu'un a gagné c'est qu'il y a quelqu'un d'autre qui a perdu.

Je demandai gravement à Tikhon :

— Tu n'as pas pitié du défunt, Tikhon Ivanovitch ?

Il me fixa de ses yeux bleu myosotis, francs comme la tille, pleins de sagesse populaire :

— Pitié ? répéta-t-il, et il ricana. Pourquoi avoir pitié des morts, Pavel Egorovitch ? Seul peut s'attrister de la mort des autres celui à qui la vie éternelle est promise. C'est-à-dire l'immortel. Tandis que nous, pourquoi aurions-nous pitié d'eux, puisque notre jour viendra aussi ?

— Bravo, Tikhon ! dis-je en lui posant la main sur l'épaule, et je sentis, en me penchant, en même temps que l'odeur à peine perceptible de vodka, son profond état de manque, sa soif d'alcoolique, et ce manque bouillonna aussitôt dans ma propre poitrine.

J'eus une idée :

— Buvons un coup à la santé de son âme ! Tu dois bien avoir une boutanche planquée quelque part ! On s'en jette un derrière la cravate, pour que la terre lui soit comme un lit douillet...

L'esprit quelque peu simplet du garde-chiourme fut saisi de trouble et une tempête de sentiments contradictoires titilla toutes ses fibres de sentinelle consciencieuse : il était flatté de boire sans chichis avec un supérieur, regrettait d'avance sa vodka, hésitait à se soûler pendant le service et répugnait à célébrer la mort d'un youpin. Ah, que de doutes et de tentations avait semés dans le cœur de mon veilleur fidèle mon intuition d'ivrogne soudainement

331

éveillée, capable de presser des cailloux pour trouver à boire !

J'ajoutai :

— Ne sois pas économe de poison, tu sais bien que je te le rendrai au centuple !

Tikhon ne résista pas, apporta une bouteille à moitié entamée, mais voulut faire vite, pour que personne parmi les locataires ne nous trouve en pleine libation en service commandé, en train de violer le règlement des troupes de garde.

— Allez, Tikhon, buvons au repos de son âme !

Je bus une gorgée à la boutanche et déclenchai une réaction thermonucléaire comme si j'avais dégoupillé un réacteur atomique. Tikhon Ivanovitch me tendit un vieux cornichon salé tout terne. Je sentis le goût de la saumure, eau verte marine, suc de cornichons de l'année dernière.

Le Vologdan de Braunschweig mit ses lèvres en ventouse autour de son verre et aspira comme un vampire suce le cou d'une vierge. Il but jusqu'à la dernière goutte, ce putain de vampire, rota et s'essuya le crachoir avec le dos de la main. Je retrouvai un peu mon souffle, passai la langue sur mes lèvres desséchées et dis, pour sceller la solennité de l'objet de notre beuverie :

— C'est comme ça, mon pote, quoi qu'on dise, c'est un peuple éternel. Ça fait plusieurs millénaires qu'ils crèvent et il en reste encore.

Les petits glaçons alpins de Tikhon Ivanovitch se remplirent d'eau tiède, il éclata de rire et ce rire était contraire au règlement.

— Éternel ! La punaise aussi est éternelle. Et rien n'en vient à bout, ni le temps, ni le froid, ni le poison. On peut s'échiner pendant cent ans, ils renaissent toujours : le sang est vivace.

Je courais à mon rendez-vous avec Mangouste et la vodka de mon gardien me donnait des ailes, ses bonnes paroles réchauffaient mon cœur brisé : l'éternité des juifs n'est pas plus éternelle que celle des punaises. Mettez-vous ça dans le crâne, messieurs les judophiles, chers youpinistes ! C'est la voix du peuple qui parle, le cri de son âme. Le son de la mitrailleuse Degtiarev, ce glorieux instrument des ouvriers et paysans, inestimable lorsque la populace, qui refuse d'admettre que son véritable bonheur est d'avancer en colonnes, cinq par rangée, commence à discuter, à se disperser et à insulter les soldats de l'escorte.

Non, mon cher Mangouste, nous n'avons rien à nous dire et nous ne pouvons nous comprendre. Tout gendre virtuel que tu sois, la vérité m'importe davantage. La vérité, c'est que je pourrais sérieusement m'apitoyer sur ton sort si j'étais moi-même immortel. Mais j'ai un vilain haricot blanc qui me pousse dans la poitrine et je serais bien stupide d'avoir de la pitié pour toi. Nous sommes tous les deux des gens cultivés et nous devons prendre en considération les problèmes de l'autre avec tout le respect et la tolérance nécessaires.

Tu m'as retrouvé et tu dois être ravi : tu voudrais appliquer la loi du talion. Moi, je ne t'ai pas cherché et, en tant que juriste, je ne reconnais pas la loi du talion. Ni en tant qu'homme. Mais je dois te pousser hors de ma route, parce que tu ne te pousseras pas tout seul et ta disparition est mon unique *modus operandi*, mode d'action.

— Non, Sioma, je te le dis tout net : je ne l'ai pas cherché, c'est lui qui m'a trouvé, il n'y a pas d'autre *modus operandi* qui vaille, dis-je à Kovchouk qui régnait sur la pénombre du hall lilas quasi désert.

Dieu merci, il n'y a jamais foule ici, tous les clients sont des étrangers importants ou très riches, qui surnomment le Sovetskaïa «hôtel de velours» à cause de la vulgarité criante de la décoration préférée de Staline, le style vampire. Le docteur Konrad Adenauer lui-même en fut un adepte fervent. Je ne sais pas si ce vieux péteux s'est douté que chacun de ses soupirs était enregistré sur une bande.

Mon ami et camarade de combat, Kovchouk Semion Gavrilytch, aimait lui aussi son hôtel, éprouvait un orgueil patriotique devant les étrangers de passage et faisait preuve d'indulgence face à leur étonnement sincère devant ce palais absurde avec son hall de marbre; il comprenait que ces merdeux, engoncés dans l'économisme de leur existence, étaient accablés par tant de luxe. L'amiral suisse se tenait au milieu de son port asiate, remuait ses sourcils-moustaches stupides et me regardait d'un air sévère :

— Tu te pintes dès potron-minet?

— Sioma, lâche-moi! Regarde ta montre, il est presque quinze heures! Les travailleurs vont bientôt atteindre leurs objectifs journaliers et toi, tu parles de matin. Non, Semion, tu ne vis pas au même rythme que le peuple, tu n'entends pas battre le pouls du pays! Ça ne te réussit pas, le contact avec les étrangers!

Kovchouk se cabra, ses bajoues pâles se gonflèrent de grommellements contrariés : il était là, devant moi, pareil à toute notre vie, imposante en apparence, mais si bête en réalité, si vulgaire, menaçante, lourde et sale.

— Cesse de rouscailler, mon gros bourgeois, cesse de renauder, mon cher Semion Gavrilytch, dis-je cordialement en lui prenant tendrement le bras et en l'entraînant fermement vers le bar. Ne reste pas planté là comme le preux à la croisée des chemins, allons boire un coup...

— Je ne bois jamais dans la journée, annonça Kovchouk d'une voix lugubre.

— Il faut se débarrasser des mauvaises habitudes, dis-je avec conviction. Ne te vante pas de tes faiblesses. Nous sommes, toi et moi, éternels.

— Je n'en demande pas tant, ricana Kovchouk. Qu'on me laisse vivre en paix les années qui me restent.

— Arrête ça, Semion, je ne veux même pas t'écouter. Tu crois qu'on peut rester immobiles, toi et moi? Nous avons raison parce que nous avançons, n'est-ce pas ce qu'on nous apprend dans les chansons?

— Qui est ton professeur de chansonnettes?

— Notre cœur ardent! m'écriai-je. C'est notre tête froide, ce sont nos mains propres de preux chevaliers de Tchekago.

Je jetai un billet de dix roubles au barman et commandai deux Martini secs.

— Ça t'ira, Semion, un Martini? m'excusai-je. De toute façon, il ne nous donnera pas de «crème», c'est ta spécialité.

Semion remua ses bajoues de noyé en signe de satisfaction. Je trinquai avec lui, les glaçons tintèrent délicatement dans le verre, l'olive sautilla à la surface et le liquide légèrement amer et parfumé passa du cylindre transparent dans mes membres comme le camphre pénètre sous la pression de la seringue dans un corps mourant d'étouffement.

Je bus le verre jusqu'au bout, les glaçons me brûlèrent les lèvres, la rondelle de citron se posa sur ma langue comme un papillon et le haricot blanc du nom de Tumeur, qui, sans répit, forait son trou dans ma poitrine, se noya dans le Martini et se tut.

Je regardai Kovchouk : il but une gorgée, posa son verre sur le comptoir, le poussa vers le barman, opina gravement de sa casquette d'amiral, tandis que l'autre, mouche à cocktails mielleuse, se saisit du Martini d'un air entendu et l'enferma dans le réfrigérateur.

— Qu'est-ce que tu as, Sioma ? m'étonnai-je. Tu n'aimes pas le Martini ?

— Écoute, Pacha, le Martini ou la «crème», pour moi, c'est kif-kif. Tandis qu'Edik (il désigna le barman), il le servira à un quidam dans ton genre et moi je récupérerai mes trois roubles. Pour moi, c'est tout bénef, pour toi, c'est le luxe, et pour Edik, un pourliche d'un rouble trente-cinq. Tout le monde est content…

Ces paroles m'abattirent quelque peu, je me recroquevillai, toute mon excitation s'évanouit. Caché dans d'innombrables plis, derrière les sourcils absurdes, quelque part sous l'uniforme de chasseur en drap crasseux, aux épaulettes dorées, tout ce corps de Golem cruel renfermait je ne sais quel savoir absolu, plus important que les feuilles que j'avais brûlées la veille, un savoir inconnu, menaçant et dangereux. Et, presque imperceptible, en même temps que le sentiment d'une faute commise, l'idée lointaine et indolente surgit dans mon cerveau que je n'aurais pas dû déterrer la hache. Après tant d'années, elle aurait dû rester couchée dans l'irréalité, jusqu'à ce que la rouille du temps l'achevât.

Peut-être n'aurais-je pas dû y toucher, seulement, je n'avais pas d'autre solution. Il était trop tard pour changer mon *modus operandi*.

Pendant que le barman s'affairait avec ses bouteilles à l'autre bout du comptoir, je dis à Kovchouk :

— Dommage, Semion, que tu n'aies pas le temps de lire. C'est à ton propos que le poète a dit cette

phrase étrange : «Qui connaît l'ennui du bourreau?»

Kovchouk haussa ses épaules rondes et massives
et répondit avec indifférence :

— Peut-être. Je ne sais pas. Je n'étais pas bourreau, Pachenka. J'étais un haveur, c'est tout autre
chose, tu dois le comprendre. Le bourreau, c'est celui
qui exécute la condamnation, comme un employé
des abattoirs. Tandis que toi et moi nous nous occu-
pions d'affaires vivantes et délicates, c'était le travail opérationnel. J'ai raison ?

— Tu as toujours raison, Sioma. Maintenant,
écoute-moi : mon client va arriver et nous allons
déjeuner ensemble. Observe-le attentivement, c'est
un gars coriace, un étranger. Mets-toi bien son portrait dans le crâne. Après, je t'expliquerai comment
le trouver, on discutera, on établira le meilleur plan
possible...

Kovchouk opinait du chef, réfléchissait, puis
ouvrit sa longue bouche sans lèvres :

— Pas besoin de plan. Ni de discussion.

— Comment ça ?

— Comme ça. Pendant que tu bouquinais tes histoires de bourreau et tirais des plans sur la comète,
moi, avec cette main-là (et il me fourra sa grosse
paluche blanche sous le nez) avec cette main-là j'ai
eu le temps d'en abattre, du beau monde ! Voilà
pourquoi je n'ai rien à discuter avec toi.

— Tu as peur que je te porte la poisse ?

— Il ferait beau voir. Tu n'as pas de conseils à me
donner. Tu es un opérationnel de naissance, c'est-
à-dire un combinateur, un intrigant, tu compliques
toujours tout. Alors qu'il faut savoir cogner simplement et sans perdre son temps à penser à des
conneries : tu plantes ton couteau dans la jugulaire
et tu disparais. Pas la peine d'en rajouter : si on

t'écoutait, on en ferait, des dégâts, avec tes contes à dormir debout !

Dans un sens, ce surineur, qui imaginait mal ce que je faisais à la Boutique les derniers temps, n'avait pas tort. Le scénario d'un assassinat se devait d'être le plus simple possible. Ce n'est qu'au cinéma que les crimes sont compliqués. Dans la vie, c'est élémentaire, si c'est fait dans les règles. Ça peut paraître étonnant, mais un homme tué dans les règles meurt en silence, rapidement, sans résister, comme s'il aidait l'assassin dans sa tâche.

— D'accord, Semion, fais comme bon te semble. On n'apprend pas à un vieux singe…, dis-je en me dirigeant vers la salle.

J'étais un peu inquiet du retard de Mangouste : il était déjà trois heures et quart. Si je m'étais installé au bar, c'est qu'à travers les portes-fenêtres on voyait très bien le passage entre le hall et le restaurant, et j'avais l'intention d'observer tranquillement Mangouste pendant qu'il me chercherait dans la salle. Mais le chien galeux était en retard — voilà la célèbre précision allemande ! — et notre rencontre devait débuter par une attaque frontale.

Je m'installai à une petite table près de la fenêtre, à côté de l'estrade, sous un grand lampadaire. Je me plongeai dans le menu pour réfléchir à la commande. À vrai dire, il n'y avait pas de quoi réfléchir, mais, dissimulé derrière l'énorme carte, je pouvais surveiller l'entrée à ma guise.

Je restai longtemps, caché ainsi derrière cette carte imbécile, à scruter la porte-fenêtre, puis j'entendis soudain, dans mon dos, un léger bruissement, comme si quelqu'un farfouillait, ou comme une mèche qui se consumait. Mes nerfs, étirés comme les filaments de viande sortant du hachoir, se ramassèrent en boule et, avant que je n'aie pu me retourner, durent subir le choc d'un éclat de rire suraigu et grinçant.

Ma tête s'enfonça d'elle-même dans les épaules, je n'avais pas la force de me retourner, tandis que, derrière moi, on riait toujours, on sifflait, on s'époumonait, on crachotait et que les clients regardaient la scène avec un étonnement grandissant. Je rassemblai mes forces et me retournai. Mangouste. Assis derrière moi. Me fixant en silence. Le regard dur, les lèvres serrées. Sur la table, un petit sac gris, avec « Hi-ha-ha ! » écrit en caractères latins. Un jouet mécanique de rire artificiel.

Nous nous observions attentivement et le sac continuait de se tordre de son rire artificiel, sautillait et ricanait en s'étouffant. Nous attendîmes patiemment que cesse cette allégresse mécanique.

Comment as-tu fait, espèce de salaud, pour te glisser à l'arrière ? Aïe-aïe-aïe, petit animal, ainsi tu es arrivé avant moi et tu as pu observer mon manège ?

Le sac eut encore un soubresaut, grogna, grésilla une dernière fois et se tut.

Eh bien ! Le Saint Patron l'avait dit : rira bien qui rira le dernier.

Avec un sourire aimable, Mangouste se leva, prit le petit sac et vint vers moi, les bras écartés.

— Cher papa ! Vous vous êtes montré si gai hier que j'ai décidé de vous apporter un petit cadeau : sa joie non plus ne dépend pas des circonstances.

Bravo. Un vrai bandit ! Un terroriste.

Comme on enfile un masque à gaz, je composai un visage de circonstance où l'on pouvait lire, sous le plus avenant des sourires, l'attente impatiente, la joie pour un simple père russe de rencontrer son gendre tant désiré et de voir que celui-ci savait s'amuser et plaisanter, et aussi la perspective agréable d'une beuverie commune, qui, vu la nature des deux convives, se transformerait immanquablement en une fiesta inoubliable.

Je serrai chaleureusement Mangouste dans mes bras et l'embrassai à trois reprises. J'avais l'impression d'embrasser un pylône de ligne à haute tension : il était dur, froid, tout en angles et côtes de fer.

Peut-être qu'à l'étranger on cultive des juifs différents ? Chez nous, ils sont plus mous, plus gras, plus geignards.

— Assieds-toi, fiston. Voyons d'abord, ma petite Mangouste, ce qu'on va manger et boire. On n'est pas pressés.

— Ça m'est égal, dit Mangouste.

— Allons, allons ! Prenons du caviar, chez nous c'est un mets populaire.

Mangouste ricana :

— J'ai peur qu'une telle nourriture ne soit accessible qu'aux communistes. Je suis un sans-parti, je me contenterai de quelque chose de plus modeste.

— Ne te monte pas le bourrichon, je t'invite, laisse tomber tes manières de youpin. Ce n'est pas comme chez vous, en Harpagonie : ici, on régale son hôte jusqu'à plus faim, surtout s'il est de la famille.

— C'est vrai ! Quand on compte à l'allemande, c'est moins bien. Mais d'un autre côté, quand chacun paie sa part, on est tous libres et égaux. On déjeune et on discute. C'est commode.

Je ne sais pas s'il avait choisi ses mots et ses expressions avec un soin particulier mais il n'y avait presque pas trace d'accent dans son discours.

J'écartai les mains d'un geste contrit :

— Comment, Dieu me pardonne, ma *Mädchen*, ma *Tochter* chérie a pu tomber amoureuse d'un pédant comme toi ? Tout est réglementé chez toi. Moi, je veux parler simplement, comme chez nous !

Méfie-toi, si tu me réclames des sentiments après ça, des nèfles, ce sera trop tard ! Je peux me mettre en colère !

Il acquiesça de bon cœur :

— Vous ne pourrez pas l'être davantage que maintenant…

— À toi de voir. Tu veux que je te commande une soupe de lentilles, il paraît que vous aimez ça ?

Mangouste répondit avec un sourire condescendant :

— Ça non plus, je ne peux pas l'accepter, mon cher papa. Nous ne mangeons jamais de lentilles.

— Qui ça, nous ? demandai-je brusquement.

Mangouste me regardait gentiment, avec un air pensif et bonhomme.

— Nous ? répéta-t-il en agitant la main de façon désordonnée. Ceux pour qui chaque nouveau-né est un premier-né et toute vie est sacrée, unique et intouchable.

J'avais déjà entendu ça quelque part.

— Et vous êtes nombreux ?

— Vous aimeriez savoir s'il sera facile de se débarrasser de nous ?

Je haussai les épaules, tandis que Mangouste me gratifiait d'un clin d'œil complice, quasi amical :

— Nous sommes suffisamment nombreux. Vous ne vous débarrasserez pas de nous.

— Fiston, pourquoi tu essaies de me faire peur, à me pousser dans les coins ? J'ai l'impression que tu me prends pour quelqu'un d'autre.

Mangouste hocha la tête et posa sur moi son gentil regard, pensif et patelin, de boa constrictor et je sentis avec dégoût mes oreilles augmenter de volume, mes yeux s'injecter de sang et tout mon être s'emplir de l'immobilité insultante de l'esclave, pieds et poings liés par une volonté supérieure.

— Non, je ne me trompe pas. Vous, c'est vous. Vous êtes même meilleur que je ne l'imaginais d'après ce qu'on m'avait raconté, mon cher papa.

— Je vois, chère petite Mangouste, qu'on t'a raconté beaucoup de choses à mon propos.

— C'est vrai. Beaucoup. Au moins ça...

Et il écarta le pouce et l'index de cinq centimètres, comme s'il voulait saisir un paquet de cigarettes ou un verre. Ou un dossier criminel.

— Laisse tomber, fiston, n'écoute pas toutes ces bêtises, nous sommes de l'intelligentsia!

— Non, dit Mangouste en riant, et il remua de nouveau la tête. Pas vous, cher papa...

— Et pourquoi ça? me cabrai-je.

— Parce que l'intelligentsia russe, ce sont des gens pas très cultivés qui ont de la compassion pour le peuple. Tandis que vous, vous êtes un professeur respecté, c'est-à-dire cultivé. Et vous n'éprouvez aucune compassion pour le peuple.

Cette sale gueule de youpin se payait ouvertement ma tête. Ça ne fait rien, puisque l'attaque avait échoué, je pouvais rire un peu. Il avait tout de suite compris que j'étais un vrai gai luron.

Je posai une main confiante sur son épaule mais j'eus l'impression de me cogner à une porte.

— Tu me flattes, diablotin! Moi, cultivé? Tu appelles ça une éducation, plonger la nuit dans les mystères de la science, entre travail et sommeil? Comme on dit, ça laisse à désirer.

— Pas trop, j'espère? demanda Mangouste avec sympathie.

— Qui sait, peut-être, répondis-je sans relever la vacherie. Dis-moi, fiston, où as-tu appris à si bien parler notre langue?

— Je me suis appliqué pour que ça ne laisse pas à désirer, dit Mangouste très sérieusement.

Il était affalé sur sa chaise devant moi, Mangouste Berkovitch, hôte de Judée, poussant tranquillement sa petite chansonnette insolente qui parlait de sa richesse et de sa force, et toute sa silhouette, sa pose et son visage exprimaient le sentiment de puissance, de pouvoir illimité, et la conscience de ma propre impuissance.

Cependant, il ne se montrait pas désinvolte. Seul celui qui doute de lui et de sa force peut se montrer désinvolte. Celui-là vous adresse des suppliques perverses pour se rapprocher de vous. La désinvolture est l'apanage des pleutres et des moins-que-rien, leur désir de condescendance s'exprime dans la prière et le gémissement.

Soudain, j'eus un pincement au cœur et me rappelai comment, de longues années auparavant, j'étais affalé derrière mon immense bureau au cinquième étage de la Boutique et parlais avec des gens pour lesquels j'étais aussi grand que l'archange Gabriel parce que je tenais entre mes doigts le fil de leur existence et qu'il n'appartenait qu'à moi de le tendre davantage ou de le briser à jamais. Je n'avais pas besoin d'être désinvolte.

Minka Rioumine, lui, était désinvolte.

Tandis que nous, moi-même et mon cher gendre, Mangouste Berkovitch, non! Nous sommes des gars d'une autre trempe, d'un autre tonneau.

— Tu as eu raison de t'appliquer, fiston, dis-je avec ardeur. Si notre peuple est si pauvre, c'est à cause des siècles d'ignorance.

Un sourire mauvais tordit sa bouche. Et moi, j'étais en train de penser que la seule façon de m'en sortir était de recourir au paradoxe du «qui perd gagne», base également de la lutte japonaise: l'attaque après la retraite.

— Ne ris pas, fiston, tu n'es pas d'ici, tu nous

comprends mal. Notre plus grand malheur, c'est notre ignorance spirituelle. Jamais nous n'avons respecté les prophètes en Russie, jamais nous n'avons eu peur de Dieu, nous ne croyions qu'aux superstitions et nous ne craignions que le diable.

— Donc j'avais bien deviné : vous n'éprouvez aucune compassion envers votre peuple ? demanda sérieusement Mangouste.

À ce moment-là arriva le garçon, un jeune homme en smoking blanc sale, au beau visage stupide de *rynda*[1].

— Que désirez-vous commander ? demanda-t-il avec un soupçon de dégoût dans la voix.

— Tiens, regarde-le, fiston, dis-je en désignant le garçon du doigt. Regarde ce merveilleux *Knabe*, ce qui veut dire gamin par chez vous. Appelle-t-il la compassion ? Dis toi-même, abruti, as-tu besoin de notre compassion ?

Le *rynda* fronça les sourcils. Ses joues mates de mannequin rosirent légèrement : on aurait pu le montrer aux étudiants en médecine pour prouver que le cerveau a besoin d'être irrigué pour fonctionner. Mais la vague irriguante reflua, laissant sur les rives pierreuses deux petites pensées bien nettes.

— Qu'est-ce que j'ai à faire de votre compassion ? demanda-t-il, vexé. Dieu merci, vous n'êtes pas meilleurs que moi. Et si vous commencez à m'insulter et à faire du désordre, je vous emmène fissa où il faut. Vous savez combien ça coûte, là-bas, l'outrage à une personne dans l'exercice de ses fonctions ?

Mangouste nous observait avec intérêt et le fait

1. Soldat de la garde personnelle des tsars aux xve- xviie siècles.

344

qu'il m'associât à ce crétin était pour moi une petite victoire. J'avais réussi à me libérer pour un instant de son emprise, de ce corps à corps effrayant, poitrine contre poitrine. Le *rynda* avait surgi des cuisines comme un passant dans une rue déserte où l'on se prépare à assassiner quelqu'un. Il m'était devenu brusquement sympathique.

— Ne te fâche pas, ballot, je ne voulais pas te vexer, c'est affectueux. Va donc à la cuisine et apporte-nous vite du caviar, de l'esturgeon petit, de l'esturgeon grand, des olives noires, des légumes, des salades, des juliennes, du filet aux champignons, glaces et café. Et une bouteille de vodka...

Le garçon rosit de nouveau : son cerveau fut irrigué par l'information que j'étais un bon client. Il s'empressa d'inscrire la commande sur son carnet.

— Et fais en sorte que nous soyons satisfaits de tes services, dis-je pour terminer, puis je me tournai vers Mangouste : Tu vois, fiston, pas besoin de compassion.

— Je vois, dit Mangouste, tandis qu'à regarder sa face haineuse, il était évident qu'il préparait une entourloupe.

J'essayais par tous les moyens de retarder le moment fatal où il assènerait son coup, de le prendre à revers, de le soûler de paroles, de lui troubler les esprits.

— Et pourquoi, me diras-tu ? À cause de l'orgueil ? De la haute opinion de moi-même ? De mon esprit supérieur ? Je te répondrai : il n'a pas besoin de ma compassion parce qu'il ne souffre jamais. C'est vous, les étrangers, qui avez inventé la souffrance de notre peuple.

— Et en réalité, votre peuple est heureux ? demanda poliment Mangouste.

— Bien sûr qu'il est heureux. Vous vous êtes mis

dans le crâne cette idée stupide que notre peuple souffrait du manque de liberté. Et que c'est pour ça qu'il était malheureux. Mais nous, vos libertés, on s'en bat l'œil, on s'en tamponne le coquillard ! Dis-moi où ailleurs que chez nous existe la liberté de ne rien foutre pendant des années, de voler à qui mieux mieux et de se soûler la gueule tous les jours. Réfléchis toi-même, qu'a-t-on besoin d'une autre liberté ? Tu sais, ma petite Mangouste, et quoique tu ressembles beaucoup à un espion, en vertu de nos liens familiaux nouveaux et de notre communauté d'âme, je vais te confier un secret. Garde-le bien caché au fond de ton cœur et ne le dis à personne.

— Dans ce cas, penchez-vous vers moi et articulez bien, dit Mangouste.

— Pour quoi faire ? demandai-je sans comprendre.

— Pour que le magnétophone, encastré au milieu de la table, puisse enregistrer à sa guise, répondit sérieusement le démon de Machinbourg.

— Rien à foutre ! La vérité est plus précieuse. Sache-le, fiston, le pouvoir des soviets est la seule forme authentique du pouvoir du peuple russe.

— Ah oui ? demanda-t-il en soulevant une paupière. J'en doute.

— Il ne faut pas en douter, ma petite Mangouste. Crois-moi, ce n'est pas moi qui vais te mentir. Nous ne sommes pas si mauvais, au fond, nous sommes purs. Seulement, comme les enfants, nous prenons chez les autres ce qu'ils ont de plus mauvais. Chez les Tatars, nous avons appris les jurons et la cruauté, chez les Allemands, le tabac et l'athéisme, chez les juifs, le socialisme…

— J'ai compris. Tout ce qu'il y a de mauvais, vous l'avez appris chez les autres, m'interrompit Mangouste. Et vous-même, vous êtes quoi ?

346

— Ne t'énerve pas, dis-je en lui tapotant l'épaule. Nous sommes tous des Ivanouchka-le-Benêt[1], c'est notre idéal national. Remarque que ce n'est pas le laboureur, le guerrier ou le savant, non, c'est le joyeux aigrefin, ivrogne et parasite. Gentil et insouciant. Voilà donc, Ivanouchka-le-Benêt, il n'a que faire de votre liberté d'importation, elle ne se boit pas, ne se mange pas et on ne peut pas se la mettre en coussin sous la tête. On a une chanson qui dit : « Nous ne voulons pas de la liberté des idoles… »

Mangouste sourit en montrant les crocs comme un loup :

— Cette chanson s'appelle la « Marseillaise ». Mais l'idole qu'on refusait, c'était le veau d'or.

— Peut-être. Ça nous est égal, ça n'a pas d'importance. Cette liberté, on nous l'a apportée comme les conquistadors ont rapporté la syphilis en Europe. Nous n'en avions aucun usage. Jamais la Russie n'a connu la liberté et ça sera encore vrai dans les siècles à venir. On s'en passe très bien. Et même si notre bonheur est fait de sueur et de sang, nous nous portons comme un charme. Crois-moi, c'est un Russe qui te le dit.

Je passai la langue sur mes lèvres sèches et jetai un coup d'œil sur Mangouste. Il dit à voix basse :

— Je vous aurais cru volontiers si vous aviez été un vrai Russe.

— C'est nouveau ! Et selon toi, de quelle nationalité je suis, de quelle tribu ?

— Cher papa, vous êtes de nationalité soviétique, de la tribu KGB.

C'était comme s'il m'avait craché à la figure. Jamais encore je n'avais entendu autant de haine et de mépris dans ces paroles banales.

1. Personnage traditionnel des contes russes.

347

Sur ces entrefaites, le garçon, le *rynda* des cuisines, stupide et lourdaud, arriva avec un plateau chargé de hors-d'œuvre et de bouteilles, sauvant une nouvelle fois la situation.

Je fis un effort sur moi-même pour rire, puis m'écriai d'un ton aimable :

— Qu'est-ce que tu racontes ? Ça n'existe pas chez nous, la nationalité. Nous préférons parler de citoyenneté soviétique. Tu as tout confondu. Tonton de mon cul, va !

— Tonton de mon cul ? répéta Mangouste en s'esclaffant. *Der Onkel von mein Arsch*. C'est drôle.

Il attendit que le garçon dispose les assiettes sur la table, verse la vodka dans les verres et s'éloigne, pour dire d'une voix affable :

— J'ai cru un moment que vous employiez le « tu » comme pronom indéfini et l'on aurait pu confondre ainsi la simplicité familiale avec la plus grossière familiarité. Je vous demanderai par conséquent, oh, par commodité, de me dire « vous » dorénavant. Vous avez compris ?

Oui. J'avais compris. Qu'y avait-il d'incompréhensible ? Oh, qu'il est lourd, le fléau de Dieu ! Et pourtant, il n'avait rien dit de spécial. *Confiteor* : j'avoue.

Si l'on juge objectivement, il avait raison, de son point de vue : n'importe qui exige qu'on le respecte pendant les négociations. Mais l'objectivité, ça n'a pas de sens. C'est le sort des petites gens et des faibles. Là où commence l'objectivité se terminent le pouvoir et la force.

Je sentis que je n'avais plus envie d'histrionner, de faire le pitre et de le soûler de mots. Toutes mes forces avaient été englouties par le haricot blanc dans la poitrine. Et par ce germano-youpin, jouant paresseusement avec son verre en face de moi.

Que tout aille au diable ! Je suis fatigué.

Je pris le verre de vodka embué et l'avalai, sans trinquer. Sans en sentir le goût ni le feu.

Je mangeai une olive et demandai d'un ton indifférent :

— Alors, cher monsieur, que désirez-vous ? Mon accord pour que Maïka quitte le pays ?

Mangouste posa son verre sur la table, sans même y avoir trempé les lèvres.

— Je ne vous aurais pas dérangé pour de telles broutilles.

— Sacré farceur ! Alors comme ça, se marier avec cette idiote c'est une broutille ?

— Mon mariage avec votre fille n'est pas une broutille. C'est votre accord, la broutille. Je m'en passerai. Ce qu'il me faut, c'est que vous répondiez à une série de questions.

— Comme tu y vas ! Pas une, pas deux, toute une série de questions ! Pas mal. Quel genre de questions, par exemple ?

— Par exemple ?

Mangouste sortit de sa poche un paquet de cigarettes Pier, d'une pichenette en fit sauter une, alluma son briquet et je fus fasciné par la petite flamme jaunâtre et le son sifflant du gaz qui firent soudain passer au second plan tous les bruits du restaurant : le choc militaire des couverts, le tintement des verres, le pas des serveurs, les lambeaux de conversation, les mélodies molles du piano, tout cela plongea dans le silence serti du ruban mortuaire du gaz s'échappant en sifflant du briquet et la voix de Mangouste retentit alors, brutale et assourdissante, dans cette immobilité effrayante de l'air, comme s'il s'était mis à hurler de toutes ses forces dans le micro sur l'estrade.

Alors qu'il avait presque chuchoté :

— Pourquoi et dans quelles circonstances avez-vous donné l'ordre d'exécuter Elieser Nannos ?

Audi, vide, sile.

— Nannos ? hésitai-je. Je ne connais pas. Jamais entendu ce nom.
— Non ? s'étonna Mangouste. Faites un effort. Février 1953, camps d'Oussolié, mission spéciale Percha.

À peine avait-il refermé la bouche que du fond de ma mémoire remonta comme une bulle d'air un visage au nez busqué, à la barbe blanche et aux yeux bleus de bienheureux. Je fermai les yeux un court instant pour chasser cette hallucination, ce mirage produit par mon esprit aux abois, mais le visage ne disparaissait pas, s'approchait de moi, devenant de plus en plus net et clair. J'avais beau savoir que cet homme était mort depuis un quart de siècle, je n'en étais pas plus soulagé.
Je rassemblai mes forces et demandai le plus négligemment possible :
— Et vous en avez beaucoup, des questions de ce genre ?
— Beaucoup, dit-il brusquement.
— Mais pourquoi ?
— Le temps est venu pour vous de répondre de tous ces crimes et assassinats...

13

Identification

Le haricot éclata avec un bruit sec dans la poitrine et répandit le venin et la peur, comme le mercure s'échappe d'un thermomètre brisé, en gouttes insaisissables, petites billes de poison glissantes. Chevrotine diabolique pour chasse à l'homme. Un stand de tir dément, où, caché derrière les cibles, on vise les tireurs qui ne se doutent de rien.

Mot vulgaire, vieillot et allogène : duel. L'absurdité d'un tir croisé. Stupidité dangereuse d'un échange anarchique de coups de feu. Ça s'appelle un combat face à face.

Ce n'est pas de cela que nous étions convenus ! Non ! Non ! Nous n'étions pas convenus de cela.

Depuis longtemps, le monde a accepté l'idée qu'on ne pouvait tirer que d'un côté, avec excitation, élégance et précision, avec le partage très net des rôles entre tireurs et cibles. Les cibles sont faites pour qu'on leur tire dessus, et non pas le contraire. Il ne s'agit pas de moi. Ni d'Elieser Nannos. Ni de Mangouste. Il existe des forces supérieures à la volonté d'un seul homme. Ou même de toute une génération.

Les fleuves ne remontent jamais leur cours.

Après m'être extirpé du silence et de l'isolement où m'avait précipité ce youpin de malheur, après avoir joué des coudes pour me retrouver de nouveau à l'air libre, dans le brouhaha du restaurant, dans le présent vivant de gens reniflant, marmonnant, mangeant bruyamment autour de nous, je dis presque calmement :

— Mon gendre respecté, mon cher Mangouste Theodorovitch, vous voudriez remonter le temps. Mais c'est impossible.

— Oui, acquiesça-t-il tout en observant attentivement les boucles bleues de la fumée de sa cigarette, si l'on considère que le temps est un courant ou un fleuve...

Cette ordure youpine lisait dans mes pensées.

— Incontestablement, c'est une philosophie commode, dit-il mollement. Surtout que pour vous, le temps, ce n'est pas seulement de l'eau qui coule, mais le fleuve souterrain du nom de Léthé. Celui qui boit l'eau de ce fleuve oublie le passé pour toujours.

— Je connais la chanson : nous sommes des Ivan, des sauvages, nous oublions notre lignée... Il n'y a que vous pour vous souvenir de tout !

— Oui, nous essayons. Oui, nous nous souvenons.

— Et comment ! Ce n'est pas le temps, c'est l'arithmétique judéo-allemande : *participe zwei*, moins *futurum ein*, égale *presens* !

Mangouste sourit de travers :

— Peut-être. Seulement, ce n'est pas moins, mais plus. Notre temps, c'est l'océan dans lequel le passé, le futur et le présent ne sont qu'un. Nous ressentons à la fois la peur des grands-pères et la douleur des petits-enfants.

— À la bonne heure ! m'écriai-je, réjoui. Si Dieu le veut et que tu épouses Maïka, peut-être qu'à travers mes petits-enfants tu comprendras aussi ma douleur et mes souffrances.

Il hocha la tête d'un air impitoyable :

— Le droit à la souffrance, ça se mérite.

— Alors comme ça, moi, je n'ai pas le droit à la souffrance ? D'après votre barème juif, je n'ai pas le droit à la douleur et aux tourments ?

Il me fixa longuement, comme le vendeur dans l'arrière-boutique se demande s'il peut vous délivrer les produits déficitaires ou les garder pour un camarade plus méritant. Et je crois qu'il s'en fallut de peu.

— Vous ne savez tout simplement pas ce qu'est la souffrance.

— Bien sûr, nous avec nos gros sabots, on ne vous arrive pas à la cheville ! C'est vous, peuple élu, qui avez souffert toute la douleur du monde !

— Oui, toute la douleur du monde, approuva-t-il le plus sérieusement du monde.

— Putain de merde, quels drôles de gens vous êtes, vous, les juifs. Toute la douleur du monde ! Et les autres, alors ? Ils ne souffrent peut-être pas ? Ou ne ressentent-ils pas la douleur ? Ou simplement, vous n'en avez rien à foutre, des autres ? Noon. Toute la douleur du monde, c'est lorsqu'un juif de Smorgon qui a une hernie croit que tout s'écroule autour de lui. Toute l'arrogance du monde, voilà ce que c'est, pas la douleur !

Il ne se mit pas en colère, ne hurla pas, il pencha juste la tête, se tut longuement et lorsqu'il me regarda de nouveau je vis de l'angoisse dans ses yeux :

— Je vous l'ai déjà dit : vous ne savez pas ce que c'est, la souffrance. Ni ce qu'est le temps. Vous ne savez pas que la souffrance, c'est la mémoire du temps. La souffrance est indivisible, comme le temps, celui d'hier, celui d'aujourd'hui et celui que l'on pressent pour demain. C'est ainsi qu'Elieser Nannos ressentait le temps quand vous l'avez tué.

— Je ne l'ai pas tué !

Audi, vide, sile.

Je me débattais comme un forcené, je tentais de revenir à la surface du jour présent, de retrouver le monde d'aujourd'hui, rassurant, d'avaler une bouffée d'air vicié mais si pur du restaurant, et lui, le salaud, engeance youpine, graine d'ortie, m'entraînait dans les profondeurs du passé révolu, me noyait dans l'eau stagnante de l'océan du temps, où m'attendaient leurs tourments d'hier, la douleur d'aujourd'hui et la vengeance de demain.

Je résistais. Je ne voulais pas. Je ne voulais pas.

Je ne veux pas ! Je ne veux pas et je ne peux pas ! Je ne peux pas répondre pour tout le monde !

— C'est Lioutostanski qui a tué Nannos.

Lioutostanski. Vladislav Ippolitovitch. D'où es-tu sorti, petit Polak pourri ? Vingt ans auparavant, tu avais disparu dans les ruelles de ma mémoire, sans laisser de traces dans le labyrinthe des circonvolutions de mon cerveau, dissous dans la jungle de mes neurones. Sur une île déserte au milieu de l'océan bouillonnant de mon univers, tu aurais dû mourir de l'épuisement de ton être, fondre de la soif intolérable de l'oubli.

Et voilà que j'apprends que tu as survécu, que tu es entier, solitaire, sain et sauf, comme Robinson Crusoé.

Tu as surgi de la grise obscurité de l'oubli aussi brusquement que tu étais entré pour la première fois dans mon bureau.

C'était Minka Rioumine qui t'avait amené. Il m'avait dit sur un ton catégorique :

— Il faut utiliser cet homme. Un camarade très intelligent et cultivé…

Le camarade très intelligent et cultivé n'avait pas d'âge : on pouvait lui donner aussi bien vingt-trois ans que cinquante-sept. Il était immatériel, longiligne, tout blanc, comme les germes sur une pomme de terre oubliée dans une cave obscure. Ses mains étaient soignées et ses joues légèrement poudrées. Ses yeux délavés débordaient d'amour pour Minka. Et pour moi. D'immenses yeux clairs, inutiles et beaucoup trop grands pour un visage de sauterelle aussi insignifiant.

Minka sourit d'un air entendu et sortit.

Je connaissais le besoin naturel de Minka Rioumine, comme de toutes les nullités de son genre, de s'entourer d'une ribambelle d'escrocs et d'ordures, pleins de respect et de reconnaissance, de les protéger et de s'élever ainsi dans leur société. C'est pour ça que je ne les laissais jamais fourrer le nez dans mes propres affaires. Je décidai de régler son compte à cette nouvelle trouvaille. Seulement, moi aussi je suis un pécheur, et je ne suis pas omniscient. Oui, je m'étais trompé au sujet de Lioutostanski. Au premier coup d'œil, je n'avais pas estimé Vladislav Ippolitovitch à sa juste valeur. Alors que c'était une trouvaille, une vraie.

— D'où sors-tu, camarade très intelligent ? demandai-je, tout en observant sans beaucoup d'intérêt ce lieutenant élimé, puis lavé et repassé.

— Bureau des laissez-passer, Pavel Egorovitch, répondit-il en se redressant illico, et j'entendis ses os craquer.

— Bureau des laissez-passer ? m'étonnai-je. Qu'est-ce que tu fais, là-bas ?

— Voyez-vous, Pavel Egorovitch, le bureau des laissez-passer dépend de l'administration de la Direction générale du personnel, une sorte de sous-section sous la responsabilité du camarade Svini-loupov, vice-ministre...

— Qu'est-ce que c'est que ces conneries! dis-je en me mettant en colère. Je sais très bien qui dépend du vice-ministre Sviniloupov. Abrège!

— Excusez-moi, je vous prie, Pavel Egorovitch, c'est l'émotion, je voulais vous expliquer correcte-ment. Puisque je dois travailler chez vous...

— Pour ce qui est de travailler, on verra plus tard. Et comment as-tu fait preuve de ton intelligence et de ta grande culture au bureau des laissez-passer?

— Pardonnez-moi si je me montre immodeste, mais on dit que je possède la meilleure écriture du ministère. Certains disent même de toute l'Union soviétique. J'établis toutes les cartes d'identité des collaborateurs de l'appareil central. Regardez la vôtre, vous verrez vous-même.

Connerie absolue! Je n'avais jamais imaginé qu'il y avait un ver de terre qui s'occupait de ça quelque part. Par curiosité, je sortis de ma poche le maro-quin cerise avec les armoiries dorées et l'empreinte du MGB d'URSS. À l'intérieur, collée sur le papier timbré rose-rouge recouvert d'une pellicule de plas-tique, ma photographie et, tracés d'une invraisem-blable écriture droite, avec ses pleins et ses déliés, ces mots: «Le lieutenant-colonel Khvatkine Pavel Egorovitch a la qualité d'inspecteur chargé des affaires spéciales.» Et, plus bas: «Le détenteur de cette carte est autorisé à porter une arme à feu et à en faire usage. Le ministre de la Sécurité d'État d'URSS, le colonel-général...» Suivait la large signa-ture du ministre gai luron et inculte Viktor Semio-novitch Abakoumov.

— Et que comptes-tu copier ici avec ton inimitable écriture ? demandai-je.

— Ce que vous voudrez. Mais là n'est pas la question.

Lioutostanski fit une pause, respira profondément et une lueur de fanatique exalté passa dans ses yeux délavés globuleux :

— Je sais tout à propos des juifs !

— Dans quel sens ? demandai-je prudemment, essayant de deviner ce que Minka avait dit de ce que je faisais exactement à ce faible d'esprit.

— Dans tous les sens ! dit Lioutostanski avec ardeur. Je sais tout ce qui les concerne. Leur sale histoire, leur religion haineuse, leurs mœurs mauvaises, leurs usages d'ogres, leurs traditions maudites, leur caractère fielleux et leurs projets sinistres.

Incrédule, je me mis à rire et il se précipita vers moi les bras tendus, le visage agité, ses yeux lançant des flammes :

— Mon cher Pavel Egorovitch ! Camarade lieutenant-colonel ! Faites-moi confiance ! Mettez-moi à l'épreuve. Vous verrez vous-même ce que je vaux ! S'il le faut, je peux vivre ici, dans ce cabinet ! Je n'ai pas de famille, pas d'enfants, aucune distraction ! Je me donne tout entier à la cause, faites-moi confiance !

Je voyais que si je refusais il aurait une crise d'hystérie. Il y avait longtemps que je n'avais pas rencontré un aussi sincère enthousiaste à la Boutique.

— Et qu'est-ce qu'ils t'ont fait personnellement, les juifs ? demandai-je par curiosité.

— À moi ? Personnellement ?

— Oui, à toi, personnellement.

— Et à vous, Pavel Egorovitch ? Et à tout le peuple russe, à l'humanité tout entière ? C'est qu'ils veulent notre perte, ils rêvent d'instaurer le royaume

357

de Judée! Le sperme de Satan dans le vagin du monde. Nous, les bolcheviks, bien sûr, nous sommes athées, mais c'est un fait qu'ils ont crucifié le Christ! Ils sont de la race de Satan, étrangère à tout ce qui est humain sur la terre.

Il finit par me convaincre. Je le gardai auprès de moi. J'en avais besoin tout de suite, mais le rôle de premier plan que je lui destinais, je le gardai pour plus tard. Celui, important, du chauffeur plein d'abnégation qui ne remonte jamais de la chambre des machines. Le chauffeur qui reste en bas, dans l'ivresse des chaudières. Et qui prendra ma place le jour où je m'apercevrai que l'équipe suivante est prête à descendre et qu'il me faut remonter.

Lioutostanski resta. Et tout ce qu'il me promit s'est accompli. Les flammes de l'enfer qui se consumaient dans sa poitrine, il les consacra à la cause, sans rien en perdre. Je ne sais pas s'il était pédé ou impuissant, en tout cas, je ne l'ai jamais entendu parler avec une femme, même au téléphone. Je ne sais pas non plus quand il se reposait : on pouvait toujours le trouver à la Boutique. Trois passions régnaient dans son âme sombre : la haine des juifs, la vénération de la calligraphie et l'amour des fleurs. Ces trois passions, il les assouvissait à la Boutique. Le bureau qu'on lui avait attribué était rempli de fleurs : toute l'année s'y entassaient des grappes fumantes de phlox, des bouquets de lilas éclaboussant de mauve et des boutons de rose mi-clos rougeoyants. Il m'offrait ces fleurs mais je les jetais. Lioutostanski en fabriquait de nouvelles.

C'étaient des fleurs en papier, de toute sorte de papier de couleur : papier à lettres, à dessin, papier velouté ou papier à cigarettes. Avec une dextérité surprenante et une grande précision, il découpait les pétales, les accrochait sur un fil de fer, les fixait avec un peu de colle, les coloriait à l'aquarelle avec un pinceau et composait des bouquets plus vrais que nature.

Il s'adonnait à cette tâche principalement pendant les interrogatoires. À cause du manque de temps. Il posait une question et, en attendant d'inscrire la réponse dans le procès-verbal de son écriture d'artiste, les ciseaux dans ses mains virevoltaient et il se mordait les lèvres quand il tombait sur une courbe particulièrement coriace.

Toutes ses questions étaient préparées longtemps à l'avance, mûrement réfléchies, astucieuses, parsemées de pièges, de façon à pousser dans le trou celui qui y répondait non pas à coups de pied mais en beauté, artistiquement, en le plongeant dans la souffrance et l'obscurité.

… Les fleurs, le portrait de Beria en uniforme de maréchal accroché au mur et, au-dessus du bureau, un panneau avec ces mots calligraphiés d'une main inhumaine : « Le véritable tchékiste doit avoir la tête froide, le cœur ardent et les mains propres. F.E. Dzerjinski. »

Il était toujours fourré avec ses collègues, poli, serviable, bienveillant. Tout le service lui empruntait de l'argent car il ne dépensait pas son salaire. Il n'avait pas le temps.

C'était aussi un plaisantin. Pas un gai luron, non ; il connaissait une masse de dictons et, très rapidement après son arrivée, nous pûmes profiter de ses trésors de sagesse populaire, de proverbes innombrables, d'adages et de bons mots, quelque peu monotones mais toujours drôles et astucieux.

Lors de notre première rencontre, il m'avait dit :

— Les juifs ne croient en rien. Même les juifs communistes, nous devons les considérer comme des convertis. Un youpin baptisé, c'est comme un voleur pardonné, un ennemi assoupi.

Et il répétait sans répit :

— Pour un laïque, il y a vingt-deux schmoutz.

Le doigt menaçant, il disait sévèrement à Goussiatiner, ex-pédagogue célèbre et aujourd'hui saboteur :

— Démons, ne touchez pas aux nobles ; youpins, ne touchez pas aux Samaritains.

Hochant la tête avec compassion devant le général Isaac Francfurt, en train de mourir de faim :

— Le youpin, c'est comme le cochon, même repu il geint encore.

Faisant la morale à Altman, consul à San Francisco, recruté par les services secrets japonais :

— Le youpin, c'est comme le piaf, il bouffe là où il se pose.

Cognant comme un forcené sur le responsable du MGB de la région de Novossibirsk :

— Le youtre, c'est comme la rouille, ça boufferait du fer !

En passant dans les bureaux, j'entendais de plus en plus souvent les instructeurs hurler à leurs clients :

— Le youpin, fais-le crever de faim, et si ça ne suffit pas, vire-le à coups de pioche.

— En affaires, le juif est sangsue sur le corps.

— Le juif est avide comme le chien qui bouffe ses propres puces.

Et Minka Rioumine, asticotant de son poing massif le blase du membre de l'Académie de médecine, Moïsseï Kogan, devenu fou de terreur, disait d'une voix sifflante :

— Notre peuple a raison lorsqu'il dit : si le juif saute de joie, c'est qu'il y a un moujik qui pleure.

Tandis que Viktor Semionytch, notre inoubliable ministre et chef, remarquait, pathétique :

— Ce n'est pas nous qui l'avons inventé, mais le peuple, qui a porté la vérité au fond de son cœur pendant des siècles : le juif est comme les bêtes, il n'a ni foi ni croix.

Et Lavrenti Pavlovitch Beria lui-même, notre grand boss et représentant auprès du Patron, avait définitivement fixé l'objectif lors de la réunion préparatoire :

— Le camarade Staline m'a raconté hier que du temps de sa jeunesse, pendant qu'il était en exil, des gens du peuple lui répétaient la sagesse de nos pères : il n'y a pas de poisson sans arêtes, comme il n'y a pas de juif sans vilenie.

Je me suis tout de suite dit que c'était Lioutostanski lui-même qui, au début du siècle, avait dû transmettre la sagesse de nos pères au Saint Patron, en exil à Touroukhansk. Et j'eus immédiatement de l'estime pour lui, dans la mesure où l'on peut estimer à sa juste mesure un collaborateur aussi inestimable.

Il était dévoué corps et âme au règlement radical de la question juive : sans tous ces anciens et nouveaux testaments, sans tout ce galimatias pseudo-charitable et gentillet.

Minka Rioumine, Lioutostanski et moi-même fûmes transformés en une trinité toute-puissante, dont j'étais la tête froide, Lioutostanski le cœur ardent et Minka les grosses mains propres.

Dorénavant, j'instruisais tous les dossiers avec Lioutostanski. Et comment aurais-je pu remplir les procès-verbaux d'une écriture aussi inimitable et aussi magnifique ? La plus belle du ministère et peut-être même de tout le pays ! Et j'hésitais à souiller de ma signature des documents aussi remarquables, où les agissements effrayants des traîtres étaient calligraphiés à jamais. Pourquoi aurais-je déposé mes pattes de mouche au bas de ces tables de la loi du châtiment légitime, de ces manuscrits sacrés relatant comment l'orage de la justice suprême éclata enfin sur ces têtes impies ?

Lioutostanski était heureux que, grâce à mon infime modestie, la direction pût apprécier ses efforts.

De son côté, Minka était ravi que je ne cherche pas à jouer les premiers rôles, que je n'essaie pas de tirer à moi la couverture de l'ambition ni à m'embraser aux flammes caressantes de la vanité.

Je proposai le nom de Lioutostanski pour une promotion anticipée dans le grade militaire et priai l'inspecteur Arkadi Merzon de venir faire son rapport.

Audi, vide, sile.

Le visage sombre de Mangouste se dédoubla, grossit et atteignit la dimension d'un gigantesque nuage qui me poussait dans l'obscurité, m'entraînait dans son tourbillon noir, moi, faible et impuissant.

Nous n'avions presque pas touché à la nourriture et le filet aux champignons était froid et sec, la glace avait fondu. La bouteille, elle, était presque vide. Je l'avais tétée tout le temps que je me promenais loin d'ici, en compagnie de Vladislav Ippolitovitch, revenu après une longue absence.

Tout tangue autour de moi. La tête me tourne. J'ai l'impression d'être dans deux dimensions différentes. J'ai l'impression, justement. Comme j'ai l'impression que Mangouste, qui n'existe pas en réalité, est assis en face de moi. Comme j'ai l'impression qu'existe ce passé qui n'a jamais existé. J'ai tout inventé. La tête me tourne. Mais ce n'est pas une tête, c'est une impression. Ma tête, c'est ma poitrine maintenant, ma poitritête. J'ai un mal de tête à la poitrine. Ça tourne, ça fore dans ma poitritête. Mes jambes flageolent, je n'ai pas la force de me lever et de partir. Eh oui, les gars, nous ne sommes pas si méchants, nous, les hommes à pied-de-tête.

Le nuage bleuâtre du visage inexistant de Mangouste se pencha vers moi et m'exhorta :

— Lioutostanski était votre subordonné et ne pouvait tuer Nannos sans votre accord...

— Si, dis-je mollement, il pouvait déjà faire beaucoup de choses...

Le mirage-Mangouste rit méchamment et dit tout doucement :

— Je vous propose de me dire la vérité. Je ne veux pas vous brûler le visage avec mon briquet, comme Lioutostanski a brûlé la barbe d'Elieser Nannos. Mais j'ai les moyens de vous obliger à dire la vérité...

Et aussitôt le nuage répandit l'odeur âcre du passé, la puanteur des poils brûlés et de la viande rôtie, et surgit de la grisaille le visage au nez busqué. Des yeux bleus de bienheureux, pleurant à chaudes larmes. La vision grotesque d'un vieillard qui pleure.

— Je serais curieux d'apprendre quels sont ces moyens, dis-je à haute voix, et je me surpris à hoqueter.

Je vacillai sur ma chaise, tandis que le youtre malfaisant me répondait :

— La déposition d'Arkadi Merzon.

— Et où l'avez-vous recueillie ? Au tribunal

populaire de l'arrondissement Frounzeski de Moscou?

— Non. Il l'a faite sous serment au procureur général de Jérusalem.

— Merzon? À Jérusalem?

— Oui, Merzon. À Jérusalem. Vos organes compétents l'ont autorisé à émigrer en Israël et lui ont promis de ne rien révéler de son passé s'il rendait certains services.

— Bravo, Merzon! Et vous, vous l'avez pincé? dis-je, pensant tendre un piège à Mangouste.

Il haussa tranquillement les épaules:

— Je ne travaille pas au parquet d'Israël, je n'avais donc pas à «pincer» Merzon.

— Où travaillez-vous alors? Au Mossad? Au Shin-Bet?

Sans hâte, il alluma une cigarette, leva sur moi un sourcil et dit froidement:

— Je ne travaille ni au Mossad ni au Shin-Bet. En temps voulu, je vous dirai où je travaille. Ou vous le devinerez vous-même.

— C'est vous qui voyez, dis-je, dépité.

S'il fait partie de la CIA ou du renseignement militaire, je suis complètement grillé, ne fût-ce que parce que je suis venu à ce rendez-vous de mon propre chef. Non, il n'y a pas d'autre issue, il n'y a qu'un *modus operandi*, Kovchouk avec son couteau de cuisine. Après, ça se tassera, on aura vite fait de classer l'affaire. On a bien classé une fois déjà l'affaire de ma tumeur dans ma poitrine!

Je demandai, avec une réelle curiosité:

— Et qu'est-il arrivé à Merzon?

— À Merzon? Il a vécu quelques mois sans faire de bruit, puis il est venu voir le procureur et lui a raconté tout ce qu'il savait. Après il est rentré chez lui et s'est pendu.

Je hochai la tête d'un air compatissant et éclatai de rire :

— Et vous me menacez avec la déposition d'un émigré, mort par-dessus le marché ? D'un macchabée ? D'un suicidé ? Son témoignage ne vaut pas un clou.

Mangouste me toucha l'épaule en signe d'approbation et dit en souriant :

— Parfait ! Nous avons fait un pas décisif dans nos pourparlers. Vous me considérez comme votre juge. C'est bien. Mais prématuré. D'après toutes les lois humaines, un seul homme ne peut juger personne.

— Alors, qu'est-ce que tu me veux ? hurlai-je à bout de nerfs.

— La vérité. Comment vous avez tué Nannos...

Audi, vide, sile.

... Je priai l'inspecteur Arkadi Merzon de venir me faire son rapport.

Le piquant de la situation résidait dans le fait qu'il y avait encore beaucoup de juifs dans l'appareil central et dans les différents services de la Boutique. Ah, l'amour des juifs pour le travail de policier ! Déjà à l'époque où le premier chef de la police russe était le juif Divière, ils voulaient être les garants du droit et de la moralité de la population russe, mais, depuis la Révolution, ils se sont rués à la Boutique comme les corbeaux sur la charogne. Ce travail leur allait comme un gant et contribuait à l'épanouissement de leur caractère national. Et puis, bien sûr, cela dut être agréable pour celui qui, hier encore, n'était qu'un paria pouilleux, d'échanger une veste mille fois raccommodée contre une gabardine militaire, un ceinturon en cuir et des bottes de box chromé craquantes, de rouler en voiture et d'user d'un pouvoir jusqu'ici insoupçonné sur ses concitoyens.

Confiteor, j'avoue : ils travaillaient bien. Je répète, ils n'ont eu aucun mérite, il s'agit simplement de l'application du caractère national à un moment tortueux de l'histoire. Ce pourquoi ils étaient haïs et méprisés pendant des siècles, chez nous, à la Boutique, en fit des combattants indispensables. Pendant un certain temps, du moins.

Parce que dans nos *tempora mutamur* ils subirent de lourdes pertes. Les vagues successives de purges les emportèrent, les délogeant du bastion invincible de notre Boutique. On les chassa, on les emprisonna, on les fusilla en tant que sbires de Iagoda, puis en tant qu'intimes de Dzerjinski et de Menjinski, puis en tant qu'amis de Iejov, puis encore en tant que proches d'Abakoumov[1].

Et pour finir, tout simplement en tant que juif.

C'est drôle de penser que la mort du Saint Patron les sauva de l'extermination totale, bien qu'une dernière vague d'exils et d'arrestations ait alors emporté les épigones de Beria.

Et basta. À ma connaissance, on n'en prend plus chez nous. Il n'est plus jugé opportun de les utiliser à la Boutique. Mais à l'époque, ils travaillaient encore chez nous. Ils travaillaient dur, avec une grande conscience professionnelle, dans la peur quotidienne et l'angoisse permanente. Souriant d'un air

---

1. Felix Dzerjinski (1877-1922), Viatcheslav Menjinski (1874-1934), Guenrikh Iagoda (1891-1938), Nikolaï Iejov (1895-1940) et Viktor Abakoumov (1908-1954), chefs des Tcheka-Guepeou-Oguepeou-NKVD-MGB, formes successives des services de renseignement et de sécurité soviétiques.

distrait et pitoyable, lorsque, à la cafétéria, le major Lioutostanski expliquait au colonel Marcus :

— Je vais vous dire, Ossip Naoumytch : il y a les juifs et il y a les youpins. Vous, vous êtes peut-être juif, mais vous êtes un homme bien, l'un des nôtres, comme on dit… Mais les youpins, les sionistes, pas question de les laisser en paix !

Ou encore, lorsque, caressant de ses doigts soignés son visage pâle et poudré, il discutait d'un air préoccupé avec Semion Kotliar :

— Les juifs, ce n'est rien, c'est un moindre mal, il y a parmi eux des gens normaux. L'essentiel c'est que nous les ayons à l'œil, de façon à pouvoir les soutenir, à les empêcher de commettre une bêtise ou à leur faire la leçon. Mais les femmes juives, que voulez-vous qu'on en fasse ? Voilà d'où vient tout le mal. Une juive, ça vous met le grappin sur un homme russe simple, membre du Parti, camarade honnête, ça l'embrouille, ça l'épouse, et vas-y que je te rééduque, que je te farcisse la cervelle comme un brochet à Pâques. Peu de temps après, elle lui aura bouffé le cœur et le voilà vendu à tout le consistoire israélite, et ce n'est plus un camarade mais un candidat au recrutement des renseignements étrangers, transfuge et espion de demain.

Le colonel Kodner n'y tint plus et écrivit un rapport au comité du Parti. On lui passa un savon à la Direction du personnel pour nationalisme et manque de conscience, puis on le licencia, trois mois avant qu'il ait accompli ses vingt-cinq ans de service, ce qui lui aurait donné droit à la retraite complète. Je pense que les autres juifs de la Boutique l'envièrent ; ils se seraient bien taillés eux-mêmes. Mais le chauffeur ne peut pas quitter la chambre des machines de son propre chef. Il doit attendre la relève. Comme dit la chanson : «Tu n'abandonneras pas avant d'avoir fini ton quart... »

On chassait les uns, lentement mais sûrement, on envoyait d'autres travailler à Trifouillis-les-Oies, on enfermait les troisièmes. Cependant, ceux qui restaient continuaient à travailler comme des forcenés, bien que l'espoir d'être sauvés par leur appartenance au saint des saints devînt de plus en plus fantomatique, et bientôt ils furent paralysés par l'imminence de la souffrance, de la honte et de la mort prochaine. Ils se sentaient de moins en moins chauffeurs et se transformaient à vue d'œil en combustible.

... J'écoutais, sans y prêter beaucoup d'attention, le rapport de Merzon, qui concernait l'affaire du reporter photo Schneiderov. Le photographe, sûrement dans un accès de folie, après s'être sérieusement pinté lors de l'anniversaire de son beau-frère, se mit en tête de démontrer, avec d'évidentes intentions antisoviétiques, que la célèbre photo «Lénine et Staline aux Gorki» était un faux grossier et que n'importe quel photographe professionnel pouvait se rendre compte qu'il s'agissait d'un montage. Il affirma avoir vu le négatif où l'on voyait, dans les bras du Guide, non pas le Père Jo, mais Boukharine, le petit préféré de Lénine. Et que si lui, Schneiderov, l'avait voulu, il aurait pu fabriquer un cliché représentant Iossif Vissarionovitch Djougachvili et Adolf Aloïsovitch Schiklgruber dans les bras l'un de l'autre : voilà un beau couple, ils feraient bien, assis côte à côte sur un banc — des accusés.

Les invités s'évanouirent en un clin d'œil et le beau-frère, ne comptant pas beaucoup sur leur discrétion, nous livra son parent lui-même.

Et maintenant, Merzon s'occupait de lui, essayant

de savoir qui lui avait raconté cette histoire de photo truquée, où il avait vu le négatif, pourquoi il s'était mis à bavarder, bref, tout ce qu'il faut demander dans ces cas-là.

Mais son rapport ne m'intéressait pas. Je me foutais complètement de savoir si le Fondateur était assis sur le banc avec le Saint Patron, Boukharine ou Adolf. Quand il eut fini, je désignai le petit écriteau rouge vissé sur le téléphone avertissant que «les conversations secrètes sont formellement interdites», me touchai l'oreille et lui tendis, sans la lâcher, une feuille de papier où j'avais écrit: «Ce soir, à vingt et une heures, attends-moi à la terrasse du restaurant à Khimki.»

Il lut, leva sur moi un regard exténué et son visage devint livide. Je craquai une allumette, brûlai le morceau de papier et attendis que la flamme s'éteignît dans le cendrier. Puis j'écrasai les cendres et dis à Merzon:

— Vous pouvez disposer. Faites-moi le point sur cette affaire chaque fois que vous aurez de nouveaux éléments.

L'inspecteur Arkadi Merzon, un être lourdaud au front large, ressemblait à un castor. Il était assis à la terrasse du restaurant d'été Gare Maritime à Khimki, buvait des grands verres de vodka et lisait la *Pravda* avec un air recueilli. Je l'observais depuis la terrasse panoramique, d'où l'on pouvait voir tout le restaurant, pour vérifier que personne ne s'était accroché à ses basques. Je n'avais pas très envie que les piétineurs de l'Inspection spéciale de Sviniloupov me pincent en compagnie de Merzon. Certes, l'affaire que j'avais à traiter avec lui était d'ordre professionnel, mais je comptais en retirer un profit personnel.

Merzon, lui, étudiait le journal. Il ne le lisait pas, non, il l'étudiait à fond. Peut-être y cherchait-il des indications mystérieuses ou des allusions à son avenir, ou bien préparait-il simplement son intervention du lendemain à la réunion d'information politique.

À l'époque, au cours de ces réunions hebdomadaires, nous débattions ardemment de l'arbitraire de la justice en France, où le juge Jacquinot, ce fils de pute, avait confisqué illégalement son carnet de notes à Jacques Duclos et refusait de le lui rendre. La violation des lois capitalistes avait atteint de telles proportions que le rédacteur de *L'Humanité* André Stil avait été enfermé pendant trois jours à la prison de la Santé. Heureusement, grâce aux forces progressistes mondiales, les valets de leur Thémis aveugle avaient fini par faire dans leur froc. Une telle tempête de protestations s'était élevée à travers le monde qu'en deux coups de cuillère à pot ces ordures relâchèrent les braves coreligionnaires, rendirent le carnet de notes — avec toutes les sommes reçues consignées — et trouvèrent soudain tout à fait convenable le Stil de *L'Humanité*. Quant à Duclos, il porta plainte contre Jacquinot. Et nous, au cours des réunions d'information politique, nous discutions de toutes les subtilités juridiques auxquelles étaient obligés de recourir nos camarades français.

Et en Angleterre, il s'en passait aussi de belles ! C'est honteux à dire, mais les journalistes, des vendus et des infidèles, avaient déchaîné une chasse à l'homme dans leurs journaux, visant l'archevêque de Canterbury, Hewlett Johnson. Ils accusaient le saint homme d'être notre agent.

L'instructeur Zatsarenny nous fit tous rire en obligeant l'évêque André, ex-prince Oukhtomski, à monter sur une chaise et à chanter la lettre des travailleurs soviétiques défendant l'honnêteté du clergé anglican. Zatsarenny dirigeait lui-même ce chant avec sa matraque en caoutchouc, comme un vrai maître de chapelle.

Ainsi, il était plus que vraisemblable que Merzon était en train de repasser le journal pour son intervention du lendemain à la réunion du Parti : c'était le moment ou jamais pour les juifs de montrer le haut degré de leur conscience politique.

Il n'y avait pas de piétineurs en vue et je descendis sur la terrasse.

— Tu m'invites à grignoter quelque chose, Arkadi, mon ami ? demandai-je gaiement.

— Quelle question, Pavel Egorovitch ! m'accueillit-il d'une voix énergique.

Pendant qu'il se démenait pour passer la commande, essayant de se montrer aussi gai que moi, je voyais que, malgré la carafe de vodka qu'il avait bue, Merzon était parfaitement sobre. Des gouttes de sueur lui roulaient sur le front, s'échappant de dessous son épaisse chevelure frisottée, ce qui était un indice de «youpinisme», selon le mot de Lioutostanski.

Merzon avait compris que ce rendez-vous voulait dire pour lui ou bien une mort certaine ou bien une promesse de salut, quoique encore lointaine et indistincte.

Sans me hâter, je bus avec plaisir et blaguai. Entre le saumon fumé et les champignons, je demandai à Merzon :

— Que dit la presse ?

— Les peuples du monde entier célèbrent une victoire historique : la fin des travaux du canal Volga-Don, rapporta Merzon.

— Quoi d'autre ?

— Le roi Farouk a abdiqué en Égypte, le général Néguib a pris le pouvoir…

— Quoi encore?

— Ça secoue en Iran. On dirait que Mossadegh va bientôt flanquer le shah à la porte.

— Parfait. Rien de plus près?

Merzon cligna ses paupières sémites, lourdes et plissées, et dit lentement:

— En Tchécoslovaquie, le complot des ingénieurs du charbon, qui avaient créé un parti paysan fasciste, a été démasqué.

— Ça, c'est magnifique. Je suis très fier de nos collègues tchèques. Imagine quel travail difficile ils ont dû accomplir! Confondre ces mineurs qui dirigeaient la clandestinité agraire!

— Bien sûr, dit Merzon en manifestant chaleureusement son accord. L'impérialisme est une pieuvre, qui fourre partout ses tentacules.

Je l'interrompis:

— Quelque chose d'autre à ce sujet?

— En RDA, on a jugé des terroristes se dissimulant sous l'appellation du Comité des juristes libres.

— Et en Pologne, ils n'ont chopé personne?

Désemparé et épouvanté, Merzon répondit d'un air résigné:

— Si, des bandits dans l'armée et des koulaks.

Je demandai entre deux cuillerées de soupe:

— Et hier, qu'y avait-il à ce sujet, dans le journal?

— En Roumanie, on a arrêté des saboteurs sur le chantier du canal Danube-mer Noire.

— Dieu soit loué! dis-je avec un soupir de soulagement, et je regardai au loin, derrière le fleuve, le ciel d'été s'obscurcir peu à peu. Là-haut, au-dessus de l'aérodrome de Touchino, les pilotes s'entraînaient inlassablement pour le défilé aérien et, pour la centième fois, dessinaient dans le ciel bleu-vert crépusculaire les mêmes lettres gigantesques : « Vive Staline ! »

— Et avant-hier, que disaient les journaux ? Raconte-moi, Arkadi, je suis trop occupé et je n'ai pas toujours le temps de lire la presse. C'est mon péché mignon, ajoutai-je sur le ton de la confidence.

— Avant-hier, en Albanie, on a fusillé les criminels qui projetaient d'assassiner le camarade Enver Hodja.

Toute trace d'ivresse avait disparu dans les yeux de Merzon. Et moi, tout en mangeant ma soupe, je continuais d'élever ma conscience politique :

— Et avant-avant-hier ?

— En Bulgarie, on a démasqué une organisation clandestine d'anciens gendarmes qui se faisaient passer pour des instituteurs.

— Bravo, Arkadi ! Buvons un coup, je vois que ton niveau politique est très bon, tu comprends bien la situation internationale. J'ai juste une petite question à te poser. Tu me dis si tu sais. Ça m'intéresse. Et demain, qu'est-ce qu'il y aura dans le journal ?

Il se força à sourire, sa bouche se tordit, mais le résultat fut une horrible grimace de bête traquée.

— Comment voudriez-vous, Pavel Egorovitch, que je sache ce qui sera écrit dans le journal demain ? Nous le saurons après l'avoir lu.

— Tu ne sais pas ? dis-je d'un ton désolé. Ce n'est pas bien. Je vais te le dire, moi. Demain, le journal annoncera que notre brave Boutique a achevé d'instruire l'importante affaire du complot des traîtres juifs, des renégats et des sionistes se faisant grossièrement passer pour des écrivains et des poètes soviétiques.

Merzon se taisait. Les avions, derrière le fleuve, s'envolaient vers le zénith bleu, se dispersaient brusquement et de nouveau se dirigeaient doucement vers la ligne rouge de l'horizon, écrivant dans le ciel au-dessus du monde : «Vive Staline!»

— Allons, buvons un coup, Arkadi!

Je trinquai avec lui, et il but une gorgée de vodka comme s'il avalait une larme. Je poursuivis :

— Après tout, peut-être n'y aura-t-il rien dans le journal. Ce sont les instances supérieures qui décideront. De toute façon, dans quelques jours, qu'il y ait quelque chose dans les journaux ou non, ils seront tous fusillés, les Markisch, les Fefer, les Kvitko, les Bergelson, les Hoffstein et toute votre synagogue littéraire. Comment analyses-tu cela?

Il étouffait, la langue lui obstruait la gorge et il essayait de respirer par le nez. Puis il marmonna d'une voix rauque :

— Le camarade Staline a indiqué que tout au long de la construction victorieuse du socialisme la lutte des classes s'intensifiait.

— Exactement! dis-je en levant un doigt professoral. Et quelle est l'étape suivante de la lutte des classes? Hein? Fais-moi profiter de tes réflexions, Arkadi.

Pour la première fois depuis le début de la soirée, il me regarda droit dans les yeux et dit doucement :

— Nous.

J'éclatai de rire et lui agitai mon doigt sous le nez :

— Tu te trompes. Pour toi et tes congénères qui travaillez dans les organes, ce serait trop d'honneur que de vous consacrer une étape entière! Les choses se feront en temps voulu. Non, la prochaine étape, c'est une affaire qui concerne tout le peuple, celle des médecins-assassins, des médecins-empoisonneurs, des monstres de cruauté, des sadiques qui ont attenté à sa vie, dis-je en désignant la rangée d'avions, embrasés dans le ruban rouge du crépuscule.

— Pourquoi me dites-vous tout ça? demanda Merzon en se mordant la lèvre de douleur.

— Parce que notre fidèle camarade et compagnon de combat, le commandant Lioutostanski, affirme qu'il y a des juifs et des youpins. Il considère qu'avec les youpins la question est simple. Quant aux juifs, il propose de les laisser vivre, mais à la condition qu'ils donnent une preuve de leur fidélité à notre cause commune. Ce point de vue a été approuvé par la direction.

— Et comment pouvons-nous prouver notre fidélité? demanda-t-il avec un sourire las.

— Par le sang, le plus sacré des serments…

Il écarquilla les yeux, et son visage aigu au nez busqué d'escroc avait un air stupide.

— La direction a approuvé la position de Lioutostanski, pour que tes congénères, les soi-disant écrivains, ne soient pas fusillés par les soldats de la garde mais par un peloton de volontaires qui voudraient donner une preuve de leur fidélité. Voilà ce qu'est la preuve par le sang.

Il arriva alors à Merzon un drôle de truc que je n'avais jamais observé jusque-là : il se mit à transpirer abondamment. La sueur lui coulait sur le front, de dessous son «youpinisme», sur son nez massif et tombant, le long des joues. Elle s'infiltrait dans le col de sa veste, le tissu clair se couvrait de taches sombres et se gonflait de ses sécrétions comme si je l'avais arrosé avec l'eau de la carafe.

Un tic nerveux agitait sa paupière, sa bouche tremblait comme celle d'un vieillard. Les lourdes gouttes tombaient de son nez et de son menton sur le journal avec un bruit régulier. Oh, magie du jeu sur les nerfs ! Cette sensation de cordes tendues à l'extrême, le choc puissant de l'archet de la menace et le pizzicato séduisant de l'espoir ! Que de Heifetz

375

et d'Oïstrakh méconnus ont ainsi joué d'inoubliables partitions dramatiques sur les cordes cassées des instruments disparus à jamais...

Musique sublime. Harmonie silencieuse de la peur et de la croyance absurde.

Croyance en rien.

Et mon intuition de maestro virtuose me suggéra que c'est à ce moment précis de mon improvisation, juste après l'accord strident des timbales du cœur, que devait intervenir un changement de tempo, une accalmie, un nouveau thème.

— Lioutostanski, c'est ta perte, c'est ton ange de la mort. Tu piges ?

Merzon haussa les épaules. Je jouais un solo qui ne demandait pas de réponse de sa part. D'ailleurs, qu'aurait-il pu me répondre ? Je n'attendais rien de lui, nous étions tous les deux des professionnels.

— Je vois, Merzon, que tu n'aimes pas beaucoup l'idée de la preuve par le sang. Je le vois bien. Tu ne veux pas tirer sur les juifs-écrivains. Tu ne veux pas prouver ta fidélité. Tu ne veux pas...

Il se taisait. Il se taisait et suait abondamment, à grosses gouttes. Peut-être était-ce son âme qui quittait le corps. Ou le contraire.

Je demandai :

— Ton photographe, ce hooligan politique, comment tu l'appelles déjà...

— Schneiderov.

— C'est ça, Schneiderov ! Il a bien quitté Leningrad pour s'installer à Moscou ?

— Exact ! répondit Merzon, perplexe.

— Cette nuit, tu prendras le train pour Leningrad. Il faut que tu t'occupes sérieusement...

— De Schneiderov ?

— De Lioutostanski.

— De qui ? articula Merzon avec peine.

— De Lioutostanski. Il est temps de lui casser les reins, sinon il ne se calmera jamais. Écoute-moi attentivement : il n'est pas ce qu'il dit. Son dossier doit être bidon.

J'en étais persuadé depuis longtemps déjà. Je connaissais deux ou trois détails intrigants. Plus exactement, j'avais des pressentiments, des soupçons, des questions. Mais surtout, par cette intuition de charlatan venue du fond de la moelle épinière, je sentais que nous étions de la même portée. Lorsque j'avais engagé Lioutostanski dans mon groupe, j'avais minutieusement étudié son dossier, toutes les observations et enquêtes faites à son sujet, les rapports sur ses relations : il était irréprochable. De mon point de vue de vieux singe, il l'était trop.

Les dossiers vraiment irréprochables étaient ceux de Minka Rioumine, de l'instructeur Zatsarenny, de l'inspecteur Jovtobrioukh, de notre chauffeur Chtchennikov ou de Vertebnaïa, la secrétaire. Tandis que celui de Vladislav Ippolitovitch, mon compagnon de combat, ardent bolchevik et tchékiste dévoué, possédait un double fond, comme les cafés de contrebande. Une troisième dimension cachée. Aucun des employés à la Direction du personnel n'était capable de trouver la cachette, car Lioutostanski l'avait soigneusement dissimulée. Il avait laissé éclater au grand jour ses plus secrètes aspirations en les masquant légèrement.

Lioutostanski vouait une haine mortelle au pouvoir soviétique. Et sa haine des juifs était l'illustration du débat de l'œuf et de la poule. Je ne peux pas dire ce que Lioutostanski détestait le plus, ce qu'il considérait comme la cause première : le pouvoir soviétique qui avait donné aux juifs la réussite sociale ou les juifs qui avaient accouché du pouvoir soviétique.

En parlant de ce qui se passait dans le pays, il n'utilisait que le superlatif. Nous utilisions exclusivement les clichés lus dans les journaux, tandis que dans les récitatifs enflammés de Lioutostanski j'avais rapidement repéré un vice de forme sérieux : ils étaient exempts de toute hypocrisie carriériste et joyeuse, de tout l'ânonnement écervelé des autres crétins. Toute son exaltation, passée dans le bain révélateur de ma méfiance, apparaissait comme une violente dérision masochiste.

Lioutostanski s'était trompé : il avait pensé que j'étais du même tonneau que Minka. Minka s'émerveillait devant sa culture et la trouvait normale chez ce fils d'ancien professeur de lycée. Et moi, je me taisais dans mon coin, sachant parfaitement que notre grand homme cultivé était orphelin depuis l'âge de cinq ans.

L'enquête préalable avait considéré que tous ses papiers concernant ses origines étaient satisfaisants. Mais je remarquai que certains de ces documents étaient des copies. Il y avait une explication à ça : Lioutostanski était né à Wilno, en Lituanie, qui après la Révolution s'était payé un congé de vingt ans. Il était impossible par conséquent d'obtenir des papiers d'avant 1940, un grand nombre d'archives ayant disparu pendant la guerre. Son acte de naissance, il est vrai, était authentique. Et puis il ne fallait pas faire confiance à nos enquêteurs, dressés à trouver un grand-père juif dissimulé mais incapables, par paresse ou par bêtise, de voir ce qui s'étalait sous leur nez.

Moi-même, j'avais subi une dizaine d'enquêtes de ce genre et aucun de ces ânes n'avait eu l'idée de se pencher sur ma date de naissance : 29 février 1927.

En vérité, feu mon pater, Dieu ait son âme, voulant retarder mon incorporation, avait bidouillé le certificat du soviet du village, en m'enlevant trois petites années. Et personne ne pensa qu'un 29 février pouvait arriver en 24, en 28 ou 32, mais sûrement pas en 27 ! Voilà ce que c'est, les enquêtes ! C'est le même bordel partout...

Voilà pourquoi, par cette chaude soirée de juillet, lorsque je lançai Merzon à la recherche de faits compromettants au sujet de Lioutostanski, je ne doutais pas un seul instant qu'il finirait par mettre la main sur quelque chose de pourri. C'était du côté de son père, le professeur de lycée, qu'il fallait creuser. Mon intuition me suggérait qu'on pouvait y trouver un joli tas de fumier.

Comme tout beau parleur, Lioutostanski risquait de se couper. Au cours de l'un de ses discours fleuris, il laissa tomber, pour la beauté de la phrase, que son papa avait été quelqu'un à Saint-Pétersbourg et que tout le monde le respectait. À Saint-Pétersbourg. Pourquoi, puisqu'il était de Wilno ? Et, remarquez le détail, à Saint-Pétersbourg, pas à Petrograd, c'est-à-dire encore avant la Grande Guerre[1].

Je ne posai aucune question à Lioutostanski mais notai ce fait dans ma mémoire.

— Ne dors plus, ne bois plus, nourris-toi de pierres, mais trouve toute la vérité, dis-je à Merzon.

— Mais je... mais je...

Merzon s'étranglait de ferveur, comme un chien de course.

— Le matin, tu passeras à la direction de Lenin-

1. Saint-Pétersbourg fut baptisé Petrograd en 1914 et Leningrad en 1924.

grad pour te signaler, tu feras une demande au sujet de Schneiderov et seulement après tu t'occuperas de notre affaire, lui ordonnai-je en guise d'instructions. Ne te presse pas pour rentrer, reste au moins deux semaines.

Il me regarda avec un air interrogateur sans oser poser de question. J'ajoutai :

— Pendant ce temps-là, on en aura terminé avec tous tes Fefer-Markisch.

Les larmes jaillirent des yeux de Merzon, il se pencha brutalement et me bava sur la main.

— Imbécile, dis-je en le repoussant. Il n'y a qu'au pope qu'on baise la main au grand jour.

... Peut-être fallait-il que je baise la main de Mangouste ? Peut-être que ça le calmerait ? Qui connaît toute l'étendue de l'orgueil juif ? Et s'il estimait tout d'un coup que c'était suffisant ? Peut-être même qu'il ne cherchait que ça, en traversant le rideau de fer, trouvant Maïka, puis courant à ma rencontre et se mettant comme un loup au travers de ma route, que ça : que je lui baise la main ? Peut-être que c'était lui qui nous avait imaginé de tels rôles ? Parce que les juifs, jamais ils ne parlent pour ne rien dire. Dans toute parole, il y a un sens caché, une interprétation talmudique, une allégorie chamanique de la Kabbale. Ou bien il voulait que nous mesurions nos forces dans un combat seul à seul, chacun pour sa nation, comme Peresvet et Tcheloubeï à la bataille de Koulikovo[1] ? Et, d'après lui, je devais, moi, jouer le rôle de celui qui baise la main de l'ennemi.

1. C'est à Koulikovo, sur la rive droite du Don, que Dmitri Donskoï, le grand-prince de Moscou, a battu en 1380 le khan Mamaï, chef des Mongols de la Horde d'or.

Était-ce cela qu'avait concocté cette petite ordure ? Je ne sais pas.

Je ne sais pas de quelles troupes il dispose, de quelle grande idée, je ne connais pas les drapeaux qui flottent au-dessus de cette horde de Judée. Alors que derrière moi, tiens, regarde : horizon immense et bleu, ma terre chérie jusqu'à la dernière goutte de sang. Et pas un homme. Juste moi. Au milieu du champ de bataille. Personne derrière moi. Juste des cadavres, des transfuges, des loups-garous et des girouettes. Un cimetière infini.

Toute mon armée, c'est moi et Kovchouk. Et le mercenaire de Braunschweig, le Thuringeois de Vologda, là-bas, quelque part au loin dans sa loge.

Nos drapeaux ont été bouffés par les mites de l'hypocrisie, l'existence pharisienne les a décousus fil à fil. J'aimerais bien pouvoir crier : arrêtez-le, c'est un ennemi ! Un ennemi de notre pays ! Assassin et pourchasseur de ses défenseurs valeureux ! Cognez-le, envoyez-le au bagne, précipitez-le dans les caves !

Mais c'est impossible. Personne ne l'enverra nulle part. Personne ne le précipitera dans une cave. On le gardera à vue quelques heures, on vérifiera ses papiers et on le renverra chez lui, dans son Occident pourrissant et délicieux. Et moi, que dalle.

Ce n'est pas à lui que j'en veux. C'est à mon pays. C'est lui qui a déchiré le pacte de coopération et d'assistance mutuelle passé entre lui et nous tous. C'était quoi, les termes de cet accord ? Lui pour nous et nous pour lui.

Nous lui avons tout donné, chauffeurs stupides et dévoués. Et aujourd'hui, il fait semblant de ne pas nous connaître. Comme si c'était nous qui avions pris l'initiative. Et l'on fait comprendre gentiment à tous ceux qui n'ont pas servi de combustible que, puisqu'ils ont de quoi manger et de quoi boire, ils feraient mieux de rester tranquilles! Et s'il leur arrive une tuile, ils n'ont qu'à se dépêtrer tout seuls. Nous n'avons plus besoin de vous. Vos places, dans la salle des machines, sont depuis longtemps occupées par d'autres combattants. Et vous, qui êtes bien au chaud, cessez de vous plaindre.

Alors, si toi, mon très respecté Mangouste, tu as concocté un spectacle où le brave chef guerrier russe, colonel sans peur, indestructible combattant de la Tcheka, doit baiser la main au youtre viking, au commandant au nez crochu de la Horde-sur-Jourdain, je suis prêt!

Je ne vais pas croiser le fer avec toi, comme Peresvet avec Tcheloubeï, pour que nos descendants se souviennent de nous, je ne veux pas nous transpercer l'un l'autre pour que nous tombions ensemble sans vie, en appelant nos armées à l'exploit.

Non, je veux te baiser la main, comme un petit moine humble. Je ne me sentirai pas humilié. Peu m'importe qui tu es : *pan* Moszka ou le juif Chalomeï.

Je suis prêt.

Je voudrais juste retarder le début de la bataille jusqu'à ce soir, le temps que mon armée, embusquée dans le vestibule, te prenne de revers, que mon bataillon d'élite, composé de Kovchouk, te pique la jugulaire avec son couteau.

— Mais qu'est-ce que vous voulez, à la fin? Que je me mette à genoux devant vous? Ou que je vous baise la main?

Je surgis du néant, fait ni de rêve ni de réalité mais de la pénombre angoissante du souvenir et de ce passé revenu sans que je l'aie invité. Je n'arrivais pas à distinguer le visage de Mangouste, un voile gris m'obstruait les yeux. J'entendais sa voix, sans vie mais impérieuse comme si elle sortait d'un haut-parleur :

— Nous méprisons les idolâtres. Nous avons honte pour celui qui se fait baiser la main et nous souffrons pour celui qui la baise. Si vous avez tué Nannos, c'est parce qu'il refusait d'adorer vos idoles. C'était un homme libre.

— Ce n'était pas un homme libre, objectai-je sans conviction. C'était un *zeka*[1].

— Un vrai juif reste libre même dans un camp de concentration. (Je crus entendre de la moquerie dans la voix de Mangouste.) Tandis que vous, ses assassins, vous étiez des esclaves parce que vous adoriez les idoles.

— Peut-être as-tu raison, convins-je d'un ton las. Mais l'esclave n'est pas libre de ses choix... Il exécute des ordres...

Le silence et le vide, l'obscurité poisseuse avaient tissé une toile si serrée autour de moi que, dans ma confusion, l'idée si douce que j'étais en train de dormir me traversa l'esprit. Et si je m'étais endormi dans un bistrot, après une bonne cuite ?

Mangouste en a eu assez d'attendre et il est parti. Peut-être même n'était-il jamais venu ? Tout ça n'était qu'un mirage, de la poudre aux yeux. Visions d'un psychisme malade et ruiné. Il suffit d'ouvrir les yeux — et il n'y a personne en face de moi. Je suis seul.

Sortant avec précaution de l'embuscade, mes paupières lourdes se soulevèrent, je regardai de

---

1. Abréviation pour «détenu du canal», qui désignait les prisonniers travaillant entre 1931 et 1933 au percement du canal entre la mer Baltique et la mer Blanche, terme devenu générique pour tous les prisonniers du Goulag.

biais et mes paupières se refermèrent comme des hublots.

Mangouste était en face de moi et me regardait, le salaud. Je l'entendis qui articulait lentement :

— Vous vous rappelez ce qu'est une identification à l'ordre reçu ?

... Identification à l'ordre... identification à l'ordre... identification à l'ordre...

... Quelque chose cliqueta dans ma tête, comme un bruit d'aiguillage, les neurones de la mémoire se précipitèrent dans un méandre voisin, pas loin de là où fut tué Nannos, mais ce méandre se situait beaucoup plus haut, plus près de nous, Mangouste et moi.

Ces mots, je m'en souvenais, je les avais lus dans un document ou entendus il n'y a pas si longtemps.

Identification à l'ordre reçu.

Je m'en souvenais. Je hochai la tête.

— Vous ne vous souvenez pas ? me titillait Mangouste. Je vais vous rappeler le contexte : « Nous avons estimé que l'accusé a agi en s'étant entièrement identifié aux ordres reçus par lui et qu'il a agi, mû par le désir ardent d'atteindre ces objectifs criminels... »

— Hou-ou !

Je n'eus pas la force de retenir ce cri du loup aux abois, tant étaient vives la douleur qui me submergea et la peur qui me serra le cœur. La bulle de l'oubli éclata et la réalité me frappa avec sa hache chauffée à blanc.

Identification à l'ordre reçu.

... Chaque nouveau-né est un premier-né, sa vie est sacrée, unique et intouchable... La ville de Fri-

bourg, le procès des bourreaux d'Auschwitz...
déposition de Dov Ber... témoin d'Israël... commando juif... bureau du docteur Simon Wiesenthal...

— Alors, ça vous revient? criait Mangouste, et son cri me retourna comme une chaussette, m'étouffant et m'écrasant.

Mon Dieu, celui qui ne s'est jamais fait happer par un tourbillon ne peut pas comprendre ce qu'est l'impuissance de l'homme face aux éléments déchaînés.

Et Mangouste était si effrayant, maintenant qu'il avait mélangé tous les temps dans son chaudron juif et ouvert le gouffre du passé sous mes pieds, que je ne pus m'empêcher de répéter après lui, impuissant et désespéré : «... la définition d'une peine pour des crimes aussi horribles ne dépend pas de la façon dont cette identification s'est révélée...».

— Ça vous revient?

— Oui, répondis-je, résigné. C'est le jugement du procès d'Adolf Eichmann.

Dov Ber, l'un de ceux qui avaient enlevé Eichmann en Argentine, avait lu ce jugement au tribunal de Fribourg.

Le bureau du docteur Wiesenthal à Vienne, le Centre de documentation juive.

Mangouste, le chien policier de Wiesenthal, était venu me chercher. Venu chercher le colonel de réserve du MGB Pavel Egorovitch Khvatkine.

Il m'assimilait à l'Obersturmbannführer SS Adolf Eichmann. Qui? Qui, il y a très longtemps, m'avait déjà surnommé Eichmann? Qui? Quand?

Plongeon dans l'obscurité. Toute-puissance du tourbillon de l'histoire.

— Répondez, pourquoi avez-vous choisi précisément Elieser Nannos ?

— C'est Lioutostanski qui m'a proposé son nom. Il en avait entendu parler quand il était enfant, à Wilno...

14

Le cirque

Le lustre immense nous éclaboussa de lumière jaune, pareille à une pluie de soufre. Et le sombre visage osseux de Mangouste prit une teinte paludéenne.

Depuis combien d'heures étions-nous assis dans cette salle ? Peut-être que cette tripaille youpine avait réussi à arrêter le temps moscovite, docile et véloce, et rempli l'aquarium du restaurant avec l'eau stagnante des marais de son temps à lui, où le présent fait des bulles, le passé bouillonne comme une source et le futur remue paresseusement ?

Derrière les hautes fenêtres se profilait le crépuscule rouge et bleu — immense hématome sur la gueule blafarde de la voûte céleste.

La nourriture, sur la table, à laquelle nous n'avions pas touché, avait un air pitoyable. Je ne regardais pas Mangouste mais son reflet dans deux immenses miroirs, deux murs de mercure et d'argent montant jusqu'au plafond ; l'un des deux miroirs était fait d'une pièce, il était jauni par le temps, l'autre était composé de plusieurs morceaux.

Dans le miroir d'un seul tenant, je voyais Mangouste, semblable à une grosse pierre noire toute lisse ; ses jambes étaient ramassées sous la chaise comme s'il s'apprêtait à effectuer un plongeon. Dans l'autre miroir, sa silhouette était déchirée en morceaux : à cause du défaut de la glace, sa tête s'était comme détachée du tronc, ses bras jaillissaient d'une manière absurde, la cigarette fumait dans sa main, son derrière, qui ne semblait appartenir à personne, s'écrasait contre la chaise avec, en dessous, des jambes crispées de haine.

— Vous savez ce que c'est ? demandai-je en pointant le doigt sur le miroir.

Mangouste jeta un bref coup d'œil par-dessus son épaule et déclara, impassible :

— Un miroir.

Rien ne pouvait l'étonner. J'expliquai :

— Ce n'est pas un simple miroir. C'est le miroir de notre mystérieuse âme slave.

Un large sourire barra sa face livide et il me fit un clin d'œil, qui voulait certainement dire : vas-y, mon vieux, vas-y, je suis là pour t'écouter.

— Autrefois, il y avait à l'endroit où nous nous trouvons un restaurant de luxe, le Yar. Avant la Révolution, les riches marchands venaient y faire la fête.

Mangouste hocha la tête d'un air entendu :

— Et aujourd'hui, c'est le contraire, c'est bourré de paysans et de plombiers.

— Ça n'a rien à voir. Il n'existe pas dans le monde un seul restaurant de luxe pour paysans et plombiers. Je voudrais vous montrer l'erreur principale de votre entreprise...

— Très intéressant !

— Vous jugez les gens hors du contexte historique.

— Eh ben ! s'écria Mangouste, ravi, et il frappa dans ses mains.

— On ne peut juger les actes des hommes qu'en

regard des critères comportementaux de leur temps, on ne peut pas détacher leur action de l'histoire, même s'ils ont survécu à leur époque!

— Très convaincant, très scientifique, *Herr Professor*, ricana Mangouste. Mais que vient faire le miroir là-dedans?

— Le miroir, c'est la photographie la plus exacte de l'époque. Lorsque le marchand ivre voulait éprouver sa force et sa puissance, il lançait une bouteille de champagne contre ces miroirs. L'humble âme russe, qui se cherche en permanence, a toujours eu besoin de formes voyantes d'affirmation de soi.

— Excellente distraction, approuva Mangouste. Et qu'en pensaient les autres?

— Les clients applaudissaient, les employés balayaient rapidement les débris, on portait sur la note du marchand le prix du miroir, qu'on remplaçait le lendemain. Dans la cour du restaurant, il y a encore le placard à casiers où il y avait toujours des miroirs de rechange. Ce placard est vide depuis plus d'un demi-siècle, personne ne fabrique plus de tels miroirs. On ne peut pas remplacer celui-là. Et pour quoi faire, d'ailleurs? Chacun sait que, s'il lui prenait l'envie de lancer une bouteille de champagne contre le miroir, il prendrait cinq ans ferme.

— Voilà une histoire passionnante, dit Mangouste. Pourquoi me l'avez-vous racontée?

— Je vous fais une proposition. Allons trouver un de ces débauchés de marchands, ils ne sont pas tous morts, quand même, faisons une enquête sur leur comportement dans un lieu public et envoyons-les devant les juges pour hooliganisme, malfaisance et cynisme.

— Ça vous amuse de jouer au con? demanda Mangouste, à la fois calme et menaçant.

— Ma petite Mangouste chérie, comprends-moi

bien, je ne joue pas au con! Je t'explique ce que toi, petit monsieur étranger, tu ne peux comprendre! Nous vivions à une époque où les miroirs étaient difficiles à trouver alors que des gueules sur lesquelles on pouvait cogner à toute heure du jour et de la nuit, il en pleuvait. Notre État nous a ordonné de nous affirmer non pas en brisant des miroirs mais en cognant sur la tronche de nos concitoyens et en détruisant leur existence. Et si je suis coupable de quelque chose, c'est d'avoir voulu sauver ma peau. Je me suis identifié non pas à l'ordre reçu de torturer le prisonnier mais à l'espoir qu'il avait de survivre...

— Et vous avez réussi à survivre, ricana Mangouste. Très longtemps.

Il se tut quelques instants puis ajouta avec douleur et haine:

— Vous dites des choses monstrueuses!

— Il n'y a rien de monstrueux! criai-je. Je dis la vérité! Pourquoi tu me poses des questions au lieu de porter plainte contre l'État? Tu veux faire de moi un criminel! Trente ans après! Il y a prescription, tu n'obtiendras rien.

— Il n'y a pas prescription pour les crimes de cette espèce, remarqua-t-il froidement.

— Bien sûr que si! Et comment! Davantage encore que pour le vol à la tire. Pourquoi crois-tu que le droit international reconnaît la prescription? Parce que le crime est trop ancien ou parce qu'on se lasse d'attendre la punition ou encore parce que la douleur de ceux qui ont souffert s'adoucit? Que non, mon ami! C'est la grande sagesse de la loi: pendant le délai de la prescription, l'appréciation de nos comportements change. On ne peut pas mesurer avec les critères d'aujourd'hui les actes perpétrés il y a trente ans.

— Selon quels critères voudriez-vous juger l'assassinat d'Elieser Nannos? demanda aimablement Mangouste.

— Aucun! Pas besoin de juger! Il faut oublier! Et pourquoi justement Nannos? Vous n'avez personne d'autre? Il y a eu du gibier autrement plus gros que Nannos!

— L'histoire demandera des comptes pour tout le monde, dit Mangouste, sûr de lui. Les gens les demanderont.

— Arrêtez de dire des conneries! Quelle histoire? Quels gens? L'humanité est débile et n'a aucune curiosité. Tandis que l'histoire n'est qu'un faux grossier et triomphant écrit par les vainqueurs. Les vaincus, eux, n'ont pas d'histoire.

— Où sont-ils passés, ces vaincus?

— Évanouis. Disparus. Bouffés par les vers. Emportés par le fleuve du temps. Et les survivants de cette victoire à la Pyrrhus leur ont inventé une histoire, une chaîne de mythes illogiques et hâtifs. Tandis que les délais de prescription ont englouti toutes les absurdités, les profits et les pertes.

— J'aimerais vous rappeler, dit Mangouste en souriant, que vos collègues du Reich allemand n'ont pas bénéficié de cette prescription.

— C'est normal! dis-je en levant un doigt professoral, et devant mes yeux surgit le visage malheureux, effrayé et hébété de l'accusé Steiner, le maître gazier des camions de Sachsenhausen. Parce que leurs «exploits» ont rejoint l'histoire. L'histoire de leurs crimes. Parce que ces imbéciles se sont laissé vaincre. Ils ont perdu!

— Tandis que vous, vous êtes vainqueurs?

— Nous? Individuellement, nous avons perdu. Mais la Boutique que nous avons servie, elle, a gagné. Et le score de l'histoire est revenu à zéro. La

Boutique a toujours été noble et merveilleuse, mais quelques escrocs isolés ont réussi à l'infiltrer, pour tenter de souiller et de gâcher sa haute mission.

— Pourquoi votre Boutique n'a-t-elle pas écrit une petite histoire, indépendante de la sienne, relatant les crimes de ces quelques escrocs isolés qui l'ont infiltrée ?

— Parce que les quelques escrocs isolés qui l'ont infiltrée, en termes de statistique, c'est l'ensemble de ceux qui ont brandi le glaive du châtiment. Et la Boutique triomphante a permis d'effacer le souvenir de chacun de nous, les vaincus, ordonnant à tous les citoyens d'oublier le passé et de rester des amis.

— Et tous l'ont oublié, dit Mangouste.

— Bien sûr. Moi aussi, j'ai tout oublié. Je n'ai pas besoin de l'histoire. Je n'ai jamais été bouffé par les vers de la vanité. Oui, j'ai perdu. Mais toi aussi, tu as perdu, et je n'ai pas de comptes à te rendre. Tout le monde a perdu. Lioutostanski, Elieser Nannos et moi. Seule la Boutique a gagné. Et elle écrira l'histoire à sa guise.

— Vous vous trompez, cher colonel. À part l'histoire qu'écrit votre Boutique, il existe une autre histoire, qui vit dans la mémoire libre des hommes. Et au nom de cette histoire vous allez répondre à toutes les questions qui m'intéressent.

— J'aimerais savoir pourquoi tu es si sûr que je vais répondre à ces questions.

Mangouste arbora longuement son sourire de serpent, puis répondit avec un accent de sincérité :

— Parce que j'ai tendance à penser que vous n'êtes pas un sadique et que vous n'avez pas assassiné les gens par nécessité intérieure. Mais pour survivre. Vous venez de me démontrer que c'est la raison pour laquelle vous vous êtes identifié aux ordres de votre Boutique. Et maintenant, comme un homme intelligent et profondément amoral, vous allez exécuter mes ordres avec autant de ferveur. Parce que c'est votre seul espoir de survivre.

Il se pencha brusquement au-dessus de la table et demanda :

— Vous comprenez ça ? Ou alors…

Il se tut et ne me dit pas ce qui se passerait «alors». Nous sommes les artisans d'une seule et même échoppe, nous n'avons pas besoin qu'on nous explique tous les détails. Moi aussi, j'ai mon «ou alors» et il se tient en ce moment dans le hall de marbre, sanglé dans un uniforme noir d'amiral. Mon «ou alors» s'appelle Kovchouk. Et le sien, il ressemble à quoi, sous quelle forme va-t-il m'apparaître ?

Je m'épouvantai tout à coup : où était passé le Machiniste ? Pourquoi avait-il disparu, lui qui volait au-dessus de moi comme un corbeau ? Est-ce que le Machiniste serait justement le «ou alors» de Mangouste ? Ou encore, Mangouste et le Machiniste seraient une même chose, deux hypostases du cauchemar infini ? Mangouste, il est là, je peux le toucher. Où est le Machiniste ?

Je me retournai brusquement, l'image de Mangouste sautilla dans les éclats du miroir, pendant un instant ses membres se recollèrent et il me sembla qu'il s'était élancé pour me sauter dessus, qu'il resta suspendu en l'air, puis retomba en morceaux, qui reprirent leur existence autonome dans les éclats du miroir.

— Garçon ! Une bouteille de vodka ! criai-je, et le *rynda* surgit aussi rapidement que s'il n'avait pas été ce simple passant dans la rue déserte où l'on voulait m'assassiner mais un rabatteur engagé par le Machiniste.

Le verre de vodka était énorme et vivifiant comme un ballon d'oxygène. Mon cœur engourdi se souleva, l'air passa dans les poumons, la drogue liquide émoussa la peur, me gonfla d'espoir ; j'eus envie de dire à Mangouste que ce n'est pas d'Elieser Nannos qu'il s'agissait, que ce n'était pas par lui qu'il fallait commencer, lorsque je vis Abakoumov avancer dans la salle de restaurant presque déserte…

Viktor Semionovitch, notre inoubliable ministre.

… Jeune, grand, rougeaud, légèrement ivre comme à son habitude, la tunique portée par-dessus la ceinture, les étoiles étincelant sur ses épaulettes.

— Vas-y, Khvatkine, fais ton rapport, quels sont tes exploits, aujourd'hui ?

— Viktor Semionovitch, on vous a fusillé, il y a longtemps de cela, vous n'avez même pas de tombe…

— Et alors ? Ton beau-père, le juif, je ne me souviens plus de son nom, lui non plus n'a pas de tombe. Nous nous enfouissons sous terre, nous nous envolons en nuage de poussière, mais nous sommes toujours là…

— Ce n'est pas possible ! Ces temps-là sont finis.

— On s'est trompés, Pachka ; le temps, c'est un fleuve circulaire, il part, mais il revient toujours… Tu me dois des comptes, Pachounia.

— Quels comptes, camarade colonel-général ?

— Je t'ai nourri en mon sein, vermisseau minable, inconnu et morveux, je t'ai donné une place dans la vie, et toi tu m'as détruit.

— Ce n'est pas moi ! C'est Minka Rioumine !

— Tu mens, espèce de serpent! Minka Rioumine était un âne et un lèche-cul. C'est bien toi qui as imaginé l'affaire des assassins en «blouse blanche»?

— Oui, c'est moi...

Et voilà que lui aussi, en son temps ministre tout-puissant, fusillé depuis longtemps et revenu à moi sur le manège du temps, me demande des comptes. Viktor Semionovitch, qu'est-ce que vous avez, tous? Ou vous avez vraiment perdu la mémoire? Allons, faites un effort, souvenez-vous de ce qui est vraiment arrivé.

Il y eut le Saint Patron.

Nous, par la grâce de Dieu, Iossif l'Unique, empereur et autocrate de toutes les Russies, de Moscou, de Kiev, de Vladimir et de Novgorod.

Tsar de Kazan, tsar d'Astrakhan, tsar de Pologne, tsar de Sibérie, tsar de Kherson-en-Tauride, tsar de Géorgie.

Grand-prince de Smolensk, de Lituanie, de Volhynie, de Podolie, de Finlande.

Prince de Carélie, de Tver, de Iougor et de Perm.

Souverain et grand-prince de Tchernigov, de Iaroslavl, d'Obdor; et de toutes les terres du Nord le seigneur.

Et souverain des terres d'Iverie, de Kartaly, de Kabardie et d'Arménie.

Des princes de Tcherkassy, des montagnes et des autres — le souverain héritier, souverain du Turkestan, de Kirghizie, du Kazakhstan.

Nous, le très auguste et communiste secrétaire général, président du gouvernement de l'Union.

Généralissime de tous les temps et de tous les peuples.

Coryphée émérite de l'Académie des sciences.

Guide suprême des philosophes, des économistes et des philologues.

Amis des enfants et des sportifs.

Oui, il y eut le Saint Patron.

Un criminel, petit, roux, le visage bouffé par la petite vérole.

Le récipient de toute la beauté impériale. Nous autres, un quart de milliard, nous existions à ses côtés.

Les pères fondateurs de la patrie prolétarienne ont en hâte supprimé les vieilles armoiries tsaristes et en ont inventé de nouvelles : une botte d'épis malingre, une faucille préhistorique et un marteau en bois. Comme s'ils avaient su où nous allions et ce que nous allions vivre.

Mais les vieilles armoiries n'ont pas disparu à jamais. Au-dessus de la tête du Patron, rougeoyait l'effrayant oiseau bicéphale gorgé de sang, qui n'acceptait qu'une seule nourriture : la chair humaine fraîche. L'une des deux têtes au bec crochu s'appelait Beria, l'autre Malenkov. La première sangsue était le chef de la police, la deuxième, le chef du Parti. Et avec leurs pattes communes, ils raclaient le pays sans répit, et de leur sceptre insoulevable ils cognaient sur les têtes, les résignées comme les récalcitrantes.

... Et je vis Abakoumov qui marchait à ma rencontre dans le couloir.

... Viktor Semionytch, notre ministre tout-puissant, le patron de la Boutique, imbécile rusé, roublard naïf, gaillard perfide. Abakoumov était un peu plus grand et plus vieux que moi, la gueule cramoisie et frittée par les flammes bouillonnantes de l'alcool. Le col déboutonné, les épaulettes scintillantes, les bottines en chevreau brillantes. Et les galons sur sa culotte, comme des coulées de sang.

Il souriait malicieusement et agitait un doigt menaçant :

— Vas-y, Khvatkine, fais ton rapport, quels sont tes exploits, aujourd'hui ?

Voilà une rencontre qui tombait bien, dans ce couloir, à deux pas de son bureau. Il avait dû faire la tournée de ses adjoints, pour leur raconter des blagues. Il était de bonne humeur, pas encore soûl, mais déjà un peu gai. Un peu après huit heures du soir, hiver 1950 : le professeur Lourié, vagabond anonyme, a déjà été brûlé dans le crématoire, mais je n'ai pas encore fait la connaissance de Lioutostanski, il travaille pour l'instant au bureau des laissez-passer à calligraphier les cartes d'identité des tchékistes, tandis que Minka Rioumine n'est qu'instructeur principal, mais, contaminé par mon histoire d'assassins en blouse blanche, il s'enflamme et trépigne d'impatience, alors que la direction n'est pas encore au courant de ce projet, qu'il faut préparer, formuler et présenter correctement, à qui de droit et au moment opportun.

— Quels exploits, camarade colonel-général ? Le nez dans les dossiers ! Avant, vous m'envoyiez sur le terrain, et me voilà devenu clerc. J'ai le temps d'user mon uniforme sur la chaise avant qu'on ne m'en donne un neuf.

Abakoumov se mit à rire et me tapota l'épaule, paternel.

— Ne joue pas les martyrs, nigaud ! Je suis content de toi. Tu as la tête bien faite, fils de pute, on voit que tu fais des efforts. Nous avons assez de spécialistes en catastrophes soudaines ou en suicides. Allez, viens dans mon bureau, on va bavarder un peu.

Il me prit par les épaules et m'emmena dans sa salle d'attente, que nous appelions le wagon — une pièce immense tout en longueur, avec, le long des deux murs, une rangée de fauteuils de cinéma, occupés à ce moment-là par deux dizaines de généraux en route pour le futur, sous l'œil attentif du colonel Kotchegarov, aide de camp personnel du ministre. Derrière son bureau, avec sa douzaine de téléphones de couleurs différentes, c'est vrai que Kotchegarov ressemblait à un wattman : il pressait les boutons sur le pupitre, parlait dans l'interphone, tout en décrochant un combiné, un autre coincé entre son oreille et son épaule, jetant le troisième sur son socle. Ce monstre fessu avait l'air très affairé.

Les fauteuils claquèrent d'un commun accord, les généraux se mirent au garde-à-vous et fixèrent jalousement mon épaule, où reposait la dextre massive du ministre.

Mon Dieu, que n'auraient-ils donné pour échanger leur place avec la mienne et mettre leur épaule frémissante d'amour et d'excitation sous la protection de la main d'Abakoumov! Ce n'est pas pour rien qu'ils étaient assis dans les fauteuils. Je ne sais plus qui a inventé ça, Iagoda, Iejov ou Lavrenti, de mettre dans la salle d'attente du ministre de la Sécurité d'État non pas des meubles fonctionnels et chers mais des fauteuils cirés à bascule. Comme au cinoche. Il suffisait de se soulever légèrement, de s'oublier, de perdre le contrôle un moment et *pan!* le siège se relevait avec un bruit sec. Et ces fauteuils agiles et incertains venaient à bout de leurs nerfs, parce qu'ils ne savaient jamais, ces deux dizaines de généraux, pourquoi le ministre les avait convoqués.

Affaires courantes? Rapport? Promotion? Ou pour leur passer un savon mémorable? Pour les rétrograder? Ou bien... L'année précédente, sur ordre du ministre, le wattman Kotchegarov avait ici même, près du bureau, arraché les épaulettes du major-général Ilyin et l'avait envoyé sous escorte au sous-sol. Bloc G, prison intérieure.

Et maintenant ils essayaient de croiser le regard d'Abakoumov et de comprendre pourquoi on les avait convoqués — grâce ou disgrâce? —, de deviner combien de temps ils devraient encore rester assis dans ces fauteuils. En vain. Abakoumov traversait la salle d'attente, la main sur mon épaule, le regard au-dessus de la haie de généraux, l'œil légèrement plissé, avec une expression d'indifférence mêlée de dégoût.

Kotchegarov surgit de derrière son bureau, agitant ses cuisses grasses et difformes :

— Personne n'a téléphoné, Viktor Semionovitch. Tout est calme…

Hautain et grand seigneur, Abakoumov fit un signe de la tête, me poussa vers la porte ouverte et dit avec bienveillance :

— Assieds-toi… On va s'en jeter un derrière la cravate.

C'était un joli bureau que celui de Viktor Semionytch. Au départ on avait prévu d'en faire une salle de réunion. La salle de réunion de la direction des assurances Rossia.

Ô insouciants assureurs! Ils promettaient de nous prémunir contre tous les malheurs, toutes les infortunes. De payer, de dédommager. Ils avaient construit un immeuble prestigieux place Loubianka, avec une salle de réunion pour la direction, une merveille. Poutres en chêne, murs lambrissés, cheminée de granit de Finlande, gigantesque lustre en cristal. Seulement, ils avaient oublié de se concerter avec l'assureur en chef, celui du ciel, et c'est Felix Edmoundovitch Dzerjinski qui emménagea dans la salle de réunion directoriale des assurances Rossia. Et commença aussitôt à envoyer ses polices !

Et après lui — Menjinski.

Et après — Iagoda.

Après encore — Iejov.

Et aujourd'hui, derrière le bureau vert, grand comme un court de tennis, trône Viktor Semiono-vitch, l'assureur en chef de la Russie.

De merveilleux assureurs, vraiment !

Et nous — on se débrouille pas mal. Nous sommes des agents d'assurance. Nous assurons la peur à tout le pays. Nous avons transformé toutes les existences en sinistres et la modeste compagnie d'assurances Rossia en une toute-puissante Société d'Assurances sur la peur de la Russie.

Assurance d'État. Sécurité d'État. Peur d'État.

Une seule chose cloche : après avoir assuré tout le monde, nous-mêmes tremblions de peur. En effrayant les autres, nous plongions nous-mêmes dans la mélasse glacée de la peur.

Personne et jamais ne pourra en sortir. Cette assurance est valable pour la vie entière et le contrat comprend tout : les biens, la volonté, la famille, la santé, la vie.

Le monde n'avait pas encore connu d'assurances de ce type.

Abakoumov ouvrit le placard et en sortit une bouteille noire, sans étiquette. Il remplit deux verres et m'ordonna de boire :

— À la tienne !

Il avala le liquide ambré. Je ne me fis pas prier non plus. L'emballage d'aluminium du chocolat. « Étiquette d'argent » craqua sous les doigts du ministre, il entama la plaquette à même les dents et approcha de moi le morceau qui restait.

C'était un de ses rares témoignages de bienveillance ! Il me concoctait quelque chose de sérieux.

— Sur quoi tu travailles en ce moment ? demanda Abakoumov.

— Il y a une question intéressante, camarade colonel-général, commençai-je avec prudence — il fallait le tâter soigneusement au sujet de l'affaire des médecins, deviner ses plans.

— Quelqu'un m'a prévenu que les juifs commençaient à remuer.

Abakoumov se mit à rire :

— Les juifs remuent en permanence. C'est leur profession. Et qu'est-ce qu'ils veulent ?

— Des broutilles : une légitimité. Une république à eux.

— Ils en ont déjà une, s'étonna Abakoumov. On leur a donné un morceau du Birobidjan !

— Ils disent que c'est très loin et qu'il y fait trop froid. Ils préféreraient la Crimée...

Abakoumov se mit en colère :

— Quoi ? ? ?

— La Crimée. Ils aimeraient prendre la place des Tatars déportés. Ils disent que ce sera facile d'y rassembler tous les juifs du pays et de créer une dix-septième république.

— Et un coup de pied au cul ? dit Abakoumov avec une voix aussi menaçante que si c'était moi qui proposais la création de la République socialiste juive avec Sébastopol pour capitale.

— Je ne pense pas, dis-je humblement, et j'ajoutai : Mais pour ce qui est du coup de pied au cul, il va falloir leur en donner un sévère.

— C'est qui, ces gens ?

— Je ne sais pas pourquoi, mais il y a une majorité de médecins, de professeurs. Quelques écrivains, des ingénieurs.

Bien sûr, je n'avais pas l'intention d'intercéder pour la création d'une république juive. J'étais tout simplement le créateur de ce pays imaginaire. Il m'était indispensable, c'était le socle sur lequel reposait mon chef-d'œuvre, le complot des médecins visant à assassiner le Saint Patron.

Voilà pourquoi j'avais ordonné à mon agent, le journaliste-informateur Rouvim Zaslavski, de donner de la publicité à l'idée d'une république juive en Crimée parmi les youpintellectuels, expliquant que cette idée émanait du gouvernement. Premièrement, pour des raisons diplomatiques, deuxièmement pour contrebalancer l'influence sioniste d'Israël, troisièmement pour le règlement définitif de la question juive, le gouvernement était intéressé par la création d'une république juive prospère en Crimée. Il fallait qu'un groupe représentatif de juifs en vue adresse une demande au Patron. Lui, bien sûr, ne s'opposera pas à ce projet, d'autant que la presqu'île est à elle seule une station balnéaire gigantesque, quasiment déserte depuis la déportation des Tatars. Parmi les juifs, il y a pas mal d'imbéciles, si étonnant que ça puisse paraître. Quelques-uns de ces crétins avaient pris feu, s'étaient mis à rêver, puis, complètement remontés, s'étaient précipités chez leur factotum principal auprès du Patron, Sage Solomonovitch Ehrenbourg. Ce rat puant, pas plus bête que moi, les avait écoutés et avait dit, après avoir lu la lettre adressée au Très-Haut :

— Vous voulez un ghetto ? Vous l'aurez. Pas en Crimée, mais beaucoup plus au nord-est...

Mais il n'était pas parvenu à refroidir leur zèle légitimiste.

— Alors comme ça, les juifs ont envie de se rapprocher des mers chaudes ? demanda Abakoumov en émettant un clappement.

Le téléphone blanc ivoire, le disque frappé d'armoiries dorées, se mit à sonner.

— Abakoumov, j'écoute ! répondit-il, et il se souleva dans un mouvement de zèle. Je vous écoute, Lavrenti Palytch. Oui... Oui, bien sûr ! Affirmatif ! Je vais prendre mes dispositions immédiatement... À vos ordres ! Vous pouvez compter sur moi. Je suis désolé... On ne peut pas être sûr de tout le monde... Je m'en occupe personnellement...

Le combiné bouillonnait et répandait le flot fulminant du parler caucasien guttural, mêlé de jurons et crépitant du feu de la colère suprême de Lavrenti.

Et tout à coup, sans faire attention à moi — m'avait-il oublié ou me faisait-il suffisamment confiance ? —, il dit avec des larmes dans la voix :

— Lavrenti Palytch, cher ami, vous savez bien que ce fils de pute de Kroutovanov surveille chacun de mes pas et ne veut qu'une chose, sucer tout mon sang... C'est pour notre malheur que le beau-frère nous l'a fourré.

Il se tut, écoutant attentivement les jurons épouvantables de son protecteur, puis dit :

— Bien sûr, je vais faire tout mon possible... À vos ordres ! Je vous fais un rapport demain.

Il reposa le combiné, se servit un verre de cognac d'une main tremblante, le vida d'un trait, sans toucher cette fois au chocolat « Étiquette d'argent ».

Je ne faisais pas de bruit. Comme une souris cachée sous sa lame de parquet. Ce serait bien, si je pouvais filer sans qu'Abakoumov se souvienne de ma présence ! Par hasard, j'avais entendu une conversation que je n'aurais pas dû entendre. J'avais

403

vu les deux têtes d'oiseau des armoiries se donner des coups de bec derrière la tête du Patron.

Le beau-frère, c'est Malenkov. Kroutovanov et lui ont épousé deux sœurs. Kroutovanov est un petit malin tout en nerfs qui occupe un bureau au même étage qu'Abakoumov. Il est son premier adjoint. Les yeux et les oreilles de Malenkov dans le patrimoine, la réserve, le bastion de Beria.

Un combat à mort, une demi-finale : si Abakoumov fait une erreur, Kroutovanov le remplacera immédiatement. C'est comme ça que Malenkov scie peu à peu les barreaux de la chaise de Beria.

Il est vrai que Kroutovanov serait alors court-circuité par une autre créature de Beria, le vice-ministre Koboulov. Mais le Patron préfère Abakoumov et lui fait davantage confiance qu'à Koboulov : il se méfie de la sournoiserie asiate. C'est pour ça qu'il a flanqué son *pays* Goglidzé dans le dos de Koboulov. Tandis que Malenkov, pour secourir Kroutovanov, pousse doucement en avant son ancien secrétaire et aujourd'hui troisième vice-ministre Soudoplatov.

Subtilité des innombrables combinaisons de cette partie d'échecs qu'est la politique !

Partie politique.

Politique policière.

Police du Parti.

Subtilité inutile, puisqu'un seul et même grand maître joue à la fois avec les blancs et les noirs. Avec lui-même. Contre l'humanité.

Abakoumov me lança un regard embrumé et poussa un profond soupir :

— Ah, Pachka, mon frère, c'est dur ! Gouverner, c'est autre chose que de se gratter les couilles.

J'acquiesçai d'un hochement de tête et me résolus à lui rappeler mon affaire :

— Viktor Semionytch, qu'est-ce qu'on fait au sujet de l'autonomie juive en Crimée ?

Abakoumov dit avec un geste de dépit :

— C'est rien ! Passe un savon à qui de droit, mais donner de l'ampleur à cette affaire, ça n'a pas de sens en ce moment. Il y a quelque chose de plus important qui est en train de remonter à la surface…

Il se leva, resserra sa ceinture, ajusta sa bandoulière et se mit à arpenter le bureau d'un pas lourd, en faisant cliqueter tout son harnais de ceintures cirées, de boucles, de décorations, de médailles. Il était suivi d'une vague d'odeur âcre de cuir, de sueur, de cognac, d'eau de Cologne et, dans sa démarche souple, dans tout son corps lourd et musclé et sa petite tête bien faite, on pouvait deviner la force effrayante d'un animal puissant et repu.

— On y va ! ordonna-t-il.

— À vos ordres ! Vous permettez que j'aille chercher ma capote, Viktor Semionovitch ?

— Pas la peine, dit-il. Il fait chaud dans ma voiture.

Notre route fut longue depuis le bureau jusqu'à l'entrée numéro 1, à travers le wagon d'attente, où les généraux devaient attendre indéfiniment notre retour assis dans leurs fauteuils de cinéma, dans le couloir avec son tapis aussi rouge que les galons sanglants de la culotte d'Abakoumov ; à travers le vestibule de granit, grisâtre comme des catacombes. Cela ressemblait au jeu d'enfants « bouge-bouge pas » qui se serait éternisé : tous ceux qu'on rencontrait à cette heure de la soirée où le travail battait son plein se mettaient au garde-à-vous, la main sur la couture du pantalon, dos au mur, les yeux grands ouverts, le regard dévoué fixé sur la racine du nez d'Abakoumov, le souffle coupé, et il était clair que si on ne leur criait pas « Bouge ! », ils mourraient dans l'exaltation muette de la subordination.

Et moi, pendant ce temps-là, je pensais que le complot des médecins avait déjà une faille dans son socle, avant même d'avoir vu le jour. Une «affaire plus importante en train de remonter à la surface» préoccupait l'imagination de notre merveilleux ministre.

Le chef de la garde hurla à travers la crypte du vestibule : «À vos rangs, fixe !», les talons claquèrent et nous sortîmes dans la rue. La neige tombait paresseusement dans le silence du soir.

Les lampadaires répandaient une lumière jaunâtre et brumeuse, les lampes s'allumaient derrière les fenêtres, les pelles des *dvorniks* raclaient les trottoirs. Tout le quartier de la Boutique était gardé par les sentinelles, soldats étonnants en uniformes d'officiers, armés de fusils automatiques à douze coups. Ces soldats et ces fusils n'auraient eu aucune utilité au combat : ils étaient là uniquement pour faire peur aux désarmés, parce que le semi-automatique avec sa baïonnette plate était lourd et impressionnant, mais craignait autant le froid, l'eau, le sable et les coups que ces bons à rien grossiers et repus qui les portaient. Mais ils remplissaient merveilleusement leur fonction d'agents d'assurance : pas un seul piéton ne s'aventurait sur ces trottoirs, que personne, en principe, ne leur interdisait d'emprunter.

Six gardes du corps faisaient la chaîne entre l'entrée et la portière de la limousine, dont le pot d'échappement crachait des volutes de fumée, et sur le visage de ces gaillards on ne pouvait lire qu'une seule et unique préoccupation : sauter dans la ZIS d'escorte à temps et ne pas perdre de vue la voiture ministérielle.

406

Comme Abakoumov ne redoutait pas les attentats, puisque nous n'avions jamais eu de terroristes, son jeu préféré consistait à essayer de semer les gardes du corps. À peine le commandant de l'escorte avait-il refermé la portière derrière moi que le ministre commandait déjà au chauffeur : « Mets les gaz, Vognisty ! » et la limousine, sur les chapeaux de roue, traversait en biais la place Dzerjinski.

Par la lunette arrière blindée, tout en jeux de reflets multicolores, je vis les gardes du corps sauter dans la ZIS d'escorte, qui démarra en trombe, dans un clignotement de phares affolé. Au-dessus de la place retentit le hurlement croassant des sirènes gouvernementales, la fanfare de nickel.

— Au cirque, dit Abakoumov à Vognisty.

Je n'étais pas étonné. Deux-trois fois par semaine, notre terrible ministre se rendait au cirque, où une loge personnelle était mise à sa disposition en permanence.

La psychologie profonde des jongleurs, la subtilité dramatique des gymnastes, la sagesse des magiciens devaient élever l'âme sombre d'Abakoumov et le rendre plus miséricordieux et alerte.

Abakoumov se pencha en avant et remonta la vitre épaisse qui nous séparait du chauffeur. Il avait tourné la manivelle comme s'il s'agissait d'un gramophone.

— Voilà, Pavel, me dit-il d'un air préoccupé, je vais t'envoyer à Leningrad. Une grosse affaire en vue. Nous allons arrêter toute la direction régionale. Ces fils de pute malenkovistes, ces vendus…

J'ai gardé de lui cette image : la « question » déjà réglée avec ses supérieurs, prêt à exécuter toute la direction de Leningrad, il tournait d'un air préoccupé la manivelle de la vitre, comme s'il remontait le gramophone pour que lui et moi nous dansions

là, dans le salon de la limousine, le tango « Le soir »
alors à la mode.

Je me remémorai cette conversation bien des
années plus tard, en lisant le dossier d'accusation
de l'ancien ministre de la Sécurité d'État, le citoyen
Abakoumov V.S.

Question du président du collège militaire de la
Cour suprême d'URSS, V. V. ULRICH : Dites-nous,
accusé, pour quelle raison, il y a vingt ans, en avril
1934, vous avez été exclu du Parti.

ABAKOUMOV : Je n'ai pas été exclu. J'ai été rétrogradé comme membre suppléant pour culture politique insuffisante et comportement amoral. Ensuite,
j'ai été réintégré.

ULRICH : En une année, vous avez élevé votre
culture politique et votre comportement est devenu
moral ?

ABAKOUMOV : Bien sûr. J'ai toujours été un bolchevik de grande culture politique et d'excellente moralité. Ce sont les ennemis et les jaloux qui m'ont
coulé.

ULRICH : Quel poste occupiez-vous à l'époque et
quel était votre grade ?

ABAKOUMOV : Tout cela est spécifié dans le dossier.

ULRICH : Répondez aux questions de la Cour.

ABAKOUMOV : J'étais sous-lieutenant et j'occupais
le poste d'inspecteur au service politique secret de
l'Oguepeou.

ULRICH : Trois ans plus tard, vous étiez déjà commandant de la Sécurité d'État, c'est-à-dire général,
et preniez la direction du NKVD de la région de
Rostov. Comment expliquez-vous une promotion
aussi rapide ?

ABAKOUMOV : Et alors ? Un an et demi plus tard,
j'étais déjà ministre de la Sécurité d'État. Rien

d'étonnant à ça : le Parti et le camarade Staline lui-même ont su apprécier mes capacités et mon dévouement à toute épreuve à la cause du parti bolchevique.

ULRICH : Asseyez-vous, accusé. *(Au commandant :)* Faites entrer le témoin Orlov. *(Au témoin :)* Témoin, vous connaissez l'accusé ?

ORLOV : Oui, c'est l'ancien ministre de la Sécurité d'État d'URSS, le colonel-général Abakoumov Viktor Semionovitch. Je le connais depuis 1932, nous avons travaillé ensemble au service politique secret de l'Oguepeou comme inspecteurs.

ULRICH : Que pouvez-vous dire à son sujet ?

ORLOV : C'était un brave garçon. Très gai. Les femmes l'estimaient. Viktor ne se déplaçait pas sans son gramophone. «C'est mon cartable», disait-il. Un creux avait été pratiqué dans le gramophone, qui contenait en permanence une bouteille de vodka, du pain et du saucisson coupé en rondelles. Les femmes, bien sûr, étaient folles de lui : il était beau, il avait de la musique, c'était un danseur hors pair et en prime il y avait à boire et à manger...

ULRICH : Veuillez cesser les rires dans la salle. Sinon je fais évacuer les fauteurs de trouble. Témoin, poursuivez...

... J'avais les larmes aux yeux. Je le revoyais, tournant la manivelle du gramophone de la vitre dans le dos du chauffeur Vognisty. «Nous allons arrêter toute la direction régionale. Ces fils de pute malenkovistes, ces vendus...»

ULRICH : Témoin Orlov, vous avez assisté à la réunion du Parti, lorsque Abakoumov a été rétrogradé ? Vous souvenez-vous de quoi il s'agissait ?

ORLOV : Bien sûr. On lui reprochait, ainsi qu'au

lieutenant Pachka Mechik, l'ancien ministre de la Sécurité d'État d'Ukraine, d'avoir dilapidé l'argent de la caisse d'assistance mutuelle de notre service.

ULRICH : Je suppose qu'à l'époque, Mechik n'était pas encore ministre en Ukraine ?

ORLOV : Non, c'était un collègue, un frère. C'est après Iejov qu'ils ont raflé toutes leurs étoiles.

ULRICH : Et la raison pour laquelle Abakoumov a raflé, comme vous dites, toutes ses étoiles, vous la connaissez ?

ORLOV : Tout le monde la connaît. En 38, il s'est rendu à Rostov avec la commission Koboulov, il en était le secrétaire. Là-bas, du temps de Iejov, des affaires, il y en a eu comme s'il en pleuvait. Ils avaient zigouillé la moitié de la ville. Le camarade Staline a demandé de mettre de l'ordre, peut-être y avait-il eu des erreurs. C'est Beria, le nouveau chef du NKVD, qui a envoyé là-bas son adjoint, Koboulov. Et celui-ci a pris Abakoumov, parce qu'il venait de fiche dehors le secrétaire précédent, un abruti parfait, qui n'était même pas foutu de trouver des filles comme il faut...

ULRICH : Témoin, restez correct !

ORLOV : À vos ordres ! Donc, Vitka, qui était originaire de Rostov, connaissait bien tous ces gens-là. Ils sont arrivés à Rostov dans la soirée, la nuit même le chef du NKVD de la région a été fusillé et dans la matinée, ils ont commencé à étudier les dossiers des prisonniers, des survivants, bien sûr, les morts ne ressuscitent pas... Abakoumov a retrouvé une tante ou une connaissance, enfin une vieille femme, qui tenait une maison close avant la Révolution et qui continuait à travailler comme entremetteuse sous le pouvoir soviétique. Bref, en vingt-quatre heures, avec l'aide de cette dame, il a rassemblé dans un hôtel particulier tout ce qu'il y avait comme chair fraîche à Rostov pour les membres de la commission...

ULRICH : Témoin, veuillez vous exprimer clairement !

ORLOV : On ne peut pas être plus clair ! Il a mobilisé toutes les plus jolies p..., pardonnez-moi l'expression. Le camarade Abakoumov a fait livrer des caisses de boisson et a réquisitionné les cuisiniers du restaurant l'« Auberge des Hommes d'affaires », rue de Kazan, aujourd'hui rue Friedrich-Engels. La commission a travaillé dur pendant une semaine : on changeait les filles toutes les huit heures. Après, Koboulov a pris la décision de ne plus faire de distinction entre les prisonniers arrêtés dûment et les autres, qui se trouvaient là par hasard. On n'avait plus le temps. La commission s'est rendue à la prison rue Bagatyanovskaïa, on a ordonné aux prisonniers rassemblés dans la cour intérieure de se compter. Les numéros pairs ont été renvoyés dans leurs cellules, les impairs chez eux. Pour qu'ils sachent qu'il y a une justice dans ce monde.

ULRICH : Et Abakoumov ?

ORLOV : Quoi, Abakoumov ? Vu son dévouement et sa débrouillardise, il a laissé Koboulov comme chef par intérim de la direction régionale du NKVD. Avec le grade de commandant. Un an plus tard, Abakoumov est rentré à Moscou. Cette fois-ci comme commissaire de troisième degré de la Sécurité d'État...

ULRICH : Accusé Abakoumov, que pouvez-vous dire à propos de la déposition du témoin ?

ABAKOUMOV : Je peux dire que grâce à mes efforts, j'ai pu sauver du massacre un groupe important de citoyens soviétiques, voués à une mort certaine à cause des violations de la légalité socialiste par la bande sanguinaire de Iejov et Beria. Je demande que ceci soit porté au procès-verbal. C'est une première chose. Deuxièmement, tout ce que raconte Sanka Orlov à propos de la prétendue organisation d'un bordel est pure invention et calomnie contre un bolchevik ardent et tchékiste dévoué! Et s'il me calomnie, c'est par pure envie, c'est parce que lui, Sanka, on ne l'a pas laissé entrer dans la maison et que cet âne est resté à se les cailler dehors, avec le reste de la garde. Et c'est pour ça qu'il ne peut pas savoir comment se sont déroulés les travaux de la commission.

ULRICH : Question au témoin Orlov. Quel poste occupiez-vous dans les organes de sécurité avant votre licenciement et votre arrestation ?

ORLOV : Chef de service de la neuvième direction du MGB de l'URSS, commissaire principal des troupes de protection.

ULRICH : Je vous remercie. Gardes, vous pouvez emmener le témoin.

Je ne voulais pas aller à Leningrad et arrêter la direction, ces vendus de fils de pute malenkoviens. Certes, je ne les plaignais pas le moins du monde, ces gros porcs, mais je ne voyais aucun profit personnel à tirer de cette histoire. Ses origines étaient inconnues et personne ne savait ce qu'elle pourrait avoir comme conséquences. Et une affaire amputée de ses prémisses et aux buts inconnus ne m'intéressait absolument pas : ce n'était qu'un stupide travail de boucher. Non, j'avais mon propre jeu à mener et il fallait que j'arrive à me débarrasser de l'affaire de Leningrad.

Tandis que nous roulions vivement dans la limousine d'Abakoumov à travers les rues enneigées et nocturnes de Moscou, la voix acide de Marina Kovaleva, étoile alors montante de la chanson soviétique, parvenait faiblement à travers l'épaisse vitre qui nous séparait du chauffeur Vognisty :

Le bonheur n'est complet que mêlé d'amertume,
Ce bonheur était comme un mirage.
Il était si faible et si fragile,
Qu'à nous deux nous ne pûmes le sauver...

Abakoumov avait l'air lugubre et pensait certainement au prochain débarquement des dirigeants de Leningrad, les fils de pute malenkoviens, bien que, de l'extérieur, on ait pu croire qu'il écoutait la chanteuse. Il dit brusquement :

— Sa voix est mince et douteuse comme un poil de cul.

Il réfléchit un moment et ajouta :

— Mais quelle danseuse, au plumard !

Je me mis à rire et, saisissant cette balle un peu molle au vol, attaquai de loin pour me frayer un chemin jusqu'aux buts.

— C'est l'essentiel. D'après moi, elle peut être sourde et muette, pourvu qu'elle fasse un bon spectacle au plumard.

Il fallait que je marque ce but avant notre arrivée au cirque. Abakoumov se rendait trop souvent dans sa loge pour qu'on n'y ait pas collé une paire de micros.

— J'en connais une, commençai-je à chuchoter comme une cancanière exaltée, c'est une vraie grande maîtresse ! Et elle sait se taire ! À cause d'elle, notre Sergueï Pavlovitch a complètement perdu la tête...

— Kroutovanov ? s'étonna Abakoumov, tombant en arrêt : Allez, allez !

— Il lui a offert un diamant, le « Saxe ».

— Qu'est-ce que c'est que ce diamant ?

— C'est Pachka Mechik qui l'a piqué sur la couronne des rois saxons. Ça s'est passé à Dresde.

— Quoi???

— Comme je vous le dis. C'était en 47! Je l'ai vu faire, avec son tournevis.

— Et puis?

— Il m'a ordonné de l'apporter à Kroutovanov, qui venait d'être nommé vice-ministre.

— Pour quoi faire?

— Pour monter le diamant dans le manche d'un poignard et l'offrir de la part des tchékistes travaillant en Allemagne à Iossif Vissarionovitch.

— Aïe-aïe! se mit à geindre Abakoumov, sentant le bonheur tout proche. Et pourquoi Kroutovanov?

Je ris de tout cœur:

— Vous connaissez Pachka Mechik, il voudrait s'asseoir sur toutes les chaises à la fois. Lui-même n'arrive pas à se hisser au sommet, alors, grâce à Kroutovanov et à son beau-frère, il peut apporter son présent et gagner leur bienveillance par la même occasion...

— Bien, bien, bien..., dit Abakoumov en faisant claquer sa langue dans la bouche et en agitant sa caboche d'excitation. Ah, bravo! Ah, les malins! Mais ils ne l'ont pas donné?

Je fis non de la tête avec un air consterné.

— Et alors, comment le caillou est revenu sur le tapis?

— J'ai un agent, un bijoutier. Il exécute depuis des années les commandes d'Anna Ivanovna Kolokoltseva, femme de notre célèbre écrivain Kolokoltsev...

— Enculé de sa mère! s'écria Abakoumov, sincèrement scandalisé. Tout ce qu'ils savent écrire, c'est des graffitis sur les murs des chiottes! Moi, je n'ai jamais entendu parler de cet écrivain, je n'en ai pas lu une seule ligne et lui, il a un bijoutier particulier!

— Si, Viktor Semionytch, vous l'avez sûrement

lu. Vous l'avez oublié, c'est tout. Parce que, à part ses livres, il écrit pour nous des romans très détaillés. Sous son nom de code : Blaireau.

— Ah bon ? Peut-être que je ne les ai pas tous en tête. Alors, le bijoutier ? Et la gonzesse ?

— En tout cas, la gonzesse, la Kolokoltseva, a sûrement du miel tartiné sur les cuisses, parce que ça fait six ans que Kroutovanov vit avec elle et qu'il lui fait des cadeaux somptueux. Et elle, elle le dorlote et le cajole, c'est une vraie passion, et pendant ce temps-là, la petite maligne fait des affaires avec les cadeaux, toujours bouche cousue.

— Elle les vend ou quoi ?

— Pourquoi vendre ? Non, elle ne vend rien, elle ne fait qu'acheter ! Elle a une de ces collections de bijoux !

— D'où ça ?

— Il faut dire que, à part son mari et Sergueï Pavlovitch, elle a un autre tourtereau.

— Quelle putain ! dit Abakoumov avec colère. Elle en a combien, de fouteurs ?

— Non, Viktor Semionovitch, ce n'est pas par plaisir qu'elle lève les jambes. Son but est, disons, plus noble. Son amant, c'est Livchitz, Aaron Livchitz.

— Le violoniste ?

— Oui, le violoniste. Notre plus grand violoniste. Et madame leur colle des cornes à tous les trois.

— Ouais. Et le bijoutier ?

— Le bijoutier m'a informé il y a quelques jours qu'elle avait apporté une pierre avec sa monture pour la faire estimer. Une pierre d'une beauté extraordinaire et de dimensions exceptionnelles. Je n'ai pas hésité et suis allé voir. J'en suis resté comme deux ronds de flan : c'était la même pierre que j'avais donnée il y a trois ans à Kroutovanov.

— Tu es sûr de ne pas te tromper ? demanda

Abakoumov vivement, et, à son œil plissé, à ses sourcils froncés, je vis très nettement qu'il était en train de tresser une nouvelle intrigue géniale.

— Difficile de se tromper, Viktor Semionytch. Sur la monture, à l'intérieur d'une rosace en platine, il est écrit : *Rex saksonia*.

— C'est clair. Continue, pressa Abakoumov.

— Le bijoutier lui a dit : la pierre doit valoir entre trois cent cinquante et quatre cents mille. Elle a réfléchi, a calculé dans sa tête puis lui a dit que, le lendemain, un homme viendrait avec cette pierre auquel il faudrait dire qu'elle valait deux cent cinquante mille, pas moins.

— Je comprends, dit Abakoumov. Le lendemain, le mari est venu pour faire estimer la pierre.

— Pas exactement. C'est Livchitz qui est venu le lendemain, le bijoutier l'a tout de suite reconnu, sa photo est dans tous les journaux… Le mari est venu le surlendemain pour voir la pierre.

— Ce qui veut dire que cette putain s'est servie deux fois sur cette pierre qu'on lui a offerte ?

— Oui.

— Et qu'est-ce qu'elle fait avec tout cet argent ? demanda Abakoumov, sincèrement étonné.

— C'est ce qu'on appelle la circulation des capitaux. Elle achète d'autres pierres. Elle a une collection du tonnerre. Une vraie mine de diamants !

— Mon ami Serioja, mon joli, gémissait Abakoumov, en proie à l'excitation du chasseur et au plaisir incomparable de sentir la corde se serrer sur le cou de l'ennemi. Et ce brave Pachka Mechik, planqué à Kiev, bouffe des pâtes au bouillon et ne me dit rien, pas un mot…

La limousine stoppa doucement près de l'entrée du cirque et à peine nous étions-nous levés de nos sièges que le commissaire de l'escorte, en nage,

416

attendait déjà à l'extérieur qu'on lui donne l'ordre d'ouvrir la portière.

Mais Abakoumov ne se pressait pas de rejoindre sa loge et se cala plus confortablement sur le siège en chevreau. Son regard me traversait comme si j'étais la neige qui tombait derrière la vitre blindée. Puis il déporta son regard et dit tristement :

— Et toi aussi tu te tais. Tu prépares tes coups en douce. Pourquoi ?

— Je devais avant tout voir ce caillou moi-même, dis-je avec gravité. C'est une affaire sérieuse, Viktor Semionytch.

— Bon, alors tu l'as vu, et...

— Et avant-hier, j'ai pris rendez-vous avec vous. Vous n'êtes revenu qu'aujourd'hui.

— C'est vrai, dit Abakoumov, pensif.

Il me tapota l'épaule et me complimenta :

— Bravo, Pachka, tu es un ami...

Je me décidai alors à abattre mon dernier atout :

— S'il faut attraper cette Kolokoltseva par la peau des fesses, il est certain que dans ces circonstances on trouvera d'autres choses intéressantes...

— Tu crois ?

— J'en suis persuadé. Il lui offrait des bijoux confisqués.

— Bien, dit le ministre. Occupe-toi de ça sans attendre. Fais attention, pas de gaffes, il ne faut pas que Krout se doute de quoi que ce soit avant que le dossier soit prêt.

— À vos ordres, camarade colonel-général, dis-je tout en observant le chef d'escorte qui sautait d'un pied sur l'autre pour combattre le froid. Vous deviez m'envoyer à Leningrad, non ?

Abakoumov me jeta un regard oblique et laissa tomber avec un sourire entendu :

— Pas la peine. Pour l'instant, le dossier sur ce

petit malin m'importe davantage. Quant à Leningrad, ils vont bien se débrouiller sans toi.

En effet, à Leningrad, ils se sont bien débrouillés sans moi en fusillant tous les chefs du Parti !

Mon Dieu, quel risque j'avais pris alors en livrant Kroutovanov au ministre ! Uniquement pour ne pas aller à Leningrad !

Peut-être est-ce à ce moment-là que naquit en moi cet étrange commandeur de mes actes, ordonnant sans faillir « permis » ou « défendu ».

En misant sur le complot des médecins et en me débattant de toutes mes forces pour éviter l'affaire de Leningrad, je ne pouvais pas savoir que quelques années plus tard les nouveaux patrons, cherchant à se débarrasser d'Abakoumov sans trop se salir les mains, décideraient justement de lui coller cette affaire sur le dos. Et d'exécuter tous ceux qui y étaient mêlés. Seigneur ! Moi aussi, j'aurais pu être ramassé avec les autres. Et exécuté. Moi.

Mais l'étrange commandeur de mes actes avait ordonné pendant que nous roulions dans la limousine d'Abakoumov : « Livre Kroutovanov ! Prends le risque ! C'est permis. » Et je livrai Kroutovanov, sur la route qui sépare la Loubianka du boulevard Tsvetnoï où se trouve le cirque.

Et je survécus.

— Viens, dit Abakoumov.

Il se souleva de son siège, le chef de l'escorte ouvrit promptement la lourde portière blindée de la limousine et se mit au garde-à-vous, mangeant le ministre des yeux. Était-ce cet Orlov, qui, avec sa bienveillance de crétin sincère, avait raconté lors du procès d'Abakoumov l'épisode du gramophone avec à l'intérieur de quoi boire et de quoi manger ?

Je ne sais pas. Le charme des rencontres éphémères! Ça tombait bien qu'il ne me connaisse pas et qu'il n'ait pas fait la route avec nous. Il était devant la Cour et ne pouvait rien raconter sur moi de bien intéressant.

Sa conscience de membre de l'escorte était tranquille et pure, comme sa mémoire. Il apporta dans la loge une mallette-table pliante, fit jouer les serrures de nickel, sortit une bouteille de Napoléon, une de limonade Kakhetinski, des ballons et des petits verres en cristal, disparut un court instant derrière la porte, revint avec une coupe remplie de mandarines parfumées et de poires beurre frais Duchesse, brancha le téléphone et sortit.

Au-dessus de nos têtes, l'orchestre du cirque explosait en fanfares. Dans une pluie de lumière multicolore, les visages de l'amphithéâtre, confondus en un seul masque, se balançaient d'avant en arrière, tandis que l'homme galopant dans le manège criait d'une voix gutturale : « Allez, hop ! »

L'odeur du cirque me montait au nez, âcre, abominable et tenace. L'odeur lourde des peaux de bête, la puanteur aigre de l'urine, de la sueur chevaline, le parfum épais des peaux de mandarine, l'ambre du vieux cognac, c'était l'odeur du ministre Abakoumov, assis, lugubre, à côté de moi, le baume d'Abakoumov.

Lui était intéressé par la lutte nanaïe. C'était un numéro amusant : deux gamins sanglés dans des peaux de bête se battaient furieusement, faisaient des galipettes, le pont, des croche-pattes et des bonds jusqu'à ce que l'un lève l'autre au-dessus de lui : alors, la peau de bête tombait pour découvrir un seul et unique acrobate géant.

Abakoumov éclata de rire, but une gorgée, fit rouler le cognac dans ses joues, avala, grimaça et dit :

— C'est comme ça que se battent Lavrenti Palytch et ce putain de Malenkov. Lorsqu'ils se seront arraché la peau — c'est LUI qui en sortira.

Je n'osais pas dire un mot ni faire un geste. Jusqu'ici, je n'avais été que le familier du ministre. J'étais sur le point de recevoir mon ordination d'initié.

Abakoumov trinqua avec moi et dit tristement :

— Nous vivons des temps difficiles, Pacha, mon frère...

Il se détourna, observa avec intérêt la dresseuse qui manœuvrait entre les lions et les tigres, sautant d'une borne à l'autre, et laissa tomber d'une voix lasse :

— L'essentiel pour un dresseur, c'est de ne jamais tourner le dos au fauve. Voilà, Pachka, le principe éternel de notre vie : regarde bien autour de toi si personne ne cherche à te coincer.

Je me dépêchai de dire, flagorneur :

— Viktor Semionytch, c'est sur votre large dos que je compte.

— Tu ne devrais pas, répondit-il. Notre maison est immense et personne ne viendra te secourir, mais chacun est prêt à te pousser dans la merde... C'est notre loi : nous tuons ensemble, mais nous mourrons chacun pour soi.

Audi, vide, sile.

Viktor Semionytch ! Mais qu'est-ce que vous avez tous ? Ou alors, c'est vrai, vous avez perdu la mémoire ! Faites un effort, souvenez-vous ! Souvenez-vous quand vous m'avez demandé d'un ton à la fois indifférent et bienveillant :

— Et ta vie privée, ça va ?

Je me raidis et mon cœur se remit à gémir d'inquiétude comme une blessure recousue. Je répondis du ton le plus guilleret possible, comme en passant :

— Pas mal, je me débrouille. Dieu merci, dans le pays, il y a quand même huit millions de femmes de plus que nous, pauvres pécheurs.

— Ah bon ? s'étonna Abakoumov. Et moi qui croyais que parmi tous ces millions, une seule avait su prendre ton cœur…

Les sutures craquèrent sous le choc et ma blessure secrète se rouvrit, ma blessure cachée tout au fond, jamais vraiment refermée, comme un ulcère trophique. La douleur sourde revint et la peur me glaça.

Il sait !

Ma main se glissa toute seule dans la poche de ma vareuse, où je gardais le papier préparé depuis longtemps avec cette inscription : « Secret. À remettre en main propre au ministre de la Sécurité d'État d'URSS, le colonel-général Abakoumov V. S. »

— Avec les gonzesses, on ne peut jamais savoir laquelle vous mettra le grappin dessus ! tentai-je de me débattre en plaisantant encore.

— C'est vrai, ça, approuva volontiers le ministre. Et alors, quel effet ça fait quand une juive te met le grappin dessus ?

Il savait. Quand je pense qu'il n'en avait rien laissé paraître ! Jusqu'à ce qu'il décide que le temps était venu. Et le temps était venu.

RAPPORT

Je tiens à vous informer que depuis quelque temps j'entretiens une liaison intime avec la citoyenne Lourié R. L. Le père de la citoyenne susnommée, l'ex-professeur Lourié L. S., avait été arrêté par les organes de la Sécurité d'État, soupçonné d'activité contre-révolutionnaires et de sabotage. Cependant, ce crime n'a pu être prouvé du fait que le professeur est mort brutalement d'insuffisance cardiaque pendant l'instruction…

— Pourquoi tu te tais, Pachounia? ricanait Abakoumov, mais je voyais que son visage se figeait peu à peu dans une expression de cruauté glacée. Tu fais le ménage?

Cependant, je considère que je suis coupable d'avoir dans une certaine mesure relâché ma vigilance et je suis prêt à racheter cette négligence devant le Parti communiste et les organes de la Sécurité d'État.

Inspecteur chargé des affaires spéciales,
le lieutenant-colonel Khvatkine P. E.

D'une main engourdie, je tirai le rapport de la poche de ma vareuse et le tendis à Abakoumov.

Le ministre déplia soigneusement la feuille, la lissa sur le velours rouge du bord de la loge et lut, la paupière dressée dans un geste théâtral.

Pendant ce temps, sur le manège, les fauves pétant de trouille sautaient à travers les cerceaux enflammés, déchiraient les ronds de papier avec leurs gueules moustachues, sous les coups de fouet cinglants et les éclats de voix de gorge de la dresseuse. Les rafales de tambour me résonnaient dans les tempes.

Grand dressage. Définitif.

Abakoumov me regarda avec un sourire amusé, plia la feuille et l'agita en l'air:

— Pourquoi tu n'as pas mis la date?

— Je laisse ça à votre convenance, camarade colonel-général. Vous l'écrirez au moment où vous le jugerez nécessaire.

— C'est une bonne décision. Je l'écrirai au moment où je le jugerai nécessaire. En attendant, vas-y, fonce, travaille, ne te ménage pas, puisque tu es là maintenant, sur mon cœur...

Et il rangea le rapport dans la poche poitrine de sa tunique.

Rimma, tu me haïssais pour rien. Personne n'était coupable, parce que nous l'étions tous, et, justement, cette faute commune, avec le temps, est devenue le bon droit des hommes. Tu vois, j'ai pris ton père en otage, puis j'ai dû m'offrir moi-même en otage. Et toi aussi, bien sûr. Nous étions couchés sur la même hypothèque, enfermée dans le mont-de-piété de la poche poitrine d'Abakoumov...

— Viktor Semionytch, l'appelai-je, et il me répondit avec la voix grinçante de Mangouste :
— Vous m'avez l'air bien pensif, très estimé monsieur le colonel.

Plus de trace de cirque, plus d'animaux épouvantés sur le manège, plus d'Abakoumov.

Il y a seulement Mangouste, inévitable et répugnant comme la fin du destin, qui me fixe de ses yeux exorbités.

— Pourquoi ne vous réjouissez-vous pas, très respecté *Vater*? demanda-t-il.

Je répondis sincèrement :
— Je n'ai plus envie. C'est un drôle de truc : les fêtards les plus invétérés se consument souvent dans la mélancolie la plus noire...

Ce n'était pas un mensonge, ni un délire, ni une syncope. Le fleuve circulaire du temps m'avait arraché à la terre ferme et sûre de la rive, sur laquelle j'avais passé tant d'années tranquilles et insouciantes, et me trimbalait en arrière, vers le passé, vers cet abîme dont j'avais scruté le fond tout au long de ma vie.

Et maintenant, c'est cet abîme qui regarde au fond de moi.

15

Le présent des Tatars

Au bord de l'abîme, au-dessus du précipice, assis sur le puits noir en rondins qui descend jusqu'au cœur de la terre, où bouillonne le magma infernal rouge et noir, un blondinet gras en uniforme de commandant de la Sécurité d'État.

Un élu des dieux.

Le surhomme Minka Rioumine était le triomphe personnifié de notre réalité sur les vulgarités mélodramatiques de l'onaniste Nietzsche. Ah, si ce professeur de Bâle avait pu ne fût-ce que jeter un coup d'œil sur son rêve réalisé — la transformation de la «forte personnalité» en idéal de l'«homme futur»! —, il en serait sûrement mort une deuxième fois, de bonheur pour le coup. Parce que Minka, qui n'avait jamais entendu parler de Nietzsche, était un véritable surhomme. Par-delà le bien et le mal. Et il parlait comme Zarathoustra :

— Enlève ton lorgnon, salope, disait-il au docteur Rosenbaum, l'assistant du professeur Moïsseï Kogan, en lui titillant les côtes avec son célèbre casse-tête-breloque, le petit homme de bronze avec son énorme membre dressé, coincé entre ses doigts.

— Regarde de quoi tu as l'air, Rosenbaum puant,

425

disait-il au docteur. Si tu te voyais en ce moment : on a envie de te mollarder à la gueule ! Dis-moi, ça te sert à quoi, ton pince-nez et ta barbichette ? Tu voudrais ressembler à Trotski, ton maître ? Mais pourquoi, dis-moi, entre nous, espèce de putain, pourquoi tu ne veux pas ressembler au camarade Molotov ? Ou à Klim Vorochilov ? Ah, Rosenbaum, Rosenbaum, tu me dégoûtes...

Le dégoûtant Rosenbaum, dont on aurait volontiers mollardé à la gueule, était secoué de hoquets, et son visage exprimait l'intense angoisse de ne pas pouvoir ressembler au camarade Molotov. En tant que physiologiste et matérialiste, Rosenbaum se doutait que c'était une idée dépourvue de fondement scientifique, pratiquement aussi irréalisable que de transformer un cacatoès en cochon. Mais en tant que juif et idéaliste, il espérait que peut-être au sixième jour de la création, Dieu, c'est-à-dire chez eux Jéhovah, n'avait pas une fois pour toutes divisé les vivants en classes, espèces et familles, et qu'il pourrait encore prouver à Minka sa bonne volonté et son ardeur à ressembler physiquement au camarade Vorochilov.

La rate en compote, il continuait de hoqueter, regardant Minka d'un air terrifié, qui, retourné près de son bureau en noyer, avait saisi le fouet sur le tapis vert éclatant comme de l'herbe de mai.

— Ne te mets pas en tête de mentir, escroc de youtre ! dit-il en guise de conseil. Le fouet, c'est un diable, et le diable trouve toujours la vérité !

Puis il me fit la proposition suivante :

— Viens avec moi à la cafétéria, on va casser la croûte, claper un petit quelque chose...

Un bien joli mot oublié, claper. Qui veut dire bouffer. Minka, lui aussi, était oublié, mort depuis longtemps. Même les surhommes sont mortels. La seule grande idée immortelle, c'est de bien claper. On ne peut pas tuer la croyance des hommes selon laquelle le communisme serait un immense restaurant universel où l'on trouverait de tout sans rien payer. Le nihiliste Bazarov[1] se trompait lorsqu'il disait que le monde n'était pas une église mais un atelier. En effet, le monde radieux de demain n'est pas une église mais un self-service universel gratuit, avec cette enseigne accrochée au-dessus de l'équateur : «Liberté, fraternité, déshabillé.»

Il ne venait même pas à l'esprit de Minka que cette prophétie pût ne pas se réaliser. En tant que dialecticien empirique, il ne cherchait pas à comprendre les subtilités philosophiques, mais croyait au seul enseignement correct, celui des sens, puisque la cafétéria au deuxième étage, son modèle, son prototype, sa représentation des lendemains qui chantent, il pouvait la voir, la sentir et même y goûter tous les jours.

Et pour les citoyens mécréants et malveillants qui refusaient de croire qu'un jour ou l'autre ils verraient eux-mêmes, eux ou leurs enfants ou petits-enfants, la terre couverte de cafétérias spéciales, comme celle du deuxième étage, Minka avait un knout tout prêt sur son bureau.

Ce knout était apparu juste après la nuit où j'étais revenu du cirque et où je lui avais parlé de la nécessité de remuer énergiquement les braises sous le dossier des médecins-assassins. J'avais ajouté d'un air mystérieux que la direction suprême, pour des raisons qui ne regardaient pas Minka, ne désirait pas qu'on fasse trop de bruit autour de cette affaire.

1. Personnage principal du roman de Tourgueniev *Les Pères et les Fils* (1862), devenu l'antonomase du nihiliste.

Au moment opportun, le complot des médecins devait exploser comme une bombe, se transformer en ouragan et résonner comme les trompettes de Jéricho. Mais pour l'instant, il fallait agir tout en restant discret!

En d'autres circonstances, ce gros hamster élu des dieux m'aurait peut-être posé des questions embarrassées. Mais, premièrement, il était tout de même l'élu des dieux : le destin l'avait déjà désigné pour jouer un rôle étonnant sur les tréteaux de notre étrange existence, impétueuse et irrésistible comme la diarrhée. Le destin avait déterminé ce rôle, dont il ne s'était jamais douté, qu'il n'avait pas même imaginé dans ses songes les plus doux ni dans ses pires cauchemars, ce rôle où tout était écrit, depuis la sublime grandeur jusqu'à l'horrible déchéance. Premièrement, donc. Deuxièmement, et sans aucun doute essentiellement, le téléphone arabe des ragots et de la mouchardise généralisée avait déjà informé Minka de ma promenade à travers la Boutique bras dessus bras dessous avec Abakoumov.

Et, puisqu'il en était ainsi, Minka ne me posa aucune question, croyant dur comme fer que j'avais le droit de lui donner des ordres sans jamais douter de leur pertinence.

Et puis vint le knout. Il avait dû le piquer lors d'une perquisition. Un très beau knout ancien de belle facture. Un rêve. Un souvenir. De notre lignée. Cadeau tatar. Héritage des Turcs. Notre école.

Ô quadrisaïeuls! Âmes profondes et esprits insouciants! Les Tatars vous ont dit que le knout et l'injure étaient faits pour l'homme et vous les avez crus. Eux, ça leur servait pour faire avancer leur saloperie de bétail, alors que vous, vous avez voulu, à coups de fouet et d'insultes, apprendre à vos frères humains ce qu'étaient le mal et le bien.

Il y a des siècles que vous avez édicté ce précepte : « Pas une ville sans bourreau. » Et c'était vrai. Il y a toujours des amateurs. Le knout claque au-dessus des têtes, siffle et hurle éperdument, le grand massacre peut commencer.

Au premier coup, la peau du dos craque et se déchire.

Au deuxième, la chair à vif, le sang jaillit, l'air gicle hors du poumon percé.

Et au troisième, dans un dernier cri, les vertèbres craquent, l'épine dorsale se brise, la tête se penche et salue le présent des Tatars.

Minka ne savait pas encore faire ça, il n'avait pas assez d'expérience. Je le regardais s'amuser avec son knout, l'admirer. Le manche, court et tors, une tige en cuir tressé avec une boucle en cuivre et, accrochée à cette boucle, une lanière de cuir brut, épaisse, avec une rainure gravée au milieu, et le bout recourbé.

Lorsqu'il serrait voluptueusement la tige de cuir, la peau pâlissait en se tendant sur ses phalanges et ces petits os mobiles étaient à l'image de son désir vivace de cogner. En observant son poing gonfler et dégonfler sur le manche du knout, je ne doutais pas que Minka, même sans expérience, sans pratique ni entraînement, parviendrait du premier coup à arracher à Rosenbaum un morceau de peau aussi grand qu'un étui à revolver.

Je dirai sans ambages que Minka n'aurait jamais pu figurer à la une du mensuel *L'Éducation en famille et à l'école*. À moi-même, il ne m'était pas sympathique, avec ses narines gonflées et les phalanges blanches de ses poings. Mais ça n'avait alors aucune importance. Il y a encore un siècle et demi, le très sage souverain Nicolas Ier, se rendant compte qu'on ne pouvait pas se passer de knout dans notre patrie et que, après tout, ce spectacle ne désolait que les personnes trop sensibles, en particulier les étrangers, avait proclamé du haut de sa grandeur : « Désormais, ne montrez ni le knout ni le bourreau. »

Depuis, on ne les montre plus.

Mais à moi, vous pouvez me les montrer, je ne regarderai pas. Je n'aime pas ça. Minka non plus, je ne le regardais pas en train de câliner son knout, son poing ne faisant plus qu'un avec le manche pesant et rêche.

— D'accord. Allons manger un morceau. Il faut qu'on se parle, répondis-je à Minka.

Non sans quelque regret, Minka lança le knout sur son bureau, convoqua le capitaine Trefniak pour qu'il bavarde un peu avec Rosenbaum et nous nous dirigeâmes vers la cafétéria. Tous mes gaillards y traînaient déjà, prenant leur pause de déjeuner en plein milieu de la nuit. Pour claper. Ils tétaient leur bière, les lèvres luisantes après les sandwichs au saumon, racontaient des blagues, se vantaient de leurs exploits professionnels, partageaient leurs expériences. Ah, que de salopards étaient passés entre les mains pures de mes combattants valeureux et irréprochables ! Chaque affaire était un chef-d'œuvre, la cerise sur le gâteau de la pratique criminelle, la perle de la jurisprudence.

L'inspecteur Markatchev s'occupait sérieusement de l'historien Auguste Solomonovitch Tonnel. Depuis une semaine il essayait de faire avouer à ce petit malin le nom de celui qui l'avait chargé, dans un but de calomnie antisoviétique, de déformer la pensée de Marx à propos de notre glorieuse histoire. Bien sûr, il ne s'agissait pas de Marx, on s'en bat les couilles, du rabbi poilu, mais cet imbécile de Tonnel avait imprudemment et à tort cité le nom du Patron. Du haut de sa chaire, il avait déclaré que, à cause de la méconnaissance qu'avait le camarade Staline des langues étrangères, l'image du Guide était apparue faussée, parce que des traducteurs incompétents avaient glissé dans le rapport de Staline des citations de Marx mal traduites.

Notre Guide Suprême avait cité les paroles du youpin chevelu à propos de l'exploit du prince Alexandre Nevski, qui avait écrasé il y a sept cents ans ces chiens de chevaliers Teutoniques sur le lac des Tchoudes. Et alors ? N'importe quel enfant chez nous sait comment Alexandre Nevski a foutu la pâtée aux chiens teutoniques ! Des livres entiers ont été écrits sur le sujet, le prince Alexandre a été canonisé encore du temps des tsars, et le Patron a même institué une médaille. Au cinéma, tout le monde a vu ces chiens de chevaliers, dans le film d'Eisenstein, en armures et casques à cornes. Et tout le monde était ravi. Mais il se trouve toujours un juif pour fourrer son long nez curieux partout avec ses questions : et pourquoi ? Pourquoi les chevaliers Teutoniques étaient-ils surnommés des chiens ? D'où ça vient ? Et le juif arrogant de creuser un tunnel sous le monument de notre glorieuse histoire jusqu'à ce que ses fondations, solidement posées sur des mensonges et des absurdités, finissent par s'écrouler sur sa tête.

Auguste Solomonovitch Tonnel avait découvert qu'il n'y avait pas de chiens. Personne n'avait surnommé les Teutons des chiens. Marx avait écrit *Rittern Bunden*, c'est-à-dire « unions de chevaliers », mais l'encre typographique s'était légèrement effacée sur la lettre B et le traducteur avait lu *Hunden*, c'est-à-dire « chiens ». Il avait tourné les mots dans tous les sens, chiens chevaliers, chevaliers chiens, et puis voilà : chiens de chevaliers ! C'est bref, énergique et vexant, justement ce qu'il nous faut.

Et Iossif Vissarionovitch répéta après lui : «chiens de chevaliers». La question semblait être réglée une bonne fois pour toutes, il était dit que c'étaient des chiens, pas des unions. Pour quoi faire ? Ce n'est tout de même pas le Chien des républiques soviétiques socialistes, mais une union de chevaliers préhistoriques. Qu'on la jette aux chiens !

Eh bien, non ! Il avait fallu que Tonnel déblatère du haut de sa chaire, qu'il explique que le camarade Staline ne connaissait pas les langues étrangères, que Marx n'avait jamais parlé de chiens. Ainsi, le Patron aurait menti ? Ou serait-il plus bête que Tonnel ? Bien sûr, il se trouva quelqu'un à la faculté pour informer Markatchev des propos malsains de Tonnel et on dut l'embarquer chez nous. Et maintenant, ce connard essayait de démontrer à Markatchev que personne ne lui avait donné aucun ordre, qu'il n'avait pas de visées antisoviétiques et que jamais il n'avait parlé d'unions ou de chiens, si ce n'est qu'une fois, par bêtise et sans avoir bien réfléchi, il avait remarqué par hasard que Marx voulait dire «unions» et non pas «chiens» et que lui, Tonnel, n'avait cherché qu'à protéger le camarade Staline. Bien vu, encore une fois. Quelle connerie !

Quant à l'inspecteur Tolmassov, il était sur le point d'en finir avec le censeur Boudiak et le peintre Ivanouchkine.

L'avidité avait causé la perte d'Ivanouchkine. C'était un peintre officiel et prospère, personne ne savait comme lui peindre les décorations sur les portraits de nos chefs. Lauréat de tous les prix, membre de tous les présidiums et fêtard impénitent. Bien que surchargé de commandes, il n'avait jamais un sou devant lui, parce qu'il aimait à l'excès le jeu et la vie. Il jouait aux courses, aux cartes, au chemin de fer, au billard, buvait énormément et adorait les dames très jeunes. Tout ça, évidemment, coûtait la peau des fesses. Un jour, il accepta une perruque, une série d'affiches pour le ministère de l'Industrie alimentaire. Sujet : techniques de sécurité pendant la découpe des viandes. Un travail bien payé, avec un pourcentage sur le tirage.

Ivanouchkine illustra parfaitement la façon correcte de tenir la hache, de poser la viande sur la table et toutes les autres subtilités de l'art de la boucherie. Ça rendait très bien, nous avions trouvé un vrai Rubens pour nos bouchers !

Ensuite, le rédacteur principal de la Direction générale des secrets d'État, section information, Méthode Boudiak, lut attentivement toutes les légendes. Son œil de censeur vigilant ne découvrit rien de malveillant : aucun secret d'État ne se cachait dans la bonne manière de découper la poitrine, le filet, le paleron ou le collet. Cet abruti donna le bon à tirer, apposa son sceau de censeur, son numéro et sa magnifique signature : Boudiak.

Cet âne de Boudiak, au lieu de traquer les secrets d'État dans les légendes, aurait mieux fait de regarder l'affiche plus attentivement dans son ensemble. Il aurait certainement vu que le boucher, un gaillard à moustache noire, qui agitait sa hache en dépit des règles élémentaires de sécurité lors de la découpe de la viande, ressemblait un peu trop au Guide de l'humanité progressiste et amoureuse de la paix. Exactement comme sur le tableau intitulé « Le camarade Staline organisant une grève à Batoum ».

L'éditeur fut chassé du Parti et de son travail. Boudiak fut arrêté. Ivanouchkine lui-même n'était au courant de rien puisque, au même moment, il faisait un discours enflammé à la tribune du Congrès pour la paix à Stockholm à la gloire des peintres soviétiques qui s'épanouissaient dans l'allégresse et la liberté.

Il va de soi que, pendant ce temps-là, on fouilla soigneusement son appartement et son atelier. C'est là qu'apparut le vrai visage du monstre et de l'ennemi caché sous son masque. Dans un de ses cartons, on trouva une esquisse au fusain, copie d'une célèbre illustration des *Mathématiques pour tous* de Perelman, représentant un homme-montagne la gueule ouverte avalant tout un train de boustifaille. Comme quoi, c'était ce que l'homme avalait comme nourriture tout au long de sa vie. C'était une copie, mais pas très conforme : l'homme-montagne avait la face radieuse de notre Patron à tous et ce n'était plus des produits alimentaires qu'engloutissait la crevasse sous la moustache tombante, mais une file ininterrompue de petits hommes résignés.

Voilà les jolis dessins que commettait pour s'amuser notre lauréat pendant ses heures de loisir ! Quant à la grosse gaffe sur l'affiche destinée aux bouchers, c'est pris de boisson qu'il avait dû la faire, le salaud.

Ivanouchkine fut cueilli à sa descente du wagon international et il n'eut même pas besoin de porteur pour s'occuper de ses valises de trophées rapportés du Congrès pour la paix.

Inutile de le cogner, il signa tout ce qu'on lui demandait, sans regarder, recroquevillé de peur, sans toutefois cesser de plaisanter. Il dit, lors de sa confrontation avec Boudiak :

— Ça sent le roussi pour toi, Méthode. Moi, dans un camp, je gagnerai toujours mon croûton de pain, tout le monde a besoin de portraits de dirigeants. Mais toi, qui vas-tu censurer maintenant ?

Le capitaine Parchev était chargé de coller une deuxième condamnation à l'ingénieur Grivennikov, qui venait de purger une peine de dix ans. Avec son débit monotone, Parchev expliquait à l'ingénieur abattu qu'il avait eu tout simplement de la chance de pouvoir bénéficier d'une nouvelle condamnation :

— Mais tu ne comprends donc pas, espèce d'imbécile ? De toute façon, le tribunal du camp t'aurait refilé le maximum et tu croupirais encore à Kamtchatka. Et avec une accusation d'espionnage au cul, c'est une balle dans la nuque à coup sûr.

Grivennikov était un intellectuel vieux et stupide qui se croyait intelligent. C'est de là que provenaient tous ses malheurs. Pourtant, il avait une belle place : il travaillait à la commission chargée de recueillir les produits envoyés par les Américains dans le cadre du prêt-bail[1]. Mais, craignant que mes braves aigles ne le soupçonnent de sympathies pour l'étranger, il ne cessait de critiquer leur technologie, assurant que les chevaux de nos moteurs étaient plus puissants que ceux des Américains. On lui suggéra de cesser de faire le malin et d'attirer l'attention sur une merde aussi puante que lui, parce que comparer nos vieux tacots pourris avec leurs Studebaker ne pouvait que nous ridiculiser. Grivennikov, lui si malin, crut que c'était pour rire, qu'on avait voulu tester son patriotisme. Et le voilà qui sort devant tout le monde : « De toute façon, je ne fais aucune confiance aux Américains et aux Anglais, ce sont des faux amis. » Entre nous soit dit, cette histoire se passe en automne 42 :

1. Système d'octroi par les États-Unis d'armes et d'approvisionnement aux pays alliés pendant la Seconde Guerre mondiale (en anglais, *lend-lease*).

Kharkov et Rostov sont pris, les Allemands sont dans le Caucase et aux portes de Stalingrad, et notre Saint Patron envoie quotidiennement des messages à Roosevelt, à Churchill, comme l'estivant à sa femme : « Je n'ai plus d'argent. Télégraphiez urgence avions tanks poste restante. » On saisit Grivennikov par la peau des fesses et on lui colla dix ans « pour défiance exprimée à l'égard de la coalition antihitlérienne et agitation en faveur de l'Allemagne fasciste ».

Quelques années plus tard il s'avéra qu'on avait vaincu Hitler tout seuls. Et qu'on pouvait parfaitement se passer de corned-beef américain. Les Américains n'avaient pas à se vanter comme ça, avec leur aumône. Ni à nous submerger de leurs fonds de stock pour racheter le sang de nos fils et de nos filles. Et puisqu'ils s'étaient engraissés sur le malheur d'autrui, il ne fallait pas les laisser s'approprier nos exploits. Parce que, si l'on examine tout cela sérieusement et sans tenir compte des falsificateurs de l'histoire, ce n'est pas grâce à vous que nous avons détruit Hitler. Mais, d'une certaine manière, malgré vous. Voilà.

Alors, l'ingénieur Grivennikov se mit à trépigner, là-bas, très loin, dans les camps de Kamtchatka. Il inonda toutes les instances de lettres et de réclamations : « Chers camarades, citoyens dirigeants, je vous l'avais bien dit, dès 42 ! Ma vérité est sortie au grand jour, comme une tache d'huile à la surface de l'eau ! »

Au moment de donner l'autorisation à Parchev d'ouvrir une nouvelle instruction à propos de Grivennikov, j'avais lu toutes ces lettres, soigneusement classées dans son dossier de prisonnier. Ces lettres, personne ne les avait fait parvenir à leurs destinataires, elles étaient rassemblées dans une

chemise cartonnée marron, toutes datées, numérotées et refusées, et portaient la griffe de l'inspecteur
principal du camp. Ce qui me fit le plus rire, c'est
que dans chacune de ses lettres l'ingénieur attardé
parlait triomphalement de sa vérité comme d'une
tache d'huile à la surface de l'eau. Cette métaphore
lui avait certainement semblé particulièrement
convaincante et forte. Peut-être parce qu'il n'avait
plus vu une goutte d'huile depuis qu'on l'avait
écarté des colis du prêt-bail.

Je ne sais pas. En tout cas, si la tache d'huile de
la vérité avait tranquillement vogué à la surface des
eaux ténébreuses de la vie, sous les cieux marron
de son dossier cartonné, Grivennikov aurait purgé
sa peine et, contrairement aux affirmations de Parchev, le tribunal du camp ne lui aurait peut-être
pas collé une rallonge. Et il serait retourné chez lui.

Seulement, le désir irrésistible d'un homme stupide qui se veut plus intelligent que les autres avait
donné un second souffle à l'affaire. Grivennikov
réussit, en évitant je ne sais comment l'administration des camps, à transmettre une de ses lettres à
la procurature. À leur tour, ces feignants cupides
transmirent le dossier à la Boutique « pour vérifica-
tion » et, cette fois-ci, la tache d'huile finit par réellement remonter à la surface.

Par décision spéciale, Grivennikov fut amené à
Moscou, où Parchev eut une courte conversation
avec lui à la prison de Boutyrki, et l'ingénieur lui
plut. L'inspecteur « raccorda » le dossier de cet
imbécile à celui de l'espion Idès, ancien professeur
de l'Institut des langues étrangères. Pour corser cette
affaire qui, sans Grivennikov, était un peu pâlotte.
Son coaccusé, Idès, était la « locomotive » de l'affaire.
Pendant la guerre, il avait travaillé pour la même
commission, traduisant de l'anglais les documents

et les cahiers des charges. Qu'il ait eu connaissance de quelques secrets d'État ne faisait aucun doute. Ce qui servit plus tard à son arrestation. Il se trouve que l'année précédente, sa tante, habitant au Canada, un dominion britannique, à Calgary, Ontario, l'avait retrouvé par l'intermédiaire de la Croix-Rouge internationale. La tante canadienne, au joli nom de Silverstein, ce qui s'écrit chez nous Zilbertstein, fut paraît-il très heureuse de retrouver un membre de sa famille, elle qui croyait que tous les Idès avaient péri pendant la guerre. Et, débordant de joie, elle lui proposa son aide, lui laissant le choix de la forme : don personnel, ou par l'intermédiaire de la Croix-Rouge, ou en recourant aux services de la société Joint[1].

Nous considérâmes qu'il était inutile d'embarrasser Idès par ce choix et décidâmes qu'il préférait le Joint. Nous l'arrêtâmes aussitôt comme espion anglo-canadien, lié aux sionistes. Il était accusé d'informer ses employeurs sur la quantité et la destination des livraisons militaires dans le cadre du prêt-bail. Dans l'intérêt supérieur, bien sûr, du Joint sioniste.

— Et toi, Grivennikov, gros connard, marmonnait l'infatigable Parchev, de mèche avec Idès, tu l'aidais et le protégeais en racontant que vous étiez soi-disant contre la coalition antihitlérienne et que vous n'appréciiez pas le prêt-bail.

Grivennikov était vieux, terrifié, épuisé, son crâne était couvert de taches rouges et violettes et de verrues comme le vieux condor du zoo. Son long cou d'oiseau émergeait du col sale de son pull-over et il tentait de convaincre Parchev d'une voix sifflotante :

1. American Jewish Joint Distribution Committee, organisme d'assistance créé en 1914.

— Citoyen inspecteur, je n'ai pas pu connaître Idès pendant la guerre ! Vous dites vous-même qu'il travaillait à Mourmansk. Et moi, j'habitais Arkhangelsk ! Comment aurions-nous pu comploter ?

Parchev trouva une astuce :

— Et la radio, c'est pour les chiens ? Je te préviens, arrête de jeter de la poudre aux yeux. Si tu ne veux pas suivre Idès sur l'échafaud, dis la vérité, raconte les faits...

... Trefniak, lui, consignait soigneusement l'odyssée sans fin du pilote Baïda. Sa vie était un film d'aventures. Aussi invraisemblable que les agissements d'Idès. Cependant, c'était le seul prévenu à avouer sérieusement : « J'ai mérité d'être en prison... À propos, je me souviens, il m'est arrivé un drôle de truc... »

Des souvenirs, il en avait. Après la bataille de Khalkhin-Gol[1], il reçut la médaille et le titre de Héros de l'Union soviétique. En août 41, pour un vol de nuit au-dessus de Berlin, on lui en accrocha une deuxième. En octobre, les Allemands l'abattirent et le collèrent dans un trou. Un trou tout ce qu'il y a d'ordinaire, de deux mètres de profondeur, recouvert de planches. Pendant deux semaines, on s'occupa à affamer le célèbre pilote. Puis on le traîna dehors par l'oreille et on lui proposa de choisir : pourrir dans son trou ou combattre les Anglais pour la gloire du Reich. Bien sûr, on lui rappela que les Anglais nous avaient toujours offensés, qu'ils avaient dirigé la croisade de l'Entente contre la jeune république russe, etc.

Baïda jeta un coup d'œil sur les assiettes de

1. Pendant la guerre mongolo-soviéto-japonaise en mai-septembre 1939.

bouffe fumante et accepta. Quelques mois plus tard, il sauta en parachute dans les environs de Douvres et s'en alla tout raconter aux agents de l'Intelligence Service. Ils débriefèrent le brave pilote pendant six bons mois puis, au lieu de nous le rendre, l'envoyèrent faire la guerre aux Japonais en Asie. Il faut croire qu'il ne s'était pas trop mal débrouillé, car il fut décoré deux fois, mais la chance avait tourné et, en 44, les Japonais l'abattirent à leur tour et le ramassèrent à demi mort, brûlé vif. Peut-être aurait-il accepté de voler sous la bannière du Mikado, mais cette fois-ci son numéro ne marcha pas. Et il se retrouva à creuser des tranchées en compagnie des autres prisonniers du côté de Mindanao, tout près d'un aérodrome militaire. Baïda reprit peu à peu du poil de la bête, ses brûlures guérirent et, ses bras et ses jambes fonctionnant de nouveau, il se mit de mèche avec un pilote américain, ils égorgèrent la sentinelle, montèrent dans l'avion et s'envolèrent pour les Philippines en criant *Banzaï*.

Pendant presque une année, il combattit dans les rangs de l'US Air Force. Seulement, il craignait de rentrer chez lui. Ce salaud de faucon trumanien savait que sa patrie n'apprécierait pas ses exploits. Non mais, vous avez vu ça! Mister Baïda! Il tomba si bas qu'il finit par épouser une négresse, une infirmière dégotée dans un hôpital à Okinawa, où il était basé avant la guerre de Corée. Il eut même le temps de fabriquer deux petits Baïda tout noirs. À Pusan, il commandait déjà une escadrille. Un jour, ses copains de l'US Air Force abattirent deux de nos gars sur des MIG et son cœur se serra douloureusement. Il monta dans un avion et alla se rendre à nos frères bridés du Nord, en les suppliant de le renvoyer en URSS. Ce qu'ils firent. Et aujourd'hui, s'il échappait à la balle dans la nuque, il était bon

pour passer un petit quart de siècle à Kamtchatka.
Vingt-cinq ans. C'est long. De là-bas, il ne pourra
pas s'envoler. Si ce n'est pour l'autre vie...

Mes petits soldats avaient du pain sur la planche :
Kouriatine, un sidérurgiste de dix-neuf ans, qui
avait volé dans un tas de ferraille un pistolet Para-
bellum hors d'usage, avec l'intention de le remettre
en état de marche et d'organiser un attentat contre
le camarade Mikoïan.
Deux espérantistes coriaces.
L'inventeur Zalmanson, qui affirmait, estimant
que sa collection de brevets était trop modeste, qu'il
était possible de faire tourner un *perpetuum mobile*
sur la flamme éternelle du monument aux victimes
de la Révolution. Sacré farceur.
L'étudiant de l'académie agricole Eletski, qui
avait crié des slogans provocateurs lors du défilé
du 7 Novembre : «À bas le pouvoir absolu!»
Ceux-là, plus une vingtaine du même type, dépen-
daient de moi, ils n'étaient qu'une goutte dans la
masse grouillante, affamée et pouilleuse, le miel
empoisonné de la haine et de la peur, qui débordait
des innombrables rayons des ruches de pierre des
prisons.
Combien y avait-il de ces ruches mortes dans
l'immense rucher moscovite? Aujourd'hui, il m'est
impossible de le dire. Moi-même j'avais beaucoup
fréquenté la Prison intérieure centrale, 2, rue Loubianka.
Et la Prison intérieure régionale, 14, rue Loubianka.
Et la Prison militaire principale, à Lefortovo.
Et la Soukhanovskaïa, la préventive, dite le sanatorium Beria.
Et la Boutyrskaïa.

441

Et la prison municipale, «le Silence des marins».

Et la prison des femmes, la Novinskaïa.

Et la Taganka, la prison régionale, aux Kamentchiki.

Et la préventive, à la Sretenka.

Et l'Isoloir de Fili.

Et la tôle Marfinski.

Et la préventive au 38, rue Petrovka.

Et la colonie spéciale à Bolchevo.

Et toutes ces prisons, aussi sûr que les voies du chemin de fer vont à l'aiguillage, aboutissaient à la prison principale de réexpédition Krasnopresnenskaïa.

J'avais dit à Minka, à la cafétéria :

— Il faut rapidement achever l'instruction et fourrer tous les clients à la Krasnopresnenskaïa. On va bientôt manquer de place.

Minka se mit à sourire d'un air ravi et demanda avec un espoir dans la voix :

— Tu penses que nous aurons le soutien du peuple ?

— Bien sûr, le rassurai-je. Tu te souviens de ce que disait Lioutostanski : «Ce qu'il y a de bien dans l'antisémitisme c'est qu'il pousse comme le bambou, rapidement et sans soins particuliers.»

La mémoire est un don étonnant. Avec une facilité surprenante, elle sait se mouvoir dans des mondes parallèles, déplacés sur l'échelle du temps. La mémoire de nouveau m'entraîne dans cet espace abandonné, habité par des gens qui ne sont plus que cendres ; en même temps que j'entends les sons muets de ce monde, je sens ses odeurs, les parfums des fleurs aujourd'hui fanées. La mémoire me replonge dans le monde des sentiments, des sensations ressuscitées, incroyablement claires ; ce monde existe encore, oui, il existe.

Les sensations : l'excitation du joueur, la joie mauvaise, la peur stridente, la force et la souplesse, l'aveuglement, le remue-ménage en plein milieu de la nuit, l'indifférence glacée à l'égard du monde entier, le poids voluptueux du désir jamais assouvi, le cœur qui crie victoire — voilà le cosmos infini et fermé de mes sentiments d'alors, le monde émotionnel d'un jeune homme au pouvoir satanique, inhumain, exercé sur la volonté et la vie d'un nombre infini de gens, qui n'avaient jamais auparavant entendu parler de mon existence.

Mes souvenirs — ce monde réel, vivant et habité, déplacé sur l'échelle du temps — n'ont pas la forme d'un flot continu à la manière dont défile la pellicule d'un film. C'est un jeu de cartes magiques, une patience inédite composée d'as à deux têtes de dragon, de dames de pique misérables, de valets pâles, de six d'atout qui peuvent battre les rois. Et les neufs de trèfle gris, toujours gagnants.

Immense tapis de jeu de l'existence. Bien sûr, tout ou presque dépend de la donne. Mais savoir jouer n'est pas négligeable. Et sortir de sa manche la carte qu'il faut peut joliment embellir la patience des souvenirs.

Ma mémoire, c'est le souvenir de ma jeunesse qui refuse de s'évanouir, fécondé par le poison du plaisir irrésistible — la sensation du pouvoir sur les autres. Et puisque la pâte du pouvoir, quel qu'il soit, ne lève que grâce à la levure de la peur des autres et que son goût ne ressemble à aucune autre drogue, nous tous, les jeunes, devînmes des drogués du pouvoir, entretenant le voyage permanent par de nouvelles injections de violence, apprenant par l'expérience la vérité suprême : le pouvoir le plus grand est celui qui se tient au zénith, au-dessus de l'effroi d'une mort imminente.

Nous, les combattants de la Boutique, étions alors tout jeunes. Des généraux de trente ans, des gamins-colonels. Un monde de jeunes excités impitoyables. La vie des autres ne valait pas un kopeck à nos yeux, et, comme tous les jeunes, nous n'avions pas le temps de penser à notre propre mort. Moi-même je n'y avais jamais songé jusqu'à ce que j'aie compris le rythme impeccable du changement des équipes dans notre chambre des machines. Et jusqu'au jour où Moïsseï Kogan, membre de l'Académie de médecine, me dise avant de mourir :

— ... de cellules toutes neuves... néoplasmes... Les vieilles cellules ne possèdent pas cette énergie insensée pour détruire... Vous êtes des métastases, une tumeur au cerveau... Vous boufferez l'organisme, les gens, l'État, jusqu'à ce que vous ayez sa peau... alors, vous disparaîtrez vous-mêmes...

On l'avait arrêté à quatre heures du matin, chez lui. Il avait l'air parfaitement éveillé. Peut-être ne s'était-il pas couché du tout, sachant que son assistant, Rosenbaum, était déjà chez nous.

C'est le capitaine Trefniak, gaillard râblé et tout en mollets, qui occupait le bureau en noyer de Minka. Il roucoulait au téléphone avec une putain. Lorsque nous entrâmes dans le cabinet, il bourdonnait tendrement dans le combiné :

— On minaude, petite minaudière ?

Dans un coin de la pièce, sur le tabouret vissé au sol, reposaient les restes du chargé de cours Rosenbaum. Il ne ressemblait toujours pas au camarade Molotov, pas plus qu'à Trotski d'ailleurs. Il faut dire qu'il ne ressemblait même plus à un être humain.

Pas tant parce que sa gueule était tuméfiée et couverte de blessures roses, comme du veau frais, et qu'un filet de sang noir coulait de son oreille — non, Rosenbaum n'avait pas l'air d'un homme battu mais écrabouillé. Comme si Trefniak ne l'avait pas simplement roué de coups mais précipité de la fenêtre du cinquième étage.

Et le visage farineux de Kogan vira au gris à la seule vue de Rosenbaum. Kogan venait d'arriver, il ignorait encore que nous savions rapidement faire entrer n'importe qui dans la peau du personnage que nous voulions lui faire jouer, comme on enfile son scaphandre à un homme-grenouille. C'était Minka, bien sûr, qui avait eu l'excellente idée de caser Rosenbaum sur le tabouret, hoquetant et reniflant, muet de douleur et de peur.

Kogan franchit le seuil, s'immobilisa, le regard fixé sur son protégé, l'air tremblotait devant ses yeux et le brouillard de l'angoisse et du désespoir l'engloutit, juste le temps pour Minka d'envoyer balader Trefniak hors de son fauteuil et de s'asseoir cérémonieusement.

— Prenez place, monsieur l'ancien membre de l'Académie de médecine.

Non sans peine, Kogan parvint à détacher son regard de Rosenbaum, respirant avec difficulté, tremblant et à demi mort, puis fit cinq pas en avant, s'affaissa lourdement sur la chaise et dit d'une voix arrogante et stridente :

— Permettez-moi de vous faire remarquer que lorsqu'on est académicien, c'est pour toujours. Ce titre est donné à vie.

Minka dit avec un petit rire :

— Pour toujours ? Et quand la vie se termine ?

Kogan avala péniblement sa salive et j'en devinai

445

toute l'amertume. Sa voix de fausset se brisa lorsqu'il demanda :

— Vous voulez dire que vous avez l'intention de me tuer ?

— Ce n'est pas exclu ! répondit sincèrement Minka en éclatant de rire. (Sa jambe droite piaffait de plaisir et d'impatience.)

Kogan, mordant ses lèvres sèches, demanda d'un air sérieux :

— Dans ce cas-là, veuillez me dire de quoi je suis accusé.

— Mais je vous en prie ! répondit Minka. Vous êtes accusé d'avoir organisé un centre sioniste de sabotage, avec l'intention d'assassiner le camarade Staline ainsi que ses plus proches collaborateurs du Politburo du parti communiste.

Kogan garda les yeux clos pendant un instant, comme si Minka avait tiré un coup de feu au-dessus de son oreille. Et si l'épouvante s'était brusquement abattue ainsi sur son visage de vieux milan juif blanchi sous le harnais, c'est parce que le médecin impérial du Kremlin avait maintes fois vu le Saint Patron tout nu, ainsi que ses collaborateurs les plus proches du Politburo, et parce que, à la différence de ses concitoyens, il savait que beaucoup de ces dirigeants, eux, n'étaient pas des dieux, mais des vieillards séniles, qui pouvaient tomber malades, mourir, décéder, crever ! Bref, qu'ils étaient mortels. Et que, par conséquent, on pouvait les tuer.

Et si une idée aussi blasphématoire et sacrilège avait pu être formulée à haute voix, c'est que la question avait été réglée une bonne fois pour toutes.

Mais son voyage à travers les brumes du désarroi et de la peur ne dura qu'un court moment ; il demanda d'une voix redevenue calme :

446

— Bien entendu, vous disposez de preuves suffi-
santes de ma culpabilité ?

— Bien entendu, nous disposons, dis-je à mi-
voix, et il se tourna aussitôt vers moi, plantant son
regard tranchant dans le mien.

Je voyais comme il me mesurait à l'aune de sa
sagacité youpine, comme il me palpait, comme il
évaluait d'un œil de clinicien expérimenté si j'étais
plus important que cette gueule de porc de commandant assis derrière son bureau, s'il avait intérêt à
parler avec moi, ou si j'étais comme Trefniak, ou
n'importe quel garde, un personnage secondaire,
avec qui il était inutile de gaspiller tout son capital
d'arrogance juive pour des broutilles.

Mais il avait du mal à trancher, parce que j'étais
en civil et que, au lieu de m'affaler dans un fauteuil
derrière le bureau en noyer, j'arpentais lentement
la pièce. Peut-être m'aurait-il dédaigné dans son
orgueil juif, entamé mais pas encore brisé, si je
n'avais pas, tout en flânant, quitté son champ de
vision, pour me diriger sans hâte vers le coin de la
pièce où, derrière une petite table, Rosenbaum,
complètement anéanti, était assis sur le tabouret
vissé au sol, et si Kogan, malgré lui, étouffant ce qui
lui restait de fierté judaïque, ne s'était pas mis à
tourner prudemment sur sa chaise pour me suivre
du regard, jusqu'à ce que je m'assoie sur la petite
table et pose une main amicale sur l'épaule de
Rosenbaum, qui respirait à peine ; ce qui fit que tout
le monde avait adopté la position idéale pour un
interrogatoire croisé : derrière le bureau en noyer,
Minka, en train de ricaner, au milieu du cabinet,
Kogan, obligé maintenant de se tourner tantôt d'un
côté, tantôt de l'autre ; et, dans le coin opposé, si
sombre que Kogan ne pouvait, en principe, presque
rien distinguer, nous, c'est-à-dire moi et Rosenbaum,

qui un jour avait ressemblé à Trotski et qui, maintenant, grimé par Trefniak, portait le masque de la souffrance.

— ... Et quelles preuves! dit Minka, et Kogan se tourna vers lui.

— Quelles sont ces preuves, si vous me permettez cette curiosité? demanda-t-il, et son intérêt pour moi s'émoussa.

— Les voilà, les preuves, dis-je, toujours à voix basse, et Kogan se tourna vers moi.

Mes mains serrées l'une contre l'autre, les doigts écartés, je frappais doucement sur le crâne de Rosenbaum. Le claquement sec des phalanges retentit dans le cabinet.

— Il y a là-dedans plein de preuves de votre activité criminelle.

Kogan se tut un moment, mais sa morgue secrète et haineuse finit par vaincre la peur et l'orgueil jaillit de toute sa personne comme le jus d'une pastèque éclatée :

— Vous... vous... vous frappez un médecin, avec vos mains... Un médecin qui a sauvé de la souffrance et de la mort des milliers de malades.

Minka remarqua avec sa perspicacité habituelle :

— Tu parles! Sauvé! Sauveurs de mes deux! Qu'est-ce qu'un youpin ne ferait pas pour dissimuler ses projets criminels!

Kogan s'élança dans sa direction et cria d'une voix rauque :

— Quels projets? De quoi parlez-vous? Où suis-je? Mon Dieu!

— Vous vous trouvez actuellement au Département de l'instruction du ministère de la Sécurité d'État d'URSS, dit Minka cérémonieusement, qui a été averti de vos projets d'extermination des cadres dirigeants soviétiques, à commencer par Iossif Vissarionovitch Staline lui-même. Et ce rat puant de Rosenbaum nous a déjà mis au courant de vos petites magouilles.

Kogan hocha tristement la tête :

— Le docteur Rosenbaum est mon élève. Il n'a pas pu vous dire du mal de moi. Un disciple ne peut pas calomnier son maître, il ne peut pas le considérer comme un scélérat.

— Ah bon ? dis-je alors, et Kogan de nouveau se tourna vers moi.

À chacun de ses mouvements il perdait un peu plus de ce qui lui restait d'assurance.

— Il ne peut pas ? Vraiment ? demandai-je d'un air préoccupé. Et ce journal, ça vous rappelle quelque chose ?

Je lui tendis un vieux numéro de la *Pravda* jauni par le temps, mais Kogan leva rapidement les bras et repoussa le journal moite comme si j'avais essayé de fourrer entre ses pattes blanches de professeur un crapaud malodorant.

— Peut-être ne parvenez-vous pas à lire sans vos lunettes ? demandai-je, prévoyant. Laissez, je vais trouver moi-même… Où est-ce, déjà ? J'ai oublié. Ah, ah, voilà, c'est page 2. « À mort, le lâche assassin ! » Il s'agit d'une lettre de médecins soviétiques honnêtes, exigeant toute la sévérité pour les empoisonneurs Pletnev et Levine, qui ont assassiné le grand tribun du prolétariat Maxime Gorki en se faisant passer pour ses médecins personnels… Vous vous souvenez de cette lettre ? Hein ?

Kogan se taisait, les mains derrière le dos. Minka ricanait doucement de plaisir et bouffait ses moitiés d'ongles. Trefniak ne m'écoutait pas mais, d'après le ton de ma voix, il devinait que pour l'instant on n'allait cogner personne et prenait un air concentré : il devait penser à sa petite minaudière minaudante. Rosenbaum leva sur Kogan ses yeux jaunes comme de l'iode.

— Comme ça, vous avez oublié, dis-je en soupirant tristement. Aïe-aïe-aïe! Pourtant, la lettre est intéressante! Il faut voir comme les médecins honnêtes sont indignés par la lâcheté de l'espion, le professeur Pletnev! Écoutez comme c'est bien dit et comme c'est convaincant: «... les monstres et les assassins ont piétiné le drapeau sacré de la science et bafoué par leur crime ignoble l'honneur de tous les scientifiques...». Suivent les signatures: Miron Vovsi, Nikolaï Zelenine, Egorov, bien, bien... Et voilà encore un médecin honnête: Moïsseï Kogan. C'est quelqu'un de votre famille? Ou un homonyme? Ou peut-être se sont-ils trompés à la rédaction et il s'agirait de votre frère Boris Kogan?

— C'est moi... C'est ma signature..., articula Kogan avec peine.

— Est-ce possible? m'écriai-je. Je suis absolument sûr qu'un disciple ne peut pas considérer son maître comme un scélérat! Le professeur Pletnev a bien été votre professeur? Je ne me trompe pas?

Le silence qui suivit fut long, jusqu'à ce que, enfin, Kogan ait réussi à ouvrir la bouche et à chuchoter:

— N-non... vous ne vous trompez pas... Nous avons été convoqués par le vice-ministre du NKVD Agranov, qui nous a montré la déposition de Pletnev...

— Et vous l'avez cru?

— Oui...

— Je vous comprends, dis-je en hochant la tête d'un air compatissant. Tout comme vous, je n'aurais jamais cru que notre grand humaniste, un jeune homme de soixante-huit ans, solide tuberculeux, athlète avec un seul poumon et atteint de cirrhose, alcoolique avec deux infarctus, puisse mourir de sa belle mort! Seul le bras malintentionné de Pletnev pouvait arracher de nos rangs le génie de la littérature soviétique. Même moi qui ne suis pas du tout médecin, je le comprends parfaitement.

Minka se mit à glousser en se tapant sur le ventre et Trefniak, comprenant qu'il s'agissait d'une bonne plaisanterie, pouffa comme un sergent.

Où est-elle passée, votre juive arrogance, cher citoyen Kogan? Comme votre orgueil s'est vite dissous dans la honte et la peur!

Il balbutia, désemparé:

— Agranov a montré les documents… Pletnev a avoué lors de son procès… Agranov était quand même vice-ministre, membre du Comité central.

— Ne comptez pas sur les princes mais sur les hommes, dit le livre des Psaumes. Il y a belle lurette qu'Agranov a été fusillé.

— Mais nous ne pouvions pas savoir à l'époque que c'étaient des faux! s'écria Kogan, la voix pleine de désespoir.

— Des faux? répétai-je étonné. Il n'y a jamais de faux chez nous. Pletnev a été confondu et s'il a été fusillé, c'est pour de bonnes raisons. Si Agranov a été fusillé, c'est pour d'autres bonnes raisons. Et vous non plus, vous n'avez pas d'autre issue que de passer à des aveux sincères.

— Mais que se passe-t-il, mon Dieu? hurla Kogan. Qu'est-ce que vous me voulez?

La lampe électrique se reflétait dans la carafe de bureau, les bottes en cuir de Trefniak crissaient, Minka reniflait bruyamment, Rosenbaum pleurait doucement. L'eau dans la carafe était une grosse larme de cyclope.

Minka, cet âne, ne tenait pas la route, il ne comprenait pas, l'imbécile, qu'il valait mieux coincer Kogan en lui mettant le nez dans sa propre crasse plutôt qu'en l'effrayant. Aussi y alla-t-il de sa question :

— Nous voudrions que vous nous racontiez comment vous avez tué le membre suppléant du Politburo, le premier secrétaire des comités régionaux et de ville du Parti, vice-ministre de la Défense de l'URSS, le chef de la Direction générale de l'Armée rouge, le directeur du Sovinformburo, le colonel-général Alexandre Serguéïevitch Chtcherbakov...

Il avait prononcé ces mots avec une certaine pompe, comme le diacre chante sa litanie, mais Trefniak, s'arrachant à ses pensées à propos de la petite minaudière, émit un sifflement et demanda :

— Il les a vraiment tous zigouillés, ce youtre puant ?

Nous fîmes semblant de ne pas avoir entendu la remarque de Trefniak. J'observais Kogan, qui respirait péniblement, essayant de gonfler les poumons, de vaincre la peur qui paralysait sa mâchoire, avant de répondre dignement, d'une voix grelottante de peur et de tension :

— Le camarade Chtcherbakov est mort le 9 mai 1945 d'un arrêt cardiaque suite à une longue beuverie ininterrompue. Je n'aurais pas pu le tuer et ceci pour deux raisons. Premièrement, les hommes de la garde ne laissaient approcher personne de Chtcherbakov pendant toute la durée de cette beuverie. C'est facile à vérifier dans le registre tenu à la datcha de Chtcherbakov à Barvikha, où son consignés les renseignements sur l'identité des visiteurs. Et deuxièmement, je n'étais pas le médecin traitant de Chtcherbakov et ne l'ai vu vivant qu'une seule fois, lors de la consultation à propos de sa sclérose évolutive et de sa maladie ischémique...

— Et d'où connaissez-vous la cause de sa mort ?

— C'est mon collègue, le professeur Vovsi, qui me l'a dit… Il suivait Chtcherbakov en tant que thérapeute en chef de l'armée soviétique.

— Impeccable, dit Minka. C'est ce que nous allons écrire : l'idée de tuer Chtcherbakov en lui prescrivant des médicaments puissants et un régime draconien a été suggérée à Kogan par le professeur Vovsi…

— Vous êtes fou ! hurla Kogan d'une voix stridente. Je n'ai jamais rien dit de tel. Et jamais je ne le dirai. Jamais !

Kogan avait cessé de se retourner périodiquement, s'était levé d'un bond et tendait vers moi des bras suppliants, en marmonnant fiévreusement :

— Écoutez, camarade, vous avez l'air d'un homme convenable et instruit, essayez de comprendre que toutes ces accusations ne sont qu'absurdités monstrueuses ! Personne au monde ne pourrait croire à tout cela ! Quels médicaments puissants ? Quel régime draconien ? Chtcherbakov buvait quotidiennement jusqu'à trois litres de vodka et fumait plusieurs paquets de cigarettes. Vous l'avez sûrement vu, il pesait cent quarante kilos et pouvait à lui seul manger un jambon entier avec du sarrasin pour son déjeuner. Pendant la consultation dont je vous ai parlé, il m'a dit lui-même qu'on lui apportait tous les jours une douzaine de bouteilles de bière non traitée de l'usine de Badayev. C'est fatal pour les reins !

— Ne traînez pas dans la boue le fils glorieux du peuple soviétique que vous avez assassiné, dit Minka sur un ton à la fois solennel et triste.

— Je ne le traîne pas dans la boue ! J'essaie de vous expliquer ! Ce n'est pas moi qui lui ai prescrit de boire de la vodka et d'avaler des caisses entières de bière !

Minka posa sa petite main grasse aux ongles cassés sur ses yeux et, empli de douleur, dit sourdement :

— Alexandre Sergueïevitch Chtcherbakov, aux côtés du camarade Staline, porta tout le poids de la guerre sur ses épaules et mourut le jour de la victoire à l'âge de quarante-quatre ans, tandis que ce vieux pou youpin se porte comme un charme, après avoir passé toute la guerre à s'empiffrer à l'arrière. Et maintenant il offense la mémoire d'un des plus fidèles disciples de Staline... Je ne veux pas entendre ça !

Et il frappa un coup sur la table. Kogan se tut. Soit il avait compris, soit il était fatigué.

Je m'approchai de lui, posai la main sur son épaule et lui dis sur le ton de la confidence :

— Malgré mon indignation devant les crimes que vous avez commis, vous m'êtes quand même sympathique. Et c'est pour ça que j'aimerais vous donner un conseil : soyez raisonnable, écrivez vous-même tout ce que vous demande l'instructeur. Et de manière à ce que ça soit convaincant à la fois du point de vue humain et scientifique.

— Pourquoi ? chuchota Kogan. Pourquoi devrais-je écrire ces horribles histoires de fou ?

— C'est une question stupide, croyez-moi. Si, pendant la guerre, vous aviez été atteint par une balle, vous ne seriez pas venu demander pourquoi c'était vous qu'elle tuait ? C'était vous et c'est tout. Il est normal qu'on tue, à la guerre.

— Mais la guerre est finie !

— Vous vous trompez ! Il y a une guerre. Une guerre très sérieuse. Nous n'admettrons pas que dans chaque administration les Gourevitch, Gourovich et autres Gourvitch empoisonnent l'existence du peuple soviétique !

— Vous parlez comme un fasciste, dit Kogan lentement comme si ses lèvres avaient subitement gelé.

— Ce n'est ni le lieu ni l'heure de chercher à savoir qui parle et comment. Je vous explique pourquoi, dans votre propre intérêt, vous devez le plus rapidement possible nous fournir les renseignements que nous vous demandons.

Kogan secoua la tête :

— Je ne dirai rien. Je ne sais rien et je ne dirai rien à propos de personne.

— Bien sûr que si ! dis-je en m'esclaffant. Un jour vous avez trahi votre maître Pletnev et maintenant c'est Rosenbaum qui témoigne contre vous.

Je dus m'arrêter car Rosenbaum venait de pousser un mugissement lugubre et perçant, mais Trefniak le calma d'un coup bref et bien placé au foie, ce qui me permit de continuer :

— Rosenbaum a témoigné contre vous. Vous-même, vous venez de nous parler de Vovsi…

— Je n'ai rien dit de mal à propos de Vovsi…

— Mais si, mais si, calmez-vous. Suffisamment pour qu'on l'arrête aujourd'hui même. C'est ce que nous allons faire. Et lui nous parlera sûrement de votre frère, Boris Borissovitch, qui à son tour nous parlera de Feldman et ainsi toute l'affaire sera sur les rails.

— Pour aller où ? demanda Kogan, et je vis qu'il était secoué de tremblements.

— En enfer, répondis-je tranquillement. Je vous demande de comprendre que vous êtes déjà tous morts, faites-vous à cette idée.

— Alors pourquoi cette conversation ? demanda-t-il en haussant les épaules.

— Parce que comme tout mort vous vous êtes retrouvé au purgatoire, en d'autres termes dans ce bureau. Et c'est votre comportement qui décidera où vous irez ensuite : au paradis ou en enfer.

— Et qu'est-ce qu'on considère chez vous comme le paradis ? demanda Kogan, et je reconnus au fond de moi qu'il n'était pas mauvais polémiste.

— Il ne peut être question de paradis sans qu'il y ait repentir et absolution des péchés : nous en parlerons plus tard. En enfer, je vous dis, en enfer…

Je fis une pause et dis après un instant de réflexion :

— L'enfer c'est ce que vont vivre vos parents, vos enfants et vos petits-enfants. L'enfer, c'est ce que vont connaître vos amis les plus proches. L'enfer, c'est la honte et le mépris qui vous poursuivront toujours. L'enfer, c'est ce que le capitaine Trefniak vous fera subir, en vous transformant en un animal du même genre que votre assistant Rosenbaum. L'enfer, c'est cet état où vous commencerez à désirer l'oubli et la mort avec autant de ferveur qu'une gorgée d'eau froide. Vous comprenez maintenant ce que c'est, l'enfer ?

Trefniak, qui avait entendu prononcer son nom, se posta dans le dos de Kogan.

— Je comprends, dit Kogan en hochant la tête d'un air résigné. Mais, je vous en supplie, expliquez-moi seulement : à quoi cela sert-il ? Qu'est-ce que ça vous fait à vous, personnellement ?

— Ce serait une longue conversation, mais ce n'est ni le lieu ni l'heure. C'est comme ça, c'est tout. La vie c'est comme un combat de coqs, il faut apporter son coq au milieu de la piste. Sinon tu n'es pas un combattant ni un joueur, mais un abruti. Il faut venir avec son coq.

— Peut-être. Sûrement. Seulement, vous n'êtes pas venu avec votre coq mais avec un charognard assoiffé de sang, dit Kogan d'un air accablé, et il se

456

leva. Comme vous le savez déjà, je n'ai rien à vous dire…

— Bien, c'est vous qui décidez, dis-je et, me tournant vers Minka : Commencez l'interrogatoire, je reviendrai dans deux petites heures.

Au moment de franchir le seuil, je me retournai une dernière fois et le tableau s'imprima ainsi dans ma mémoire : Minka, le knout à la main, comme un monument à la gloire des bergers ; Kogan, sa tête toute blanche enfoncée de terreur dans les épaules ; derrière lui, Trefniak, sa jambe de fer parée pour les coups, tendue comme une catapulte ; et, dans le coin, Rosenbaum posé en tas humide sur le tabouret.

Dès que j'eus fermé la porte, j'entendis le *tchak* d'un poing s'enfonçant dans quelque chose de mou, une gifle sonore et un hurlement de bête, de moins en moins strident à mesure que je m'éloignais dans le couloir recouvert de tapis rouge.

Il est vrai que des autres bureaux aussi me parvenaient les cris, les gémissements, les hurlements, le bruit des coups, des lourdes gifles et des taloches, les pleurs et les injures. Ceux qui marchaient dans ce couloir ne prêtaient jamais attention à tous ces bruits, banals dans notre établissement. C'est vrai, au début, ça énerve, mais après on s'habitue. Après tout, une scie, c'est bien pire. Et le cri du foret ? Et la hache, ce n'est pas plus effrayant ?

Les hommes ont tendance à tout compliquer, à parer de tragique et de mystère la pure routine administrative, à la mystifier.

Bien des années après, lorsqu'il m'arrivait d'entendre ces histoires qui me glaçaient le cœur à propos des tortures dans les caves de la Boutique, moi, l'écrivain, le lauréat, le professeur, c'est-à-dire un intellectuel fin et distingué, j'écoutais toutes ces horreurs et m'écriais avec dégoût : je ne peux pas le croire, ça dépasse tout simplement l'entendement ! C'est vrai, je ne peux pas imaginer ces horribles caves, ces lugubres oubliettes, car elles n'ont jamais existé à la Boutique. Ce sont des légendes apocryphes. Un mythe. Tout cela n'a jamais existé parce que nous n'en avions pas besoin. Pour quoi faire ? Nous n'avions rien à cacher. Les procureurs travaillaient aussi dans la maison. D'ailleurs, on les appelait les procureurs du MGB.

Inventions d'imbéciles illettrés qui ne comprennent rien à notre travail et à nos techniques.

La différence entre un instructeur de la Boutique et un physicien, c'est que le premier n'a pas besoin d'un synchrophasotron dans sa cave pour découvrir la vérité. Tous les moyens et les instruments de mesure, la seule voie de la connaissance, sont à portée de main de l'instructeur.

Dans chaque cabinet, il y a suffisamment de prises, les narines de cuivre gorgées de bon courant électrique que l'on peut, grâce à une simple pince, conduire directement aux lèvres, à la poitrine, à l'oreille ou au membre de l'inculpé, ou, si c'est une femme, à son tendre téton.

En moins de temps qu'il n'en fallait pour le dire, Zatsarenny savait avec de simples pinces arracher les ongles à celui qui ne se décidait pas à parler.

Et même une personne du sexe faible, un animal aussi subtil que Katia Chougaïkina, pouvait vous arracher la moitié des cheveux sur la tête. Elle se montrait particulièrement habile en donnant des coups de pied dans les testicules ; la perfection de ce coup était déterminée par la surprise. Et par son entraînement, bien sûr.

Quant à casser les dents, énucléer, arracher les

oreilles ou briser des os, tout cela était de la gno-gnote, personne ne prenait ça au sérieux.

Toutes ces caves de torture étaient un mythe, du perlimpinpin moyenâgeux, dont nous n'avions absolument pas besoin, puisque la Prison intérieure centrale du MGB de l'URSS, qui occupait l'immeuble de cinq étages de l'ex-hôtel, ex-compagnie de cargos Caucase et Mercure, dans la cour du 2, rue Loubianka, et reliée au bâtiment principal par un passage, permettait d'assurer le cycle complet de la sécurité nationale, depuis le travail préparatoire des agents jusqu'à l'arrestation du figurant, depuis le début de l'instruction jusqu'aux aveux complets de l'inculpé, depuis le procès par la Commission spéciale auprès du ministre, la COS, jusqu'à l'exécution du condamné, le tout sans mettre le nez dehors une seule fois. Tout se passait dans un lieu unique! Le rêve du technocrate, le but inaccessible du technicien : une production sans déchets, en circuit fermé, un intestin qui se digère lui-même. Bien sûr, il fallait emmener ceux qui décédaient d'insuffisance cardiaque au crématorium, mais ça n'avait plus de rapport avec le cycle de l'instruction.

Il n'y avait pas de caves de torture.

Au contraire, les prisonniers de la Centrale, le crâne rasé et le visage terreux, étaient les seuls des innombrables habitants de notre univers carcéral à avoir droit à un paquet de Box, des cigarettes fines et cassantes remplies d'herbe, au prix de soixante kopecks au cours de l'époque, c'est-à-dire 0,6 kopeck au cours d'aujourd'hui. Voilà un effet économique visible de la production sans déchets !

Personne ne veut comprendre que si le temps marche à reculons, si dans la sourde obscurité d'une nuit de janvier la journée de travail bat son plein, si les médecins tuent leurs patients, les caves de torture ne se trouvent sûrement pas au sous-sol mais au cinquième étage du bâtiment de l'Instruction.

J'allai dans mon bureau, pris dans le coffre-fort le rapport de l'agent au nom de code «Fumée» et le lus avec beaucoup d'attention. Une chemise cartonnée à rubans banale, avec tous les paraphes d'usage.

> *Ministère de la Sécurité d'État de l'URSS.*
> *Deuxième direction générale.*
> *Top secret.*

Ce dossier doit être impérativement conservé dans un coffre-fort dans un lieu prévu à cet effet. Consultation interdite aux personnes extérieures.

Interdiction formelle de sortir ce dossier du bureau.

L'inspecteur responsable de l'agent est personnellement tenu de respecter les règles de conservation et d'utilisation de ce dossier.

C'est-à-dire moi.

Pendant quelques années, je fus responsable de l'agent Zamochkine Sergueï Fomitch, un vieux bijoutier du milieu, et tous nos efforts communs étaient répertoriés dans cette chemise cartonnée. Il y a très longtemps, sur une dénonciation d'un autre agent, bijoutier également — je leur ai toujours témoigné un intérêt particulier —, nous avions coincé Zamochkine avec un lot de diamants de provenance douteuse, bien que d'une très belle eau, et, pendant une bonne minute, je le vis alors se débattre dans cette cruelle alternative : devenir notre informateur ou aller en prison.

Zamochkine signa un premier engagement comme informateur secret, puis un deuxième sur la non-divulgation des secrets d'État et vécut tranquillement comme un chat castré : il ne connaissait pas

460

la souffrance morale et continuait, caché derrière mon large dos, à faire tourner son petit commerce. C'était un agent parfait : jamais il ne me dérangeait pour des broutilles, il ne discutait pas, ne supposait rien, chaque rapport contenait des informations claires et précises et, surtout, il avait très bien compris ce qui, ou plutôt ceux qui m'intéressaient.

Ah, si l'on pouvait donner ce paquet de feuilles soigneusement rangées et numérotées à un quelconque Balzac, quelle Comédie humaine cela donnerait ! Le monde entier s'en gondolerait ! Mais il n'y a plus de Balzac et l'accès aux dossiers des agents leur est de toute façon interdit, puisque je me suis occupé de ça personnellement, ma place dans ce monde m'étant plus chère que la littérature tout entière. Voilà pourquoi personne ne peut imaginer quelles drôles de choses arrivent aux fonctionnaires incorruptibles qui, pendant leurs loisirs, assouvissent leurs penchants pour les bijoux.

Sergueï Fomitch, un spécialiste reconnu, d'une discrétion absolue, était pour moi une source inépuisable de matériaux compromettants contre les membres importants du Parti, les fonctionnaires et, pourquoi cacher ce péché, mes timides collègues, qui avaient pris le slogan politique : «Vole ce qui a été volé !» à la lettre. Et comme ils estimaient que tout ce qui attirait leur regard et qui ne leur appartenait pas était volé, ils volaient à tour de bras. Et de temps à autre, dans la bijouterie clandestine, quelque bijou de la noblesse, des panagies[1] épiscopales extraordinaires, des porte-cigarettes en or du temps de la NEP refaisaient surface, toute une foule de petites choses adorables tombées dans la poche de nos vaillants combattants au lieu d'être convenablement

1. Images de Jésus ou de la Vierge portées au cou sous forme de bijoux religieux.

inscrites au procès-verbal des perquisitions et des confiscations. Et c'est alors que, du haut des nues de l'honnêteté tchékiste, je frappais le concussionnaire avec le glaive sévère de Némésis et saisissais ses grosses pattes rafleuses : c'était le début d'une amitié attentionnée et d'une coopération de bon aloi. Je leur donnais ma parole d'honnête tchékiste et bolchevik qu'à part moi personne ne serait au courant de ce triste épisode. Ma parole, c'était du granit. De leur côté, eux aussi me donnaient leur parole, par écrit, cette fois-ci, qu'ils m'aideraient à racheter leur faute. Et, comme tous les bolcheviks et tchékistes, nous tenions toujours parole. Parce que aucun de ces crétins avides n'avait eu le courage, juste après avoir fait ma connaissance, de me tirer dessus dans une sombre rue de Moscou, de reprendre l'engagement qu'il avait signé et de disparaître. Ils n'y songeaient même pas, les imbéciles.

Nos relations, on peut le dire, étaient des plus intimes. Et notre collaboration toute personnelle : les archives centrales auraient été surprises d'apprendre que des officiers du MGB faisaient partie de mon réseau d'informateurs.

Depuis le moment où j'étais monté dans mon bureau à la Boutique, c'est-à-dire le « lieu prévu à cet effet », et où j'avais déposé leur engagement écrit dans le coffre-fort, il ne restait plus à ces débiles qu'à croire à leur bonne étoile, car si je venais à mourir ou à être arrêté, ce coffre-fort serait ouvert par des gars extérieurs à mon service, qui se pencheraient avec beaucoup d'intérêt sur notre solide amitié.

Bref, cette clique, éparpillée dans presque tous les services de la Boutique, me permettait de naviguer facilement dans les tendances nouvelles, les idées et les directions de notre très solide mais très versatile maison.

Quelques années plus tard, cette prudence me sauva la vie. Le prix de cette vie était un dentier. Une grosse prothèse dentaire. En or. Un habile tchékiste l'avait piquée directement dans la tasse posée sur la table de nuit pendant la perquisition. Il l'avait apportée à Sergueï Fomitch Zamochkine, mon agent au nom de code Fumée. Ce garçon tomba aussitôt dans mes bras amicaux grands ouverts. Nous nous jurâmes fidélité, le petit malin et moi-même, et un jour il me chuchota à l'oreille ce quelque chose qui me sauva la vie.

Par la même occasion, on peut dire que le brave garçon avait détourné le cours de l'histoire humaine.

Je le certifie : ce petit malin, en ayant volé une prothèse dentaire, a détourné le cours de l'histoire de l'humanité.

Et, ayant accouplé mon destin avec celui des milliards d'autres hommes, il lui donna ce prix : une prothèse en or, de fausses dents de métal précieux, volées alors qu'elles reposaient dans une tasse remplie d'eau bouillie, sur la table de chevet d'un vieillard arrêté et disparu sans laisser de traces.

Cet épisode avait lieu un peu plus tard, en juin 53, au moment de la déchéance de Lavrenti le Rouge-et-Bleu, espion anglais, ex-agent du Moussavat[1] et boute-en-train, devenu le numéro deux d'un petit pays couvrant un sixième de la planète, où le socialisme avait vaincu pleinement mais pas définitivement, comme nous l'avait mystérieusement suggéré le Patron prématurément disparu.

1. Parti nationaliste azerbaïdjanais, au pouvoir de 1918 à 1920. L'une des principales accusations contre Beria en 1953, lors de sa chute, fut son appartenance au service de contre-espionnage de ce parti. En réalité, il semble qu'il avait agi sur ordre des bolcheviks.

Pour le moment… Pour le moment, je continuais de feuilleter le dossier de l'agent Zamochkine et réfléchissais. Il y avait de quoi.

Le dossier que m'avait commandé le ministre, destiné à charger son adjoint et mon chef Kroutovanov, devait répondre à deux exigences. Premièrement, compromettre le général jusqu'au cou. Deuxièmement, ne contenir aucun indice de ma participation.

Je n'avais pas l'intention de me retrouver dans la situation des voleurs minables qui revendaient les objets volés à Zamochkine et tombaient dans mes bras aussi tendres qu'amicaux. Je n'aimais pas le rôle de pion qu'Abakoumov pouvait me faire jouer dans sa partie avec Kroutovanov. Bien sûr, pour l'instant, Abakoumov avait beaucoup d'atouts en main. Beaucoup d'as, tout un carré. Mais la partie n'était pas terminée. Le soir n'était pas encore tombé. Et d'ailleurs, le soir, chez nous, ce n'est pas le crépuscule, mais la première heure du matin, le début d'une claire journée de travail, qui s'écoule sous la forme d'une longue nuit obscure.

Qui peut affirmer que Kroutovanov ne tiendra jamais ce dossier entre ses mains ?

Nous sommes de l'Opritchnina, nous sommes différents des autres, nous avons nos propres lois. Et puisque l'horloge stupide inventée par les hommes sonnait six heures du matin, ça voulait dire que la journée de travail était presque terminée, que s'annonçait une bonne soirée de repos et qu'il fallait me dépêcher.

Je mis de côté le rapport de Zamochkine, l'agent Fumée, la copie de l'acte de la Commission des trophées de guerre à propos de la confiscation de la couronne au palais de Zwinger, la copie d'une décharge signée par Mechik concernant l'utilisation d'«une antiquité en forme de couronne» pour les besoins internes du MGB, encore quelques papiers, rangeai tout cela dans la poche intérieure de ma veste et allai chez Abakoumov.

Comme toujours, à cette heure où pointait l'aube vespérale, le wagon était plein. Les généraux roulaient vers l'inconnu, secoués dans leurs fauteuils de cinéma cirés, les coursiers s'affairaient, Kotchegarov tournicotait son téléphone-gouvernail. Il me dit avec bienveillance:

— La réunion se termine bientôt. Attends.

Puis, après avoir jeté un coup d'œil sur les autres, il me servit cette généreuse tranche d'intimité:

— Si on devait attendre tous ceux-là...

Ô toute-puissance de l'appareil! Tyrannie de l'administration! Dictature du secrétariat! Il fallait voir l'amour et le dévouement que témoignaient à ce monstre fessu aux yeux squameux et aux grosses cuisses les patrons et les décideurs de milliers d'autres vies, les despotes de pays immenses, les gouverneurs incontrôlés des destinées. Chacun d'eux avait une biographie: celui-là avait été arrêté, dégradé ou fusillé, cet autre avait une nouvelle fois grimpé les marches de la hiérarchie. Mais Kotchegarov, le wattman, n'avait laissé aucun souvenir, il s'était évanoui, dissous dans les airs, dissipé dans le ciel comme les nuages de fumée sortant des cheminées de la centrale électrique de Moscou. Comme s'il n'avait jamais existé.

Ce jour-là, pourtant, il existait. Et jouissait d'un pouvoir absolu près de son gouvernail. Il devait connaître son métier de secrétaire à la perfection, car tout à coup il s'extirpa adroitement de son fauteuil et, comme s'il avait reçu un signal resté invisible aux autres, alla ouvrir grande la porte du bureau d'Abakoumov.

Les chefs se déversèrent en grappe : les vice-ministres Koboulov, Selivanovski, Agaltsev, Goglidzé, le chef du renseignement politique Fitine, le chef du contre-espionnage Fedotov, le chef de la quatrième direction générale Soudoplatov, le chef du Département de l'instruction Vlodzimirski... Les chefs. Une foule de chefs. De bande, de clique, de gang.

Le dernier à sortir fut Kroutovanov, qui referma la porte. À voir Krout se mordre la lèvre et un tic nerveux lui secouer la joue, je devinai que la partie avait dû être serrée. Il m'aperçut, me sourit péniblement, fit un clin d'œil à peine perceptible et passa sa main dans ses cheveux clairs rehaussés d'un peu de brillantine, le long de sa raie toute droite, à l'anglaise.

— Je suis content de vous voir, lâcha-t-il en me tapotant le dos.

Sans me tendre la main. Jamais il ne serrait la main à quiconque. Peut-être faisait-il une exception pour son beau-frère, Gueorgui Maximilianovitch. Mais pas pour nous.

— Venez me voir dans un ou deux jours, j'ai quelque chose pour vous, me dit-il.

Il me vouvoyait. Il vouvoyait tout le monde, même les prisonniers. À sa femme aussi, il devait dire « vous », par respect du mari de sa sœur, c'est-à-dire de son beau-frère.

— À vos ordres, répondis-je en me mettant au garde-à-vous.

Il rejeta la tête en arrière, me regarda fixement comme s'il me visait, et dit sur un ton décidé :

— Oui, j'ai quelque chose pour vous.

Il s'en alla, me laissant une désagréable sensation au fond de l'estomac. Ce n'était certes pas le remords. Je n'aimais pas du tout qu'ils aient tous besoin de moi si brusquement. Ça allait mal finir.

Kotchegarov me tapa sur l'épaule :

— Entre…

Et j'entrai dans la salle de réunion du ministre des assurances Rossia.

La journée de travail était terminée et l'assureur en chef, déjà bien avancé, était assis dans le fauteuil, les pieds sur la table basse, une bouteille ventrue de Haig dans une main et un verre de cristal, rempli de liquide jaune paille, dans l'autre.

Il me regarda méchamment, avala son verre d'un trait, grimaça et dit d'un ton dépité :

— Whisky ! Whisky ! C'est de la merde. De la daube. Qu'est-ce qu'on lui trouve ? En un mot, c'est des conneries, tous ces trucs étrangers…

— Forcément, de la gnole de maïs ! approuvai-je avec enthousiasme.

Abakoumov détailla l'étiquette sur la bouteille, essayant de déchiffrer les caractères mystérieux. Puis il me demanda sur un ton préoccupé :

— Dis-moi, Pachka, si l'on considère tout ce que j'ai ingurgité dans ma vie, tu crois qu'il y aurait de quoi remplir une citerne ?

— Un wagon-citerne ou un camion-citerne ? demandai-je.

— Un wagon, répondit le ministre après une courte réflexion.

— Un gros ou un petit ? continuai-je.

— Allez, un petit, dit Abakoumov.

— Un petit, c'est sûr, dis-je.

— C'est ce que je pense aussi, dit tristement le ministre. Je ne peux pas ne pas boire, c'est la vie qui veut ça.

— Le foie n'aime pas beaucoup ça, remarquai-je.

Il éclata de rire :

— Je ne tiendrai pas jusqu'à la cirrhose, Pachka. Je mourrai jeune. C'est même dommage de mourir en si bonne santé…

— Pourquoi mourir alors, camarade colonel-général ? Vivez tout votre soûl, et nous, nous serons contents. Nous vous aimons tous…

— Je sais combien vous m'aimez, bande de chacals. Sur cette terre, il n'y a que Iossif Vissarionovitch qui m'aime et qui m'estime ! Tandis que vous tous, je m'en bats les couilles, je m'en branle !

J'eus l'impression qu'il n'était pas uniquement ivre mais qu'il essayait de se donner du courage, de se calmer.

— Bon, dit-il en crachant sur l'épais tapis. Tu as apporté le dossier ?

Sans un mot, je tendis la liasse de papiers. Abakoumov lut attentivement, en tenant les papiers loin des yeux, avec des petits cris de contentement, des ricanements et quelques clins d'œil. Puis il se tourna vers moi et lâcha paresseusement :

— Et pourquoi tu n'as pas apporté le dossier de ton agent ? Comment s'appelle-t-il, déjà ? (Il regarda la feuille.) Ce «Fumée»…

— Viktor Semionytch, je ne savais pas qu'il pouvait vous intéresser. Et puis vous nous avez interdit de sortir les dossiers de nos bureaux. Par ailleurs, j'ai rencontré Kroutovanov à la porte de votre cabinet : de quoi aurions-nous eu l'air s'il avait eu la curiosité de jeter un coup d'œil à ces papiers ?

— Bon, bon, dit-il mollement en secouant la tête et sans relever ce «de quoi aurions-nous eu l'air» d'une impudence inouïe.

Il baissa ses paupières gonflées et demanda, indifférent :

— Tu savais que tu le rencontrerais ici ?

468

— Je n'exclus jamais une telle éventualité, remarquai-je.

— Bon, bon, marmonna-t-il de nouveau, et il dit, sur un ton faussement dégagé, comme si ça venait de lui passer par la tête : Pourquoi tu n'as pas rédigé de note d'accompagnement avec ce dossier ? Dans le style : voilà, chef bien-aimé, les informations que j'ai reçues, etc. Hein ?

— Viktor Semionytch, écoutez, je travaille comme un professionnel et je réfléchis toujours avant d'exécuter vos ordres.

— Réfléchir, hum. Et alors, à quoi as-tu réfléchi, monsieur le professionnel ?

— Qu'on ne fabrique pas des balles avec de la merde. Parce que tout ce matériau, c'est une balle de gros calibre. Je suppose que vous allez faire remonter ce dossier très haut, très très haut. S'Il lit ce rapport et tombe sur mon nom — qui c'est, ce Khvatkine ? Un inspecteur ? Lieutenant-colonel ? Un avorton ! Un moins-que-rien ! Où est-ce qu'il se croit, ce cochon malpropre ? C'est autre chose si le rapport est signé par le lieutenant-général Mechik.

— Mechik ? répéta le ministre, les yeux toujours fermés, ce qui lui donnait l'air d'un homme assoupi de fatigue.

Mais moi je savais qu'il n'était pas assoupi, il avait fermé les yeux pour réfléchir, et ce n'était pas là un homme fatigué mais une bête sanguinaire, tapie dans son coin et se préparant à l'assaut.

— Bien sûr, Mechik, répondis-je. Si le rapport est signé par Khvatkine, ce n'est plus une balle mais de la chevrotine à bécasses. Alors que si c'est Mechik qui signe, alors là, c'est un obus qui peut tuer un ours.

— Pourquoi ? demanda Abakoumov en levant un sourcil redessiné.

— Parce que si le dossier du caillou suit le rapport, Mechik n'est plus qu'un témoin honnête et désintéressé. Il m'a donné le diamant, ce que je confirme dans le rapport, et il est pur comme l'eau claire. Ce qu'il est advenu du diamant après, il ne veut pas le savoir. Seulement ce n'est pas comme ça que l'affaire se présente.

— Et comment elle se présente ? lâcha le chef.

— Ce n'est pas pour les orphelins coréens que Mechik a récupéré le caillou ; il avait un intérêt personnel — il s'est forcément renseigné auprès de Krout : alors, il en dit quoi, le Patron, de notre cadeau ? Et Krout lui a sans aucun doute répondu que ce n'était pas le moment et qu'il fallait attendre un peu. Comme ça, Mechik sait à coup sûr que c'est Kroutovanov qui s'est morfalé le diamant.

— Et alors ? demanda sèchement Abakoumov avec une grimace de mécontentement, mais j'étais persuadé qu'il avait déjà pensé à tout cela et me faisait simplement réciter le plan de la combinaison future pour vérifier si la construction tenait le coup.

— Et alors, si Mechik est convoqué par Lavrenti Palytch ou, Dieu me préserve, par Lui-Même, il fera dans sa culotte et niera tout dans la mesure du possible. Alors qu'ici, dans votre bureau, il comprendra tout de suite en lisant le dossier que c'est vous qui contrôlez la situation et il écrira sous votre dictée n'importe quel rapport, et vous n'aurez rien à voir avec tout ça...

— Comment ça ?

— Comme quoi, ce n'est pas de vous que vient l'initiative, c'est une déclaration officielle d'un des dirigeants responsables du MGB, ministre dans une république, général et vieux tchékiste ! Et votre devoir est d'informer le camarade Staline de ce fait exceptionnel. Et notre cher Sergueï Pavlovitch est cuit.

De l'extérieur on aurait pu croire qu'Abakoumov s'était endormi pour de bon. Mais il rêvait! Un songe éveillé, sombre et menaçant, le doux rêve, le pressentiment de la vengeance prochaine, le seuil du bonheur maculé du sang et de la cervelle éclatée de l'ennemi mortel!

Le ministre secoua la tête, souleva ses lourdes paupières, remplit son verre de whisky, réfléchit un instant, en versa aussi dans un deuxième verre, me le désigna du regard et dit:

— Allez, monsieur le professionnel, on va boire un coup... Tu es trop malin, toi. Tu ne mourras pas de ta belle mort.

J'avalai la boule de feu de maïs, qui cogna contre mes tempes. Abakoumov reposa les pieds par terre, se leva pesamment, alla en titubant légèrement vers le coffre-fort, cliqueta longuement avec son trousseau de clefs et entrouvrit la porte épaisse d'un bon demi-mètre: il y avait un deuxième coffre fermé avec un cadenas à combinaison. Le chef pressa les boutons, modifia les chiffres sur le cadran et la porte s'ouvrit avec un léger claquement. La gueule d'acier engloutit mes petits feuillets.

Seigneur, c'est qu'il y en avait, des secrets, dans ce coffre! Je jurerais qu'il n'y avait pas dans le monde de caverne contenant davantage de richesses que le coffre-fort de Viktor Semionytch Abakoumov. Car la plus grande richesse, c'est le pouvoir, et il n'y a pas de plus grand pouvoir que la toute-puissance du gardien des secrets des autres. Et ce pouvoir augmente, gonfle et grossit proportionnellement à la quantité de ces secrets.

Notre merveilleuse Boutique — la banque pansoviétique, panmondiale des secrets humains, extorqués à leurs propriétaires grâce aux exécutions, aux coups, aux perquisitions, aux dénonciations, aux compromissions et à toutes sortes de mesures actives — avait acquis un pouvoir illimité sur les petites gens, en prenant en dépôt les dessous de l'existence du peuple tout entier.

Et quelque chose de plus intéressant encore — l'existence secrète et invisible des gardiens des secrets d'autrui, des maîtres des pensées et des actes des gens — était conservé dans le coffre-fort du conservateur en chef des destins, le colonel-général Abakoumov.

Voilà pourquoi, en essayant d'apercevoir sournoisement ce qu'il y avait dans le coffret sacré du ministre, j'entendais mon cœur battre comme un forcené et tentais de deviner si j'arriverais à surnager au milieu de la vague grandissante de la lutte pour les secrets des autres, ou si elle m'emporterait avec elle.

Les caprices de l'existence faisaient que je chassais ces secrets en solitaire, en catimini, confidentiellement, comme on dit, et toute ma ruse consistait à ne pas laisser ce secret rejoindre le dépôt d'Abakoumov.

Un de mes secrets reposait déjà dans ce coffre. À mon avis, c'était suffisant.

Non, je ne doutais pas des bonnes dispositions d'Abakoumov à mon égard, mais la conservation des secrets aussi importants est un travail difficile. Et dangereux.

Personne ne pouvait prévoir à quel moment il ferait un faux pas et tomberait écrasé par un poids monstrueux. Ce dépôt passerait alors dans d'autres mains.

Lesquelles ?

Cela non plus, personne ne pouvait le prévoir, à part le Patron immortel, parce que *jamais* aucun favori n'avait pénétré en chef dans la salle de réunion directoriale de la compagnie d'assurances Rossia.

Abakoumov fit cliqueter la serrure du coffre intérieur, prit dans l'armoire d'acier quelques feuillets et dit, en les agitant dans l'air :

— Le camarade Staline a confiance en moi ! Et il m'aime ! Il sait que je suis le seul qui lui restera fidèle jusqu'au tombeau. Le seul !

Il s'assit derrière son bureau, me fit signe d'approcher et dit :

— Toi, par exemple, petit cochon, as-tu déjà vu la signature personnelle du camarade Staline ? Jamais ? Eh bien, regarde, tu auras quelque chose à raconter à tes petits-enfants.

Il me tendit les feuillets : c'était une « Disposition à propos de la Direction générale du contre-espionnage de l'Armée rouge, le Smerch ».

— Regarde, lis ce que Iossif Vissarionovitch a écrit à mon sujet...

Il pointait son doigt à l'ongle large et blanc sur la feuille où l'on pouvait lire ces mots, tapés à la machine, paragraphe 2 : « Le directeur de la DGCE-Smerch de l'Armée rouge dépend directement du ministre de la Défense de l'URSS. » Et, au-dessus, écrit au crayon gras bleu : « Et de lui seul[1]. »

— Tu comprends ? Je dépends de Lui. Et de Lui seul !

Il rangea scrupuleusement les tables de loi avec le commandement écrit au crayon bleu et m'ordonna :

1. Pendant la guerre, Staline cumulait plusieurs fonctions, dont celle de ministre de la Défense.

— Viens ici après-demain, à trois heures du matin.

— À vos ordres! répondis-je, au garde-à-vous.

— Je vais rappeler Pachka Mechik de Kiev. Je vais vous arranger une petite confrontation. Si tout se passe comme tu me l'as exposé, tu peux te commander une chapka de colonel... Sinon...

Il ne dit pas ce qui arriverait sinon. Et il n'y avait aucune raison que je le lui demande. Je devinais.

Je reçus en effet la chapka de colonel, en astrakan gris. Pas le surlendemain, mais deux années plus tard. Des mains du nouveau patron de la compagnie d'assurances Rossia.

Nous l'avions bien mérité, Minka et moi, le présent des Tatars: le knout de cuir et la chapka en peau de mouton.

16

Orbis terrarum

Floué comme un môme.

Je m'éveillai après un long rêve, pittoresque et effrayant, très long — presque toute une vie —, sans knout dans mes mains, sans chapka sur la tête, mais glacé d'angoisse et de peur, l'estomac dans les talons et une douleur perçante dans le thorax. Avec, en face de moi, Mangouste, l'éternel, l'indestructible, l'obsédant Mangouste, pourriture youpine.

— Ça fait cinq heures que nous festoyons, dis-je. Je suis repu.

— Rien d'étonnant, acquiesça Mangouste. Il a fallu trente ans pour préparer ces mets délicats.

— Et vous, en un seul déjeuner, vous auriez voulu tirer de moi toute ma chair, comme d'une écrevisse ?

— Non, dit-il en hochant la tête.

— Alors, que voulez-vous ?

Mangouste saisit une bouteille d'eau minérale sur la desserte, la décapsula, remplit son verre, y jeta un comprimé blanc effervescent, regarda au travers, but sans se hâter quelques gorgées et dit à voix basse :

— Une confession publique.

— Premièrement, répondis-je, une confession publique n'est jamais sincère. La vraie confession est une chose intime. Deuxièmement, je n'ai rien à confesser. Personnellement, je ne suis pas coupable.

Farceuse mémoire ! À ce moment précis, elle fit perfidement revenir à la surface des souvenirs malvenus, oubliés depuis longtemps.

… Une vieille femme géorgienne toute desséchée rampe à genoux dans la rue Anagskaïa. Une foule de badauds de Sabourtalo, à Tbilissi, l'observe de loin, en hochant tristement la tête, tandis que les femmes pleurent et hurlent avec des voix gutturales. Quelques miliciens pâles suivent la vieille femme et tentent de la convaincre de rentrer chez elle, mais n'osent même pas la toucher. Elle ne les écoute pas, continue de ramper sur la chaussée, dont la pente douce mène à l'église Saint-Pantaléon, supplie à haute voix les gens de lui pardonner et le Christ-Sauveur de se montrer miséricordieux. Elle demande pardon et miséricorde pour les crimes de son fils unique, chair de sa chair, celui qui règne à Moscou, le membre du Politburo Lavrenti.

Sur le parvis de l'église, le chef de la direction de Tbilissi du MGB, le colonel Natchkebia, se met à genoux devant la vieille et la supplie de rentrer chez elle, de cesser de faire honte à son glorieux fils et ne pas laisser ses enfants, à lui, Natchkebia, devenir des orphelins à cause de l'horrible spectacle donné à la ville tout entière.

C'est seulement après qu'elle eut prié longuement et qu'elle se fut mortifiée qu'on put faire rentrer chez elle la vieille femme, et à dater de ce jour la confession de la maman de Lavrenti devint en effet une affaire intime, puisque personne ne la revit plus.

476

Mangouste but encore quelques gorgées de son eau minérale désinfectée et demanda d'un air pensif:

— Pas coupable? Vous n'êtes pas coupable?

Il hocha la tête et ajouta, pathétique:

— Alors nous vous jugerons, même s'il faut se passer de votre confession.

— Je ne me laisserai pas faire, dis-je fermement. Vous n'avez pas le bras assez long! Ne croyez pas que je donnerai ma vie aussi facilement.

Il dit avec un sourire:

— On a remarqué depuis longtemps que plus les individus dans votre genre assassinent de gens, plus ils attachent d'importance à leur propre vie.

— Et qu'est-ce que vous croyiez? Ce n'est pas pour rien que notre grand tribun prolétarien, Maxime Gorki, a dit: «Si je ne me défends pas, qui le fera?»

— Permettez-moi de vous décevoir: un peu avant Maxime Gorki, il y a à peu près deux mille ans, notre grand juriste Hillel l'avait déjà dit: «*Im aïn ani li, mi li?*» Seulement, il avait dit ça à un tout autre propos.

Ce n'est pas que je me sentisse vexé pour notre humaniste-plagiaire prolétarien, mais je ne supportais vraiment pas Mangouste avec toute sa science juive infuse. Je lui dis:

— Je n'en ai rien à foutre de votre Hillel, et encore moins de Gorki. Je ne suis pour personne. Je suis pour moi!

Il m'observait perfidement, plissant les yeux, ricanant, hochant la tête. Puis il remarqua sérieusement:

— J'approuve. La déesse Ishtar avait commandé: «Chaque pécheur doit répondre de ses péchés.»

Quel drôle de peuple, merde alors. Chacun d'eux est à la fois un pharisien et un érudit.

— Je vous en prie, je suis prêt à répondre à toutes les accusations, dis-je. Mais pas lorsqu'elles viennent d'un État, d'une organisation publique, d'une synagogue ou d'un imposteur. Je veux répondre personnellement! Que celui qui se sent lésé porte plainte contre moi! Nous discuterons après.

— Je porte plainte contre vous, dit vivement Mangouste à voix basse.

— Vous? Vous?

Je m'esclaffai. Son arrogance tournait à la folie.

— Quel rapport vous avez avec nous?

— Je porte plainte contre vous pour l'assassinat de mon grand-père, Elieser Avroum Nannos.

Grand-père. Comme disait ma belle-mère Fira Lourié : «*Farvouss?*» Pourquoi? Pourquoi grand-père? Quel grand-père? Qu'est-ce qu'il raconte? Il ne manquait plus que ce putain de petit-fils!

— Si je comprends bien, dis-je, et puisque tu es mon gendre, ça veut dire que Nannos aussi fait partie de la famille?

— Vous comprenez bien. Quoique, heureusement, Nannos ne puisse plus faire une telle déduction.

— Je dois avouer que moi-même je n'y aurais jamais pensé! (Quelle famille!) Et alors, tu es venu pour te venger?

— Non, faire mon devoir, dit Mangouste fermement.

— Et qu'est-ce que c'est, ton devoir? Recruter un colonel de la Boutique?

— Non. Dans ce sens, vous ne nous intéressez pas.

— Alors, qu'est-ce que tu veux?

— Que plus jamais, jusqu'à la fin des temps, on ne puisse tuer un juif uniquement parce qu'il est juif.

— Ah! Bon, bon... En tout cas, Elieser n'est pas mort uniquement parce qu'il était juif.

— Et pourquoi donc est-il mort? demanda innocemment Mangouste. Vous souvenez-vous au moins pour quel crime Nannos a été arrêté?

Pour quel crime? C'est une question stupide. On peut à la rigueur demander pourquoi on l'a arrêté, pour quelle raison. Je crois qu'il était question d'organisation sioniste clandestine, de préparation de débarquement en Lituanie, ou de projet de fuite à l'étranger, vraiment, je ne me souviens plus des détails. D'ailleurs, ça n'avait aucune importance.

— Je ne me souviens pas, finis-je par avouer.

— Et le mot *brikha*, ça ne vous dit rien non plus?

— Non.

— *Brikha*, ça veut dire «fuite». C'est le départ en Palestine du reste des juifs d'Europe qui ont réchappé à la boucherie hitlérienne. Ça ne vous dit toujours rien?

— Si, dis-je.

Je m'en souvenais maintenant. Lioutostanski nous avait démontré que Nannos était la personne idéale pour notre projet. On les appelait les émissaires d'Eretz Israël. Ces hommes vaillants fouinaient dans toute l'Europe et constituaient des bataillons, des colonnes, des groupes d'orphelins, de veuves, de vieillards et d'invalides, tous les juifs survivants, sans papiers, sans autorisations, et les ramenaient clandestinement et au mépris de toutes les lois vers leur future patrie, leur foyer national créé de toutes pièces. Et tous les gouvernements mollassons de l'après-guerre, anglais, roumain, français ou polonais, comme s'ils redoutaient déjà la ragougnasse youpine qui mijotait dans ce foyer, secrètement d'accord avec feu le Führer Adolf que le meilleur foyer national pour les juifs était encore le crématoire, essayaient par tous les moyens d'empêcher l'activité des émissaires palestiniens, les pourchassaient, les soumettaient à l'amende, les internaient, les emprisonnaient pour un ou deux ans.

Mais ceux-là ne se calmaient pas pour autant : ils s'évadaient de leurs prisons, donnaient des pots-de-vin, emmenaient clandestinement les juifs dans leur Palestine promise *via* les ports du Sud, tout en rabâchant que, une fois rassemblés — tous — sur la terre de leurs ancêtres, ils ne permettraient plus jamais qu'on les tue et qu'on les offense.

Ces youtres, ne se sentant plus pisser, envoyèrent un groupe d'émissaires chez nous, en Bessarabie et dans les pays Baltes. En arguant que c'étaient des territoires occupés par les Soviétiques et que les juifs locaux avaient le droit de choisir leur lieu de résidence. On a du mal à imaginer ça aujourd'hui, où notre amitié avec les pays frères est protégée par une porte fermée à double tour. Mais à l'époque instable et mouvante de l'après-guerre, ces escrocs parvinrent à faire sortir quelques milliers de personnes par la Roumanie et la Bulgarie. Mais ils se plantèrent en Lituanie.

— Vous vous souvenez maintenant pourquoi Elieser Nannos était enfermé dans un camp de concentration ? répétait inlassablement Mangouste.

Et je me souvins.

Je pensai que pendant cette interminable conversation avec Mangouste je m'étais transformé en un étrange instrument, une sorte de piano mécanique, sur lequel il faisait lentement jouer le rouleau de la rancune et de la soif de vengeance, et à chaque tour, les minuscules pivots et cavités de ce rouleau extirpaient de moi la mélodie stridente des souvenirs terrifiants de ma vie d'avant évanouie à jamais.

Pas à jamais. Et pas évanouie. Une vie qui continue.

Il voulait démontrer que le lointain jeune *opritchnik* et le libéral fatigué, l'intellectuel qui, aujourd'hui, avait tout oublié et pardonné tous les péchés, était une seule et même personne. C'était une idée peu charitable, aussi peu scientifique que dialectique. Et qui méritait une riposte sérieuse.

Aussi remarquai-je aimablement :

— Une conversation où l'un des deux interlocuteurs pose des questions et l'autre répond ne s'appelle pas une conversation mais un interrogatoire. J'attire ton attention sur ce fait, fiston, parce que moi aussi j'ai des questions à te poser.

— Je vous en prie ! dit Mangouste avec un sourire affable. Tant que vous voudrez ! Mais permettez-moi de vous rappeler votre ardent désir de me vouvoyer !

— Bien sûr, qu'est-ce que ça peut me faire, tutoyer ou vouvoyer... Voilà ce qui m'intéresse : il n'y a qu'ici, en URSS, que votre peuple a été offensé ? Chez vous, en Allemagne, tout va bien ? Vous n'avez rien à reprocher à ce pays ? Seul le camarade Staline est coupable ?

— Pourquoi seulement le camarade Staline ? dit Mangouste en haussant les épaules. Hitler a joué ma famille avec lui, comme au rugby. Le score final est de 18-13 en faveur du Führer.

— C'est-à-dire ?

— Il n'y a pas de « c'est-à-dire » ! Les nazis ont tué dix-huit membres de ma famille, vos collègues et vous, treize.

— Et vous osez nous comparer, nous, les libérateurs de l'Europe, avec la peste brune, la vermine fasciste ?

Mangouste montra ses dents :

— Dieu m'en préserve! J'ai tout de suite compris que le nazisme, en tant que doctrine plus radicale et plus sincère, a gagné cette compétition.

— On dirait que la Seconde Guerre mondiale a commencé à cause de votre famille, dis-je, méprisant.

— En tout cas, la guerre a commencé *par* ma famille, dit Mangouste sans se troubler. Hitler a envahi la Pologne et Staline la Lituanie. Toute la famille de mon père habitait Varsovie, toute la famille de ma mère, Wilno.

— Et comment, mon cher gendre, vous en êtes-vous sorti?

— Je suis né pendant le soulèvement du ghetto de Varsovie. Ma mère a réussi à s'enfuir par les égouts, en me portant dans ses bras. Mon père, en compagnie de Mordechaï Anilevitch, s'est battu dans le ghetto jusqu'au dernier jour. Et il est mort. Moi, j'ai survécu. Et je suis venu vous voir.

— Pourquoi moi? Ce n'est pas moi qui ai tué votre père!

— Vous avez tué mon grand-père, Elieser Nannos, en février 1953...

Bien sûr, c'était en février. À la fin du mois. Vers le 20-25.

C'était ce malin de Lioutostanski qui avait combiné ça. Il avait trouvé un nouveau Moïse pour les juifs, un Moïse moderne, un vrai. Un qui leur apporterait les nouvelles tables de la loi et les emmènerait vers la terre promise — derrière le cercle polaire, en Arctique, sur la presqu'île de Taïmyr, au pays ensoleillé des Komis.

Ils n'auraient pas à errer pendant quarante ans à travers la toundra, quarante jours suffiraient à boucler l'opération. Pour jouer le rôle de Moïse,

Lioutostanski proposa Elieser Nannos, un prisonnier du camp de Percha, système pénitentiaire d'Oussolié, Goulag du MGB de l'URSS.

Le prisonnier Nannos, soixante-seize ans, études élémentaires, sans profession, moyens de subsistance douteux, avait réussi à occuper, jusqu'à son arrestation en juin 40, le poste fantaisiste de *gaon* [1] de Wilno, ce qui veut dire, dans leur charabia, un guide spirituel, un sage et un maître. Jusqu'à son isolation en tant qu'élément socialement nuisible, Elieser Nannos avait pendant trente ans jeté de la poudre aux yeux des travailleurs juifs de Lituanie, leur bourrant le crâne avec toutes sortes de sottises sionistes.

Cette arrestation lui sauva la vie. Un an plus tard, ses parents, qui se trouvaient sur le territoire occupé provisoirement par les envahisseurs allemands, furent fusillés ou empoisonnés dans les chambres à gaz. Il s'agissait de ceux, bien sûr, que nous avions laissés libres après l'arrestation de Nannos. Quant à ceux que nous embarquâmes avec le grand-père, ils ne connurent pas tous un destin identique. Bien sûr, certains ont souffert, ce qui était normal vu le désordre consécutif aux temps de guerre. Mangouste, par exemple, affirme qu'une trentaine d'âmes y sont passées. Tout à fait possible, qui peut le dire exactement, qui les a comptées pendant la guerre? Nannos, lui, a fait ses cinq ans à Petchora, planqué dans un camp pendant que se jouait la bataille sanglante des forces du progrès et de la démocratie avec la peste fasciste, et rentra à Vilnius, dans les vieilles ruines. Naturellement, on lui fit signer un

1. Ou *ga'on*: chef de la Yeshiva dans la période post-talmudique. Un théologien, un éducateur spirituel.

engagement pour qu'il ne recommence pas avec ses agissements obscurantistes, sa propagande et ses délires rabbiniques.

Il vécut sans faire de bruit, en usant de sa liberté de conscience, cette largesse inadmissible, quoique légale : si tu es assez stupide pour croire, crois donc, mais en catimini, sans rien dire à personne, cache ta foi sous l'oreiller et ne va pas troubler la matière déjà suffisamment grise de tes camarades.

Un an plus tard, il fallut de nouveau atteler le vieux Nannos et l'expédier pour vingt-cinq ans dans un camp, parce que le grand-père, ayant mal assimilé notre humanisme, continuait de professer, au lieu de s'adonner à la mélancolie solitaire mais légitime, ce qui, pour finir, lui valut une accusation de haute trahison.

En tant que récidiviste dangereux, il aurait sans aucun doute mérité une balle dans la nuque mais, à l'époque, à cause de l'altruisme mollasson de l'après-guerre, la peine de mort avait été abrogée pendant deux ans, ce qui laissa les organes punitifs complètement impuissants face aux ennemis du peuple.

Et le grand-père Nannos partit passer le dernier quart de siècle de son existence dans les camps d'Oussolié. Il ne savait pas, il ne pouvait pas imaginer que Vladimir Ippolitovitch Lioutostanski, aujourd'hui commandant de la Sécurité d'État, se souvînt de lui depuis sa tendre enfance.

Ce pédé puant et poudré de Lioutostanski se tortillait comme un spirochète devant mon bureau, pressant ses mains humides sur sa poitrine maigre, avec le regard enflammé d'une sauterelle excitée, expliquant, démontrant, essayant de me convaincre :

— Pavel Egorovitch, ne refuse pas, crois-moi, ça va être épatant !

Nos relations, ces derniers temps, étaient devenues plus simples, plus chaleureuses, nous étions devenus plus proches. Il ne s'adressait plus à moi avec le réglementaire «camarade colonel», mais il en avait le droit : il avait été le premier à me féliciter pour la chapka, en m'apprenant que le nouveau ministre, Ignatiev, avait signé ma nomination. Je ne le savais pas encore, c'était Minka Rioumine qui l'avait lâché à Lioutostanski.

Lioutostanski ne me donnait pas non plus de l'officiel «camarade Khvatkine», parce que nous étions vraiment des camarades très proches, dévoués à la même grande tâche. Et s'il me tutoyait, ce n'était pas en signe de familiarité, mais d'impatience. Dans ses rêves les plus fous, il voyait Minka en ministre et lui serait son premier adjoint, son guide, son éminence grise et son conseiller scientifique, chef de tout le contre-espionnage et de la police politique, c'est-à-dire, en l'occurrence, mon patron direct. Et un patron ne peut pas dire «vous» à ses subordonnés. De cette façon au moins, il rapprochait un peu l'heure de son triomphe.

Le corriger ou le remettre à sa place eût été aussi incongru que d'accrocher un poids à l'aiguille du baromètre pour qu'elle reste sage. J'observais. Le degré de sa désinvolture me renseignait sur la situation. Franchement, je ne me mettais jamais en colère, peut-être parce que je le considérais déjà comme un cadavre. J'avais donné à Lioutostanski le rôle du chauffeur qui ne remonte pas de la chambre des machines.

... Il continuait à mettre la pression :

— Pavel Egorovitch, je te conseille de lire le dossier de Nannos.

— Pour quoi faire ?

— C'est du pur sucre! Du miel! C'est pas de la daube! Un dossier en or, impeccable!

— Qu'est-ce qu'on en ferait, de ton Nannos?

— Comment ça? Si les youpins dirigent eux-mêmes leur déportation et nomment leurs commissaires, c'est bien. Mais c'est encore mieux si c'est un chef religieux, un maître spirituel qui les conduit! C'est l'Exode!

Et il ajouta avec un ricanement perfide:

— L'Exode au Taïmyr!

— Et c'est qui, ce Nannos?

— Une fieffée crapule! Pendant deux mois il a caché chez lui deux émissaires de Ha Brikha, Sadler et Katz. Ils avaient déjà réussi à constituer un groupe de deux cents personnes à Vilnius et s'apprêtaient à les exfiltrer à travers l'Europe jusqu'en Palestine. C'est Nannos qui leur a donné sa bénédiction.

— Et alors?

— La femme du cantor de la synagogue a été pincée au marché noir, en train d'acheter des provisions pour les fuyards. On a cru qu'elle spéculait. L'inspecteur de la milice, un juif, entre nous soit dit, l'a interrogée et, une fois qu'elle s'est mise à table, il a pris peur et nous l'a envoyée. Après, c'est des détails. On a envoyé le groupe en Sibérie, et Nannos et les deux émissaires se sont pris chacun vingt-cinq ans de camp.

— Pourquoi crois-tu que Nannos acceptera de prendre la tête de cet Exode?

— Pavel Egorovitch, tu me vexes! dit Lioutos-tanski. Qu'il pipe mot et je le saigne moi-même. D'ailleurs, je suis sûr qu'il ne se cabrera pas, il est habitué à mener grand train: dans un camp, n'importe quel juif est prêt à lui donner sa ration...

— Pourquoi ça?

— Ce sont des sauvages : ils le considèrent comme une sorte de saint. «*Tsadik* [1] a ordonné», «*Tsadik* a dit», «*Tsadik* nous a enseigné». Et le plus drôle, c'est que même les youpins les plus cultivés et intelligents le respectent. Déjà quand j'étais enfant, à Vilnius, c'était comme ça…

Voilà le mystère de la pyramide de l'existence. La hiérarchie invisible des volontés humaines, sur laquelle repose la destinée du monde. En des temps reculés, dans les mines profondes de la vie, Elieser Nannos enseignait à ses disciples. Et maintenant, c'est Lioutostanski qui l'épinglait dans son classeur comme un coléoptère. Mosaïque multicolore qui a pour nom «L'Exode volontaire des juifs dans les pays du Nord, conséquence de la colère des peuples soviétiques provoquée par la tentative d'assassinat du Saint Patron». Et moi, je décidai qu'il était temps d'épingler Lioutostanski dans le même classeur, puisque Merzon avait rempli sa mission.

J'aurais attendu encore un peu, avant de lui enfoncer dans le corps l'acier acéré d'un dossier compromettant, si Lioutostanski n'avait pas dit :

— Et Mikhaïl Kouzmitch approuvera certainement cette idée…

Comme ça, Minka Rioumine allait approuver nos idées. Et si je n'étais pas d'accord, il me corrigerait sûrement. Mais pourquoi me corriger, puisque je voyais bien moi-même que l'idée était bonne ! Une idée féconde ! À la condition que Nannos l'accepte. Je ne voulais pas offrir à Minka une épingle pour qu'il puisse m'accrocher à son classeur, lui qui trépignait à l'idée de me coller sur un bout de carton et de me crever comme un ballon. Nous allions voir qui arriverait le premier. Derrière Minka, il y avait

1. Juste, pieux. Désigne un rabbin hassidique.

Kroutovanov, avec dans ses doigts une épingle grosse comme un morceau de ferraille. Et derrière Kroutovanov — Ignatiev... Allez, qui vivra verra.

Je dis à Lioutostanski :

— Je suis d'accord. Je voudrais juste te poser une question personnelle : tu ne crains pas d'entraîner Nannos dans ce jeu ?

Il ouvrit un peu plus ses yeux exorbités de sauterelle :

— Nannos ? Et pourquoi ?

— Comment, pourquoi ? Tu connais la mémoire de ces sorciers juifs ! Et si lui aussi avait des souvenirs sur toi ?

— Sur moi ? répéta Lioutostanski à voix basse.

— Oui, pas sur moi ! Sur toi, bien sûr. D'ailleurs, pas tant sur toi que sur ton merveilleux papa, Ippolite.

Lioutostanski ne savait pas blêmir, il ne le pouvait pas. En temps normal, il avait déjà l'air cyanosé. Mais j'eus l'impression qu'à ce moment précis l'énorme abcès purulent qui lui tenait lieu de cœur avait éclaté.

Le visage de l'incorruptible combattant, ami et conseiller de mon patron Minka, se marbra de jaune et de bleu. Il ouvrait et refermait la bouche, cherchant péniblement sa respiration et me fixant de ses yeux exorbités d'omnivore volant.

Ma question avait percé la carapace du commandant-sauterelle, qui craqua avec un petit bruit sec. Mon Dieu, une sauterelle de la taille d'un homme, plus effrayante qu'un tigre volant ! Seulement, sa carapace était trop fine.

Je me levai sans hâte, ouvris le coffre-fort et sortis le dossier, plutôt volumineux : Merzon avait bien travaillé.

— Écoute, mon bon ami, il s'agit peut-être d'une

erreur ? demandai-je. D'un homonyme ? Ce n'est peut-être pas ton papa qui a exigé de faire juger l'espion allemand Oulianov-Lénine et de le livrer à la colère des orthodoxes honnêtes ? Hein ?

Lioutostanski, avec l'air de l'animal traqué qui se sent irrémédiablement perdu, regardait, enfermé dans un mutisme désespéré, l'épaisse liasse de papiers entre mes mains. Seigneur, quel magnifique bouquet de fleurs il aurait pu découper dans ce dossier ! Des fleurs splendides taillées dans les journaux jaunis, les rapports d'agents du troisième bureau du département de police, les feuillets dactylographiés ou couverts de l'écriture hâtive de Merzon. Ce bouquet eût été une admirable couronne sur la tombe de Lioutostanski.

— C'est que ton papa a été très actif, regarde, dis-je en feuilletant les papiers. Une notule dans *Les Nouvelles du diocèse* à propos du rapport du prêtre Lioutostanski à l'Assemblée russe, « De l'utilisation de sang chrétien par les juifs ». Une déclaration du recteur de la faculté de théologie, l'archimandrite Troïtski, où il affirme qu'Ippolite Lioutostanski est un imposteur et n'a jamais été ordonné prêtre... C'est passionnant, n'est-ce pas ?

Lioutostanski approuva d'un signe de tête impuissant.

— Regarde ça, maintenant, c'est encore plus intéressant. Une protestation de l'avoué assermenté Maklakov, avocat d'un habitant de Kiev, Beïlis, accusé d'assassinat sur la personne de l'adolescent Youchtchinski, dans un but rituel. Cet avocat arrogant affirme que ton papa ne peut pas être entendu comme expert dans cette affaire. Tu as déjà entendu parler de ça ?

Lioutostanski secoua la tête avec une telle force

que c'est miracle qu'elle lui soit restée accrochée sur les épaules.

— Alors, écoute. Maklakov a rendu publique la réponse du consistoire catholique de Varsovie, selon lequel Lioutostanski, bien des années auparavant, avait exercé sa prêtrise mais fut interdit d'office et destitué pour conduite amorale et appropriation de l'argent de la paroisse. Et la cour d'assises a fichu ton papa dehors et nommé le prêtre Pranaïtis expert auprès de la Cour. Tu parles d'une histoire, mon cher Vladislav Ippolitovitch... Pourquoi as-tu raconté que ton père était professeur de lycée ?

Le visage de Lioutostanski était pétrifié d'angoisse. Il ouvrit la bouche, mais ne pouvait dire un mot ; je voyais que la nausée lui montait à la gorge. Il bredouilla d'une voix ivre :

— C'est vrai. Il enseignait le latin et le grec... Les dernières années... à Wilno...

— Bon, bon, je vois... C'est à cette époque qu'il a publié une déclaration dans laquelle il écrivait que le bolchevisme était l'esprit malin apporté par les youpins. Et qu'il fallait marquer au fer rouge tous les bolcheviks. C'est ça ?

— Peut-être, capitula Lioutostanski.

Nous nous tûmes un long moment, puis je repliai les feuilles, les rangeai dans le dossier et le pesai sur ma main.

— Eh bien, dis-je. Tu sais combien ça pèse ?

Il haussa les épaules.

— Neuf grammes. Tu peux aller te tirer une balle dans la tête.

Son corps flasque et mou coula depuis la chaise sur le sol, il s'immobilisa à genoux devant moi et tendit ses mains aux ongles bien faits :

— Pourquoi, Pavel Egorovitch ? Mais pourquoi ?

— Tu as menti au Parti. Aux organes de sécurité.

À la patrie. Tu as essayé de me mentir, à moi aussi. Tu dois mourir.

Lioutostanski éclata en sanglots. Je n'avais jamais remarqué auparavant que les larmes pouvaient jaillir de cette façon. Il pleurait et rampait à genoux devant moi. Quel cirque! Viktor Semionytch Abakoumov en aurait pissé de rire. Aucun de nos célèbres clowns, ni Caran d'Ache, ni Konstantin Berman, n'aurait pu composer une silhouette plus comique : un homme en uniforme de commandant tombant en morceaux et se traînant à genoux, liquéfié de terreur, éclaboussant le sol de larmes incolores. À crever de rire!

Seulement, il n'y avait personne dans mon cabinet qui pût rire de ce spectacle, parce que ce n'était pas une première, mais une couturière, une répétition générale où l'on ne laisse jamais entrer le public. La routine artistique, les douleurs de l'enfantement, les difficultés d'un metteur en scène qui essaie de faire entrer son acteur dans la peau du personnage.

À ce moment-là, Viktor Semionytch était déjà emprisonné à la Prison intérieure.

— J'ai une bonne opinion de toi, Lioutostanski, c'est pour ça que je te propose une solution aussi facile.

— Pavel Egorovitch, miséricorde! Je ne veux pas... mourir... Je n'ai même pas encore commencé à vivre vraiment... Seulement la dernière année... Soyez charitable! Pourquoi? Je ne suis pas coupable... Un fils ne répond pas des crimes de son père, tout le monde sait ça...

— Pas coupable, tu dis? Peut-être. Les camarades de l'Inspection spéciale de Sviniloupov se montreront certainement charitables avec toi, dis-je en m'esclaffant, et Lioutostanski se cogna la tête sur le sol, en imaginant ce qu'allaient lui faire les briseurs d'os de l'Inspection spéciale.

Ces bouchers le démembreraient certainement, parce que, avec eux, impossible d'étouffer une telle affaire, elle remonterait jusqu'au ministre, qui serait ravi d'apprendre qu'un officier supérieur du MGB d'URSS avait pour père un homme qui traitait la direction du parti communiste de bande diabolique d'affairistes juifs et de cambrioleurs caucasiens.

Je n'essayais pas d'effrayer Lioutostanski. Ni de le consoler. Je calculais à voix haute les chances qu'il avait de s'en sortir. Et de quelque façon que je m'y prenne, quelles qu'aient été les explications que je pouvais lui trouver, il n'y avait qu'une seule issue, la mort horrible.

Il se traînait par terre, me suppliant de ne pas le livrer au redoutable vice-ministre Sviniloupov, demandait grâce et un petit morceau d'existence dorée sous l'aile de Minka Rioumine, et même sous mon œil le plus sévère.

Il sanglotait, il suppliait — «Pavel Egorovitch; pardonnez-moi, ayez pitié... je vous resterai fidèle jusqu'à la mort... je vous servirai comme un chien... vous seul...» —, et se morfondait tant que son instinct de conservation finit par prendre le dessus sur le contrôle de sa faible chair et que le commandant Lioutostanski, inspecteur de la deuxième direction générale du MGB d'URSS, lâcha timidement un filet d'urine.

Je regardais la flaque jaune grossir sur le parquet et éprouvais à ce moment une sorte de sympathie pour Lioutostanski. Bien sûr, je ne pouvais lui reprocher une telle faiblesse : une condamnation à mort est une nouvelle assez frappante qui peut émousser la vigilance ; le sphincter se relâche et hop ! on se laisse aller. C'était la satisfaction de l'artiste parvenu à réaliser pleinement son projet qui était à l'origine de ce sentiment de sympathie. Ce n'est certes pas ce connard de Stanislavski qui aurait pu faire jouer un rôle aussi difficile à l'un de ses figurants !

Pour être tout à fait honnête, si Stanislavski n'avait pas eu pour assistant un Nemirovitch-Rabinovitch-Dantchenko mais un Merzon, il aurait pu arriver à quelque chose.

Épouvanté et pisseux, Lioutostanski ne soupçonnait même pas que pour l'instant il jouait son rôle dans le deuxième acte de mon spectacle et qu'il n'atteindrait son apothéose qu'au troisième acte. Le personnage, sorti du néant du bureau des laissez-passer, devenait héros principal au finale de la pièce. Le Grand Rôle du chauffeur qui ne remonte pas de la chambre des machines.

Mon Dieu que le monde est mal fait ! Ce petit homme médiocre à l'esprit étroit, qui, dans son cabinet, transformait en un clin d'œil les hommes les plus intelligents en débiles sans cervelle, était sincèrement persuadé que j'avais exhumé son connard de père uniquement pour faciliter la vie des vauriens sanguinaires de l'Inspection spéciale !

Dans un sens, cette étroitesse d'esprit me rendait service, car il était obligé de jouer brillamment son rôle jusqu'au rideau final.

Alors, je le graciai.

Je lui annonçai sur un ton funeste que je prenais sous ma responsabilité de surseoir à l'exécution du verdict.

— Je te déconseille fermement de me faire du chagrin à l'avenir, Lioutostanski, dis-je, et, sans écouter ses remerciements baveux et serments morveux, ordonnai : Prépare une note sur l'affaire Nannos. Dans deux jours, nous nous envolons pour Oussolié.

— Vous aussi? demanda Lioutostanski en s'étouffant de bonheur.

— Moi aussi. Et Merzon.

— Pourquoi Merzon?

Et avec cette question la limace se releva de ses ruines humides.

— Parce que, tout intelligent que tu es, Nannos fera plus volontiers confiance à Merzon.

Et voilà comment Elieser Nannos fit son entrée dans mon existence. Le grand-père de mon futur gendre. Un parent, en quelque sorte.

Le restaurant vivait autour de nous sa folle vie hormonale. Le sang empoisonné par l'alcool frappait avec violence les cerveaux ramollis des clients, le trop-plein de graisse agaçait leur prostate et l'orgasme de la goinfrerie les gonflait comme des corps caverneux. La biochimie. Félicité des processus organiques.

Et ce principe idiot et mystique de la physique : sans changer d'espace, nous nous étions promenés dans le temps et il se trouvait qu'à notre retour tout avait changé.

La nourriture sur la table, à laquelle nous n'avions pas touché, s'était fossilisée, les légumes s'étaient transformés en tourbe et la viande en charbon. Le scintillement des bouteilles vides. Les stalagmites verdâtres des eaux minérales.

Avec un ululement strident, la planète tournait sous mes pieds comme une toupie. La petite boule tournait et décomptait les années, les décennies.

Petite boule agile et instable.

494

Orbis terrarum. Ô mon bel *orbis terrarum* bleu!
Tout est pour le pire dans le pire des mondes!

Je perdais patience. Il fallait en finir au plus vite:
— Alors, selon toi, je serais un assassin?
— Sans aucun doute, s'empressa d'approuver
Mangouste.
— Vous faites erreur, mon petit monsieur. L'assassin est celui qui tue en enfreignant la loi. Pas
celui qui agit selon les lois en vigueur.
— Celui qui tue ainsi s'appelle un bourreau.
— Un bourreau? Peut-être, après tout. Ça ne me
vexe pas que tu me traites de bourreau. C'est un
fonctionnaire comme les autres. J'aimerais te rappeler une chose...
— Quoi donc?
— Selon toutes les lois de la terre, un bourreau
ne peut et ne doit exprimer son opinion sur le verdict. Ça n'entre pas dans ses compétences, mon cher
ami. Il ne porte pas davantage la responsabilité de
l'exécution d'un verdict injuste. Il n'y a aucune loi
pour ça, voilà! Et voilà pourquoi on ne peut m'accuser de rien, parce que cela entrerait en contradiction avec la jurisprudence fondamentale: *Nullum
crimen, nulla pœna sine lege* — pas de crime, pas de
responsabilité, sans loi. C'est clair?
— C'est clair. J'ai peur, monsieur le colonel, que
vous ne sous-estimiez le sérieux de mes intentions.
— C'est-à-dire?
— Le tribunal qui a jugé Adolf Eichmann...
— A jugé illégalement! l'interrompis-je. Votre
tribunal a commis une effroyable violation de la loi
en lui conférant un effet rétroactif.
— Le tribunal qui a jugé Adolf Eichmann, répéta
Mangouste sans se troubler, a montré au monde
entier la façon dont il convenait de traiter les ban-

dits politiques et les ogres. Et si vous refusez de répondre à mes questions, je serai obligé de vous traiter de façon impitoyable. Mais maintenant vous êtes trop las, trop ivre et effrayé et je ne pourrais pas tirer grand-chose de vous. Rentrez chez vous, dormez et demain nous reprendrons cette conversation.

— Il ne vous vient pas à l'esprit que je pourrais ne pas vouloir parler avec vous demain ?

— Non. Vous voudrez. Et vous parlerez.

— Hum, très intéressant, dis-je. Vous ne craignez pas que je me plaigne aux autorités ?

— Non, je ne le crains pas.

— Pourquoi ?

— Parce que vous avez envie de vivre. Et ça dépend de moi. Vous ne m'avez presque rien avoué mais moi non plus je ne vous ai pas tout raconté. Le plus intéressant est encore à venir, promit Mangouste dans un éclat de rire répugnant.

J'eus très envie de lui décocher un coup de pied dans les tibias sous la table, un coup sec dans le périoste qui l'enverrait sur le parquet, hurlant de douleur, serrant contre lui sa jambe brisée. Mais je n'en fis rien. Parce que j'étais las, ivre et effrayé.

Mangouste sortit son portefeuille, l'ouvrit, et je vis une épaisse liasse de billets de cinquante roubles. C'était illégal. Un étranger n'a pas le droit de posséder un aussi gros paquet de billets de cinquante roubles. À la banque, on ne leur donne que des billets de dix. Où ce dragon avait-il pris ces billets ? Il doit avoir une base quelque part. Ce n'est quand même pas cette va-nu-pieds de Maïka qui les lui a donnés ?

Mangouste posa une coupure sur la table — c'était cher payé pour une bouteille d'eau minérale de Borjomi et une conversation avec moi —, se leva et partit sans me dire au revoir.

Je le regardai s'éloigner : il marchait d'un pas souple et léger à travers la salle, vers la sortie, vers ce hall où Kovchouk devait l'observer attentivement et imprimer pour toujours son visage dans sa mémoire, et ma détermination de tuer Mangouste aujourd'hui même fondit brusquement. Je n'étais pas en forme. La chance n'était pas avec moi aujourd'hui. Elle m'avait abandonné pour rejoindre Mangouste. Il avait tout l'avantage de la première attaque. Il eût été stupide de me lancer à sa poursuite.

Il fallait m'enfouir plus profondément. L'attirer plus loin dans mes tranchées. Et frapper à partir de mes lignes de défense. Comme nous l'avait enseigné Vorochilov, notre faible d'esprit national et premier maréchal : pertes humaines minimum sur le territoire ennemi.

Le trou de mémoire.
Le *rynda* avec l'addition dans les mains.
Les bruits stridents de l'orchestre.
La foule dansante, sautillante et hurlante.
Autour, des gueules qui s'agitent. Des lèvres humides mâchantes. Une barbe pleine de restes de nourriture. Reflets rougeâtres dans une calvitie. Des tétons qui se secouent. Le clignotement des spots. La voix de castrat du chanteur. Les gros culs qui me bousculent mollement. La pénombre couleur lilas du hall. Les bajoues blêmes de l'amiral suisse.

— À demain, Stepan... Si Dieu le veut, demain, cette affaire sera réglée.
— Comme tu veux...

Il pleuvait. Comme il serait délicieux de se coucher le visage dans la neige fondue. La flaque en compresse. J'ai soif. Soif. Un peu d'eau fraîche ! Ou de la neige. Sentir le goût légèrement salé de la bouillie de neige, rafraîchir le moteur fumant et fatigué.

La neige mélangée de boue. La même neige que l'on avait apportée à Moïsseï Kogan. Grattée à même le trottoir et fourrée dans un crachoir en porcelaine.

Audi, vide, sile.

Il avait dit que si on lui apportait de la neige, il signerait les procès-verbaux. Cela faisait trois jours que Minka le frappait comme un dératé. Et, surtout, ne le laissait pas s'endormir. Cette torture est plus terrible que les coups. Et si l'on applique les deux, on gagne à coup sûr. Tout ceci est prévu, calculé, vérifié. L'interrogatoire se termine à l'aube. Le prévenu est renvoyé sous escorte dans sa cellule à six heures moins le quart et il tombe sur son lit comme dans un trou. À six heures pile, on le réveille. Debout ! Interdit de s'asseoir, de s'appuyer contre le mur. Interdit de fermer les yeux.

La sentinelle surveille étroitement l'« insomniaque » qu'on lui a confié. Dès que celui-ci baisse les paupières, il gueule à travers le mouchard :

— Hé, toi, K., etc. ! Interdit de dormir ! Ouvre les yeux !

Sous ses paupières, l'« insomniaque » ne voit que verre pilé, poivre et charbons ardents.

On n'appelle jamais les détenus de l'Intérieure par leur nom, mais par la première lettre : A., etc., B., etc., C., etc. Pour que les détenus des cellules voisines ne puissent les identifier. L'appel se fait de la même façon. Avec très peu de clients à la lettre Y, peut-être.

Dans le brouillard, dans une brume rougeoyante,

498

l'«insomniaque» tient comme ça jusqu'à l'extinction des feux. Et dort douze ou quinze minutes.

Le médecin de la prison, Zodiev, a démontré scientifiquement qu'à ce régime un homme peut tenir deux semaines sans mourir et sans devenir fou. Il devient juste plus coopératif.

Et puis, à vingt-deux heures quinze, la porte s'ouvre et le hurlement du garde brise les tympans de l'«insomniaque» :

— Détenu K., etc. Debout! Interrogatoire!

L'instructeur pouvait dormir dans la journée et, s'il avait un coup de pompe dans la nuit, il pouvait toujours faire un petit somme d'une heure ou deux dans un bureau voisin vide, pendant que les hommes d'escorte gardaient le détenu debout au milieu de la pièce. On appelait ça «faire la chandelle» : les deux cents watts de la lampe de bureau braqués sur le visage, au garde-à-vous, interdit de s'appuyer ou de s'accouder. Au cas où le détenu perd connaissance, on lui jette un seau d'eau à la figure, on le relève et on recommence.

— Tu vas signer?

— Non!

— Reste debout alors, enculé de ta mère.

Et le détenu reste debout. Jusqu'à cinq heures trente du matin. L'interrogatoire terminé, il repart dans sa cellule. Un quart d'heure de noir profond, rempli de cauchemars, le cerveau enflammé, et «Debout!» de nouveau.

— Hé, toi, K., etc.! Interdit de dormir! Tu entends, fils de pute? Ouvre les yeux!

Jusqu'à vingt-deux heures. Extinction des feux. La vague rougeâtre du sommeil furieux. Debout!!! Interrogatoire! Et ainsi de suite.

Personnellement, je n'ai jamais vu un «insomniaque» tenir plus de dix jours. Passé cette limite, la personnalité de l'homme est morte, il reste un morceau de viande, qui ne sait plus ce que sont la peur, l'amour, la fidélité, les serments. Il n'y a plus que l'enfer — lui-même. Et le paradis inaccessible : le sommeil. Le désir de sommeil devient le désir de vivre, la vie, égale à un délicieux et infini sommeil, égale à la mort. C'est grâce à cette équation, vie égale sommeil égale mort, qu'on peut démontrer n'importe quelle théorie du temps.

Moïsseï Kogan tint pendant trois jours. Il faut lui rendre cette justice, le youtre s'était révélé coriace. Peut-être même aurait-il pu tenir davantage, mais il n'était plus tout jeune et, comme Minka était pressé, Trefniak et lui lui cognèrent dessus à tour de bras.

À la cafétéria, Minka m'annonçait avec l'excitation du joueur :

— On a récolté un sacré youpin ! Il a l'air vieux, comme ça, mais il est tout noueux, le salaud. Je lui balance des coups de poing, des coups de pied, des coups de genou, je lui cogne dans les yeux, dans le ventre, et tout ce qu'il sait faire, c'est secouer la tête et répéter : je ne signerai pas ! Il ne tient plus debout, tout ramollo, et puis que dalle ! Je me dis : je vais lui foutre un coup dans le foie, lui casser les côtes...

Il est possible que chez l'ex-académicien Kogan l'insomnie ait paradoxalement relevé le seuil de résistance, mais Minka n'arriva à rien par ses coups. Et c'est seulement à la quatrième nuit que Kogan perdit la raison et accepta de signer les procès-verbaux, à condition que...

— Écrivez ce que vous voulez, ça m'est égal... Je signerai, à condition que vous me laissiez dormir jusqu'à demain matin...

— Signe la feuille d'abord et je te laisse retourner en cellule ! rugissait Minka.

— Jamais, dit faiblement Kogan en crachant du sang. D'abord dormir. Demain matin, je signerai ce que vous voudrez. Je voulais... je veux... tuer Staline...

Minka accepta : à une heure du matin il renvoya Kogan dans sa cellule. Il travailla lui-même jusqu'au petit matin, dictant à la dactylo le procès-verbal de l'interrogatoire de Kogan et ses aveux complets.

Pour moi commencèrent ce jour-là les vingt-quatre heures les plus pénibles, les plus terrifiantes de mon existence, au cours desquelles plusieurs fois la mort m'ouvrit ses bras glacés et osseux.

Mais la faux, avec un sifflement macabre, passa au-dessus de ma tête.

Jusqu'à la Tumeur, le haricot blanc.

Jusqu'à ma rencontre avec Mangouste.

Cette nuit-là, je me retrouvai au bord du précipice, parce que j'avais fait une erreur impardonnable dans notre Grande Maison. J'avais relâché ma vigilance. Pendant quelques heures, j'avais laissé Minka échapper à mon contrôle. J'avais sous-estimé son agilité et sa crétinerie. Mon unique justification est que j'étais occupé cette nuit-là par un travail plus urgent, plus important et plus dangereux. J'étais en train de préparer le dossier de Kroutovanov.

C'est le chef du secrétariat Kotchegarov qui m'appela personnellement pour m'informer que le général Mechik était arrivé à Moscou de Kiev et que le ministre nous convoquait pour le lendemain, à trois heures du matin. Toutes les cartes semblaient être maintenant dans les mains d'Abakoumov et je pouvais miser contre Kroutovanov.

Tout cela explique facilement mon relâchement pendant l'interrogatoire de Kogan. Seulement, nous travaillions à la Boutique et nos erreurs étaient jugées en première instance directement par le Très-

Haut, qui n'acceptait d'écouter nos explications qu'une fois arrivés dans les cieux.

La veille, j'avais vu Kogan et je savais qu'il n'était pas encore prêt à se mettre à table, que ces aveux devaient être renforcés par des menaces, par d'autres coups, par l'arrestation de son frère, les dépositions de ses collègues ; non, non, il y avait encore du pain sur la planche. Et c'est pour ça que, une fois mes affaires terminées, lorsque j'entrai dans le bureau de Minka et vis sa gueule réjouie, mon instinct animal me vrilla l'estomac d'inquiétude.

— Voilà comment il faut travailler, Pachounia ! dit-il en riant et en me tendant le procès-verbal dactylographié.

[...] Notre première victime fut Chtcherbakov A. S., auquel, avec l'assentiment du thérapeute en chef de l'Armée rouge, le médecin-général professeur Vovsi M. S., je prescrivis des médicaments très puissants et un régime draconien, ce qui provoqua sa mort dans de brefs délais...

[...] Nous éprouvions une haine particulière pour l'élève fidèle de Staline, le secrétaire du CC du parti communiste, Jdanov A. A., et fûmes heureux de recevoir l'ordre des services de renseignement britanniques (par lesquels je fus personnellement recruté en 1943) de tuer ce fervent bolchevik. Jdanov était faible du cœur et il nous fut facile, au neuropathologue, le professeur Grinstein A. N., et à moi-même de dissimuler le fait qu'il avait subi un infarctus du myocarde. Au lieu de soigner le malade, nous convainquîmes Jdanov que sa névralgie était due à l'ostéochondrie et lui fîmes faire des efforts physiques considérables, ce qui précipita son décès...

[...] À la fin de 1948, par l'intermédiaire de Chimeliovitch, résident de l'organisation terroriste d'espionnage Joint à Moscou, qui avait réussi à obtenir le poste de médecin-chef à l'hôpital Botkine, nous reçûmes l'ordre d'éliminer tous les cadres dirigeants du pays...

[...] C'est à ce moment que nous commençâmes à pré-

parer l'odieux assassinat de Iossif Vissarionovitch Staline...

[...] Pour la réalisation de ce complot, nous avons
contacté : son médecin personnel, I. N. Vinogradov, le
professeur Etinger M...

Neuf pages dactylographiées. Je demandai :

— Où est le deuxième exemplaire ? Pour le service de contrôle des activités.

— Il est chez le chef.

— Quoi ? ? ?

— Je l'ai mis au courrier du matin, pour Viktor
Semionytch. Il pourra se réjouir : ce n'est pas tous
les jours qu'on découvre des complots pareils !

— Demeuré, dis-je tristement. Connard. Crétin.
T'es vraiment con comme une bite.

— Pourquoi ? demanda Minka, découragé.

— Pas le temps d'expliquer, espèce de cul sans
tête ! File au secrétariat ! Fais ce que tu veux, supplie-
les à genoux ou zigouille-les tous, mais ne reviens
pas sans ce rapport !

— Mais pourquoi, nom de Dieu ? Toi-même, tu
disais...

— Ne raisonne pas, ne parle pas, ne réfléchis
pas, c'est au-dessus de tes forces ! Exécution ! File,
avant qu'il ne soit trop tard.

Et il fila comme un lièvre. Je téléphonai sur la
ligne intérieure et demandai qu'on m'amène d'urgence Kogan pour un interrogatoire.

Minka revint dix minutes plus tard, blême de
trouille, mais les mains vides.

— Où est le procès-verbal ? hurlai-je.

— Kotchegarov a déjà déposé tout le courrier
sur le bureau du ministre.

Un papier qui atterrissait une fois sur le bureau
du ministre ne pouvait repartir vierge. Il devait être

visé. Et si Kogan, convoqué pour l'interrogatoire, refusait de signer le premier exemplaire du procès-verbal, on nous arracherait la tête. J'avais enfreint l'ordre d'Abakoumov de ne pas m'occuper des juifs maintenant, je l'avais enfreint sciemment, sachant à coup sûr que ce complot des assassins perfides d'une précision de joaillerie finirait par remonter à la surface et que toute la puissance d'Abakoumov ne suffirait pas à le cacher au Patron; et ma faute se transformerait immédiatement en immense mérite, en victoire totale.

Mais les feuillets destinés au contrôle des activités, qui reposaient en ce moment même sur le bureau du ministre, étaient les lambeaux d'une arrogante et blasphématoire initiative de la part de cafards minables, dans le genre de Minka et moi, qui se mêlent insolemment de la politique des grands dirigeants du pays et du massacre fratricide des piliers de notre cher empire.

Il était inutile d'expliquer tout cela à Minka. Comment ce faible d'esprit aurait-il pu comprendre que nous, avec nos petites cartes marquées, ne pouvions pas intervenir dans le grand jeu des professionnels tant que certains d'entre eux n'étaient pas prêts à considérer notre faux petit six comme un as d'atout authentique ?

Je regardais avec lassitude le gros sac courtaud qui avait pour nom Minka Rioumine et pensais que si le ministre n'avait pas lu le procès-verbal et la note d'accompagnement avant la soirée, je ferais mieux de tuer Minka. Qu'il disparaisse. Il n'est meilleur Minka que mort. À la Saltykovka, près de la briqueterie, j'avais repéré des fosses à chaux vive. Minka disparaîtrait à jamais.

Mais il y avait Trefniak. Même avec son cheveu sur la langue, il arriverait à expliquer convenablement qui était Kogan et d'où il était sorti. Et aussi tout ce qui me concernait, moi. Il y a d'autres ventouses, chez Minka Rioumine. Et puis il y avait Kogan lui-même. On ne l'écouterait pas en temps normal, mais si Minka venait à disparaître, alors...

Non, ça n'allait pas. C'était trop tard. Il n'y avait plus rien à faire. Mon plan s'était écroulé avant même que je ne commence à le mettre en œuvre. Le Grand Complot était mort. Et moi avec. Sans doute ne verrait-on jamais surgir l'admirable affaire des assassins-empoisonneurs en blouse blanche. Et celui qui avait tout combiné ne serait plus de ce monde.

La sonnerie stridente du téléphone racla les cordes de mes nerfs tendus comme du papier de verre. Minka, avec une grimace de porcelet préoccupé, saisit le combiné :

— Rioumine à l'appareil... À vos ordres !... Il est là... Affirmatif... Je lui transmets tout de suite... À vos ordres !

Il reposa lentement le combiné et m'annonça d'un air affairé :

— Kotchegarov te cherche, le ministre te demande de toute urgence.

Ma vue se troubla, la nausée monta depuis la racine de ma langue, la peur ramollit mes muscles et mes membres fléchirent.

Me tirer une balle dans la tête ? Cette idée me traversa l'esprit, mais s'évanouit aussitôt parce que Minka dit à ce moment-là, d'un air à la fois inquiet et boudeur :

— J'aimerais bien savoir pourquoi le ministre te demande toi et pas moi.

Cette bête avide en bottes était au bord du précipice et ne comprenait pas ce qui se passait ! Il s'in-

505

dignait de l'injustice future qui le priverait de la distribution des médailles qu'il avait méritées.

— Ne t'en fais pas, Mikhaïl Kouzmitch, le ministre t'appellera aujourd'hui même, le consolai-je. Et débrouille-toi pour arracher la signature de Kogan en bas du procès-verbal. Sinon, tu peux dire adieu à la vie !

— Comment ça ? fit-il, interloqué.

— Comme ça...

Je courais à travers les couloirs, je dévalais les escaliers, je ne pouvais pas m'arrêter, au lieu de réfléchir calmement à une solution. Mais une voix terrible hurlait en moi et me disait que je ne pouvais plus rien décider, que j'étais livré pieds et poings liés à une puissance supérieure et que je ferais mieux de ne pas me torturer et de lui obéir sans attendre, de me jeter dans l'eau glacée la tête la première. Et c'est le destin qui déciderait si je serais encore vivant le lendemain ou si je devais finir plongé dans un bain d'acide chlorhydrique, pauvre masse gélatineuse avec quelques cheveux flottants.

Je me retrouvai brusquement dans le wagon d'attente, où la Horde d'or des généraux s'ennuyait comme à son habitude. Kotchegarov me jeta un coup d'œil moqueur et désigna du pouce la porte du terrible cabinet dans son dos ; je m'y jetai comme dans un abîme.

Abakoumov parcourait des papiers, assis derrière son vaste bureau.

— À vos ordres, camarade colonel-général !

Lentement, il leva sur moi son regard lourd, et ses immenses pupilles qui avaient gobé le cristallin se fixèrent à la hauteur de mon front. J'eus l'impression qu'il me visait.

Après un silence menaçant, il demanda avec un effort visible :

— Alors ?

Je haussai les épaules.

— Comment ça va ? demanda Abakoumov.

— Pas trop mal, j'ai l'impression, dis-je prudemment.

— Viens par ici...

Je ne sentais plus mes jambes, comme si elles appartenaient à quelqu'un d'autre. Je m'avançai tant bien que mal jusqu'au bureau. Le ministre ouvrit un tiroir et en sortit un petit pistolet brillant.

Et à ce moment, complètement désemparé, je pensai, comme Minka tout à l'heure : pourquoi moi et pas lui ?

Abakoumov fit sauter le pistolet en l'air, le rattrapa adroitement avec sa grosse main et me le lança par-dessus le bureau. Je stoppai le petit canon comme un penalty et entendis la voix moqueuse et grinçante d'Abakoumov. Je n'en crus pas mes oreilles.

— Je te remercie pour ce que tu as fait... Cadeau personnel...

Et avant que j'aie pu le remercier à mon tour, je déchiffrai l'inscription gravée sur la crosse élégante du Browning : «Au capitaine Sapega V. A. de la part du ministre de la Sécurité d'État d'Ukraine, Mechik P.»

Et j'essayai de lire dans ses pupilles immenses, effrayantes, au milieu du blanc des yeux coloré de sang, s'il m'ordonnait de me tirer une balle dans la tête ou si vraiment il me remerciait pour les services rendus.

D'où venait ce très curieux Browning ?

Un joli jouet de femme, à cinq coups, en nickel, légèrement niellé. La crosse recouverte d'ivoire. Et, gravé dans l'ivoire : Sapega.

Sapega. Qui est-ce ? De la part de Mechik. Cadeau personnel — aujourd'hui, pour moi. Qu'est-ce que ça voulait dire ? Juste une allusion ? Ou ce pistolet était destiné à tirer sur quelqu'un ? Réfléchis vite ! Plus vite ! Ce Browning, allait-il me sauver ? « À Sapega de la part de Mechik. » Nous devions nous rencontrer avec Mechik cette nuit même dans ce cabinet. Il devait confirmer mes paroles. Et, après les avoir confirmées, écrire un rapport pour compromettre Kroutovanov. Bien... Peut-être devrais-je tuer Mechik avec ce pistolet pour qu'on croie que c'est Sapega ? Non, c'est des conneries...

— Merci beaucoup, Viktor Semionytch.

— À la tienne, dit le ministre avec un sourire entendu.

— Sapega ne s'en sert plus ? demandai-je en lançant le Browning en l'air.

— Non. Sapega ne s'intéresse plus à ces broutilles.

— Et avant ?

— Oh que oui ! C'était un grand plaisantin ! Le préféré du camarade Mechik, son aide de camp personnel. Un gai luron et un sacré baiseur : il donnait même du plaisir à Mme Mechik.

— Eh oui, ça arrive..., meuglai-je en ménageant la chèvre et le chou, mais en dedans de moi je tremblais de toutes mes fibres, parce que j'avais compris que ce n'était pas pour discuter des aventures de la famille du général qu'Abakoumov m'avait fait venir d'urgence dans son bureau.

Il avait entrouvert pour moi la porte du petit coffre à combinaison, rempli de secrets personnels des conservateurs professionnels des secrets d'autrui. Le pistolet sortait de ce coffret sacré. Et si Viktor Semionytch l'en avait sorti, c'était probablement pour faire passer toute envie de résister à

Mechik. Il fallait clouer Kroutovanov dans son cercueil de manière irréprochable. Mais pourquoi m'avait-il donné ce Browning? Quel rôle étais-je censé jouer dans le futur spectacle Mechik?

— Ça arrive, c'est vrai, approuva Abakoumov avec une joie méchante. Même un jars peut satisfaire une jument. Sauf qu'il y a eu une drôle d'histoire entre Sapega et Mme Mechik. Il lui a grimpé dessus, comme une blatte sur un quignon de pain, sans même retirer son froc. Il devait être pressé. Et ce petit pistolet, cadeau du ministre, était dans sa poche. À cause des secousses et des trépidations passionnelles, le cran de sûreté a sauté. Et qu'est-ce que tu penses qui est arrivé, mon cher et malin joueur d'échecs?

— Le coup est parti tout seul? suggérai-je, certain de ne pas me tromper.

À en juger par la franche bienveillance d'Abakoumov, il n'avait pas encore lu le procès-verbal écrit par Minka, ce qui me laissait une marge de manœuvre, une chatière pour regagner la vie.

— Exactement. Il lui a troué la cuisse et, par la même occasion, sa culotte d'uniforme. Maintenant, dis-moi, que devait faire notre ami Pachka Mechik, une fois revenu dans la maison de la honte, appelé par les domestiques?

— Semblant. Faire comme si de rien n'était. Ou plus exactement comme s'il s'agissait d'un accident. Sa femme faisait tranquillement la poussière et s'est tiré une balle dans sa grosse cuisse...

— C'est exact. C'est ce qu'a fait Mechik. Rien ne s'est passé. Et c'est comme ça qu'il s'est coupé...

— Comment ça?

— Parce que moi aussi, j'ai fait comme si de rien n'était...

Comme il se taisait, j'avais décidé d'attendre, de

voir comment il allait me mener en bateau, comment il allait punir son vaillant Sapega sans m'en parler.

— Et alors, vous avez bien fait d'attendre? demandai-je avec un intérêt non dissimulé, car cette histoire pouvait peut-être m'expliquer le rôle que j'étais censé jouer dans la pièce avec Mechik et, par la même occasion, m'éclairer sur mon avenir — la courte paille tirée pour analyse préalable.

— Et comment. On ne peut pas me mener en bateau, Pavel. Premièrement, je sais tout. Deuxièmement, je suis patient. Troisièmement, je connais très bien les lois de l'existence. Si Mechik faisait comme si de rien n'était, c'est que tous les événements avaient simplement avancé d'une case. Il fallait les prévenir, les préparer et attendre. Un jour ou l'autre, je serais forcément tombé sur ces mots dans le bulletin d'information: «... disparition du capitaine de la Sécurité d'État Sapega...».

Je ne sais plus si j'eus alors un tressautement ou si mon *self-control*, entraîné pendant de si longues années, sauva une fois de plus la situation. Et si j'avais encore peur d'Abakoumov, ce n'était plus une peur habituelle devant ce pouvoir qu'il avait sur mon destin, mais une crainte nouvelle, toute mystique, devant sa capacité de deviner mes pensées, mes désirs, mes impulsions secrètes. Il n'y avait pas une demi-heure, j'étais encore en train d'envisager la possibilité de faire disparaître Minka Rioumine dans les fosses à chaux vive près de la vieille briqueterie.

— C'est curieux, la vie, dit lentement le ministre, l'air pensif. Un matin, Sapega est sorti du ministère et n'est pas rentré chez lui. Et plus personne ne l'a jamais revu. Presque personne. Pachka Mechik, lui, est persuadé que personne ne l'a vu. Seulement, le petit pistolet de Sapega, eh bien, il est là, dans mon coffre-fort. Par hasard, bien sûr... Avec une petite note, il faut ce qu'il faut... Et voilà le travail.

Nous nous tûmes, chacun plongé dans ses pensées. Moi, à cause de l'incertitude de ma situation, le ministre, dépité d'avoir été obligé de partager l'un de ses trésors secrets avec moi, misérable, moi, minable vermisseau. Dommage quand même, bien qu'indispensable.

— Que dois-je faire ? demandai-je.

— Rien. Prends ce pistolet et garde-le toujours sur toi. Et partout. Tu as compris ? Toujours !

Il me sembla que j'avais deviné.

— Cette nuit aussi ?

— J'ai dit : toujours, cria Abakoumov, visiblement irrité.

— J'ai compris, Viktor Semionovitch. Seulement, il est interdit de pénétrer armé dans votre bureau.

— Je vais prévenir Kotchegarov. Toi, tu peux.

Il me sembla que j'avais compris. Bien sûr, certaines des intentions d'Abakoumov demeuraient obscures, mais une chose était certaine : ma confrontation avec Mechik n'était pas pour lui une procédure officielle mais une rencontre amicale, suivie de beuverie, qu'il avait l'intention de diriger personnellement. Et il n'avait pas l'intention de dire à Mechik qu'il connaissait tous les détails de son histoire avec Sapega. Il comptait certainement me demander ce pistolet sous le premier prétexte venu, le montrer à Mechik, que tout ceci devrait paniquer effroyablement. Et diriger toute l'attention de Mechik sur moi, l'homme qui connaissait le secret de l'assassinat de Sapega.

Après ça, aucun doute que Mechik confirmerait tout ce qu'on voudrait à propos du diamant saxon resté accroché aux doigts de Kroutovanov. Il me haïrait de haine mortelle. Et, tout pénétré de ce sentiment noble et envahissant, il utiliserait ses innombrables relations pour rassembler toutes les saloperies à mon sujet et les apporterait à la première occasion à Abakoumov. Et voilà comment nous allions, couchés dans les bras l'un de l'autre au fond du coffre à combinaison, travailler sans répit pour le ministre, en nous haïssant mortellement, car celui qui baisserait les bras le premier sortirait immédiatement du jeu.

Et partirait pour nulle part. Comme Sapega.

Un coup magnifique. Admirable. Deux blouses d'un coup, comme diraient les joueurs de billard.

Le ministre me regardait tristement, la tête appuyée sur sa main, comme une bonne femme.

— Des questions ?

— Pas de questions, camarade colonel-général ! C'est clair. Le pistolet ne me quittera jamais, répondis-je, et je rangeai soigneusement le Browning dans ma poche intérieure.

Abakoumov soupira et, ne faisant manifestement pas confiance à l'agilité de mon cerveau, conta tristement :

— On m'a dit que, depuis, Pachka Mechik a interdit à son ordonnance de cirer ses bottes. Seule madame le ministre a le droit de le faire, elle les lustre quasiment avec sa langue et aide son mari à les enfiler. C'est une sorte de pénitence. Et quand Pachka est soûl, il lui flanque des coups de tige de botte sur la gueule, en disant : « Hé, toi, vieux morceau de putain, quand je pense qu'à cause de toi, il a fallu... Ah, quel gars c'était ! »

Viktor Semionytch me fit un clin d'œil amical et, pour que je ne m'éloigne pas trop de son vaisseau amiral, il m'attira avec la gaffe de son surmoi :

— Tu vois, Pachounia, si jamais tu deviens général, ne prends pas d'aide de camp trop malin. Sinon, ta petite juive sera obligée de faire reluire tes bottes : son orgueil sera aussi amer que de la quinine et toi, tu en crèveras de haine...

Il hocha la tête d'un air désapprobateur et lâcha :

— Bon, tu peux partir.

J'avais traversé l'immense cabinet et j'étais déjà presque à la porte, lorsque j'entendis la voix calme du ministre :

— J'ai lu le procès-verbal de l'interrogatoire de... comment tu l'appelles déjà, Kogan, c'est ça ?

Je me figeai sur place, mon cœur se décrocha et resta suspendu dans le vide de la cage thoracique. Très lentement, je me retournai et Abakoumov me sembla aussi lointain que si je l'observais par le petit bout des jumelles.

— Qu'est-ce que c'est que cette daube ? Notre chien détective, Rioumine, là, quel inventeur, hein ? Plus de zèle que d'esprit...

Et il ajouta, me devançant :

— J'espère que tu n'as aucun rapport avec cette affaire ?

— On ne peut plus vague, marmonnai-je, soudain aphone de peur.

— Eh bien, ne t'en approche pas à moins d'une verste. Je vais rentrer chez moi, dormir une heure ou deux, puis je reviendrai pour interroger Kogan moi-même. Et si le youpin ne me confirme pas sa déposition jusqu'au moindre mot, je lui arracherai la langue en passant par le trou de balle, à Rioumine. (Et il serra le poing pour montrer comment il allait s'y prendre pour arracher la langue à Minka.) Va, je t'appellerai.

Je ne me souviens plus comment j'ai traversé la salle d'attente ni comment j'ai enfilé les couloirs avec leurs tapis rouges. Monter l'escalier, palier, encore monter, pas le temps d'attendre l'ascenseur, de nouveau un long couloir, la course aveugle et sourde, la porte muette du cabinet de Rioumine et, par terre, Kogan sans connaissance avec, au-dessus de lui, Minka, pâle et désemparé.

— Qu'est-ce qu'il y a ? criai-je, essoufflé.

— Il refuse de signer, saleté de youpin, dit Minka.

Il prit la carafe d'eau sur la table, la déversa sur la tête de Kogan et l'eau, chargée du sang de ses plaies, se répandit sur le sol jaune d'œuf en flaque marronnasse et crasseuse.

Kogan meugla et avec un long gémissement émergea du gouffre salvateur. Il décolla ses lèvres gercées et du bout de sa langue rouge et gonflée chercha les gouttes d'eau coulant sur son visage noir.

Je remarquai avec étonnement que par miracle ses deux prothèses dentaires avaient résisté à ce massacre interminable.

— Minia, il doit signer le procès-verbal, dis-je, bien qu'il n'y eût plus aucun espoir. Dans deux heures, Abakoumov va t'appeler et si Kogan ne confirme pas le procès-verbal, nous sommes fichus.

— Comment ça ? demanda Minka, en écarquillant les yeux sur sa face de porc. Comment ça ? C'est toi-même qui disais...

— Je disais, je disais... Imbécile, qui t'a demandé de te précipiter chez le ministre avec le procès-verbal ? Maintenant, il est trop tard pour réfléchir. Il faut qu'il signe.

Kogan revint tout à fait à lui, leva la tête, nous regarda comme à travers un voile et dit d'une voix rauque :

— Mon Dieu... Mon Dieu... Pourquoi m'as-tu... Qu'ai-je fait...

La porte s'ouvrit et Trefniak passa la tête dans le

bureau. Je lui fis signe d'entrer, m'accroupis à côté de Kogan et demandai :

— Moïsseï Borissovitch, vous m'entendez bien ? Vous comprenez ce que je vous dis ? (Kogan souleva un peu ses paupières.) Pendant ces quelques jours, vous avez déjà compris beaucoup de choses... (J'essayais de me montrer calme et convaincant.) Et hier, vous avez pris la seule décision possible, celle de tout avouer.

Kogan dodelina de la tête.

— Vous m'avez torturé, dit-il d'une voix sifflante.

— Vous vous trompez, Moïsseï Borissovitch ! Vous n'avez pas bu le calice jusqu'à la lie ! Ce que vous avez enduré, ce n'est qu'une petite préparation. La vraie conversation est à venir !

Minka cria :

— Tu vas voir, sale gueule de youtre, on va te faire un petit lavement de soude caustique et de verre pilé !

Je montrai le poing à Minka et dis à Kogan :

— Ne m'obligez pas, Moïsseï Borissovitch, à prendre des mesures extrêmes. Nous n'avons plus le temps. Je suis dans l'obligation de vous faire avouer la vérité et je vous assure que vous n'imaginez pas les souffrances qui vous attendent. Réfléchissez avant qu'il ne soit trop tard.

Il porta les mains à sa gorge et articula :

— Ça brûle, là-dedans ! Mon Dieu, comme ça brûle ! De la neige... Donnez-moi de la neige... ça brûle... de la neige... Je signerai...

— Espèce de porc ! Sale chien ! hurla Minka d'une voix de fausset. Tu essaies encore de nous avoir ! Ça brûle ! Eh bien, crame !

Voyant qu'il n'y avait plus d'autre issue, je dis à Trefniak :

— Va chercher de la neige !

515

— Où ça ? s'étonna Trefniak.

— Chez les Grecs ! Imbécile, va dans la rue, c'est l'hiver, non ?

Trefniak regarda d'un air embarrassé autour de lui, à la recherche d'un ustensile mais, n'ayant rien trouvé de convenable, il saisit le crachoir en porcelaine et dit :

— Ça ira ! Ça gêne pas, les glaviots !

Il sortit. L'aube gluante et grise embrumait déjà la fenêtre. Minka, dévoré de colère et de peur, arpentait le cabinet de long en large :

— Essaie seulement de ne pas signer, salope, je t'arracherai ton foie casher pourri...

C'est comme ça qu'il se montait le bourrichon. Puis il s'approcha de l'imposant récepteur de radio Mir en bois laqué, l'alluma et à peine l'indicateur s'était-il teinté de vert que, comme surgie du néant, la voix de basse de Raïzen fit irruption dans la pièce :

> Et Satan conduit le bal,
> Conduit le bal.
> Et Satan conduit le bal...

— Éteins ça ! criai-je à Minka, et Méphistophélès s'évanouit dans un hurlement.

— Moïsseï Borissovitch, venez, je vais vous aider à vous installer derrière le bureau, on va vous apporter de la neige, et vous, pendant ce temps-là, vous allez en profiter pour signer le procès-verbal.

Kogan leva de nouveau la tête, nous observa, Minka et moi, avec un œil maintenant clair — le gauche, parce que le droit était obstrué par un hématome noir —, et s'étonna, d'une voix à peine audible :

— Comme vous êtes jeunes... des gamins...

Il aspira un grand bol d'air, ferma les yeux et se

mit à marmonner, comme s'il se répétait à lui-même quelque chose qu'il venait seulement de comprendre :

— ... De cellules toutes neuves... Néoplasmes... Les vieilles cellules ne possèdent pas cette énergie insensée pour détruire... Vous êtes des métastases, une tumeur au cerveau... Vous boufferez l'organisme, les gens, l'État, jusqu'à ce que vous ayez sa peau... alors, vous disparaîtrez vous-mêmes...

Trefniak revint avec le crachoir rempli de neige sale mélangée à du sable.

— J'en ai pris sur le trottoir, expliqua-t-il.

Pendant un long moment, Kogan lécha cette mixture crasseuse, mais il n'arrivait plus à déglutir et la neige lui coulait de la bouche. Le crachoir lui échappa des mains et se brisa par terre, et la bouillie de neige se mélangea avec la flaque d'eau noire déversée par Minka.

Le vieillard demeura quelques instants sans bouger et nous restâmes figés, désemparés, sans savoir quoi faire, jusqu'à ce qu'il relève la tête de nouveau et crache par terre ses prothèses dentaires.

— Je n'en aurai plus besoin, chuchota-t-il. Je vais mourir...

Sa tête cogna contre le parquet et le silence qui suivit fut déchiré par le hurlement aigu, presque un sanglot, de Minka, qui s'était rué sur Kogan :

— Crève, salope, crève, pourriture, crève, rat puant !

Et il lui donnait des coups de pied dans les côtes, le ventre, les reins.

Je restais pétrifié derrière le bureau ; je n'avais pas la force de retenir Rioumine alors que je voyais que Kogan était mort. Mon esprit était complètement brouillé, j'avais l'impression que mon corps était bourré de coton, et une seule idée claire surnageait à la surface de ma conscience : il n'y avait aucun doute que, dans quelques heures, les gars de l'Inspection spéciale allaient s'occuper de moi exactement comme Minka s'était occupé de Kogan.

Les gardes emmenèrent le corps. Le jour se leva. La lumière était toujours allumée. On voyait par terre les morceaux du crachoir brisé. Une flaque noire et crasseuse. Chaque minute était un siècle, mais chaque heure, un éclair. Mon cœur sentait tout le poids du cadeau d'Abakoumov dans ma poche intérieure, cet espoir d'une issue rapide.

Le téléphone sonna :

— Le ministre te demande de venir avec Rioumine pour interroger Kogan.

Il neige. Flocons et boue. J'ai soif. Ma Mercedes recouverte d'une bouillie de neige. J'en prends dans ma main et me mets à suçoter. Pas moyen. J'ai toujours soif. J'ai un goût de sel dans la bouche. Comme un goût de sang. J'ai sommeil, mais je n'arriverai pas à dormir. Peur d'être seul. Il faut boire, ça soulage.

Quel est l'imbécile qui a dit qu'il n'y avait pas besoin d'être une poule pour éprouver ce qu'elle ressent quand on la plonge dans le bouillon ? Ne croyez pas toutes ces conneries. Seule la poule connaît la suprême vérité du bouillon.

Je ne sais pas où me cacher. Je ne sais pas où me mettre. Le haricot dans la poitrine a gonflé, il pousse, il me prend à la gorge. La terre vacille sous mes pieds, notre petit *orbis terrarum*, notre charmant *orbis terrarum* bleu.

Il neige à gros flocons. Les nuages bas reflètent les lueurs rougeâtres de la ville et passent au-dessus de moi.

Et si j'allais rendre visite à mon ami et coauteur,

César Soliony, alias Actinie ? De toute façon, je n'ai rien de mieux à faire. La vie est fichue. L'existence touche à sa fin. Drôle de tirelire, dont nous retirons une à une les pièces des jours qu'il nous reste à vivre.

Allez, j'y vais.

17

Le cercle de Caïn

... J'y allai donc. La crasse, la pluie, la brume
éclaboussaient les flancs de la voiture. Des paquets
de neige mouillée sautaient du pare-brise, chassés
par les essuie-glaces. Avec un sifflement, les roues
envoyaient promener tout ce qui tombait du ciel
mélangé au sel et au sable. Un enfer pisseux. Peut-
être parce que je suis un vrai patriote, il ne m'était
jamais venu à l'esprit que nous avions quand même
un sale climat, dans ce pays. Nom de Dieu ! Il existe
des gens qui vivent dans des bungalows, sous les
palmiers. Et nous, dans la merde. Plus exactement,
mes compatriotes vivent dans la merde. Et moi, dans
ma Mercedes, presque neuve, avec des pneus de
marque. Et, dans la capsule chaude de l'habitacle,
bercé par le gémissement efféminé et voluptueux du
magnétophone, à moitié ivre, je me sentais comme
le pionnier explorateur dans sa cabine de vaisseau
spatial, en train de découvrir une planète magnifique et inconnue, entièrement pétrie de merde.
Levée sur du sang.

Orbis bleu tendre, *terrarum* dans un brouillard
rougeoyant.

Les flots de lumière jaune des réverbères frappaient l'asphalte noir et remontaient en geysers

520

bruns et iodés, aveuglants et empoisonnés. Ceux qui vivent sous ces réverbères se voient pousser un goitre énorme — un sac mouvant sous le menton, comme une grosse hernie.

Je roulais à travers le centre-ville désert, laissant sur le côté les petits gratte-ciel trapus, aussi sombres et rares que le haschisch.

— Nulle part au monde il n'y a de capitale plus belle que la nôtre, me mis-je à hurler, couvrant les tendres roulades de la pédale, et ce cri me fit du bien.

Je m'arrêtai au feu rouge, ouvris la boîte à gants et tâtai un petit sac en plastique planqué dans un coin. Je retirai le morceau de toile et déchiffrai avec les doigts, comme si c'était du braille, l'inscription à demi effacée sur l'ivoire lisse : «Au capitaine Sapega V. A. de la part du ministre de la Sécurité d'État d'Ukraine, Mechik P.»

— Garde toujours ce pistolet sur toi. Et partout. Tu as compris? Toujours!

— Cette nuit aussi?

— J'ai dit : toujours! cria Abakoumov, visiblement irrité.

Un ordre donné trente ans auparavant gardait toute sa force. Parce qu'une fois déjà il m'avait sauvé la vie. Et me la sauverait peut-être une fois encore. Voilà pourquoi je me balade partout avec ce petit pistolet. Dans ma voiture aussi. Un petit Browning de femme, de nickel niellé, la crosse recouverte d'ivoire. L'inscription est devenue quasi illisible, mais ce n'est pas l'érosion du temps, c'est moi-même qui l'ai effacée avec une lime, lorsque les mots avaient perdu leur sens magique.

Trois décennies se sont écoulées, on ne peut pas

appeler ça une histoire. Et pourtant, au-dessus de cette inscription, combien y avait-il de couches de morts, de strates archéologiques et géologiques. Toutes les mains qui avaient tenu ce pistolet ! Dans combien de coffres-forts inaccessibles avait-il reposé ! Et aujourd'hui, il est là, dans la boîte à gants de ma voiture ; que pourrais-je en faire, d'ailleurs ? Mais à partir de ce soir, l'ordre ancien retrouve toute sa force : le garder toujours sur moi. Et partout.

Je fonçais dans la ville maculée par le crachin neigeux de mars, à travers le centre, direction avenue Lénine, pour retrouver mon ami, la répugnante Actinie, et le poids familier du Browning de nickel sur le cœur m'entraînait dans les profondeurs du passé, comme le scaphandrier est tiré par ses semelles de plomb. Catapulte minuscule qui me précipite dans le néant. Petite chose sympathique, que de propriétaires tu as connus ! Les objets en général durent plus que les hommes, et il n'y a pas d'objet qui vive plus longtemps qu'une arme.

… J'arpentais le long couloir recouvert de tapis rouge, éclairé par les reflets troubles des innombrables poignées de porte en bronze des bureaux. J'essayais de trouver un gué dans ce ruisseau de sang au deuxième étage de la Boutique, avant d'entrer dans la salle d'attente du maître absolu de mon destin, Viktor Semionytch Abakoumov.

J'avais poussé Minka, fou de terreur, dans la salle d'attente, et j'arpentais depuis une heure le couloir dans tous les sens sans m'arrêter, car il était interdit de s'arrêter dans ce couloir : cinq minutes plus tard, la ronde interne aurait remarqué le quidam qui traînait devant le bureau du ministre. Je marchais, je marchais, donnant à mon visage une expression préoccupée et, une fois atteinte la cage d'escalier, du côté de la rue Dzerjinski, faisais demi-tour et me dirigeais vers l'autre bout, où se trouvait le passage dans le nouveau bâtiment de la rue Fourkassov. Et puis, demi-tour encore, au pas de course parkinsonien. À aucun prix je ne devais perdre de vue la porte du secrétariat : j'attendais Minka. Peut-être aurait-il réussi à s'en dépêtrer et reviendrait-il de nouveau heureux et impudent. Ou alors, brisé et accablé, il en sortirait sous escorte.

J'avais essayé de le raisonner, de le menacer, de le supplier, de lui expliquer que sa seule chance était de se taire. Se taire et faire le con. Persuader le ministre que l'histoire avec Kogan n'était pas le début d'une gigantesque intrigue, mais un épisode sans importance avec un youpin malfaisant, mort de trouille d'en avoir lâché autant. J'avais essayé de convaincre Minka que sa seule planche de salut était de ne jamais citer mon nom, de gagner du temps, pour que je puisse pondre un mémoire démontrant à Abakoumov que lui, Minka, avait fait ce qu'il fallait. Je lui avais assuré que nous jouions un tout petit rôle dans un vaste jeu politique et que le ministre ferait semblant de ne rien savoir de la tâche qui nous avait été confiée. Il fallait voir ça comme une mise à l'épreuve de la fermeté de Minka et de sa rapidité de jugement ; le ministre voulait simplement s'assurer qu'on pouvait admettre Minka à la même table que les dirigeants de ce pays.

J'avais essayé de faire rentrer ce galimatias infantile dans sa cervelle ramollie pour gagner ne fût-ce qu'une seconde. En vain. Il ne comprenait rien. J'ai tort, bien sûr, de le blâmer pour sa bêtise, car, eût-il été plus intelligent qu'il ne m'eût pas cru davantage. Mais ce n'était pas qu'il refusât de me croire, non, il ne comprenait tout simplement pas ce que je lui disais, pas un mot, comme si je lui avais parlé chinois.

Et pendant que, dans son bureau, Abakoumov faisait doucement griller Minka sur la poêle infernale, je m'agitais dans le couloir comme un fauve en cage, essayant de trouver une solution. Des choses absurdes traversaient mon esprit : je rêvais qu'Abakoumov, ne fût-ce qu'en souvenir des services rendus, ne me détruirait pas, qu'il me dégraderait, qu'il m'exilerait au fin fond d'une province pourrie, ce qu'hier encore j'aurais considéré comme une débâcle. Aujourd'hui, j'étais prêt à aller à Magadan, faubourg maudit du Goulag, garder les millions de prisonniers, me plonger dans cette existence de cauchemar, où les femmes des officiers se prêtent les préservatifs et les rendent, après les avoir utilisés, à leur riche propriétaire. Je voulais bien partir pour la Lituanie ou en Transcarpatie, où jadis Bandera et ses potes égorgeaient les nôtres comme des poulets. N'importe où, mais pas dans notre prison...

Lorsque la porte en chêne massif projeta Minka dans le couloir, je compris toute l'absurdité de mes rêves d'avenir en fonctionnaire minable et grillé dans quelque point chaud ou froid de notre grand pays. La faillite, l'échec total se lisait sur sa face de porc. Pas le désarroi, pas la peur, même pas l'étonnement — sa gueule n'exprimait qu'un vide immense, le désert.

Le tétanos avait paralysé ce morceau de bidoche bâtarde. Des yeux stupides, exorbités, les bajoues blêmes tremblotantes, voilà ce qui restait de ce qui avait été il n'y a pas longtemps encore une tronche resplendissante. La faillite, la faillite définitive. Une fois que la crampe aurait desserré son étau de fer, il s'écroulerait là, devant moi, coulant en masse gélatineuse et trouble. Je le saisis par le bras et le

524

traînai derrière moi, sans effort, tout en lui déco-
chant des coups douloureux dans les côtes :

— Réveille-toi, crétin… Que t'a dit le ministre ?

Minka leva sur moi un regard impassible de
sandre crevé et dit à voix basse :

— Il m'envoie au tribunal. Il a crié…

Et au seul souvenir des cris d'Abakoumov, il se
mit à trembler.

— Parle, parle, disais-je en le bousculant.

— Il criait : c'est du pipeau, tout ça… Il a dit que
c'est moi qui ai tout inventé… Il m'a mis aux arrêts.
Je dois aller me faire enfermer dans une cellule… Il
a diligenté une enquête… Il m'a dit de rendre mes
dossiers au chef du Département de l'instruction…
Il criait comme quoi il n'y a jamais eu de complot
et qu'il savait d'où ça venait, tout ça…

— Tu as prononcé mon nom ?

— Je n'ai pas eu le temps d'en placer une ! Dès
que je suis entré, il a demandé : où est Kogan ? Et
quand j'ai répondu que cette sale gueule de juif était
crevé, il s'est mis à hurler… Salaud, qu'il disait,
créature de Kroutovanov, vous êtes des pourritures,
vous voulez doubler la direction, vous irez en prison
tous les deux !

Nous nous arrêtâmes sur le palier. Minka continuait de geindre, et moi, les tempes serrées entre les
mains, je réfléchissais à toute allure, cherchant
spasmodiquement à savoir si je pouvais passer par
cette fente minuscule. Ce n'était même pas une fente,
un tout petit trou, un chas d'aiguille, dans lequel je
devais passer ce chameau merdeux, et moi-même
derrière lui, pour me retrouver dans ce paradis d'une
beauté indicible qui s'appelle la vie. Le paradis,
c'est la vie. Je vous le jure, la vie, c'est le plus beau
des paradis !

Minka marmonnait comme un mendiant et

de toute cette masse de paroles, je pus tirer deux conclusions.

Premièrement, Abakoumov considérait que l'existence d'un complot avéré contre Staline et tout le gouvernement ne profiterait pas à lui, mais à Kroutovanov et à Malenkov, qui se trouve derrière. Une affaire de ce type le gênait, lui, et son chef Beria. Il fallait accepter ça comme un axiome, sans chercher à comprendre les raisons de la situation actuelle, car je ne possédais aucun renseignement sur l'étendue de son pouvoir pour faire de sérieuses déductions. Si je survivais, je comprendrais, sinon, ça n'avait plus aucune importance.

Deuxièmement, si Abakoumov, en présence d'une merde comme Minka, avait insulté et chargé Kroutovanov, c'est qu'il considérait notre cher Sergueï Pavlovitch comme ne faisant plus partie des personnages et interprètes de la pièce. Alors que le dernier acte de l'enterrement de Kroutovanov avec la participation du général Mechik et de moi-même devait se jouer seulement la nuit suivante, c'est-à-dire vingt heures plus tard, dans le cabinet d'Abakoumov. Si Kroutovanov apprenait qu'on lui avait déjà tissé son linceul, il aurait intérêt à se montrer plus intelligent et débrouillard que ce cochon débile de Minka.

Je devais absolument gagner quelques heures avant qu'Abakoumov ne se souvienne de moi.

— Viens, dis-je à Minka en le traînant par la manche.

— Où ça? demanda-t-il, hébété, mais il me suivit sans discuter.

— Chez Kroutovanov...

Minka fut de nouveau frappé de tétanos.

— Pour quoi faire? Tu... Quoi?

— Nous allons tout lui raconter. N'aie pas peur, on y va ensemble.

526

Je n'avais plus rien à perdre et ça n'avait aucun sens de laisser filer Minka dans cet état.

— Je n'irai pas... Je n'irai pas... (Il agitait mollement la tête.) Salaud, tu as eu ma peau. Si tu crois que je vais me taire pendant l'interrogatoire ! Je dirai tout.

— Minka, c'est ta seule chance, dis-je tendrement.

— Et la tienne ? hurla-t-il d'une voix suraiguë.

— Ne pense pas à moi, ce n'est pas le moment, je penserai tout seul à moi, comme un grand. Et à toi aussi. Tant que tu m'as écouté, tout se passait bien. C'est toi-même qui t'es fourré dans le pétrin. Pourquoi tu t'es précipité chez le ministre avec ton procès-verbal sans me le dire ? Crois-moi, il n'y a que moi qui puisse te sauver maintenant, alors fais ce que je te dis.

Mais toutes mes paroles étaient vaines. Minka gémissait, priait, pleurait, essuyait ses larmes incolores sur ses grosses joues, maudissait le jour où nous avions fait connaissance, et pour rien au monde il n'aurait accepté d'aller chez Kroutovanov. Je fus saisi de désespoir et aussi d'une immense lassitude, pareille à la rage impuissante que ressent un nageur qui tente de ramener un noyé jusqu'à la rive, alors que celui-ci s'accroche à lui, à ses mains, à sa gorge, et les étouffe, les noie tous les deux.

Il n'y avait plus rien à faire et je fis une dernière tentative pour le saisir par les cheveux.

— Minka, fais ce que tu veux. Maintenant, ton arrestation va être officiellement demandée — tu vis tes dernières heures de liberté — et on t'enverra à l'Inspection spéciale pour l'interrogatoire. Est-ce que tu as déjà vu comment ils interrogent les prisonniers ? (Il rentra la tête dans les épaules, effrayé.) Tu t'es fichu dans un sacré merdier, Minka, et c'est pour ça qu'on t'appliquera l'interrogatoire de troisième degré, dit interrogatoire d'urgence. Il va falloir que tu parles très vite.

— Et qu'est-ce que j'ai à raconter ?

— Je ne sais pas. Ce qu'Abakoumov voudra bien que tu racontes. Car c'est ton plus grand malheur : tu ne sais pas ce qu'il faut dire à Abakoumov. Voilà pourquoi tu dois subir un interrogatoire « d'urgence ». Tu sais ce que c'est, un bec-de-canard ?

— Oui, une espèce de pince étroite…

— C'est ça. On va te le fourrer dans les narines et te niquer le nez. Tu comprends ? Et ce n'est qu'un début.

Minka ferma les yeux, déglutit, et j'eus peur qu'il ne tombe dans les pommes. Je lui donnai un léger coup dans le foie, en guise d'ammoniac, et l'entraînai avec moi :

— Viens, viens, écoute ce que je te dis. Tu restes assis, tu ne dis rien, tu réponds juste aux questions de Kroutovanov, c'est moi qui vais parler, je dirai ce qu'il faut, mais viens, on a déjà perdu assez de temps comme ça.

Il se secoua enfin. Je crois qu'il était inconscient. Nous longeâmes de nouveau le couloir recouvert de tapis rouge, laissant sur le côté la terrible porte en chêne massif de la salle d'attente d'Abakoumov. Je retins mon souffle car, s'il se reproduisait ce qui était arrivé ici même il n'y a pas si longtemps, devant ces mêmes portes, lorsque Abakoumov, déjà un peu ivre, la veste par-dessus le ceinturon, était venu à ma rencontre et m'avait emmené dans son cabinet, il nous aurait sûrement emmenés cette fois-ci, Minka et moi, dans un tout autre endroit. Mais on ne pouvait pas prendre un autre chemin, car la salle d'attente de Kroutovanov se trouvait au même étage, quelques portes plus loin. Quelques mètres, quelques lourdes portes avec leurs poignées de bronze lustrées. C'était normal, après tout, les adversaires dans la lutte nanaïe ne pouvaient se battre à distance.

Nous entrâmes dans la salle d'attente et, sans lâcher la main de Minka pour qu'il ne change pas d'avis à la dernière seconde, je dis à l'aide de camp:

— Veuillez annoncer au camarade vice-ministre que le lieutenant-colonel Khvatkine s'est rendu à sa convocation et qu'il a une information d'extrême urgence à lui communiquer.

Sergueï Pavlovitch avait à l'époque trente-cinq ans et était général depuis longtemps. Je suis prêt à témoigner qu'il y a trois décennies, il avait déjà ce style qu'ont les hommes au pouvoir immense, devenu depuis la forme de comportement obligatoire pour un haut dignitaire du Parti. Il était certainement le seul boss de toute la Boutique que j'enviais véritablement et auquel j'aurais aimé ressembler. Même physiquement.

Hasard? Coïncidence? Chance? Signe des temps? Kroutovanov est le seul des dirigeants de la Boutique qui ne soit pas mort, qui n'ait ni souffert ni disparu. Aujourd'hui, il est toujours ministre. Aujourd'hui... Mais ce jour-là...

Ce jour-là, il se tenait le dos appuyé contre la cheminée, les bras croisés à la Napoléon, une Lucky Strike aux lèvres, et il écoutait impassiblement mon rapport sur le complot contre la vie du camarade Staline et des autres dirigeants du Parti et du gouvernement. Veste de tweed grise, pantalon large à la mode, chemise de soie — on aurait dit un lord anglais, un esquire important, sir Anthony Eden! Sur son visage on ne pouvait lire ni indignation, ni commisération, ni encouragement, ni même de simple intérêt. Juste une attention professionnelle. Une seule fois, lorsque Minka, revenu à lui un instant, voulut m'interrompre, il lui dit sur un ton bref et glacé, comme s'il lui crachait à la figure :

— Restez tranquille !

Et il ajouta, après m'avoir gratifié d'un signe de tête de courtisan hautain :

— Continuez.

Je continuai. Je faisais mon rapport, je décrivais, je démontrais, je donnais des noms et des dates, les lieux, réels ou imaginaires ; je supposais, j'analysais, j'avouais l'obscurité de plusieurs détails importants.

J'essayais de sauver ma vie. Ah, l'instant unique où vient l'inspiration suprême dans le combat pour sa vie ! Que sont les Thermopyles à côté ? Pauvre stratégie d'Austerlitz ! Souricière molle de Stalingrad ! Comme on a surestimé le talent et la prévoyance des généraux ! Inventions que tout ça ! Absurdités ! Le succès ou la faillite de toutes les grandes batailles dépend du coup secret des joueurs qui ont distribué les cartes à l'étage au-dessus du tien.

— Passionnant, lâcha Kroutovanov, qui quitta la cheminée, alla sans hâte jusqu'à son bureau, prit une lime et se mit à polir soigneusement l'ongle de son petit doigt.

Dans le silence, on n'entendait que le bruit de la lime et les reniflements porcins de Rioumine. C'était ce fameux silence dramatique, qui sépare le début chaotique de l'intrigue du premier coup joué par le personnage principal. Le coup qui détermine le sujet de la joyeuse opérette intitulée « Le complot des médecins juifs, ou la tentative avortée d'empoisonner le Saint Patron ».

Le hic, c'est que l'absolue franchise et la fougue contenue de mon récit n'avaient pas pour but d'obliger Kroutovanov à me croire, pas plus, du reste, que l'attention de Kroutovanov n'était de l'intérêt sincère : tout cela faisait partie des rôles que nous jouions devant une salle encore vide, et Kroutovanov tenait en plus celui de l'entrepreneur qui devait décider si nous allions convaincre les spectateurs de notre sincérité, de la réalité des collisions tragiques et incroyables que j'avais inventées, ou si ce spectacle n'était pas bon pour la saison et qu'il ne saurait être au goût ni correspondre aux plans de distraction de Celui qui commandait la musique. Nous savions tous les deux que le spectacle à venir était une pure invention, sans aucune base réelle, que la pièce elle-même n'était pas encore écrite, qu'il y avait juste une idée géniale et une intrigue confuse et grandiose, qu'il nous fallait développer, improviser et mettre en scène. Jouer.

En observant le visage impassible de cet homme encore jeune, occupé pour le moment à polir ses jolis ongles mats, je naviguais à travers le silence de la pause comme à travers l'éternité, car pas une grimace, pas une mimique, même minuscule, rien n'indiquait s'il allait nous jeter, Minka et moi, les deux bouffons minables et épouvantés, ou nous prendre avec lui dans son entreprise et nous envoyer à l'avant-scène de la représentation la plus effrayante de l'histoire.

Glong, gling, fit la lime à ongles en tombant sur la table. Rioumine et moi tressaillîmes de surprise et Kroutovanov demanda calmement :

— J'aimerais savoir une chose : pourquoi êtes-vous venus me voir, moi ?

Nous étions arrivés à la fin du spectacle, car Kroutovanov ne pouvait pas entrer dans notre jeu tant qu'il n'avait pas clairement saisi les rapports de force, et ruser n'eût été d'aucune utilité. Ma volonté et mon astuce n'avaient plus aucune influence sur mon destin, qui dépendait maintenant des projets de Kroutovanov et de ses possibilités, déterminés à leur tour par les positions des joueurs du niveau supérieur.

Je dis fermement, en le fixant dans les yeux :

— Vous êtes la seule personne de tout le ministère qui pouvez avoir un point de vue différent de celui de Viktor Semionovitch Abakoumov.

— Ah bon ? demanda-t-il, si visiblement intrigué que je vis la bulle de la question naître sur le bout de sa langue — « Et d'où vous tenez ça ? » —, juste avant qu'il ne la recrache, pour poser une autre question, plus consistante :

— Si j'ai bien compris, vous, vous avez un point de vue différent de celui du ministre ?

— Affirmatif, camarade lieutenant-général. Viktor Semionytch ne veut pas admettre l'existence d'un vaste complot juif. Je pense que, pour des raisons qui me sont inconnues, il n'y voit aucun avantage pour lui.

Kroutovanov sourit et ce sourire aimable dura un bon moment, le temps pour lui de sortir une autre cigarette de son paquet impeccable et pas même froissé, de la tapoter sur le bureau et de l'allumer avec son Zippo en or. Le sourire s'envola en même temps qu'il recrachait un mince filet de fumée bleue, qui, droit et coupant comme une lame, vint s'enfoncer dans mon visage, accompagné de cette question :

— Que voulez-vous que ça me fasse ?

Sa voix était absolument indifférente.

Je sentis mes dernières forces m'abandonner. Kroutovanov ne voulait pas entrer dans le jeu. Pourquoi ? Qui pouvait le dire ? Peut-être parce qu'il se méfiait, ou qu'il n'était pas suffisamment fort. Ou parce qu'il pensait que son temps n'était pas encore venu. La politique est une chose hardie et ce vieux briscard savait que s'il remportait la partie que je lui proposais, il gagnerait énormément, presque tout. Mais s'il la perdait, il le paierait de sa vie. Alors que, s'il nous livrait, Minka et moi, à Abakoumov, sans aller jusqu'à tomber dans les bras du ministre, son ennemi mortel, il marquerait sûrement quelques points pour l'avenir. Et nos deux crânes iraient claquer sur le boulier de la grande politique. Au crédit : deux crétins.

Ah, si je pouvais dire à Kroutovanov que, dans le coffre-fort d'Abakoumov, il y avait un fléau d'arme qui lui était destiné, que Pachka Mechik était déjà arrivé à Moscou, que le ministre nous attendait à trois heures du matin, qu'il ne fallait pas qu'il compte marquer quelque point que ce soit et qu'il n'y aurait pas de bataille le lendemain, parce qu'une mort certaine l'attendait.

Mais je ne pouvais pas lui dire cela.

Le téléphone sonna. On entendit d'abord le bip du standard puis la voix de carton de l'ordonnance annonçant dans le haut-parleur :

— Camarade vice-ministre, le lieutenant-général Fitine voudrait vous parler…

Dieu seul sait ce qui serait arrivé si Kroutovanov avait décroché le combiné et si, glacial et poli comme d'habitude, il s'était entretenu avec Pavel Mikhaïlovitch Fitine des dernières affaires, grosses et petites, de leur diocèse. Mais l'impassible gentleman dit d'un ton tranchant :

— Je suis occupé ! Ne me passez plus personne !

Il me jeta un coup d'œil rapide et comprit qu'il avait fait une erreur, qu'il avait nommé le prix réel de son indifférence en refusant de parler au chef de la Direction générale du renseignement politique. Et, après cette première erreur, il en commit aussitôt une deuxième en s'abaissant à se justifier à mes yeux :

— Ils me poursuivraient jusqu'aux chiottes... Vous n'avez pas répondu à ma question. Pourquoi voudriez-vous que je m'occupe d'une affaire dont le ministre ne pense tirer aucun avantage, comme vous l'avez dit vous-même ?

Bon, puisqu'un entretien avec moi vous semble plus important qu'une conversation avec Fitine et les petits événements de notre monde d'espions, je vais vous répondre, très estimé Sergueï Pavlovitch :

— Je pense que c'est parce qu'elle ne profite pas à Viktor Semionytch que cette affaire pourrait vous profiter à vous.

— Je vous demande de formuler votre pensée plus précisément, dit poliment Kroutovanov, en tournant la tête dans ma direction.

— Je crois que la mise au jour d'un vaste complot juif contre les dirigeants et les fondements mêmes de notre État ne fait pas spécialement plaisir à Abakoumov.

— Jamais je n'aurais pensé que notre Viktor Semionovitch était un philosémite, dit Kroutovanov avec un sourire fin. Qui aurait pu imaginer que le ministre était un judophile, on peut même dire un youtrophile convaincu !

— Viktor Semionytch aime certainement les juifs aussi peu que les autres. Mais quelque chose me dit qu'il voit une menace pour le camarade Staline dans un grand complot que préparerait un groupe de fonctionnaires du Parti. L'affaire de Leningrad n'est que le gâteau dont on compte cueillir la cerise à Moscou.

— Vous le supposez ou vous le savez ? demanda-t-il paresseusement, et aussitôt l'atmosphère dans le grand bureau fut saturée par la respiration haletante des deux combattants luttant à la mort au pied du Patron, les finalistes de la compétition, les grands bâtisseurs du monde du bien et de la raison — Lavrenti Pavlovitch Beria et le beau-frère de Kroutovanov, le tribun joufflu Gueorgui Maximilianovitch Malenkov.

— Je suppose que je sais, affirmai-je.

Minka, affaibli par cette longue torture, avait depuis longtemps perdu le fil de la conversation dans ce jeu opaque et ne ressentait plus qu'une immense lassitude physique. Soudain, débordant de terreur, il poussa un long gémissement de gonzesse :

— Ah-ah-ah-aaah...

Mais aussitôt, reprenant ses esprits, il se ferma la bouche avec la main.

Kroutovanov hocha la tête et remarqua d'une voix compatissante :

— Je vois que vous avez là un partenaire solide... Bien. Dites-moi, s'il vous plaît : comment êtes-vous au courant des projets d'Abakoumov ?

— Par des informations de première main.

— Soyez précis. Des noms, des faits.

— Non, Sergueï Pavlovitch, ça, je ne peux pas vous le dire. Pour le moment. Je vous en ai déjà dit beaucoup. Il faut bien que j'en garde un peu pour moi, de quoi sauver ma tête.

— Vous me faites rire, Khvatkine. Vous ne croyez quand même pas que quelque chose peut encore vous sauver si je ne m'intéresse pas à votre histoire ?

— Qui sait, Sergueï Pavlovitch... Mais j'espère, je suis sûr, que cette histoire vous intéresse.

— Pourquoi en êtes-vous si sûr ? demanda Kroutovanov avec un petit rire bon enfant, et il se cala dans le fauteuil, en me fixant intensément.

Je l'amusais comme un insecte sautillant. Sa

bonne humeur commençait à se teinter des étincelles bleues de la colère.

— Parce que ma vie est entre vos mains. Et qu'une hache est suspendue au-dessus de votre tête.

Il me fixa longuement, sa tête noble à la raie impeccable penchée sur le côté, et, dans ses yeux bleu profond, légèrement dilatés, on pouvait voir qu'il se demandait s'il devait m'écraser tout de suite ou remettre à plus tard ce détail de procédure. Mais son désir de découvrir la forme de cette hache mythique suspendue au-dessus de sa tête prit le dessus.

C'est vrai : il vaut mieux perdre avec un homme intelligent que de gagner avec un imbécile ! Ô doux foyer de la sagesse ! Grâce à toi, nous sommes encore en vie. Tous les autres sont morts. Tous.

La sagesse de Kroutovanov n'avait pas de limites — trente ans plus tard, ce n'est pas à lui mais à moi que Mangouste est venu demander des comptes.

Après m'avoir regardé longuement, et ayant certainement vu ce qu'il cherchait, il me dit, en soupirant tristement :

— Pauvre Russie... Dans aucun autre pays il n'y a autant d'imposteurs. Est-ce parce que notre peuple est suffisamment stupide pour les appeler au secours ?

Et, comme sa question était purement rhétorique et qu'il se fichait de ma réponse, il approcha de lui la chemise marron que j'avais posée sur son bureau et se mit à parcourir d'un œil rapide et entraîné le « Dossier d'accusation de Rosenbaum A. G., Kogan M. B. et autres, pour les crimes prévus par les articles... ».

Après un certain temps, qui nous parut à Minka

536

et à moi une éternité — aucun poète au monde n'a attendu avec une telle émotion le jugement de son maître —, Kroutovanov, sans lever les yeux des papiers, prit dans un verre de cristal un crayon aiguisé et d'un trait large se mit à souligner des lignes et des paragraphes. Il plaça également quelques signets.

Puis il demanda, en refermant la chemise :

— C'est tout ?

Mes lèvres desséchées articulèrent avec peine :

— C'est un travail d'enquête et de renseignement considérable.

Il ferma les yeux, lissa de la main ses cheveux impeccables et dit en se levant :

— Bon, comme disent les Latins : *Exitus actum probat*. J'espère que la fin justifiera mes moyens.

C'était lui, le premier professeur de mon érudition à trois sous. Le Christophe Colomb, l'obscur annonciateur des trésors de la pensée conservés dans le *Dictionnaire des mots étrangers*, avant même qu'il ne soit publié.

Il se tourna vers Minka et lui ordonna :

— Asseyez-vous, commandant Rioumine, rassemblez vos esprits et écrivez votre rapport. Sans digressions, rien que des faits.

Il décrocha le combiné de la ligne gouvernementale et composa quatre chiffres :

— Gueorgui Maximilianovitch, bonjour ! Oui, c'est moi, c'est Sergik.

Dieu de miséricorde ! Sergik ! Camarade vice-ministre de la Sécurité d'État d'URSS, lieutenant-général Sergik ! Enculé de ta mère ! Dans quel genre de haute sphère habite donc son beau-frère pour donner du Sergik à cet ogre glacial et tout-puissant ? Peut-être est-ce cela le pouvoir universel de l'illégalité. Et peut-être que Malenkov, à son tour, chaque fois qu'il appelle le Saint Patron, se présente d'une voix tremblante : « Iossif Vissarionovitch, c'est Jorik qui vous dérange… »

— Gueorgui Maximilianovitch, je dois vous informer d'un problème d'une extrême importance… Très sérieux… En tout cas, j'aimerais vous mettre au courant pour que vous puissiez juger vous-même… Bien… Merci beaucoup… À vos ordres, dans une heure…

Minka se mordait les lèvres et rédigeait son rapport avec beaucoup d'application. Comme tout organisme primitif, il ne savait pas planifier son activité, mais les événements passés ne le préoccupaient pas davantage. Il leva la tête de son papier et demanda :

— Il faut dire que Viktor Semionytch…

— Non ! l'interrompit Kroutovanov.

Il s'approcha de lui, lut par-dessus son épaule et dit :

— Ça ira comme ça. Datez et signez.

Il prit le feuillet, l'agita en l'air pour faire sécher l'encre et dit d'un air guilleret :

— Quand vous serez vieux, Rioumine, et que vous toucherez une retraite bien méritée, vous pourrez immortaliser votre nom en publiant vos Mémoires.

Minka eut un petit rire obséquieux, sans comprendre la plaisanterie, et je me dis qu'à cet instant sa vie ne valait pas un kopeck. Pas plus que la mienne.

Kroutovanov classa le rapport de Rioumine dans le dossier, le rangea dans sa sacoche et lui donna ce conseil :

— Vous n'aurez qu'à les appeler « Carnets d'un connard ».

— À vos ordres, camarade lieutenant-général ! répondit aussi sec Minka, ayant appris pendant les longues années de service que si le chef plaisante, c'est qu'il vous encourage.

Kroutovanov dit, comme s'il avait lu dans mes pensées :

— Je ne pense pas qu'il soit nécessaire que vous restiez ici, Rioumine. Je vous emmène avec moi, pour donner plus de poids à tout ça. Vous avez l'air d'un homme sincère. Vous n'oseriez pas tromper le Parti ?

Minka manqua de s'étouffer :

— Je... nous... Tant que mon cœur battra, je suis prêt à les détruire ! Les ennemis de notre patrie... saboteurs... tous ces youpins maudits, les sans-race, les sans-tribu.

— Pourquoi sans-race et sans-tribu ? s'étonna Kroutovanov. Ils sont de la race d'Israël et de la tribu de Judée...

— Judée, exactement ! Affirmatif, camarade vice-ministre ! dit Minka, revigoré par cet accès de compréhension mutuelle avec le chef ; sa gorge se raffermit, ses yeux vitreux s'allumèrent, le sang mauvais afflua dans son cœur de pierre.

Kroutovanov sortit un manteau clair de l'armoire, un chapeau à large bord et lâcha à mon intention :

— Bon, allons-y. Je vous appellerai, Khvatkine, restez dans votre bureau.

Nous sortîmes ensemble du bureau et, en les regardant s'éloigner dans le couloir, Kroutovanov, souple et agile, la serviette serrée sur le ventre, et Minka, sautillant et maladroit, je pensai avec angoisse que l'affaire ne faisait que commencer, qu'elle prenait son élan, que personne ne savait comment elle se terminerait, et j'enviais l'insouciance animale de Minka, qui ne se doutait pas qu'il ne reviendrait plus jamais si Kroutovanov n'arrivait pas à se mettre d'accord avec son beau-frère.

Je me demandai également pourquoi Kroutovanov avait emmené Minka chez son beau-frère et pas moi. D'un côté ça me réconfortait, mais de l'autre, j'étais méfiant et aussi un peu vexé. Voilà comment je me l'expliquai : depuis plus d'une heure, Minka était officiellement arrêté sur ordre du ministre, et il aurait dû rendre ses dossiers. J'ignorais si Abakoumov avait déjà donné ses instructions au chef de l'Inspection spéciale ou s'il avait remis l'affaire jusqu'au soir, mais, de toute façon, Minka n'avait pas exécuté l'ordre ministériel et pouvait à tout moment être arrêté dans l'immeuble, conduit au sous-sol et pulvérisé à jamais. Pour cette raison, il valait mieux l'évacuer de la Boutique, lui et son dossier, loin des pattes griffues de l'Inspection spéciale. D'autant que, si Malenkov décidait de ne pas entrer dans le jeu, il n'était plus nécessaire que Minka retourne à la Boutique. La garde personnelle de Kroutovanov pouvait très bien régler elle-même ce petit problème. Voilà ce que je pensai alors. Mais je n'avais pas tout à fait raison. Je n'avais pas compris toute la dimension de la ruse de Kroutovanov. Abakoumov disait que j'étais un joueur d'échecs. Il m'avait surestimé : c'est aux dames que j'étais en train de jouer. Le vrai joueur d'échecs, c'était Kroutovanov ; il prévoyait toujours plusieurs coups d'avance.

Du calme, Khvatkine ! Lève le pied, nous sommes presque arrivés chez Actinie. C'est ici qu'il habite. Ici, tout près de moi. Nous sommes amis et coauteurs, invisibles au reste du monde. César Soliony est un nègre juif. Un nègre littéraire. Et moi je suis le planteur rouge, le monsieur blanc. On me commande la musique, j'explique à Actinie ce dont j'ai besoin, il écrit, je signe, j'édite et nous partageons l'argent. Plus la masse de petits privilèges dont il jouit en restant mon ami. Nous sommes tous les deux contents. Nous sommes amis. Nous travaillons ensemble, nous nous détendons ensemble. J'en suis presque venu à oublier qu'il était un vieil agent à moi. Il faut avouer qu'il m'arrive rarement de lui confier des missions et, lorsque cela se produit, ces missions sont très simples et même, d'une certaine façon, agréables. Et profitables. Il se lie avec les étrangers. De toute sorte : hommes d'affaires, journalistes, interprètes, petits diplomates. Tout ce que je lui demande comme effort, c'est de discuter avec eux. Sans rien chercher, sans poser de questions, juste discuter, rien de plus ! Et de temps à autre lâcher un mot de trop. C'est une tâche difficile que de savoir parler trop. Actinie, petit mouchard insoupçonnable, informateur poussiéreux, est l'une des soupapes du canal long et sinueux par lequel notre peuple reçoit la plus sûre et la plus exacte information, appelée « le bruit de chiotte ».

Il arrive souvent que la Boutique désire donner quelque nouvelle à notre brave population : une rumeur fausse mais séduisante, officielle mais incertaine. Dans le reste du monde, il y a des journaux pour ça. Mais notre peuple, lui, ne ressemble à aucun autre. Si c'est imprimé dans le journal, c'est sûr qu'ils ne le liront pas. Et s'ils le lisent, ils refuseront d'y croire. Des gens bien difficiles. On est obligé de ruser.

Actinie reçoit ses instructions et, pendant un ou deux jours, il lâche la nouvelle importante à l'attaché suédois, au petit secrétaire de l'ambassade espagnole, au reporter brésilien, à l'homme d'affaires français ou au professeur de slavistique américain. Son ami personnel, un fonctionnaire important du CC, et néanmoins un homme cultivé et remarquable, croyez-moi, il en existe, surtout parmi la nouvelle génération, les jeunes ; eh bien, cet ami fonctionnaire du Parti lui a dit sous le sceau du secret que la réduction de l'émigration juive était due à la réaction maladive des dirigeants orthodoxes de droite du Parti devant le refus des émigrés juifs d'aller sur leur terre promise, et qui, au lieu de ça, se carapatent dans le monde entier en passant par Vienne. Si, par exemple, on parvenait à conclure un accord avec l'Occident pour chasser en bloc tous les youpins depuis Moscou jusqu'à leur patrie historique, l'affaire serait au poil.

La majorité écrasante de toute cette bande, les confesseurs intimes d'Actinie, n'en ont rien à faire des juifs, des dissidents, de la Boutique ou de l'émigration. Ils ne sont préoccupés que par leurs petites affaires à Moscou, ne songent qu'à gagner des paquets de dollars avant de se tirer d'ici pour toujours, comme d'une colonie perdue. Mais il s'en trouvera toujours un qui ira lâcher un mot à un de ses copains journalistes en poste à Moscou. Et celui-ci de télexer une dépêche, selon laquelle «de source officieuse, digne de confiance...». Le lendemain, elle paraît dans les journaux et, le surlendemain, la Voix de l'Amérique répète toutes ces conneries dans son émission «Revue de presse américaine à propos de l'URSS». Et voilà le travail! Ce sont eux qui nous intéressent, ces deux-trois millions d'abrutis qui, toutes les nuits, comme des clandestins, voguent sur les ondes : ils écoutent la voix chérie qui calomnie et se repaît de nos quelques difficultés et des rares défauts qui subsistent. Ces auditeurs, mécontents, on se demande pourquoi, de l'information véritable et progressiste donnée par la presse soviétique, ne comprennent pas que l'émission occidentale n'est qu'un dialogue animé entre sourds et muets.

Et le muet qui a entendu l'histoire du sourd, qui lui-même l'a récitée d'après l'antisèche d'Actinie, la raconte avec ferveur à un autre sourd : « Vous avez entendu ? C'est la Voix qui le dit. C'est la BBC. Ils le savent, eux. Ils ne vont pas mentir ! »

Bien sûr que non. Ce sont des gars honnêtes. Pour eux, mentir c'est honteux. Mais pas pour nous. Et jamais ça n'a été une honte. Mille ans qu'on ment, on s'est habitués, et ça nous plaît. On ment partout, tout le temps, à tout le monde. À soi, aux autres. Notre mensonge perpétuel c'est la projection d'une autre vie, jamais vécue.

Stop, je crois qu'on y est. Ville inconnue. En principe, on dit que c'est Moscou, mais ça aussi, c'est un mensonge. Une ville étrange où il n'y a pas d'habitants, à part Actinie. Des adresses incroyables : place Hô-Chi-Minh, perspective du 60e-Anniversaire-de-la-révolution-d'Octobre, rue Salam-Adil, rue Vittorio-Codoviglia. Aucun des Moscovites ne pourrait dire où se trouve cette nécropole, personne ne sait qui sont ses habitants. Ses seuls habitants sont des actinies. Et mon Actinie.

Qui sourit à pleines dents sur le seuil de sa porte et agite ses bras dodus, m'invitant dans sa maison :

— Quel honneur ! Mais qui vois-je ?

Et il hurle à l'intérieur de l'appartement :

— Non, mais regardez qui est là !

Puis il se met à chanter à la manière tzigane :

— Pavel Khvatkine vient nous voir, notre Pachounia chéri !

Un monde fou dans les pièces sombres, surchargées de tabac et d'alcool, des petits groupes avides qui se racontent des mensonges à qui mieux mieux, le jeu bat son plein. Il y a l'archimandrite, le père

Alexandre, et le jeune fat, le directeur du magasin d'alimentation «Gastronome»; le célèbre trafiquant de devises, Fima-la-Merdouille; un dissident non repenti et néanmoins mouchard; Liktor Vouis, l'espion, le résident illégal populaire et célèbre dans le monde entier; et un bellâtre caucasien en perruque bouclée comme un chapeau mandchou. Un ramassis de connards et d'escrocs.

Les petites putains qui se font passer pour de jeunes actrices et les poétesses débutantes dansent avec les étrangers, secouant en rythme les maracas cachées sous leurs robes minables, et appuient de toute la force de leurs pis gonflés sur les chairs étrangères. Tandis que ces connards apathiques tournent la tête de tous côtés, plissent les yeux, ravis: «*Oh beautiful! Oh very good!* Oh! Ce n'est pas comme ça qu'on se représentait la vie réelle en Russie...»

Bien sûr, chers amis, vous vous trompiez complètement! Tout est beau et gai, chez nous! Nous vivons au grand jour, nous ouvrons nos âmes! Et nos génisses, avec leurs gros tétons, on vous les donne pour presque rien! Où pourriez-vous trouver, dans votre pauvre monde de consommation de masse électronico-synthétique, autant d'antiquités, d'objets authentiques de notre histoire populaire? Regardez autour de vous: la vaisselle de Gjel, les plateaux métalliques de Jostov, les bois de Palekh, les petites sculptures de bois de Khokhloma, le fer forgé de Kasli, l'émail de Rostov, et la clochette du Valdaï qui joue sa petite musiquette, et la porcelaine de Kouznetov et de Kornilov, et cet œuf de Fabergé, arraché à Pâques, fumant d'or et d'émail... La totale, absolument *wonderful*!

Oui, on peut le dire, notre peuple mène une belle vie, une vie repue et joyeuse.

Des profondeurs de l'appartement, comme un noyé remonte à la surface tout gonflé d'eau, surgit Tamara Kouvalda, l'épouse bien-aimée d'Actinie, sa tendre, sa presque unique. Je ne compte pas les putains : les putains sont le défouloir du trop-plein d'énergie qui bouillonne dans la prostate. L'essentiel, dans une famille, c'est la communauté du cœur et, pour ça, ils étaient arrivés à pratiquement s'incarner l'un dans l'autre. J'adore écouter ses histoires à vous glacer les sangs à propos de son bonheur conjugal avec Actinie.

— Pavlik, mon chéri, tu es seul ? Où est Marina ? Nos deux maisons de fous sont amies.

J'étais sur le point de lui répondre, quand je sentis la nausée me monter dans la glotte. Je pris ma respiration, hoquetai, lui dis d'un air sévère : «Je ne suis pas Pavlik, je suis une baleine gerbeuse…», la repoussai et me ruai aux chiottes, précédé de peu par la gerbe qui jaillit depuis la porte dans la cuvette bleue, et, pendant un bon moment encore, tel le Vésuve qui s'éteint, je crachai la coulée de lave d'alcool et de bouffe mal digérés au-dessus des eaux turquoise du lac Titicaca.

Les crampes cessèrent, une fois évacués quatre bons kilos de produits déficitaires inutilisés et de boissons onéreuses, ainsi qu'une partie de l'estomac, de l'intestin grêle et le haricot séreux. Je respirais. Et mon cœur fut plus léger.

Debout dans les toilettes, j'écoutai mon foie, sans oser croire que le Commandant Suprême avait accepté ma démission. La poitrine libérée, la respiration souveraine, tout cela était si merveilleux que je ne voulais plus bouger; l'idée de sortir des toilettes m'étant insupportable, je décidai d'y emménager pour toujours.

Et alors ? Où est le mal ? Des chiottes magni-

fiques, miroir de la vie des petits parvenus soviétiques : carreaux de couleur, l'idyllique vase bleu
pour pipi-caca et, sur une étagère, un volume de
Dostoïevski et le flacon de laxatif. Le mot de passe
de tous nos *homo novus* : aux chiottes, *Les Possédés*
et le laxatif indien Seneida. Quelle honte ! Il y a
pénurie dans le pays et ceux-là n'arrivent pas à
chier sans laxatif !

De rage, je claquai la porte et sortis indigné des
toilettes : j'avais compris que pour me rabibocher
avec ce monde monstrueux et inachevé, il me fallait
un verre de toute urgence.

Inquiète, Kouvalda m'attendait dans le couloir.
Son visage avait gardé les traces de sa beauté flétrie.
Je l'avais baisée vingt ans auparavant et déjà alors
on voyait sur son visage les traces de sa beauté flétrie. Elle avait dû naître comme ça : avec des traces
de beauté flétrie. Qui avait fait place à la méno-
pause : ses marées bourdonnaient à mes oreilles, la
vague océane de ses hormones jetait devant moi le
corps lascif de Kouvalda.

— Ma copine ! me mis-je à hurler. Va te faire
foutre ! Pas un mot ! On parlera cet été ! Il me faut à
boire ! C'est urgent !

Et je m'enfuis, laissant la compagne fidèle de mon
meilleur ami dépitée, femme avec des traces de
beauté flétrie aimée autrefois. Ne m'en veux pas,
Kouvalda, je me sens si mal et il me reste si peu de
temps que je ne peux pas le gâcher en conversations
avec toutes les femmes aimées autrefois, mes inoubliables compagnes.

Elle eut juste le temps de grommeler :

— Je voulais te présenter aux journalistes américains...

La table regorgeait de boissons d'importation.
Actinie était un maître dans l'art de soutirer des

546

cadeaux de tous ces grigous étrangers. Whisky, gin, Campari, tonic, bière en canettes, il y avait du boulot. Sans perdre une seconde, j'engloutis comme un cachalot deux verres de gin-tonic.

En même temps que le souffle, je recouvrais l'ouïe : jusque-là, tous ces gens s'étaient agités devant moi, remuant les bras et les jambes comme dans un film muet. Maintenant je pouvais entendre le son. Le père Alexandre racontait d'un air sérieux comment un prêtre de sa connaissance, qui avait appris le karaté, avait, juste avant le Mardi gras, massacré quelques athées membres du Komsomol qui faisaient du tapage à l'église en état d'ébriété. Et maintenant, on voulait défroquer le pope-karatéka, en le traitant de prêtre-assassin.

Le dissident-mouchard narrait aux petites putains quelque chose d'antisoviétique et d'incroyablement révolutionnaire. Le KGB avait dû l'autoriser à raconter n'importe quoi de dix-sept à vingt-trois heures.

L'espion populaire et adoré de tous, l'illégal parfaitement camouflé, racontait à l'artiste à la perruque en forme de chapeau comment il avait réussi à faire échouer une provocation des impérialistes en publiant en Occident les Mémoires truqués de Svetlana Allilouïeva[1]. L'artiste ne l'écoutait pas, trépignant d'impatience et d'angoisse, sans oser poser la seule question qui l'intéressait, d'ordre purement mercantile, et tâtait prudemment l'espion pour savoir comment contacter des douaniers pour leur faire passer quelques bricoles.

Le directeur du «Gastronome» tendit une oreille et dit :

— Tu parles d'un problème ! C'est de la crotte ! Appelle-moi demain, je te donnerai des tuyaux...

_____

1. Il s'agit de la fille de Staline.

Actinie soûlait les Américains avec sa gnole maison, essayant de les convaincre de la supériorité de ce whisky pur sucre, la boisson préférée de notre peuple. Les Américains léchaient le bord de leurs verres et trinquaient.

Je commençais à sombrer dans une ivresse agréable, quand Actinie me tomba dessus, en compagnie des mercenaires de la presse vendue.

— Vous êtes bien l'écrivain politique célèbre, professeur de droit ?

Salope d'Actinie, même ici je ne peux pas avoir la paix. Allez tous vous faire foutre. Le plus âgé des Américains avait le visage grave et majestueux d'un âne érudit. Il nettoyait en permanence les verres de ses lunettes et je m'attendais à ce qu'il se mette brusquement à brailler «hi-han, hi-han» avec l'accent du Texas. Quant au deuxième, il n'avait pas de visage du tout : juste une esquisse rapide, une ébauche de personnalité.

— Pourriez-vous me dire ce que les Russes pensent de l'Amérique ? demanda le vieil âne.

Je fronçai les sourcils, réfléchis longuement — la question n'était pas simple, n'est-ce pas, il fallait se montrer responsable —, me tapai encore un petit verre de derrière le rideau de fer et énonçai lentement :

— Ce problème a sa préhistoire. Un jour, l'Amérique a offert un bateau à la Russie...

Les deux Américains se rapprochèrent de moi ; le jeune, avec sa tête irréelle, comme reconstituée par des anthropologues d'après des restes de crânes, sortit un petit bloc-notes de sa poche et un stylo :

— *Sorry*... Très intéressant... Vous permettez que je prenne des notes ?

— Bien sûr. Vous les relirez et tout deviendra clair... Donc, un bateau. Mais ce bateau avait d'énormes roues à aubes, oui, oui, absolument énormes... Et, ce qui était le plus révoltant, une vitesse trop lente... Résumons : d'énormes roues et une vitesse trop lente.

— Vous voulez parler des livraisons en prêt-bail ?

— D'une certaine manière, oui, bien que cette histoire ait commencé bien avant la guerre, dans laquelle nous avons supporté l'essentiel de la bataille contre le fascisme. Aujourd'hui, beaucoup d'Américains, complètement floués par la propagande, ont oublié ce bateau, mais chez nous, on s'en souvient, on n'oublie jamais rien ni personne. On a même consacré un film à la cérémonie pendant laquelle ce bateau fut offert, ça s'appelait, je crois, *Volga-Volga*.

La bouche ouverte, Actinie écoutait mes élucubrations, son profil aigu de Méphistophélès qui aurait fait dans sa culotte s'arrondit de désarroi, ce qui lui donna un air encore plus stupide. Il ne comprenait rien, ce qui n'était pas étonnant : il n'avait pas vu le Machiniste de la troisième compagnie d'exploitation des chaudières de l'Enfer, il n'avait pas un Mangouste dans sa famille et il ne venait pas de dégueuler aux chiottes le haricot séreux du nom de Tumeur dans sa coque d'acier.

Le jeune Américain, celui qui n'avait pas de visage, m'approuva joyeusement :

— Oui, oui, je connais. Volga, c'est comme notre Mississippi.

— Exactement. Volga, c'est comme Mississippi, et Volga-Volga, c'est comme Mississippi et Missouri.

— Monsieur le professeur Khvatkine plaisante, dit Actinie avec un petit rire hésitant, mais je le fusillai du regard.

— Quelles plaisanteries ? Tout aurait pu se passer autrement si un dirigeant américain ne s'était pas conduit d'une manière irresponsable...

— Que s'est-il passé ? Quel est le nom de cet Américain ? clamèrent comme un seul homme les mercenaires de la presse à scandale.

— Pour des raisons évidentes, je ne peux pas pour l'instant dévoiler son nom. Mais ce qu'il a fait est horrible. Cet Américain, eh bien, cet Américain s'est fourré un doigt dans le cul...

— Hi-han, hi-han, hurla le mulet journaleux.

— Quoi ? Je n'ai pas bien compris ? Qu'a fait cet Américain ? bouillonnait son ami.

Actinie, horrifié, ferma les yeux et fit signe à l'une de ses putains de combat pour qu'elle vienne me distraire de ma conversation avec ces requins de Fleet Street.

— Quoi « quoi » ? Il en sortit trois tonnes de merde.

Actinie se sauva, mort de honte, laissant la place à une génisse dodue, tendre et enjouée, comme une fossette sur la fesse. Elle me regarda d'un œil de biche ambré et dit mollement :

— Pourquoi parles-tu à de pareils ahuris, ils ne comprennent pas la plaisanterie. Viens avec moi, plutôt.

Mais les journalistes, perplexes, ne voulaient pas me laisser partir, s'accrochaient à ma manche, et demandaient nerveusement :

— Ce que vous venez de dire, c'est une allégorie, une allusion ?

— Bien sûr, les gars, c'est une allusion. Une allusion dissidente dans l'illusion de la détente. Bon, les copains, on a assez fait les malins, buvons un coup, j'ai la gorge desséchée avec toutes ces discussions intelligentes.

Ils se servirent volontiers un dé chacun, juste de quoi enlever une poussière dans l'œil. À mon tour, je remplis mon grand verre, sans oublier celui de ma petite génisse dodue. Elle valait le coup, celle-là.

— Comment tu t'appelles, mon petit oiseau ?

— Mon petit oiseau, répéta la couenne rose en pouffant.

Elle s'assit dans le fauteuil et posa une jambe sur l'autre : grosse et lisse, un rêve pour le poète Mastourbak. Sympa, la nana ! Un petit pain croustillant tout frais, comme un croissant français.

Pendant ce temps, le vénal pisse-copie artiodactyle ne se calmait pas :

— Vous avez mentionné les dissidents. Je voulais vous demander : que pensez-vous des perspectives du mouvement dissident dans votre pays ?

— Il n'y a pas de mouvement dissident dans notre pays. Nous sommes tout un pays de dissidents, nous sommes tous des non-conformistes. Aucun de nous ne dit jamais ce qu'il pense.

La petite putain, au cas où, s'écarta de moi, mais je saisis fermement sa grosse cuisse ferme. J'aime bien ce genre de cuisses.

— Du calme, mon petit oiseau, ne t'en fais donc pas, la ville est aux mains des Rouges.

Puis je me tournai de nouveau vers le bicéphale d'outre-Atlantique :

— D'une manière ou d'une autre, tout le monde est dissident chez nous. C'est le résultat de nos immenses libertés, collectives et individuelles. Celui qui a été interné deux fois, c'est un dissident, une fois seulement, un monosident, celui qui s'est récolté une condamnation supplémentaire alors qu'il était déjà dans les camps, un sursident, et celui qu'il serait bon d'y envoyer, un président. Par exemple, regardez là-bas, vous voyez un célèbre dissident, oui, celui qui boit du whisky et bouffe de la choucroute. C'est un homme très indépendant, il est comme le chat de Kipling, il s'en va tout seul.

L'oiseau-couenne éclata de rire et se rapprocha de moi. Je glissai une main sous sa jupe, caressai sa peau de lis et pensai que, dans ma jeunesse, les filles n'avaient pas un corps comme le sien. Le leur était plus mou et féculeux. Évidemment, elles bouffaient des pommes de terre et des nouilles grisâtres. Alors que les filles d'aujourd'hui boulottent des fruits, des légumes, de la viande...

Pendant ce temps-là, mon Buridan essayait, avec une incroyable obstination, de savoir quelles étaient les limites d'intervention du Parti et du KGB dans la création artistique.

— Le Parti n'intervient jamais dans la création. Il ne fait qu'inspirer l'artiste, lui montrer la voie et l'accompagner. En ce qui concerne le KGB, je ne les ai jamais rencontrés ; je sais seulement que, dans le peuple, on appelle affectueusement ce département le Komité des Good Boys, ce qui en russe veut dire à peu près : le Comité des Bienveillants Ardents ou Comité des Grands Vertueux et autres euphémismes de ce genre...

— J'aimerais beaucoup avoir une conversation avec vous, dit-il en remuant poliment ses longues oreilles, puis il ajouta d'un air pensif : J'aimerais bien savoir s'il y a des caméras dans cet appartement.

— Qui croyez-vous intéresser ? demandai-je avec un geste de dépit, et je me retournai vers la fille, quand Actinie me fonça dessus comme un aigle.

— Fais gaffe, Pachka, avec tes blagues. Si tu continues de raconter des conneries, tu vas te retrouver en tôle.

— N'oublie pas : celui qui est à terre ne peut pas tomber plus bas. Je préférerais que le petit oiseau m'accompagne dans ta chambre. J'aimerais m'allonger une demi-heure, je ne me sens pas très bien.

Actinie se tortilla et se mit à balbutier prestement, en avalant les syllabes :

— Tu sais, ça me gêne, avec Tamara... Elle va cafter à Marina, il va y avoir un scandale, elles sont copines.

— Fais pas chier, César. Léon Tolstoï a écrit il y a cent ans dans *Résurrection* : toutes les familles heureuses sont malheureuses à leur façon. Arrange-moi ça. N'oublie pas la boutanche et les verres. Et le petit oiseau va nous rejoindre. N'est-ce pas, petit oiseau ?

— Oh oui ! répondit-elle en montrant ses dents blanches.

Sûr, je ne risquais pas d'avoir la nausée avec un morceau pareil ! Tout l'alcool absorbé me souleva dans les airs, je m'avançai lentement et sans entraves, et cet état magique, hydrodynamique de l'ivresse m'extirpa des eaux glauques et stagnantes.

Semi-pénombre et calme du bureau d'Actinie. La coquille du bernard-l'ermite. Le bourdonnement de la présentatrice dans le poste de télévision. Vieille et massive comme une momie égyptienne, elle porte la bonne parole et épouvante les téléspectateurs. Baissez le son de votre télé, puisqu'il se fait déjà tard, neuf heures et demie du soir, demain vos merveilleux compatriotes, les travailleurs de choc, doivent se rendre dès potron-minet sur les chantiers, alors laissez-les roupiller, et puis, qu'est-ce que vous avez à vous agiter comme ça, vous feriez mieux d'aller au pieu gentiment.

Écran de télé. Saloperie d'écran de télé. Elle a bien l'air de raconter quelque chose, la putain, et n'arrête pas de me regarder.

Qu'est-ce qu'elle a, à me surveiller comme ça? Je ne suis qu'un gars ordinaire, un gars soviétique. J'ai sommeil. Après tout, je n'ai peut-être pas besoin du petit oiseau. Ce serait bien de m'allonger sur ce divan et de m'endormir pour quelques longues années.

Et en me réveillant, il n'y aurait plus personne.

Marina serait morte de vieillesse.

Actinie serait parti en Israël et moucharderait désormais dans sa patrie historique.

Et ne demeurerait que ce souvenir vacillant, fantôme d'un épisode irréel: dans mon long rêve, j'aurais eu un autre rêve, où l'on verrait un répugnant et sinistre youpin au petit nom de Mangouste venir me demander des comptes pour tous les péchés des autres.

Et le haricot séreux dans la poitrine, privé de mes sucs vivants, desséché, se serait recroquevillé et évanoui.

Quelque chose de dur m'appuyait sur les reins et m'empêchait de m'endormir. Je me tournai et tirai de sous mon dos un pavé d'écailles, une tortue. Vivante. Elle sortait et rentrait sa tête plissée sous la carapace, en me regardant de ses petits yeux de juif perfide. Quelqu'un, Actinie certainement, avait peint ces mots sur la carapace: trois cents ans. Qui sait, peut-être qu'elle avait vraiment trois cents ans. Personne ne l'a vue naître et ces créatures peuvent vivre des siècles, comme les juifs. Parce qu'elles se cachent dans leur squelette. J'ai lu quelque part que la carapace était un squelette qui aurait poussé à l'extérieur. Si j'avais pu vivre à l'intérieur de mon squelette, je n'aurais pas peur de Mangouste. Et jamais le haricot séreux n'aurait poussé dans ma poitrine.

Alors comme ça, cette saleté continuera de vivre après ma mort ? C'est bête. Qu'a-t-elle besoin de vivre aussi longtemps ? Pourquoi devrais-je mourir avant elle ? D'ailleurs, ce n'est pas juste que je meure avant tout le monde. Ah, si je pouvais au dernier instant provoquer la fin du monde ! Ce serait gondolant !

Je tombais de fatigue, je voulais m'endormir, m'oublier, l'esprit débarrassé de toutes ces absurdités. Mais je n'arrivais pas à trouver le sommeil. Je me plongeais dans le coton gris, mes paupières devenaient lourdes et rugueuses comme la carapace de la tortue et, soudain, comme si l'on m'avait donné un coup léger dans les côtes : ne dors pas !

Je me levai péniblement et m'étonnai que le petit oiseau ne vienne pas me voir, mais je n'avais pas la force de l'appeler. J'ouvris la fenêtre. C'est qu'il y avait du chemin, entre le huitième étage et le trottoir mouillé ! Tout le temps de penser avant d'arriver en bas ! Des souvenirs pour trois cents ans. Puis le choc insensible et la délicieuse quiétude du néant, le sommeil infini, l'oubli garanti.

La tortue se mit à agiter ses pattes d'oiseau, sortit sa tête, m'aperçut et, comme je ne lui plaisais pas, se recouvrit l'œil d'une fine pellicule.

Le destin se mesure à partir de la fin et non du début de la vie. Tout ce qui a été vécu auparavant n'a aucun sens, la seule chose qui compte c'est ce qui nous reste à vivre. Quel sens peuvent avoir tous ces siècles vécus et le squelette extérieur si moi — éphémère et fragile — je peux te survivre ?

Je calai la tortue dans le creux de ma main, à la manière du Discobole, pris mon élan et, en lançant le reptile à travers le brouillard crasseux déchiqueté, je lui donnai l'occasion unique de vivre une brève existence d'oiseau. La tortue fit un arc de cercle noir dans la lueur jaune du réverbère et disparut dans les reflets d'ardoise de la chaussée. J'entendis le bruit de la chute, pareil à celui que fait une planche de bois qui se brise. Suivi d'un *smack*, comme un baiser.

Je refermai la fenêtre et me recouchai sur le divan. Les paupières closes, je me disais: je dors. C'est sûr, maintenant, je vais m'endormir. Je dors. Je-vais-dormir. La tortue vieille de trois siècles ne me labourait plus les côtes. Derrière le mur, j'entendais le bourdonnement de la compagnie, héros de l'émission «Le monde des animaux». Mon Dieu, que je suis fatigué, comme j'aimerais m'endormir! Mais le sommeil ne venait pas.

Actinie se glissa dans la pièce, avec une bouteille et un verre dans les mains.

— Tu ne dors pas?

— Non, je ne dors pas. Où est le petit oiseau?

— Le petit oiseau? Il y a longtemps qu'elle est partie avec l'Américain.

— C'est bizarre. Elle m'avait dit qu'elle viendrait...

— Tu crois qu'elle s'intéresse à toi? Elle n'accepte que les devises.

— Tu mens, bâton merdeux... Sale porc! Tu as viré une bonne petite putain. Bon, tire-toi maintenant, je vais dormir.

Je remplis mon verre à moitié, bus avidement une gorgée, m'étendis sur le divan, et à peine le premier fil du sommeil m'avait-il attiré dans le gouffre noir que retentissait la sonnerie stridente du téléphone. Je décrochai et entendis la voix aigre de Kroutovanov:

— ... Khvatkine ? Pourquoi vous ne décrochez pas ?

— Je ne pensais pas que vous rentreriez aussi vite, camarade lieutenant-général, répondis-je en regardant le cadran de ma montre : il était déjà plus d'une heure du matin.

— Pensez un peu moins et vous vous en porterez mieux. Les imbéciles sont plus appréciés que les malins parce qu'ils exécutent mieux les ordres.

— Affirmatif, camarade lieutenant-général.

— J'ai besoin de vous. Montez dans le bureau du camarade Koboulov. Au pas de course !

Il raccrocha. Je me précipitai chez Koboulov. Son bureau avait beau se trouver deux étages en dessous, personne à la Boutique n'aurait eu l'idée de dire : « Descendez chez le chef. » Je montai chez le vice-ministre Koboulov deux étages en dessous. Je remontais le temps, vers l'époque où la tortue qui venait de mourir n'avait pas encore fêté ses deux cent soixante-dix ans, où je n'avais pas encore recruté son maître, Actinie, où le petit oiseau, enfui avec l'Américain, n'était pas même né ; je remontais vers ce temps où, après de longues, très longues heures d'attente, Kroutovanov m'avait téléphoné, de retour de chez Malenkov. Au ton capricieux et hautain de sa voix, j'avais compris que le sort d'Abakoumov, mon patron adoré, mon ministre bien-aimé Viktor Semionytch, était scellé.

... Si le petit oiseau était venu me voir, la tortue aurait vécu jusqu'à quatre cents ans.

Parce que moi, vieux communiste des services spéciaux, membre du Parti depuis longtemps, je suis un matérialiste, un marxiste qui — par désespoir — pense que le monde est déterminé. Si le petit oiseau était venu, la tortue aurait vécu jusqu'à quatre cents ans.

Dieu seul sait ce qui serait advenu de nous tous, si Minka Rioumine n'avait pas porté au secrétariat du ministre les procès-verbaux de l'interrogatoire de Kogan sans sa signature.

… Je montais en courant du quatrième au deuxième étage, me demandant, affolé, pourquoi Kroutovanov m'avait convoqué chez Koboulov et non pas dans son bureau. Le déplacement en territoire koboulovien de la signature de l'acte de remise de la tête d'Abakoumov était incompréhensible : le fait que Bogdan Zakharovitch Koboulov haïssait à mort Abakoumov, son ex-protégé, sa créature, n'avait aucune importance. À la Boutique, tout le monde déteste tout le monde. Koboulov haïssait Kroutovanov davantage encore, parce que, au moins, ce parvenu d'Abakoumov venait de son propre clan, de la bande à Beria, alors que Kroutovanov était un ennemi juré, un espion de Malenkov. Évidemment, pour abattre un animal comme notre chef Viktor Semionytch, on pouvait bien mettre le mouchoir sur les querelles anciennes, provisoirement du moins, jusqu'à la prochaine boucherie.

Mais pourquoi le bureau de Koboulov ? Krout était pourtant le chef boucher de cette opération. L'initiative venait de lui, il avait joué le premier coup ! Et l'artillerie lourde — Malenkov — c'était son beau-frère, pas celui de Bogdan Zakharovitch. Mystères insondables de la politique, pièges fous de la police politique, énigmes de l'interprétation criminelle.

Je courais dans ce couloir qui n'en finissait pas. Ulysse traqué, qui doit passer entre Scylla et Scylla, car sous nos climats les Charybdes ne survivent pas et qu'il n'existe pas de pertes partielles : quand vient l'heure de payer, tout le monde doit payer, pour tout.

Je n'avais aucune chance réelle. Si, malgré tout, Abakoumov parvenait à se maintenir à son poste, il finirait par apprendre mon rôle véritable et m'écorcherait vif. Si aujourd'hui Kroutovanov parvenait à provoquer sa chute, demain il serait à coup sûr le nouveau ministre. Ce n'était quand même pas pour Koboulov qu'Abakoumov avait sorti Malenkov de sa manche ! Alors, en trouvant dans le coffre-fort le dossier que j'avais constitué contre lui, Kroutovanov ordonnerait immédiatement de me supprimer.

Mais l'instinct du combattant de tranchée vint me rappeler la vérité sacrée de cette bataille sans relâche qu'est notre existence : à la guerre, il n'y a que l'imbécile qui tire des plans sur la comète ; notre tâche unique, c'est de rester en vie jusqu'à la fin de la journée.

En me ruant dans le bureau de Koboulov, j'espérais rester en vie jusqu'au lendemain matin. Une seule petite idée, à la fois inconsciente et un peu effrayante, me réchauffait le cœur : j'étais en train de monter du quatrième au deuxième étage chez Koboulov et pas chez Kroutovanov.

J'entrai dans la salle d'attente et fus stupéfait de la trouver absolument déserte. Près de la porte, cinq brutes épaisses du neuvième département attendaient sagement, leurs grosses paluches posées sur les genoux. Sur leur gueule, on pouvait lire « Protection ». Et rien d'autre. Le désert.

Le grouillot de Koboulov, l'escroc rusé Gueguetchkori, le visage mou et constellé de boutons comme de la saucisse de langue, trônait derrière le bureau. Le colonel Otar Djedjelava, d'une beauté inhumaine, l'aide de camp personnel de Lavrenti Pavlovitch Beria, s'était posé sur le bord de la table. Les deux culs-noirs bavardaient en géorgien à voix basse et riaient d'un air ravi. Des histoires de femmes, certainement.

Ces deux saletés noiraudes monopolisaient tout l'espace. Que pouvait l'homme russe, le cœur ouvert et naïf, face à ces mangeurs de chachliks ?

Bogdan Koboulov avait entraîné son frère, Amaïak, avec lui. Celui-ci avait dans ses troupes le footballeur du Dinamo de Tbilissi, Djedjelava, qui avait un frère, Otar, capitaine sans cervelle et grand baiseur devant l'Éternel. Bogdan avait fait nommer Otar l'aide de camp du grand chef, chargé de le fournir en chair fraîche, et, trois ans plus tard, Otar était devenu tout-puissant.

Le bel Otar ne craignait personne à la Boutique, et méprisait tout le monde, profondément et sincèrement. Sauf moi, qu'il respectait. Nous nous étions juré amitié à la vie à la mort. Le jour où je l'avais convoqué dans l'appartement qui me servait de planque.

Quelques années auparavant, lors d'une perquisition, le bel Otar avait volé sur la table de chevet un dentier en or massif. Et l'avait apporté à mon agent, le bijoutier Zamochkine. Et moi, sans rien deviner de son ascension future, j'avais promis à Otar Djedjelava que toute cette histoire resterait entre nous.

Non, Otar Djedjelava n'avait pas oublié que nous nous étions juré fidélité, tels Herzen et Ogarev[1]. Il

1. Alexandre Herzen (1812-1870), figure emblématique de la littérature russe, grand écrivain et publiciste, auteur, entre autres, de mémoires étonnants, *Passé et Méditations*. C'est après la révolte des décembristes, en 1825, que, sur le mont des Moineaux, à Moscou, il fit le serment, avec

me fit un signe amical et sourit de plus belle : viens ici, mon ami, on t'attend ! Une amitié aussi ancienne ne rouille jamais. Herzen avait-il réussi à extorquer à Ogarev un engagement écrit de collaborer ? Et aujourd'hui, il traîne peut-être dans des archives, cet engagement à ne pas divulguer les secrets d'État, n'oublions pas que c'étaient des révolutionnaires, des gens méfiants, soupçonneux et méchants.

Moi aussi, je souriais largement, tout en ouvrant les bras, alors que je n'avais pas envie de sourire, mais de pleurer, de peur, de tension et de fatigue. Mais Djedjelava dédaigna mes embrassades et désigna du menton la porte du bureau : ils t'attendent.

En fait, c'était Beria en personne qui m'attendait. C'était la deuxième fois que Beria m'attendait. Et, comme la première fois, j'eus l'impression, en ouvrant la porte, d'éviter un coup de pied dans le ventre : j'en ressentis même l'absence au creux de l'estomac.

Aujourd'hui, ces crétins de médiums diraient qu'un champ magnétique noir entourait Beria. Je certifie que tous les monstres historiques, de Néron à Maliouta Skouratov, de Torquemada à Himmler, n'étaient que de la merde molle et doucereuse comparés à notre Lavrenti Palytch. Le Saint Patron n'inspirait pas autant l'horreur parce que, quoi qu'on dise, il possédait ce charme indubitable que lui conféraient son pouvoir et sa puissance. Alors que Beria libérait un puissant courant de cruauté, de haine infinie et de peur panique.

Aujourd'hui, bien des années après, je suis convaincu que Beria n'était pas humain. C'était un extraterrestre. Les visiteurs d'un monde lointain et

_____
son ami Ogarev, plus tard l'éditeur de la revue *La Cloche*, de se vouer au combat pour la liberté.

effrayant avaient enfermé une terrible anti-âme dans un Golem et avaient déposé le tout dans le fauteuil du chef de la police politique. Le reste a suivi.

Assis dans un fauteuil, au milieu du cabinet, il me regardait sans dire un mot. Image de cauchemar. Un cobra roux de la taille d'un gros cochon. Le lustre se reflétait dans son crâne chauve et les verres de son pince-nez.

— Lieutenant-colonel, à vos ordres ! criai-je en remuant à peine ma langue devenue aussi raide que du bois, apercevant alors seulement Koboulov et Kroutovanov, assis un peu plus loin.

Beria leva la main et plia l'index à plusieurs reprises — je ne compris pas tout de suite qu'il me faisait signe d'approcher. Je me précipitai comme un coureur s'arrache du starting-block. Le doigt s'immobilisa, me clouant au tapis, et j'entendis sa voix faible et gutturale :

— Tu as vu la pièce *Pygmalion*, au théâtre Maly ?

— Affirmatif, camarade Beria.

— Eh bien, je pense que le traître Abakoumov est une sorte de Pygmalion.

— Je ne sais pas, camarade Beria !

— Comment ça, tu ne sais pas ? C'est bien lui, pourtant, qui a sculpté dans de la merde une bête féroce qui a fini par le bouffer, non ? Tu m'as compris ?

— Affirmatif, camarade Beria, j'ai compris.

Beria eut un sourire mauvais. Son visage était brun, implacable et définitif comme un cachet de cire.

Koboulov éclata de rire, pour montrer qu'il avait apprécié la plaisanterie du chef. Il secouait d'aise sa caboche, poilue comme le cul d'un ours.

Kroutovanov, lui, ne riait pas. Il avait l'air indifférent du client de restaurant qui s'assoit un instant

à la table voisine. Et lorsque nos regards se croi-
sèrent, il me fit un léger clin d'œil, à peine un clin
d'œil d'ailleurs : sa paupière se souleva, et je compris que la fable à propos de la bête féroce n'avait
pas de rapport seulement avec moi. Ou avec Abakoumov. Koboulov arpentait le cabinet : on aurait
dit un seigneur arménien, avec son gros bide, ses
épaulettes et ses bottes. Sa bouche émit un clappement et il dit d'un air accablé :

— Dommage que des gens comme Abakoumov
deviennent nuisibles à notre Parti, à notre cause
sacrée et personnellement à Iossif Vissarionovitch...

Lui non plus ne disait pas son texte simplement,
mais se sentait obligé de le déclamer, oh, pas pour
moi, bien sûr...

— Bien qu'on ait eu quelques doutes. Combien
avons-nous travaillé ensemble, combien je l'ai aidé,
quand il était jeune ! Et lui, il disait aux gens extérieurs, en parlant de moi : « Un chien galeux, un
cul-noir. » Quelle honte !

Kroutovanov hocha la tête d'un air compatissant
et dit, dans un élan de sincérité :

— Un véritable bolchevik, un véritable tchékiste
internationaliste n'aurait jamais pu dire des choses
pareilles à votre sujet, Bogdan Zakharovitch. Dieu
sait où l'on peut finir avec un tel état d'esprit !

D'après cet échange d'amabilités, je compris
que Malenkov n'avait pas encore eu le temps de
convaincre le Patron de nommer Kroutovanov
ministre, tandis que Beria n'avait pas réussi à pousser Koboulov dans le fauteuil. La mêlée continuait.
Tout à coup, je vis le dossier dans les mains de
Kroutovanov, la chemise cartonnée marron de l'affaire criminelle des médecins-assassins, le dossier
de Rioumine avec les signets, qu'il avait emporté
tantôt chez Malenkov. Ça voulait dire que l'affaire

était devenue officielle. Et si Beria avait lu le dossier, c'est qu'il l'avait récupéré des mains mêmes de Staline. Le Saint Patron avait lu le dossier et avait certainement apposé sa résolution. Mais, si le dossier était maintenant dans les mains de Kroutovanov, c'est que cette résolution devait être recevable.

Beria tourna vers moi les verres ronds de son pince-nez et ouvrit la bouche — comme une sinueuse cicatrice sur sa gueule brune et figée qui aurait déchiré ses sutures.

— Écoute, toi...

Il fit une pause, comme pour chercher le mot juste qui m'aurait montré l'ampleur du mépris et du dégoût que je lui inspirais, mais, sans le trouver, il m'ordonna avec un geste de dépit :

— Prends un mandat chez Kroutovanov, une escorte et va arrêter Abakoumov.

Projeté à travers le cabinet comme un ballon de volley sous les coups des joueurs, je tentai d'y voir clair : s'il me haïssait tant, était-ce parce qu'il avait pitié d'Abakoumov ? C'était peu probable. La dernière fois que Beria m'avait parlé, en me décorant de l'ordre du Drapeau rouge et en me nommant commandant par anticipation, il était vraiment content de moi. J'avais réussi à dégoter une compagne de vie aimante au président d'un pays limitrophe. Mais il y avait alors dans sa voix autant de dégoût et de haine qu'aujourd'hui.

Kroutovanov ouvrit une chemise et sortit le formulaire du mandat d'arrêt. Je ne le regardai même pas. Je regardai une autre feuille, celle qui était posée sur le dessus de la chemise ouverte. Un feuillet blanc, sans lignes, couvert de l'écriture égale et fonctionnelle de Minka Rioumine. La note d'accompagnement de l'affaire des médecins. Et, dans le coin gauche, l'inscription au crayon bleu d'une écriture large et familière : « Frapper, frapper, frappé. I. Staline. » C'était écrit ainsi : frappé. Et, par sa décision, le Saint Patron avait résolu pour nous la question de Hamlet, frapper ou ne pas frapper. Frapper, bien sûr !

Kroutovanov suivit mon regard et referma la chemise d'un air mécontent. Mais j'avais déjà vu tout ce qui m'intéressait. Avec cette inscription suprême, le complot des médecins devenait l'affaire principale de toute la Boutique.

Kroutovanov agita en l'air le mandat d'arrêt du citoyen Abakoumov Viktor Semionovitch, accusé de trahison et d'espionnage, et dit à Beria :

— Lavrenti Pavlovitch, il manque la signature du procureur général.

Beria eut un sourire terrifiant et l'or de ses couronnes scintillait dans la fente buccale :

— Comment allons-nous faire sans cette signature ?

Koboulov s'esclaffa de nouveau :

— À quoi servent toutes ces formalités absurdes ? Nous ne sommes pas des bureaucrates. Je vais signer pour lui.

Il saisit le mandat et, sous le tampon, dans le coin, écrivit en lettres capitales : Roudenko R. G. Et il me tendit la feuille.

— Prends un ordre écrit au secrétariat et va chez Abakoumov.

— Il est déjà au courant ? demandai-je.

— Il s'en doute, dit Koboulov, dont les yeux exorbités, injectés de sang, lançaient des éclairs. Ses doigts tremblaient.

— Le directeur de la prison est prévenu, tu mettras Abakoumov au bloc G, cellule 118.

— À vos ordres ! Je peux poser une question, camarade colonel-général ?

— Oui ?

Je me tournai vers Beria :

— Est-ce que l'escorte est indispensable ? Il va falloir traverser tout le couloir, ça va faire un bordel monstre dans toute la maison, croiser au moins cent personnes...

— Qu'est-ce que tu veux ? me demanda Lavrenti, fixant sur moi un regard soupçonneux.

— Je peux aller seul chez Abakoumov, je n'ai pas besoin d'ordre écrit. Je peux le conduire tout seul à la cellule 118. Ce serait beaucoup mieux. Pas besoin d'escorte non plus. Demandez à Bogdan Zakharytch, je peux tuer cinq personnes à main nue.

Koboulov sourit.

Beria retira son pince-nez, remua sa moustache hitlérienne, puis me fixa avec un regard par en dessous, bleu délavé :

— Tu n'as pas peur d'Abakoumov ?

— Bien sûr que non, répondis-je fermement. Pourquoi aurais-je peur d'un traître ?

Beria remit son pince-nez et dit dans un soupir :

— Bien, tu peux y aller. Mon Djedjelava ira avec toi, il t'attendra au secrétariat. Dès que tu seras sorti du bureau avec Abakoumov, tu donneras tout de suite les clefs du coffre à Djedjelava.

— À vos ordres ! Je peux partir ?

Beria se taisait et regardait à travers moi, et son regard était étrange. Kroutovanov se leva à son tour et me dit :

— Allez-y, Khvatkine, exécution. Une fois que vous aurez fini, donnez le mandat d'arrêt d'Abakoumov au chef de la section d'instruction Rioumine.

— Quoi ??? criai-je malgré moi. Je...

Il me sembla avoir mal entendu.

— ... Au chef de la section d'instruction, Rioumine.

566

Je remarquai que tous trois m'observaient avec intérêt. Je perdis l'usage de la parole. Je ne sentais plus mes jambes. J'avais perdu le contrôle de moi-même et répétai, hésitant :

— Rioumine ?

— Lui-même, dit Kroutovanov non sans plaisir.

Il ouvrit le dossier, jeta un coup d'œil dans les papiers et ajouta :

— Mikhaïl Kouzmitch Rioumine... Il a été nommé aujourd'hui chef de la section d'instruction du ministère de la Sécurité d'État d'URSS. Vous êtes amis, si je ne m'abuse ?

— Oui... En quelque sorte...

— C'est parfait ! Vous pourrez le féliciter d'avoir mérité la confiance du Parti et celle du camarade Staline personnellement. Vous pouvez y aller, maintenant...

Je fis le demi-tour réglementaire, mais Kroutovanov me retint un instant en posant la main sur une de mes épaulettes et dit sur un ton confidentiel, sans l'ombre d'un sourire :

— Je tiens à ce que vous travailliez en bonne entente avec Rioumine. N'oubliez pas que si vous lui faites sentir, ne serait-ce qu'une fois, que vous avez occupé un jour un poste plus important que le sien, vous êtes fichu. Considérez que cela n'a jamais eu lieu, que c'est un *lapsus memoriae*, une erreur de la mémoire. Vous m'avez compris ?

— Affirmatif, dis-je en rendant le salut.

La tête me tournait. J'ajoutai avec effort :

— Merci pour le conseil.

— Ne vous fatiguez pas, dit-il en penchant la tête de sorte que je pus admirer sa raie impeccable. Ce sont les imbéciles qui aiment apprendre. L'homme intelligent, lui, aime enseigner.

Pas un homme dans la Boutique n'était encore au courant de la chute d'Abakoumov, mais les sismographes invisibles commençaient à enregistrer les premiers signes du tremblement de terre. Personne ne savait où, quand, sous qui précisément la croûte terrestre avait craqué, mais les rafales d'angoisse et d'inquiétude s'engouffrèrent dans les couloirs et les bureaux, colportant la nouvelle de la catastrophe future.

Ce phénomène était encore plus visible au secrétariat d'Abakoumov, dans le long wagon bourré de généraux posés sur leurs sièges de cinéma : ils sécrétaient l'odeur âcre et musquée de la peur et de l'angoisse. Aucun d'eux n'était capable d'imaginer que le maître terrible et tout-puissant de leurs destins pouvait un jour s'écrouler, mais le téléphone arabe des mouchards et des délateurs avait déjà annoncé que quelque part, là-haut, il y avait eu un pugilat, et ils auraient tous préféré se trouver le plus loin possible du wagon. Seulement, personne ne leur avait demandé leur avis : on ne venait jamais ici de son plein gré, mais sur ordre. Alors ils se tortillaient comme des vers de terre sur les sièges de cinéma, sans même oser parler entre eux, parce que personne ne savait encore qui demain serait promu, qui dégradé, qui derrière les barreaux.

Il régnait ici un silence tendu et angoissé, comme dans une morgue. Pourtant, aucun d'eux ne se doutait qu'il y avait un cadavre derrière la porte massive. Une momie qui respirait, se mouvait, parlait, portait un uniforme de général tissé d'or, mais dont tous les nerfs vitaux avaient été sectionnés. Et lorsque je pénétrai dans la salle d'attente, ils se tournèrent vers moi comme un seul homme, avant de reprendre leur position, profondément déçus. Ils ne pouvaient s'imaginer que j'étais justement le dissecteur en chef, le terrible étripeur et pourvoyeur de linceul, qui devait installer leur seigneur et maître dans le cercueil individuel 118, bloc G de la Prison intérieure du ministère de la Sécurité d'État.

Je m'approchai du bureau de Kotchegarov, qui, comme d'habitude, parlait à voix basse dans deux téléphones à la fois, un combiné coincé entre le menton et l'épaule, l'autre dans la main. Le carlin fessu leva sur moi un regard directorial et préoccupé et lâcha :

— Impossible.

Comme on disait dans les didascalies des pièces anciennes : *à part*. Il continua de marmonner indistinctement dans les deux appareils, tandis que je m'écartai légèrement sur le côté et attendis patiemment qu'il lève de nouveau les yeux sur moi. Je vis un éclair de colère dans ces deux crachats grisâtres sous les verres ronds des lunettes. Il laissa tomber l'un des deux combinés et me dit d'une voix acide :

— Tire-toi ! On n'a pas que ça à faire. Le ministre ne reçoit personne…

D'un geste calme, je coupai la ligne téléphonique et Kotchegarov ouvrit la bouche de stupeur, car seul un fou furieux avait pu commettre un tel acte.

Je me penchai vers lui et lui dis à voix basse :

— Moi, je peux.

Puis, en désignant la rangée de généraux :

— Qu'ils s'en aillent. Ils peuvent disposer.

Kotchegarov blêmit et je crus entendre quelque chose se briser à l'intérieur de lui.

— L'aide de camp de Beria, le lieutenant-colonel Djedjelava, va arriver d'une minute à l'autre. Tu lui donneras les clefs, continuai-je d'une voix impassible et, désignant le standard téléphonique, j'ajoutai : Coupe toutes les lignes de Viktor Semionytch.

— Comment ça?! demanda Kotchegarov, hébété.

— Fais ce qu'on te dit, Kotchegarov, si tu tiens à la vie. Et ne t'avise pas de bouger!

Djedjelava fit son entrée dans la salle d'attente et se dirigea vers nous de sa démarche légère et dansante. J'ordonnai à Kotchegarov :

— Bon, maintenant, fais sortir les visiteurs. Si Abakoumov sonne, ne t'avise pas de pointer le bout du nez. Rends ton arme au lieutenant-colonel et reste assis sagement.

Je fermai les yeux et plongeai à travers la porte massive dans le cabinet d'Abakoumov. J'avais dit à Beria que je n'avais pas peur de Viktor Semionytch, mais en réalité je pétais de trouille. Et il y avait de quoi. Surtout pour moi. Mais l'espoir de survivre à cette journée était plus grand encore que la trouille devant le ministre au bord du gouffre.

Il était assis derrière son vaste bureau et regardait la porte d'un air hébété. Il attendait son étripeur. Pas moi, bien sûr. Le lustre était éteint et seule sa lampe de bureau était allumée : il avait mis sa main en visière et essayait de distinguer mon visage, comme le brave guerrier Dobrynia Nikititch observe les ennemis de la terre russe sur le tableau d'un Ambulant[1].

Il finit par me reconnaître et vit qu'il n'avait pas à faire à un ennemi, un assassin, un Tatar costaud venu l'emmener en captivité, mais à un ami, un cadet, un petit six sans atout, sa propre créature, Pachka Khvatkine. Il respira avec soulagement,

1. Groupe de peintres de la deuxième moitié du XIXe siècle (Kramskoï, Perov, Répine, Sourikov, Chichkine, Lévithan, etc.), d'inspiration réaliste, qui montraient leurs tableaux dans des expositions itinérantes.

570

agita la main d'un air ravi et lança ce cri amer et furieux:

— Ils m'ont tué, Pacha, ils m'ont tué, ces fils de pute, ils m'ont traîné dans la merde, ils m'ont privé de l'amour du camarade Staline!

Je m'approchai du bureau et posai une demi-fesse sur le bord du grand fauteuil — jamais je ne m'étais assis dans ce fauteuil, j'étais trop minable, mais maintenant, le ministre avait cessé d'être ministre. Je vis qu'Abakoumov était ivre mort, torché, bourré comme un coing.

— Pacha, Iossif Vissarionovitch m'a convoqué lui-même au Politburo... Je n'ai pas pu en placer une... Il m'a dit: «Abakoumov, vous êtes un homme dangereux pour le Parti, le Parti ne peut plus vous faire confiance.» Pacha, pourquoi le Parti ne peut plus me faire confiance?

Je me taisais. D'ailleurs, il n'attendait aucune réponse. Ce n'est pas d'un interlocuteur qu'il avait besoin mais d'une oreille attentive. Il avait l'air d'un enfant puni. D'un gros enfant ivre en uniforme de général, que son père aurait chassé de chez lui, sans rime ni raison.

Dans une tyrannie, même un juste châtiment paraît une cruelle injustice.

— Pavel, dis-moi, de grâce: si on ne peut pas me faire confiance, à qui d'autre peut-on faire confiance dans ce pays? J'étais comme un chien de garde pour le Parti et pour le camarade Staline personnellement.

J'observais en silence mon chef déchu. La raie «politique» avait disparu dans la masse de ses cheveux gominés en bataille, cachant ses yeux enflammés, au fond desquels je voyais luire la faible braise de la peur.

— Qu'est-ce que je peux faire, maintenant? J'ai

travaillé toute ma vie dans les organes! Et je ne veux pas travailler ailleurs. Je suis né tchékiste! Je ne sais pas diriger des écoles ou des coopératives alimentaires! Et je ne veux pas!

De tout temps, les favoris ont eu le pressentiment douloureux de leur chute, qu'ils attendent en permanence, mais elle survient toujours de façon inattendue.

Je sortis le mandat de ma poche et le posai sur le bureau.

— Qu'est-ce que c'est? demanda Abakoumov, perplexe.

Il prit le papier, l'ouvrit et le lut lentement, ses lèvres articulant chaque syllabe:

— Et c'est toi, toi, qui as accepté de venir m'arrêter?

— Je n'ai pas accepté. C'est moi qui ai demandé qu'on m'envoie, répondis-je calmement.

Abakoumov manqua s'étouffer de rage:

— Comment, toi...

— Du calme! J'ai demandé qu'on m'envoie pour vous éviter l'humiliation et la souffrance. Mais ce sont des broutilles, tout cela est secondaire.

— Et le plus important? Qu'est-ce qui est primordial?

— Détruire les papiers inutiles.

Il eut un petit rire aigrelet:

— J'en ai plein mon coffre. Ou tu penses qu'il y en a de particulièrement inutiles? Par exemple, le dossier Kroutovanov?

— Par exemple. Si Kroutovanov le trouve, vous serez exécuté sans jugement.

Il hocha la tête et dit, maintenant tout à fait dégrisé:

— Tu n'es qu'un petit con! Tu ne vois que ça, le dossier Kroutovanov, et moi, j'en ai des dizaines dans mon coffre. Pour tout le monde. J'aimerais mieux que personne n'y touche. On ne sait pas encore qui va s'asseoir dans ce fauteuil et mon seul espoir est que tous ces documents restent à leur place.

— C'est vous qui voyez, Viktor Semionytch, dis-je d'un ton las parce que je savais que j'avais épuisé toutes les possibilités.

Il ne me restait plus qu'à attendre qu'il essaie de téléphoner avant de l'emmener en prison.

Il décrocha le combiné de la ligne gouvernementale. Je savais qu'il allait téléphoner à Staline. Mais le combiné resta muet. Il raccrocha, saisit l'interphone, souffla dans le microphone, le jeta, puis décrocha le combiné de sa ligne directe extérieure. Celui-ci resta muet également. Il essaya de sonner Kotchegarov.

Je dis :

— Kotchegarov ne viendra pas, il est arrêté, lui aussi. Je crois qu'il est temps d'y aller.

Il dit avec un sourire amer :

— Tu crois qu'il est temps ?

— Oui. Je ne voudrais pas que les bandits de Koboulov rappliquent. Ils seraient capables de vous massacrer en route.

Pendant quelques secondes, Abakoumov demeura les paupières closes, comme s'il avait voulu aller jusqu'au bout d'un rêve mystérieux, puis il se leva d'un bond.

— Canaille, dit-il tristement. Rassure-toi. Le rapport sur ta compagne, la youpine, je l'ai jeté... Bon, allons-y maintenant.

Il ne fallut pas plus de trois minutes pour aller jusqu'à la cellule 118 de la Prison intérieure. Encore trois ans s'écoulèrent avant le procès d'Abakoumov. Et il fallut encore trente ans pour me retrouver allongé sur ce divan en compagnie de la tortue âgée de trois cents ans, juste avant sa mort. Le charme absurde et à la fois séduisant d'une longue existence. Mon Dieu, que j'ai sommeil ! Comme je rêve de pouvoir m'endormir, tomber dans l'oubli, oublier, tout et tous et pour toujours.

Mais je ne peux pas.

18

Le panier de crabes

Ce n'était ni un songe, ni un délire, ni le delirium. Brouillard épais, envoûtement, confusion, effroi. Un long évanouissement, fait d'événements, de silences, de mouvements.

Actinie fit son entrée le premier. Je crus qu'il venait pour me réveiller et fis semblant de dormir. Mais ce n'était pas pour moi qu'il était venu. Traînant les pantoufles, il avançait lentement dans la pièce, remuant les bras, se cognant contre les meubles et cherchant obstinément quelque chose dans la pénombre. Ses lèvres remuaient et ses orbites étaient noires.

— César! criai-je, un peu effrayé, mais, sans m'entendre, il passa près du canapé et se cogna dans le fauteuil.

Il se laissa glisser dedans et se figea, en fixant mon visage d'un regard aveugle.

— César, criai-je de nouveau, et je me rendis compte que je chuchotais. (Il ne m'entendait pas.)

Puis la femme de César, Kouvalda, et le petit oiseau, prétendument envolé depuis longtemps avec les étrangers, se glissèrent par la porte entrouverte et avancèrent sans bruit, le regard aveugle, remuant les lèvres. Je me lançai à leur rencontre mais elles passèrent près de moi sans même me remarquer.

— Qu'est-ce que vous avez ? essayai-je de crier, et une fois de plus je ne parvins qu'à chuchoter.

Je me retournai et aperçus le père Alexandre dans l'embrasure de la porte.

— Mon père ! Le pope ! Qu'est-ce qui se passe ?

Mais il ne fit pas attention à moi. Je n'étais pas là. Ou alors il était devenu aveugle, sourd et muet.

Puis arrivèrent les journalistes américains. Puis la tendre compagne de ma vie, Marina, ce qui me surprit. Elle ne fit pas de scandale et n'eut pas de crise d'hystérie : elle ne me remarqua même pas.

Le nain Vedmankine et son brave copain Kiriassov surgirent de nulle part. Ils se parlaient sans bruit, ouvraient et fermaient la bouche comme deux sandres crevés et se palpaient. Ils complotaient contre moi.

Minka Rioumine aussi, lourdaud aveugle, sourd et muet, fit son apparition, sanglé dans une gabardine de colonel. Il agitait dans l'air ses gros bras courtauds de feignasse stupide et me cherchait en meuglant.

Avant qu'ils ne s'aperçoivent de ma présence et tandis qu'ils tournaient dans le noir silence de la pièce, comme des poissons des grands fonds, je me ruai vers la porte pour échapper à leur haine aveugle. Je me cognai dans Abakoumov, qui me saisit sans un mot par les tétons. Paniqué, je me retournai : la pièce était pleine de gens, qui m'étaient à la fois étrangers et familiers, vivants ou morts depuis longtemps, d'enfants s'agitant, de vieillards pétrifiés dans les coins ; tous aveugles, sourds et muets.

Abakoumov me serrait de plus en plus fort, sans proférer un son, ses yeux vides blancs et profonds,

576

ses lèvres distordues par les crampes. Soudain, nous hurlâmes de conserve :

— Typhlosurdité ! Ty-phlo-sur-di-té !

Et je m'éveillai, la poitrine transpercée de douleur.

Typhlosurdité, un mot inconnu, appris dans un rêve, effrayant, comme la douleur à l'intérieur du squelette, qui augure je ne sais quoi ou qui débrouille quelque chose dans cette vie qui passe et qui revient comme un fleuve circulaire.

Typhlosurdité. Aveuglésurdimutité.

Une douleur insoutenable s'est installée dans ma poitrine. Petite tumeur, haricot séreux, elle me déchire de l'intérieur, m'ouvre les yeux et à travers les trous de la souffrance laisse pénétrer les sons et ma voix.

Je ne me laisserai pas faire.

Les flèches phosphorescentes redressèrent la tête sur le cadran de la montre : j'avais dormi dix minutes. Et brusquement je me rendis compte que désormais je serais privé de sommeil, jusqu'à la fin de ma vie : au lieu de dormir, il faudrait que je me contente de crises de typhlosurdité, d'évanouissements prolongés dans le royaume du silence.

Il ne me restera plus que l'attente impatiente du sommeil, puis l'instant magique de l'assoupissement — premier pas sur le pont jeté au-dessus du néant, espoir vain d'une vie nouvelle — et, aussitôt, l'horreur de la chute dans le cauchemar aveugle-sourd-muet. Et un treuil salvateur pour me remonter du fond de l'abîme : la douleur lancinante de l'enveloppe d'acier du haricot appelé Tumeur, épicentre de ma personnalité à moitié dévastée.

Je ne connaîtrai plus le sommeil. Il faudra que je

m'en passe, comme s'en passaient les «insom-
niaques» entre les interrogatoires. Nous verrons
bien le temps que je tiendrai avant de me mettre à
table devant mon infatigable juge d'instruction, la
Mort.

Il s'est brisé, le calibre malicieux dont le destin se
servait pour dessiner les incroyables arabesques de
ma vie. Le temps me fiche dehors, comme on chasse
un visiteur indésirable. Je ne veux pas. Nous
n'avons même pas terminé le plat de résistance, et
la table déborde de boissons! Rendez-moi le dessert
et les fruits!

Mais ils ne m'écoutent pas: «Allez, allez, mon
ami, il est temps de se montrer raisonnable, vous
ennuyez tout le monde...»

D'accord, je vais sortir. Surtout, qu'on ne me
demande pas mon avis. Mais vous entendrez tous
parler de moi. Vous aurez toujours besoin de moi,
parce que c'est moi, oui, c'est moi le héros de notre
non-temps[1].

J'allumai le transistor et ce monde absurde qui ne
voulait plus de moi envahit la pièce. La présentatrice,
une ravie de la crèche, raconte que l'année précédente le Turkménistan a produit cent quarante-huit
fois plus d'énergie atomique qu'avant la Révolution.
Un club de millionnaires a été créé à Moscou: un
chauffeur de taxi avec un million de kilomètres à son
compteur, une tisseuse qui a tissé un million de
mètres d'indienne, un sidérurgiste qui a fondu un
million de tonnes d'acier... En Pologne, une énième
révolte, violente et désespérée, comme d'habitude.
En Occident, des milliers de manifestants en faveur
de la paix réclament qu'on les tue, désarmés...

1. Allusion au *Héros de notre temps*, roman de Mikhaïl
Lermontov (1840).

578

Le monde bouillonnait comme un estomac malade de mauvaise nourriture. Ce monde ne connaît pas la lassitude du cœur, il est secoué par l'odeur et le bruit du météorisme. Allez tous vous faire foutre ! Je suis seul avec ma tumeur et nous vivons maintenant séparés de vous tous.

Longtemps je restai sans connaissance, privé de pensées, de forces, de sommeil ; j'écoutais avec angoisse les bruits indolents de la matinée : le ronflement lointain d'Actinie, le bruit de l'eau dans la baignoire et celui du baigneur qui s'ébroue, le bourdonnement de la chasse d'eau, le tintement des assiettes dans la cuisine.

Je pris mon souffle et décrochai le combiné.

Sept brèves sonneries, faibles et monotones, et puis la voix brutale et détestée, giclant à l'oreille comme un torrent d'eau glacée :

— Docteur Zelenski à l'appareil.

— Bonjour, Igor, c'est moi.

Il se tut un instant comme s'il essayait de se souvenir de moi, alors que je savais parfaitement qu'il ne pourrait jamais oublier ma voix, qu'il attendait mon coup de fil, mais cette courte pause lui était indispensable pour ravaler la boule de bonheur, pour maîtriser l'émotion du vengeur qui attend son heure, calmer les spasmes joyeux du chasseur en train de viser sa proie.

— Je t'écoute, dit-il calmement.

— Igor, je ne sais pas ce que j'ai. Je ne me sens pas bien.

— C'est bien, dit-il d'un ton satisfait. De toute façon, cette amélioration était incroyable, un cas de rémission durable très rare.

— Igor, ne plaisante pas, tu es le seul à qui je fasse confiance. Il n'y a que toi qui puisses m'aider. Tu es un aventurier, tout comme moi...

— C'est vrai que nous nous ressemblons. À cette différence près que moi, je prends des risques en soignant les gens, alors que toi, tu les tues.

— Igor, je ne tue personne. Et je n'ai aucun rapport avec cette histoire, c'est un gigantesque malentendu... Tu es un homme intelligent, essaie de comprendre qu'il s'est passé tant d'années depuis et que c'est un tel sac de nœuds de choses personnelles, inventées ou douteuses, que personne ne peut maintenant...

Il m'interrompit brusquement :

— Tu me téléphones pour me raconter ces salades ignobles ? Qu'est-ce que tu me veux, vieux salaud ?

— Je voudrais que tu essaies de me sauver une fois encore.

Il eut un rire satisfait puis il dit :

— Un homme qui a commis un crime une fois croit qu'il a le droit d'en commettre un deuxième. Je vois, Khvatkine, que tu attaches une grande importance à ta vie.

— Oui, Igor, mais Dieu sait que ce prix n'est pas grand. Seulement, j'en ai encore besoin, de ma vie.

— Aurais-tu oublié ce que ton chef avait dit à mon père : « Ceux qui attachent beaucoup d'importance à la vie sont prêts à vendre leur liberté pour pas grand-chose » ?

Bien sûr, je me souvenais très bien de ce que Kroutovanov avait dit au vieux professeur Zelenski. Mais moi, qu'est-ce que j'en ai à foutre, maintenant, de leurs palabres ?

— Igor, c'est peu dire que ma liberté ne vaut pas grand-chose. Elle ne vaut pas tripette. Prends-la, si tu veux, je te la donne pour rien, mais soigne-moi !

Et de nouveau il rit d'un air satisfait, et dans son rire il y avait l'allégresse du vainqueur, la jouissance du combattant, en train d'écraser sur le tapis les omoplates de son adversaire humilié, l'obligeant à demander grâce en geignant. Monde stupide, gens stupides ! Que d'absurdités vous avez inventées, tous ces sermons, interdictions, permissions : ceci est honteux, cela est admirable, ceci est méritoire, cela est moral, ceci amoral, cela est bien, cela est mal ! La plupart des gens ne se rendent même pas compte que toutes ces conneries ne sont que des règles vacillantes d'un immense jeu capricieux appelé la Vie. Tout est jeu ! Tout est faux ! Il n'y a de vrai, dans ce jeu, que la mort.

Seul Igor Zelenski peut me détourner de cette terrible réalité, heureux et stupide comme un enfant parce qu'il m'a obligé, moi, le bourreau, à lui demander grâce, à me replonger dans toutes les horreurs que j'ai commises, ce qui ne laisse qu'une seule issue : se repentir et expier.

Hosanna ! Si la route de mon salut passe par le repentir et l'expiation — bien sûr, un repentir total mais intime et une expiation confidentielle —, je suis prêt à t'apporter immédiatement, mon cher et répugnant Igor, la joie suprême de voir le spectacle du monstre Khvatkine, physiquement détruit et moralement brisé. Mais aide-moi tout de suite !

— Tu t'es déjà certainement préoccupé de trouver un thymus ? demanda Zelenski.

— Non. Où veux-tu que j'en trouve un ?

— Intéressant. Et comment vais-je te soigner ?

— Je ne sais pas. Il faut qu'on en parle.

— D'accord, viens. Je serai au laboratoire, tu sais où me trouver.

Oui, je sais où te trouver. Je ne sais pas où trouver un thymus. Où se trouve-t-il, le maître minable de mon destin ? Thymus n'est pas un homme, ni même

581

un enfant, c'est l'embryon de mon enfant, conçu et tué pour me sauver. Où puis-je en trouver un autre ? Ça ne se trouve pas sous la queue d'un cheval, mes embryons ! Ma fifille chérie, Maïka, ne peut pas faire l'affaire, elle est trop vieille. Le thymus est une glande chez le petit enfant, le régulateur tout-puissant de notre système immunitaire : avec l'âge, elle se dissout dans l'organisme sans laisser de traces. Comme l'idée absurde de notre immortalité. Il faut que j'aille chez Zelenski.

Je quittai l'appartement en pleine crise de typhlo-surdité : les dents serrées, les yeux fermés, sourd de haine et de dégoût pour toute la compagnie de fêtards. Je regrettais que la cuisinière soit électrique. Ah, si ç'avait été une gazinière ! Ouvrir en douce les robinets, et toutes ces crapules crèveraient dans leur sommeil...

Je montai dans ma Mercedes, grise de crasse, mis le moteur en route, sortis le pistolet de mon veston, le rangeai dans le vide-poches derrière le siège du passager, passai la première, embrayai et démarrai.

Il fallait traverser toute la ville, jusqu'à la chaus-sée Kachirskoïé, au centre oncologique, baptisé du nom de son directeur Blokhinewald. Un endroit charmant. On l'appelle le panier de crabes.

Le panier de crabes. Un vivier sans fond, une immense collection de crabes : mélanomes, lym-phomes, à grandes cellules, petits crabes innom-brables, solides et vivants. Ils nous mangent, consciencieux et indifférents, impitoyables et absurdes, sans se rendre compte que s'ils ne s'arrê-tent pas à temps, nous nous transformerons en masse jaunâtre et cyanosée entre quatre planches et qu'ils finiront par crever de faim. Mais on ne peut pas raisonner un crabe : il se battra jusqu'au tombeau pour continuer ce qui fait son existence, l'absurde division cellulaire à l'intérieur de mon organisme.

Comme nous nous étions battus un jour, il y a longtemps de cela, il y a un quart de siècle précisément, lorsque je fis la connaissance du vieux Zelenski, le plus grand cardiologue du pays, démasqué par Minka et moi comme espion et empoisonneur. Je me souviens particulièrement, allez savoir pourquoi, de l'inquiétude de Minka à propos des conséquences fâcheuses qu'aurait la confiscation dans toutes les pharmacies des gouttes pour le cœur, appelées les gouttes de Zelenski, du nom de leur inventeur.

Zelenski fut emporté par la première vague d'arrestations de grandes pointures de la médecine, la semaine qui suivit la fameuse nuit où Minka Rioumine avait surgi des ruines fumantes d'Abakoumov. Sur indication personnelle de Staline, on créa pour Minka une structure indépendante du Département de l'instruction, appelée la section d'instruction des affaires particulièrement importantes, dépendant directement et exclusivement du ministre de la Sécurité d'État.

Mais lorsque l'histoire se met à plaisanter, elle ne se contente pas de petits sourires en coin. La vanité de Dame Clio la capricieuse ne se satisfait que d'un universel éclat de rire sardonique. Et vraiment, c'était se moquer du bon sens et du cours normal de ce monde absurde et résigné, parce que de ministre, il n'y en avait pas. Et comme il n'y avait personne à qui obéir, Minka se sentit le chef tout-puissant de la nation. Malenkov n'avait visiblement pas les épaules assez larges pour pousser Kroutovanov dans le fauteuil du ministre, pas plus que Beria n'arrivait à y fourrer Koboulov, et tant que l'intronisation officielle n'avait pas eu lieu, tous les adjoints, par prudence, s'étaient rangés en silence pour laisser Minka passer devant. Minka, qui n'obéissait à personne, un homme sans biographie, sans destin, sans personnalité, un homme de nulle part, le cheval le plus obscur de mémoire de participant à cette course folle.

Il me reçut dans son nouveau bureau — avec une grande salle d'attente et Trefniak à la tête de son secrétariat, complètement tourneboulé par tous ces changements —, les bras ouverts, en camarade, on peut dire. Il se montra bienveillant, malgré les accents de chef qu'on percevait déjà dans sa voix.

— La force et la responsabilité, me dit-il, voilà, Pavel, notre programme : la force dans la lutte contre les ennemis et la responsabilité devant le parti bolchevique et le camarade Staline personnellement.

J'avais très envie de l'envoyer chier avec ses sentences grotesques, parce que je ne m'étais pas encore fait à l'idée que Minka était devenu un chef aussi important. Et j'ignorais encore qu'il n'obéissait à personne. Lui le savait. Ce goujat inculte et stupide ne pouvait tout simplement pas se pencher sur ces méandres que dessinait le destin avec son calibre ; il estimait que son ascension était naturelle, juste, indispensable.

Peut-être avait-il raison, grâce à une sorte de sagesse animale ? Après tout, le temps marchait à reculons depuis si longtemps.

Renonçant à l'envoyer où que ce soit, je me tus et me contentai de hocher la tête d'un air approbateur et empressé. Minka fut pleinement satisfait de ma réaction.

— De grands desseins nous attendent, Pavel, dit-il d'un air important. Je compte sur toi... Gouverner, c'est autre chose que de se gratter les couilles !

Nom de Dieu, le voilà homme d'État, maintenant ! Tu parles d'un timonier ! Tête de con ! Je répondis, pensif :

— Ça, tu l'as dit, Minka...

Il s'esclaffa joyeusement, se pencha au-dessus du bureau et, fixant sur moi ses petits yeux ronds et porcins sans cils, déclara :

— Bien, rappelle-toi, Pavel, que nous sommes toi et moi de vieux camarades et, dans un contexte officieux, comme par exemple à la maison ou pendant les heures de repos, tu peux m'appeler simplement Mikhaïl Kouzmitch. Mais, dans ce bureau, je suis l'un des dirigeants du plus important des organes soviétiques et, par respect de la discipline, je te prierais de t'adresser à moi comme l'exige le règlement : camarade colonel. C'est clair ?

— Affirmatif, camarade colonel !

Je me rappelai l'avertissement de Kroutovanov et, bien qu'il me fût plus que désagréable d'appeler ce gros lard Mikhaïl Kouzmitch, je décidai d'obéir sans discuter. Lorsqu'on est plongé dans les ténèbres, il ne sert à rien de s'agiter ou de prendre des initiatives sans bien connaître les forces de l'adversaire.

— Je voulais juste savoir quelles étaient les instructions à propos de l'affaire des médecins.

— Ne presse pas le carrosse, dit-il en fronçant sévèrement ses petits sourcils blancs. Tu le sauras bien à temps.

— Affirmatif, camarade colonel, répondis-je, et je vis que Minka, à m'entendre l'appeler de cette façon, commençait à sentir les effets de son pouvoir et y prenait autant de plaisir qu'un porc dans une flaque tiède et boueuse.

Il prit une fine chemise dans le tiroir, sortit un feuillet couvert de colonnes de noms et me le tendit :

— Il faut arrêter tous ces gens-là et s'en occuper sérieusement. Vovsi, le deuxième Kogan, le laryngologue Feldman, le neuropathologue Ettinger, Grinstein, Maïorov, le médecin personnel de Iossif Vissarionovitch, les professeurs Zelenski, Hessine, Vinogradov, Guerchman, Yegorov, toute la liste.

— Camarade colonel, on ne peut pas les arrêter en bloc, nous n'avons pas encore d'éléments pour les faire tomber. Il faut fabriquer les dossiers.

— Comment ça, on ne peut pas? Bien sûr qu'on peut! dit Minka avec un sourire. Nous avons tout le matériau nécessaire. Tu as vu l'ordre du camarade Staline?

Il ouvrit la chemise et me tendit la note d'accompagnement qu'il avait écrite la veille dans le bureau de Kroutovanov. «Frapper, frapper, frappé. I. Staline.»

— Le voilà, notre matériau principal: l'instruction du Guide Suprême! dit Rioumine en martelant les mots. Mets-toi bien ça dans le crâne: laisse tomber tes astuces, ça ne donne rien de bon. N'essaie pas de te montrer plus malin que les autres! Ceux qui sont au-dessus de toi ne sont pas plus bêtes que toi...

Sacré Minka! Un homme pas plus bête que moi au-dessus de moi! Comme il prend à cœur son ascension fulgurante! Sacré Minka-le-Gouverneur! Il va faire tomber tout le monde, s'il a le temps.

Le plus amusant, c'est que j'avais gardé par-devers moi de quoi rabattre l'extase directoriale de ce gros porc et l'envoyer faire la circulation. Mais pour le moment, je me contentai de répondre:

— À vos ordres, camarade colonel, me mettre ça bien dans le crâne et ne pas essayer de me montrer plus malin que les autres.

Ce n'est pas pour suivre le conseil de Kroutovanov que j'avais répondu ainsi mais, avant de rabattre quelque peu son caquet à Rioumine, il fallait que je mette au clair mes affaires avec Sergueï Pavlovitch lui-même. Car, pour le moment, j'étais dans la position de quelqu'un qui essaie de prendre une pastèque sous chaque bras.

Ce qui faisait la subtilité de la situation, c'est que l'arrogance et la brutalité de Minka ne pouvaient ni m'humilier ni me faire peur, car je le méprisais trop profondément pour me vexer ou le craindre. D'ailleurs, cette ordure ne pouvait rien me faire pour l'instant. Alors que Kroutovanov, si poli, si correct, si bien élevé, était capable, lui, de m'achever quand il en aurait envie : mon dossier sur lui reposait toujours dans le coffre orphelin d'Abakoumov. Et la question de savoir qui serait le prochain conservateur des grands secrets était loin d'être réglée.

Je n'avais pas le temps de m'occuper de Minka, qui se plongeait avec délice et arrogance dans le péché d'orgueil, il fallait à tout prix briser la chaîne dangereuse qui me liait à Kroutovanov par l'intermédiaire de ce dossier.

Je montai dans mon bureau, fermai la porte, pris dans le coffre le dossier de l'agent informateur Fumée et commençai à dessiner un schéma, histoire d'y voir plus clair. Il fallait que je puisse visualiser toute la chaîne d'un coup pour la briser à l'endroit où le maillon était le plus faible.

Allons-y. Commençons par le dossier dans le coffre d'Abakoumov. Il est inaccessible. Que renferme-t-il de dangereux pour moi ? Tout, en réalité. Bien que rien n'y soit écrit de ma main. Il y a juste les rapports de Fumée et les données officielles. Difficile à établir, dans notre bordel, qui exactement a consigné les données officielles, d'autant que je me suis souvent servi de mes collègues comme prête-nom. Mais la fiche de Fumée se trouve au fichier central des agents et, là-bas, ils n'auront pas de mal à savoir que Fumée était une de mes recrues. D'un autre côté, ce fichier était vraisemblablement vide, puisque Fumée n'était pas un agent payé, mais un informateur «compromis», et il ne pouvait y avoir dans son dossier aucune trace de paiement. Ce qui veut dire qu'il n'y avait pas de traces de nos contacts dans le fichier, ni de dates.

N'est-ce pas merveilleux qu'il y ait autant de types de mouchards dans notre société, déchirée par la lutte des classes à mesure qu'elle se rapproche du socialisme ?

Il y a les mouchards payants — payés en une fois, périodiquement ou de façon permanente. Les mouchards compromis, qui mouchardent en échange du silence de la Boutique. Les mouchards patriotes, qui nous renseignent secrètement sur la mauvaise mentalité, les conversations et les actes de nos concitoyens. Les mouchards «à la carotte», qui mouchardent en échange d'une promotion professionnelle. Les mouchards enfants, les mouchards parents, les voisins, les collègues, les *dvorniks*, des quasi-inconnus, qui nous rapportent de simples rumeurs.

Je l'atteste : dans chaque grande famille, dans chaque appartement communautaire, dans chaque entreprise, il y avait des mouchards. Tout le monde mouchardait tout le monde.

Je n'exagère pas, c'était la règle de ce jeu qui s'appelait la vie de l'après-guerre. Appliquer cette règle n'était pas difficile, puisque chaque citoyen soviétique heureux avait obtenu sa part de bonheur en commettant une faute aux yeux du pouvoir soviétique. Tous avaient un membre de leur famille arrêté ou fait prisonnier sur les territoires «provisoirement occupés par les fascistes», ce qui était considéré comme un crime. Sans oublier que la population affamée était en permanence tentée de voler pour manger, donc de faire main basse sur la propriété socialiste et, dans le contexte de la vigilance générale, ils se faisaient pincer régulièrement.

Non, nous ne manquions pas d'informateurs. Il y en avait tant que nous n'avions même pas le temps de traiter tous les rapports. Voilà pourquoi le fait que je me sois passé des services de Fumée pendant trois ans pouvait ne pas paraître anormal. Supposons qu'il fût tombé malade. Un homme plus très jeune…

Bien. Mechik est au courant de cette histoire, mais Abakoumov n'a pas eu le temps d'organiser notre confrontation et il est peu probable qu'il lui en ait parlé au téléphone, puisque tout le plan du ministre reposait sur la surprise.

Dossier d'agent… Je pourrais en extraire les rapports de Fumée des trois dernières années. Et les brûler. Fumée était malade, il n'a rien dit.

Mais si le dossier tombait entre les mains de Kroutovanov, une heure plus tard Fumée serait dans son bureau et après cinq légers coups de poing, il se souviendrait de détails que j'ai oubliés. Ensuite, Fumée serait dispersé sans laisser de traces. Et moi avec lui. Comme le dit la sagesse populaire : un mouchard, c'est comme un passeur, fais-moi passer de l'autre côté, mais après, oublie-moi.

La tentation inévitable de la délation, sans laquelle aucun jeu policier n'a de sens. L'exaltation avide du délateur… Où conduit-elle ?

À la honte et à la mort. L'espoir fou de l'indicateur de déjouer une menace ou de gagner de l'argent mène inéluctablement le mouchard sur le chemin sinueux, jonché des squelettes de ses victimes, qui conduit à la honte et à la mort.

Lorsque ce dossier refera surface — et nul doute qu'il en sera ainsi —, Fumée sera mort. Dans la souffrance et la peur. Et je mourrai, moi aussi. Et ce serait injuste.

Peu à peu, l'idée se cristallisa, mise en évidence par mon schéma, que le chaînon le plus faible était précisément Fumée lui-même. S'il disparaissait, la chaîne serait brisée. Bien sûr, si l'on pousse les recherches, on peut se passer de Fumée pour tirer le fil de toute l'affaire : interroger Nikoultseva, voire Mechik, me passer soigneusement à tabac. Mais ce serait compliqué. Pour entreprendre une telle recherche, il faudrait un élément important contre Kroutovanov, dont le pouvoir est comparable à celui qu'avait Abakoumov avant sa chute. Et un tel élément n'apparaîtra pas de sitôt.

Il devint évident que le chaînon le plus faible était également le plus important.

Je déchirai le schéma en mille morceaux que je brûlai dans le cendrier. J'attendis que les morceaux se consument, pilai soigneusement les cendres craquantes et jetai toute cette saleté dans la corbeille. J'ouvris le vasistas et, pendant que se dispersait l'odeur de brûlé, je sortis du dossier tous les rapports de mon inestimable informateur des trois dernières années et les mis dans ma poche. Je rangeai le dossier tout au fond du coffre-fort et fis une prière enflammée pour ne plus jamais le revoir jusqu'à ma retraite.

Oh, que nous sommes présomptueux et aveugles au moment où se révèlent les vérités que nous croyions providentielles !

Moins de deux ans et demi plus tard, Fumée, pour toujours dispersé aux quatre vents, détourna mon destin et celui de l'humanité tout entière. La nuit précédant la mort de Lavrenti Pavlovitch Beria.

Je sortis de la Boutique, descendis la rue Pouchetchnaïa et téléphonai de la cabine du hall de l'hôtel Savoy. On ne sait jamais exactement quels appareils de la Boutique sont sur écoute. Et, à partir de ce moment précis, personne ne devait plus pouvoir prouver que nous nous étions vus avec Fumée pendant ces trois dernières années.

— Ivan Sergueïtch ! Salut ! Tu me reconnais ?

— Tu parles ! Comment pourrais-je ne pas te reconnaître ? Tu as une voix si singulière, vive et aigrelette. Comment vas-tu, mon doux ami ?

— Je m'ennuie sans toi, Ivan Sergueïtch. Il faudrait qu'on se voie aujourd'hui, j'ai deux mots à te dire.

— Quel dommage ! J'ai justement une crise de sciatique. Demain ou après-demain, ce n'est pas possible ?

— Ivan Sergueïtch, mon ami, tu sais que je ne te dérangerais pas pour des bêtises. Et ne t'en fais pas pour ta sciatique, je t'envoie une voiture bien chauffée. Tu connais ma Pobeda ?

— Bien sûr !

— Je m'arrêterai derrière, près de l'entrée de service, rue Skaternyï. À sept heures tapantes, je te prends au passage. Je n'en aurai pas pour plus de vingt minutes. Tu piges ?

— *Ausgezeichnet !* s'esclaffa Ivan Sergueïtch Zamochkine, le vieux bijoutier, nom de code Fumée.

Je remontai sans hâte la rue Pouchetchnaïa puis retournai à la Boutique. Je passai au secrétariat de Rioumine, où Trefniak me renseigna avec déférence : « Mikhaïl Kouzmitch est parti chez lui se reposer, il revient dans deux heures. » Je promis de repasser et rendis visite à Katia Chougaïkina. Après avoir palpé un peu ses tétons durs comme des cailloux et refusé sa proposition de baiser là, tout de suite, dans le bureau, en expliquant que Rioumine m'attendait, mais en promettant de la satisfaire la prochaine fois, je me rendis à la cafétéria, où je m'amusai un peu avec les collègues, bus du thé avec des pirojki encore tièdes, racontai aux copains l'histoire drôle toute fraîche des officiers alliés qui n'arrivaient pas à trancher quel était l'ordonnance le plus malin et le plus agile, puis m'excusai et, prétextant que je devais encore passer chez Chougaïkina pour l'aider à se dépatouiller avec un juif rusé, allai directement de la cafétéria dans le bureau de Podgaïts et Kirianov pour tailler une bavette, leur conseiller ardemment de visiter la cafétéria où l'on trouvait des pirojki encore tièdes et des sandwichs au saumon et, avant de partir, leur ordonnai de m'apporter le lendemain — coûte que coûte ! — une note à propos du sabotage à la fonderie de l'usine automobile Staline...

Je me fabriquais un alibi. Au cas où. Dieu ne protège que celui qui se protège. Et mon alibi était en béton : au cas où l'on poserait des questions, il y aurait beaucoup de gens, se renvoyant les uns aux autres, qui seraient prêts à confirmer m'avoir rencontré à différentes heures de la soirée, et à témoigner du caractère intime, insouciant et prolongé de ces rencontres.

Une fois tout cela arrangé, je fis mon entrée au secrétariat de Koboulov. La porte de son bureau était ouverte : le patron était absent. Son aide de camp, Gueguetchkori, me regardait avec beaucoup de bienveillance depuis ma visite de la veille.

— Des problèmes, mon cher ?

— Tout va bien. J'aimerais parler avec Bogdan Zakharytch.

— Il sera là après neuf heures.

— Je peux vous demander un service ? Je ne bouge pas de mon bureau : pouvez-vous m'appeler quand le camarade Koboulov sera de retour ?

— D'accord. Si tu veux, viens à vingt et une heures, je te laisserai passer, avant qu'il n'y ait foule...

— Merci beaucoup. Je suis dans mon bureau.

Maintenant, je pouvais y aller. Tout ce qui était en mon pouvoir, je l'avais fait. Sinon, Kroutovanov n'avait qu'à faire mieux.

Zamochkine était veuf et vivait seul. Sa fille habitait avec son mari et ses deux enfants du côté de la Polianka. Pendant quelque temps, personne ne s'apercevra de son absence. Et lorsqu'ils s'en apercevront, il sera parti en fumée. Sans laisser de traces. Il faut faire en sorte qu'en claquant la portière de ma voiture il referme le couvercle de son cercueil. C'est une figure de style bien sûr, car je n'avais aucune intention de fournir un cercueil à Ivan Sergueïtch, qui, malgré sa sciatique, sauta promptement sur le siège arrière de ma voiture. Il se pencha au-dessus du siège et m'embrassa trois fois derrière les oreilles en salivant. Il m'aimait. Moi aussi, je l'aimais bien, j'avais pour lui cette estime inévitable que ressent un client difficile pour un artisan doué et diligent. Et Ivan Sergueïevitch Zamochkine était sans aucun doute un maître mouchard.

— Comment vas-tu, mon grand ? Tu continues à asticoter les filles, hein ?

— Ça m'arrive, dis-je en gloussant.

Nous roulions en direction du boulevard circulaire Sadovoïé.

— Tandis que pour un vieux chien comme moi le combat est terminé. Il ne veut plus se lever, le cochon, il n'y a plus qu'à le couper. Dommage ! C'est la plus grande joie au monde que de prendre une gonzesse et de la...

— Ne te sous-estime pas, Ivan Sergueïtch, l'existence te réserve encore beaucoup de joies. L'or, par exemple, ou les jolis petits cailloux...

— Tu as raison, Pachounia, c'est une grande joie que de faire rouler une pierre rouge dans sa main. Mais c'est machinal, tout ça, alors que quand le petit cochon commence à faiblir et s'assécher, ça veut dire que c'est fichu, que ta vie touche à sa fin, que tu pourris et que la mort t'attend.

Je l'observais dans le rétroviseur et me disais que ce drôle de petit bonhomme, qui ressemblait à un pélican, se serait pleinement satisfait de son existence ennuyeuse et de son petit cochon, tout sec qu'il fût, s'il avait su qu'il quittait sa maison pour toujours. Mais il ne se doutait de rien et c'est seulement après avoir jeté un coup d'œil par la fenêtre qu'il s'alarma :

— Mon Dieu, où sommes-nous ? On dirait qu'on a dépassé Sokol...

— C'est ça, Sokol..., confirmai-je tandis que nous dépassions la fourche avec la chaussée de Volokolamsk et prenions la chaussée de Leningrad. Il y a quelqu'un qui ne veut pas venir en ville avec son petit objet. J'aimerais que tu voies cet objet, que tu l'estimes, que tu me dises ce que c'est, combien ça vaut, à qui ça pouvait appartenir, et je te ramène chez toi.

Nous quittâmes la ville et, derrière la grisaille brumeuse des champs, se profilaient les lumières blafardes d'improbables habitations. La forêt noire avançait sur nous. Encore huit kilomètres avant d'arriver à l'endroit que j'avais repéré en lisant le journal *Moscou-Soir*. L'endroit où allait reposer pour toujours mon agent Fumée, le vieux bijoutier Zamochkine, pélican intelligent, qui savait que nous n'avions pas d'âme, ni lui ni moi. Ce n'était ni une faute ni une dignité, juste une particularité de nos organismes.

Pourtant, quel plaisir Serguëi Pavlovitch Krouto-vanov aurait eu à s'entretenir avec Fumée ! Que de choses passionnantes il aurait apprises sur moi, et aussi sur la dame de son cœur, Nikoultseva, et sur lui-même ! Mais je ne pouvais pas lui procurer ce plaisir.

De toute manière, mon petit vieux, lui, n'avait pas le choix : la conversation avec moi ou l'entre-tien virtuel avec Krout se seraient terminés pour lui de la même façon. Peut-être les conditions et le lieu de son enterrement auraient été différents. Quoique, pour un homme privé d'âme, le lieu et la manière de se faire enterrer n'ait pas beaucoup d'importance. L'exécuteur Kassymbaïev, une de mes connais-sances, racontait un jour que chez les Kirghizes les cimetières n'existaient pas, qu'il y avait juste un endroit prévu dans la montagne « pour jeter les os ».

L'aiguille du compteur s'immobilisa sur le chif-fre 120. Les pneus crissaient sourdement sur l'as-phalte gelé. Les rares voitures qui venaient en face fouillaient la route de leurs phares jaunes.

Zamochkine demanda avec inquiétude, en se tor-tillant sur son siège :

— Tu dis que ton homme avait peur de venir en ville avec l'objet. Et de moi, il n'a pas peur ?

— Mais non, il ne te verra même pas.

— Comment ça ?

— Ne me prends pas la tête, je pense à autre chose.

Il se tut, mais je sentais physiquement qu'il était inquiet : il reniflait et remuait sans bruit sur son siège.

— On arrive bientôt ? demanda-t-il, n'y tenant plus.

— Oui, on y est presque.

Je quittai la chaussée et nous roulâmes sur une route pavée. Les roues arrière glissaient sur les pierres gelées. Nous contournâmes le village endormi de Khovrion et descendîmes lentement la pente qui menait au bord de la Moskova.

— C'est où ? demanda Zamochkine, le souffle coupé.

— Ici. Sortons de la voiture, je ne veux pas qu'on nous voie...

Comme s'il était sous hypnose, Zamochkine obéit et se déversa de la voiture, ferma la portière et l'obscurité profonde nous happa aussitôt.

— Pacha, il fait noir et il n'y a pas une maison par ici, dit-il avec la voix effrayée d'un enfant qui cherche à se rassurer.

Je le pris par le bras et l'emmenai gentiment au bord du fleuve glacé : mes yeux s'étaient déjà habitués à l'obscurité.

— Sergueïtch, pour ce que nous avons à faire, nous n'avons besoin ni de lumière ni de monde, expliquai-je.

Il arracha mollement sa main et marmonna :

— Qu'est-ce que tu as derrière la tête ? Il n'y a personne ici... Rentrons.

Je le menai au milieu du fleuve, en essayant de deviner au loin la ligne noire où s'arrêtait la glace. Il ne manquerait plus que je tombe à l'eau, moi aussi !

Il y avait, dans le *Moscou-Soir* d'hier, un reportage plaisant qui racontait comment le premier brise-glace fluvial, après avoir cassé la carapace glacée, était arrivé en plein hiver dans le Port fluvial du Nord. Qui diable s'en soucie, de ce nouveau record, je n'en sais rien, mais il n'y avait pas de raison qu'en vingt-quatre heures la faille ait disparu.

Zamochkine s'arrêta brusquement, se tourna vers moi, me saisit par les mains et chuchota fiévreusement :

— Pacha, c'est pour me tuer que tu m'as emmené ici ?

Je répondis avec un rire forcé :

— Sergueïtch, tu es devenu dingue ? Pourquoi te tuerais-je ?

— Je ne sais pas pourquoi mais je le sens là, au fond de mon cœur : tu veux me tuer. Tu sens la mort...

— Arrête de dire des bêtises, Sergueïtch !

Nous étions arrivés au bord du chenal noir, rehaussé d'amas de glace soudés.

— Regarde par là, sous tes pieds ! Derrière toi.

Il se décolla de moi, se tourna, baissa la tête et fixa la neige durcie. Son écharpe glissa et découvrit son large cou bosselé. Je levai le bras et ma main s'abattit comme une hache sur sa nuque.

Les vertèbres craquèrent, il hoqueta et tomba lourdement dans la neige. Je m'accroupis près de lui, fouillai rapidement ses poches, gardai le portefeuille et nouai tout le reste, le trousseau de clefs, les ciseaux de manucure, une petite toupie, dans un mouchoir.

Je le soulevai — qu'il était lourd, le vieux — et le jetai dans le gouffre noir de la faille. Mais la pellicule de glace qui avait eu le temps de se former refusait de céder sous le poids du cadavre. Alors je le frappai dans le dos et, avec un craquement lent et grinçant, les blocs de glace se séparèrent et avalèrent Zamochkine. Quelques bulles montèrent à la surface de l'eau et un peu de vapeur s'échappa. Je jetai dans le trou le paquet que j'avais fait avec le mouchoir, secouai les mains et retournai vers le rivage.

Passé l'écluse, le courant était plus rapide : il emporterait loin le cadavre. Avant avril, il n'en resterait rien, même pas ce que les poissons n'auraient pas bouffé. Il fallait tenir jusqu'en avril. Je remontai dans la voiture et retournai vers Moscou sur les chapeaux de roue.

J'avais fait ce que j'avais pu. Maintenant que je m'étais quelque peu prémuni de Kroutovanov, je pouvais m'occuper de Minka. Koboulov allait reprendre son travail après neuf heures et je devais, après l'avoir attendu consciencieusement dans mon bureau toute la soirée, aller le voir pour discuter de deux ou trois broutilles.

Je ralentis près du feu rouge et me retournai : trente ans séparaient la chaussée de Leningrad de la chaussée Kachirskoïé, ma Pobeda grise s'était transformée en Mercedes bleue quasi neuve avec des pneus de marque. Je sautai hors de la Moskova glacée directement dans le hall du centre oncologique.

Éternelle odeur rance d'hôpital, les malades effrayés se déplaçant sans bruit, les parents qui se donnent du courage, les visages pétrifiés, cruels et indifférents du personnel administratif. Stupides inventions humaines à propos du redoutable purgatoire. Le voilà, le purgatoire. Après, c'est le néant…

Je descendis au sous-sol et suivis un long et sinueux couloir gris béton, aveuglé par la lumière des plafonniers. Le couloir butait dans un autre couloir, perpendiculaire. À gauche ou à droite ? À gauche, je crois. Oui, oui, à gauche, puis il faudra tourner de nouveau, puis encore à droite, à l'endroit où le couloir se sépare en deux. Et après, je n'aurai plus qu'à me repérer à l'odeur pénétrante du vivarium.

Labyrinthe sans fin de l'angoisse, de la douleur et de la peur... Un jour lointain, ton père, très respecté Igor, avait suivi de longs couloirs et monté des escaliers pour se rendre dans mon bureau depuis sa cellule. Et je ne l'ai pas tué, alors que j'aurais pu. Nous ne devons pas nous haïr : sur l'échiquier de la vie les deux joueurs ont roqué. Et si ton frère est mort, ce n'est pas ma faute, ce sont ses nerfs qui ont lâché. Il n'était pas prêt à jouer un jeu aussi cruel et difficile que le fut l'affaire des «blouses blanches».

Une inscription sur la porte : «Dir. du 3e serv. d'immunologie Zelenski I. N.» J'ouvris la porte, le regardai dans les yeux et dis d'une voix fatiguée :

— Le cadavre te salue.

— Malheureusement, tu n'es pas encore un cadavre, répondit-il sérieusement. Physiquement, j'entends.

— Fi ! Igor ! Par cette phrase mélodramatique tu sèmes le doute dans tes principes chrétiens et hippocratiques. Un homme intelligent comme toi et aussi méchant !

— Malheureusement, je ne suis pas assez intelligent. Un homme vraiment intelligent ne peut certainement pas être un homme bien.

— Sottises ! Broutilles que tout ça ! Regarde, moi, par exemple.

— Bien sûr, tu es un exemple convaincant. Un esprit fort et une connaissance profonde de la vie alliés à une absence de gentillesse, de remords, de bonté d'âme.

— Tu as tort, Igor. L'âme, ça n'existe pas.

— Bien sûr, il existe une seule chose, le thymus, la glande de l'embryon, c'est bien ça ? demanda-t-il avec un dégoût non dissimulé.

— Oui ! Quand il y en a un ! Et quand il n'y en a pas, il faut penser à son âme.

Il me répondit quelque chose, mais sa voix s'évanouit comme si quelqu'un avait brusquement coupé le son, et Igor lui-même devint une masse coulante et grise, tremblante, trouble et protéiforme, qui finit par se confondre avec le mur blafard. Je n'avais pas envie de lui demander où il était passé, ça n'aurait eu aucun sens, puisque je savais que de toute façon mes lèvres et ma langue refuseraient de bouger, parce que j'étais devenu muet.

Typhlosurdité. La prostration du mutisme, de la surdité, de la cécité. Coupé du monde. Liberté. Liberté de la servitude. Je vivais à l'intérieur de moi-même comme dans un ravelin abandonné. J'étais devenu ma propre tombe. Et, à l'intérieur, la tumeur bouffait joyeusement mes cellules.

Il y a longtemps de cela, le thymus, le fils que je n'ai jamais eu, mon défenseur, a tué la tumeur. Des amis d'amis m'avaient emmené chez Igor Zelenski, qui avait déjà commencé ses expériences risquées sur le système immunitaire. Il m'expliqua que le régulateur de ce système était une glande de l'embryon humain, le thymus, qui génère de nouvelles cellules, indispensables pour le développement et la défense de l'organisme. Après avoir programmé et réglé ce processus complexe, le thymus se dissout dans les tissus de l'organisme, qui peut fonctionner normalement. Mais, passé dix ans, l'harmonie des naissances et morts des cellules se brise brusquement : une cellule cesse d'obéir au programme et commence, avec une rapidité foudroyante, à se démultiplier. Cette nouvelle formation de cellules constitue la tumeur, le cancer. Et cet amas de cellules grandit jusqu'à provoquer la mort.

Igor avait dit que si l'on arrivait à greffer cette glande dans mes tissus, ce thymus, pour des raisons de lois immunitaires encore inexpliquées, recommencerait son activité habituelle de régularisation de la vie des cellules dans mon organisme et parviendrait à écraser la tumeur, à la dissoudre et à la jeter hors de moi.

Seulement, il y avait un hic, scientifique et personnel : le thymus devait posséder une structure génétique identique à la mienne. Il me fallait obligatoirement un thymus provenant de mon enfant, de l'embryon de mon enfant.

— Seule une femme peut vous sauver la vie, avait dit Igor, celle qui accepterait de vous sacrifier son enfant. Connaissez-vous une telle femme ?

Je connaissais beaucoup de femmes. Mais il fallait choisir la seule qui accepterait. Je n'avais pas le temps de tester ses sentiments à mon égard. Toutes ses autres qualités ne m'intéressaient pas : je n'allais pas me mettre en ménage avec elle !

Igor m'avait laissé six mois de délai. Habitué à évaluer toutes mes opérations, je trouvai la durée un peu courte pour un homme atteint d'un cancer du poumon poussant dans le médiastin. En six mois, il me fallait trouver cette seule femme sur la terre, lui expliquer que sans cet enfant je n'envisageais pas de vie commune, la baratiner, la mettre enceinte et passer encore cinq mois à la câliner avant de la convaincre de la nécessité d'un accouchement artificiel et prématuré et de liquider l'embryon dans le but d'en extraire le thymus.

Vera Markina, une fille plus très jeune et silencieuse, accueillit ma proposition d'unir nos deux destinées comme si la foudre des dieux s'était abattue sur elle. Jusqu'à ce jour, chacun de nos rendez-vous avait été pour elle un cadeau du destin. Il suffisait que je l'appelle, fatigué ou lassé de ne rien faire, en colère et fâché ou ivre et bienveillant, la nuit, à l'aube, en plein jour, pour qu'elle rappliquât aussitôt. Peut-être incarnions-nous des origines humaines contradictoires, mais elle m'aimait d'un amour fou, animal et passionné, sans recevoir en échange aucun sentiment.

Même en tant qu'homme je ne pouvais lui donner grand-chose car elle ne m'excitait pas véritablement. Mais elle s'en foutait ; si elle baisait avec moi, c'était pour mon plaisir, pas le sien, pour que je me sente bien. Au début, ça me mettait en colère, je ne sais pas pourquoi, et avec le temps ce sentiment se mua en une sorte de mépris indifférent.

Vera, à l'époque, avait déjà dans les trente ans, elle travaillait dans un salon de coiffure, avait un bon salaire, une silhouette fine et un visage agréable et insignifiant. Jamais je n'avais vu sur ce visage ni colère ni bonheur, ni même de trouble quelconque, mais seulement cette question éternelle : Pachenka, est-ce que tu te sens bien ?

Un jour, je lui annonçai mon désir de l'épouser. Pour la première fois, je vis l'étonnement puis le bonheur s'inscrire sur son visage.

Bientôt elle m'annonça qu'elle était enceinte. Et son visage refléta une heureuse excitation.

Quelques mois plus tard, elle commença à s'inquiéter parce que je toussais souvent et grimaçais de douleur. Je lui dis que j'avais le cancer. Et son visage s'embruma de terreur. Je lui expliquai alors que pour me sauver il fallait extraire l'embryon et me greffer le thymus de notre enfant. Et son visage exprima la rage.

Non, non, pas contre moi, jamais de la vie! La rage contre la vie, contre son ignoble cruauté, contre l'injustice, contre cette obligation déchirante d'avoir à choisir entre le seul homme de sa vie et la perspective si proche de devenir la mère d'un enfant de l'homme de sa vie.

Sans hésitation, elle décida de donner la moitié de son bonheur pour sauver son homme, méchant et dégénéré, qui, par le caprice des sentiments, lui semblait le meilleur du monde.

Au cent quatre-vingtième jour de la grossesse, à trois mois de la naissance, l'embryon — un garçon — fut retiré et autopsié. Igor me greffa le thymus. Il se passa très peu de temps et moi-même, sans passer de radio, je pus sentir le haricot empoisonné se dissoudre, se recroqueviller et faiblir. Le petit thymus, la glande minuscule de mon fils jamais né, le maître tout-puissant de mon système immunitaire, détruisait inlassablement l'amas malin dans mon médiastin, étranglait et écrasait la tumeur dans mon poumon, chassait le cancer hors de mon corps.

Voilà ce que c'est, la chair de sa chair, le sang de son sang, le gène commun.

Et Vera me regardait timidement, n'osant pas poser son éternelle question: Pachenka, est-ce que tu te sens bien? Et si tu te sens bien, je ne te demande qu'une seule chose, de tout mon cœur, c'est de me faire un deuxième petit enfant à la place de l'autre, mort avant que de naître.

Igor Zelenski me regardait avec satisfaction et joie, il avait devant lui l'illustration vivante de son idée scientifique; par la même occasion il confirmait ce que je pensais depuis longtemps, à savoir que les scientifiques véritables sont des gens amoraux puisque leur seule vocation est d'observer les

603

faits et de les évaluer. Tout le reste, en dehors des faits qui les intéressent ou qui les touchent directement, leur est absolument indifférent.

Pas une fois il n'aborda avec moi la question morale de cette affaire. Il ne me demanda pas si j'avais une âme. Il ne se posa pas la question de savoir si l'on pouvait considérer mon enfant mort avant de naître comme un être humain. Et s'il avait une âme. Après tout, cet enfant pas né était un gamin qui avait toute la vie devant lui. Et s'il avait une âme, Igor Zelenski lui-même n'avait-il pas été le complice réel d'un meurtre, un assassin ? Rien ne m'interdit d'affirmer que le défunt frère d'Igor n'était que quantitativement supérieur à mon enfant pas né.

Après tout, du point de vue strictement logique, ma fille Maïka devrait éprouver pour Igor, qui a tué son frère avant sa naissance, les mêmes sentiments que ceux qu'Igor éprouvait pour moi. Avec cette différence en ma faveur qu'Igor a tué le frère de Maïka de ses propres mains, alors que je n'avais pas touché à un seul cheveu de la tête de Genia. Il est mort de lui-même, il l'avait voulu, il pensait que sa mort seule pouvait racheter ce qu'il considérait comme une trahison, alors que, à l'époque, il ne serait venu à l'esprit de personne de qualifier ce qu'il avait fait de trahison.

Mais Maïka, heureusement, n'avait jamais entendu parler des frères Zelenski, pas plus qu'elle n'avait connu leur père. Elle ne savait pas grand-chose non plus de son propre père, moins, en tout cas, qu'Igor Zelenski, le jour où il avait fait irruption dans ma chambre à l'hôpital, les yeux exorbités, et s'était mis à hurler depuis le seuil :

— Dis-moi, c'est vrai que tu as travaillé au MGB ? Que tu es ce fameux colonel Khvatkine ?

Je ne me vante jamais sans raison de mes activités passées, mais je n'en fais pas non plus un mystère. Bien que, depuis l'époque trouble de Khrouchtchev, il convienne de se montrer prudent : beaucoup d'amitiés nouées dans l'allégresse se tarissaient aussitôt que je faisais mention de ma carrière passée de combattant.

La réaction d'Igor n'était pas imprévisible, parce que moi j'avais bien connu son père et son frère. J'espérais simplement que, trop jeune, il n'eût pas entendu parler de moi et qu'il ne fît pas le lien entre moi et les souvenirs obscurs de l'époque de l'arrestation de son père et de la mort dramatique de son frère.

Malheureusement, ce n'est pas comme ça que les choses se déroulèrent. Il avait dû certainement se vanter des succès obtenus avec moi et il s'était trouvé dans son entourage des personnes qui avaient une longue et solide mémoire. Aussi, je répondis prudemment :

— Oui, après la guerre j'ai travaillé quelques années dans les organes. Mais je ne suis certainement pas ce fameux colonel Khvatkine, ce serait trop d'honneur…

Il avait le souffle coupé, les mots bouillonnaient sur le bout de sa langue, éclatant comme des bulles avant même qu'ils ne se forment, et de sa bouche parvenait un bourdonnement presque indistinct :

— Trop d'honneur ? Et mon père ? Et mon frère ? Tu es un assassin. Tu es un bourreau !

— Igor, crois-moi, c'est un malentendu ! Je ne connaissais pas ton nom avant de te rencontrer !

— Tu mens ! Tout le monde connaissait notre nom ! C'est pour ça que tu as arrêté mon père, parce que tout le monde le connaissait ! Tu étais l'adjoint de Rioumine. Tu étais le grouillot du bourreau Rioumine.

— Igor, tu dis des bêtises. J'étais inspecteur et Rioumine dirigeait un autre service, avant qu'il ne devienne vice-ministre. Il y avait de lui à moi une distance plus grande encore que celle qui te sépare du ministre de la Santé. Est-ce que tu es responsable des actes et des horreurs commis par ton ministre ?

— Qu'est-ce que le ministre vient faire là-dedans ? glapit soudain Igor. N'essaie pas de m'embrouiller ! Tu es le dernier de ta clique ignoble à avoir parlé avec mon frère ! Juste avant sa mort ! C'est toi, toi, ordure, qui l'as tué.

— Igor, je ne peux pas me mettre en colère contre toi, tu m'as sauvé la vie.

— Oui, oui, oui ! Que je sois maudit ! J'ai sauvé la vie à un geôlier et un assassin !

— Écoute, Igor, il y a une limite à tout. Tu n'es pas dans ton état normal, tu racontes n'importe quoi ! Si ce n'étaient nos relations…

— C'est vrai — si ce n'étaient nos relations ! Malheureusement, je ne peux pas te tuer, je ne sais pas faire ça. Mais tu t'es tué toi-même, tu as tué ton avenir, tu as bouffé ton enfant, tu as jeté ton avenir au fond du trou… Viendra le jour où de nouveau tu seras assis sur cette chaise à me supplier de te sauver la vie. Et je le ferai une fois encore, si je le peux. Pour que tu continues d'engloutir ton avenir, de bouffer ta laitance, jusqu'à ce que vous, les bourreaux, disparaissiez pour toujours de la surface de la terre… Mais tu n'oublieras jamais mon frère, ce gamin qui a payé de sa vie pour une minute de faiblesse. Tu entends, bourreau, de sa vie, sa propre vie ! Pas celle de quelqu'un d'autre.

Il éclata en sanglots, les infirmières accoururent

avec des gouttes et des cachets et l'emmenèrent non sans peine. Le même jour, je sortais de la clinique. Qui sait ? Il dit qu'il ne peut pas tuer, qu'il ne sait pas, mais il n'y a pas besoin de savoir, une bulle d'air dans le sang ou un peu de cyanure dans le remède, et salut la compagnie !

Non, la médecine est gratuite chez nous et je refuse de payer un tel prix. En plus, je prends le lit de quelqu'un d'autre, il faut savoir rentrer chez soi.

Pas chez Vera, chez moi. À cause de toutes ces mutations immunitaires, elle avait fini par me dégoûter, en particulier cette éternelle expression de son visage : « Rends-moi mon fils. » Je ne veux pas. Je ne veux pas ! Je ne le ferai pas ! Je ne peux plus vous supporter, vous tous ! Je lui téléphonai et dis :

— Ne me cherche plus. Je suis mort.

Et raccrochai.

J'appelai Zelenski et lui demandai de m'écouter attentivement :

— Tes accusations sont stupides au point que tu peux aisément t'en rendre compte toi-même. Écris un rapport aux organes compétents comme quoi tu as mis la main sur un ancien collaborateur de Rioumine et Beria, et demande une enquête sur ses activités criminelles. Et tu verras que je n'ai aucun rapport avec…

— Va te faire foutre ! cria-t-il avant de raccrocher.

J'étais persuadé que, même sans mes conseils, il écrirait une telle missive, tout comme je n'avais aucun doute sur le résultat : premièrement, le processus de déstalinisation, de débérianisation, de dékagébéisation était maintenant terminé, et deuxièmement, il n'y avait aucune trace écrite de l'affaire Zelenski.

Je ne m'étais pas occupé du professeur Zelenski,

je ne l'avais même jamais vu. J'avais eu une conversation avec son fils, Genia, étudiant en troisième année de médecine. C'était deux ou trois semaines avant la mort du Saint Patron, c'est-à-dire un mois avant que l'affaire des «blouses blanches» ne soit stoppée. La campagne populaire condamnant les exactions des médecins juifs et des traîtres russes achetés par l'or sioniste battait son plein. Nous fûmes sollicités par le directeur adjoint pour les affaires disciplinaires de la faculté de médecine : dans les murs de la faculté continuait d'étudier le fils d'un traître à la patrie, d'un assassin-empoisonneur, l'ex-professeur Zelenski, arrêté et confondu par les organes de la Sécurité d'État. Eh bien, au lieu de suivre la proposition du comité du Komsomol d'intervenir à la réunion publique et de condamner le crime de son père, la petite crapule avait refusé catégoriquement. Que fallait-il en faire, de cette petite vipère ?

Genia Zelenski fut convoqué à la Loubianka et Rioumine me le confia, je me demande bien pourquoi. Tu parles d'un oiseau ! Il était assis en face de moi, sur le bord de la chaise, et tremblait de peur. Il ne savait pas quoi faire avec ses mains et ne cessait de se recoiffer. C'était un beau garçon : il ressemblait à Essenine jeune, avec ses yeux bleus, sa masse de cheveux dorés, son nez droit et fin et ses lèvres tremblantes d'homme faible. Les étudiantes de la faculté de médecine devaient se pâmer au moindre de ses regards.

J'étais pressé et je n'avais pas le temps de jouer avec ce morveux.

— On m'a informé que vous approuviez chaleureusement et complètement l'activité criminelle de votre père ? demandai-je vivement.

— Pourquoi ? Je n'ai rien dit de tel...

— Vous êtes médecin ?

— Oui, je suis étudiant en médecine.

— Donc vous ne pouviez ignorer que, depuis plusieurs années, votre père, en pleine connaissance de cause, tuait les meilleurs hommes issus de notre peuple ?

— Qu'est-ce que vous dites, camarade colonel !

— Citoyen colonel, le corrigeai-je.

— Citoyen colonel, mon père est un vieux médecin, il a fait quatre guerres. Il a consacré toute sa vie à la médecine, à sauver et à soigner les gens. Depuis que je suis tout petit, il m'a inculqué l'idée qu'il n'y avait pas de profession plus grande et plus belle. Comment voudriez-vous...

Je me tus un moment et dis tristement :

— Je crois, Zelenski, que votre cas est très clair. La pomme ne tombe jamais loin du pommier. Je plains votre mère et votre petit frère... Il est encore tout petit, non ?

— Oui, Igor a cinq ans, c'est un enfant tardif, il est très faible.

— Voilà. Honnêtement, en vous interrogeant ainsi, j'ai enfreint mon devoir professionnel. Vous êtes adulte, votre place est dans la cellule voisine de celle de votre père. Si j'en juge par ce que j'ai entendu... Mais vous avez de la chance, car vous n'avez pas eu le temps de faire grand-chose encore et les organes de la Sécurité d'État se font un devoir non seulement de châtier les ennemis mais aussi d'éduquer ceux qui n'ont pas encore dépassé les bornes.

— Que voulez-vous de moi ? cria-t-il, et ses yeux se remplirent de larmes, qui brillèrent comme de l'émail.

— C'est là tout le problème : je ne veux rien *de* vous mais *pour* vous. La situation exigerait que je vous fasse boucler. Ce qui équivaudrait à la peine capitale pour votre père.

— Pourquoi ? demanda Genia, à bout de souffle, des sanglots dans la voix.

— Le tribunal prend en compte les preuves directes et indirectes. Le crime de votre père est avéré, c'est certain. Mais lorsque la Cour apprendra qu'il a élevé un digne successeur, c'est-à-dire son fils arrêté, ennemi convaincu du régime soviétique et continuateur futur de son activité d'empoisonneur, j'ai peur que son sort ne soit réglé définitivement.

— Mais je n'ai rien fait ! hurla Genia, soudain pris de panique.

— Ah, mon jeune ami ! Quelqu'un d'intelligent a dit que nous naissions tous prévenus et que seuls quelques-uns d'entre nous parvenaient à prouver leur innocence avant de mourir. Je vous conseille de réfléchir plutôt au rôle que vous pourriez jouer dans le destin de votre père. Sans oublier, bien sûr, qu'il faudra nourrir votre mère sans défense, ancienne femme de professeur, et le frérot, si petit et si faible… Quant à aider votre papa, il ne faut pas compter là-dessus, comme vous l'avez déjà compris.

Je le baratinai ainsi pendant quelque temps et le laissai partir en lui faisant promettre que, pour son bien personnel, celui de sa famille et de son père, il prendrait la parole à la réunion publique de la faculté pour dénoncer pleinement l'activité criminelle de son père.

Ce qu'il fit.

Après la réunion, il retourna chez lui et écrivit un mot : « Les traîtres ne doivent pas vivre parmi les hommes, ils les contaminent par leur lâcheté. Si vous le pouvez, pardonnez-moi, je vous aime tant, mes très chéris. Genia. » Et il se pendit dans sa chambre. Un mois après, le vieux sortait de prison.

L'ouïe me revint en premier. La voix aigre d'Igor me parvint comme au travers de boules de coton :

— ... si c'est toi qui as raison et que la vie est un jeu, alors tu n'as pas à t'en faire. Chaque jeu a ses règles et ses arbitres. Le destin t'a montré le carton jaune. Si tu ne trouves pas un thymus, l'arbitre sortira bientôt le carton rouge et bon vent !

Puis je recouvrai la vue. Je distinguai devant moi sa trogne si détestée, qui restait bien nette maintenant, sans se dédoubler. Il me rappelait quelqu'un, mais mon cerveau était envahi par un épais brouillard et je n'arrivais pas à me souvenir : qui ça ? Je n'avais pas la force de me concentrer, de secouer la mémoire, lourde et flasque, alors que j'étais sûr d'avoir vu ce visage il n'y a pas si longtemps, peut-être hier ou avant-hier. Si je l'avais rencontré il y a trente ans, par exemple dans la salle d'attente de Koboulov, je m'en souviendrais aussitôt, car les souvenirs des temps lointains et des événements étaient très nets dans ma mémoire. Mais ce sosie d'Igor Zelenski, je l'avais vu hier, alors, rien à faire...

Je secouai la tête, remuai les lèvres et me rendis compte que je pouvais de nouveau parler. Je lui dis :

— C'est bête et injuste. Tu te venges pour ce temps que nous avons traversé.

— Le temps ? répéta Igor d'une voix traînante. Le temps sans les hommes, c'est tout simplement le vide. C'est toi et ta clique qui avez transformé le temps en une immense plaie sanguinolente. C'est vous qui avez mutilé tout un peuple, vous l'avez complètement brisé !

— On ne peut pas mutiler tout un peuple sans son assentiment ! Le peuple était d'accord. On ne peut pas le briser aussi facilement, répondis-je avec un geste de dépit.

— Que tu dis! (Il me saisit par l'épaule et m'entraîna derrière lui.) Viens, je vais te montrer ce que vous avez fait des gens.

Je marchai derrière lui dans le couloir, sans résister, alors que ses raisonnements ne m'intéressaient pas; lui, ce petit savant idiot, ne pouvait se douter, ni même imaginer dans ses pires cauchemars, tout ce que je savais sur la manipulation de peuples entiers.

Mais ici, c'était lui, le maître de la situation. Aussi je le suivis sagement au vivarium. La puanteur, les taches de lumière glaciale, la répugnante agitation des rats à queue rouge dans les éventaires-enclos en verre.

— Vous avez modifié la mémoire. Voici trois groupes de rats. On a mis les premiers dans une boîte noire avec un sol métallique et on a envoyé des décharges électriques: dans leur esprit, l'obscurité dans la boîte est restée pour toujours liée à la peur et à la douleur. Lorsqu'on a mis les enfants de ces rats dans la boîte noire sans passer d'électricité, ça les a rendus fous, comme leurs parents. Dans leur cerveau, une modification fonctionnelle de la mémoire s'est opérée sous l'action d'une substance, appelée peptide, élaborée par l'organisme effrayé des parents. Voilà un autre groupe de rats, qui n'ont rien à voir avec les premiers, auxquels on a injecté des peptides de deuxième génération, et ils réagissent à la boîte noire exactement comme ceux qui avaient souffert dedans. Tu comprends? Vous avez élaboré le gène héréditaire de la peur, qui paralyse les gens sans souffrance ni violence.

Bogdan Zakharovitch Koboulov, soufflant comme un bœuf il avait dû venir au ministère tout de suite après un copieux repas —, me dit :

— Non, je ne peux pas répondre favorablement à ta demande. Je ne peux pas te prendre chez moi. Tu n'imagines pas la situation. Il va y avoir un charivari comme jamais ! On va foutre une telle trempe aux ennemis qu'ils s'en souviendront pendant cent ans.

Son énorme ventre reposait dans une niche, spécialement découpée dans le plateau verni du bureau, comme un œuf dans un écrin, et je me disais que le jour où cet œuf éclaterait, il en sortirait sûrement un dinosaure.

— L'affaire des médecins, initiée sans passer par Lavrenti Pavlovitch et moi-même, est montée directement chez Iossif Vissarionovitch. Staline a confié la direction de cette affaire à Kroutovanov et je ne veux pas me mêler de tout ça... Que les choses aillent leur cours. Sergueï Pavlovitch est un homme intelligent mais encore jeune. Qui vivra verra.

Koboulov portait une chemise de soie crème, les manches retroussées, laissant voir sur ses coudes de gros durillons fendillés comme de la terre séchée.

— Mais je te félicite d'être venu me voir de toi-même. Bravo, un homme d'affaires ne place jamais son capital dans une seule entreprise.

— Camarade colonel-général, c'est pour des raisons..., commençai-je.

— Patriotiques. Je les comprends, tes raisons, interrompit Koboulov avec un geste de mépris. Et je t'en félicite. Ce n'est ni notre premier ni, j'espère, notre dernier jour sur terre. Fais-toi tout petit avec cet âne de Rioumine, il me faut des informations de première main.

Je quittai Koboulov et me rendis chez Minka.

J'étais rongé par la haine du monde entier et le dépit grandissant devant ma propre faiblesse. Le spectacle «L'affaire des blouses blanches» que j'avais mis au point échappait à son auteur et se déroulait indépendamment de sa volonté. Et pas à mon avantage. J'avais poussé la première pierre de l'avalanche et seul Dieu savait où elle finirait.

Il semblait évident, également, qu'on allait bientôt changer l'équipe dans la chambre des machines, et qu'elle serait envoyée au feu avec le combustible. Des quatre coins de Moscou on amenait du carburant pour faire avancer notre vaste vaisseau. Aucun homme au monde ne pouvait savoir combien de temps durerait le prochain quart. Parce que ce n'était pas une mince affaire que de foutre une telle trempe que tout le monde s'en souviendrait pendant cent ans. Le seul vrai problème qui se posait à moi était de trouver la trappe pour sortir de la salle des machines. Ma visite à Koboulov avait été une tentative pour trouver cette trappe. Mais Koboulov m'avait repoussé du pied en bas de l'escalier : «Tu n'as pas le droit d'abandonner ton quart...»

D'accord, allons chez Rioumine.

Trefniak se leva à mon arrivée :

— Mikhaïl Kouzmitch vous attend.

Mikhaïl Kouzmitch ne m'attendait pas tout seul : il était en train d'interroger un juif en uniforme de général. Il fut si content de me voir qu'il n'eut même pas l'idée de me demander où j'avais traîné.

— Entrez, camarade lieutenant-colonel, m'accueillit-il aimablement. Voilà, je vous présente quelqu'un qui affirme être l'académicien Vovsi. Mais l'académicien que *vovsi* n'est sûrement pas un académicien, c'est une sale gueule de youpin, un traître et un assassin...

Et il s'esclaffa, ravi de son calembour.

J'eus l'impression que l'académicien observait Minka avec beaucoup d'intérêt. Seule la pâleur un peu bleuâtre de son visage trahissait son trouble. D'une voix basse et légèrement tremblante, il dit :

— Vous n'avez pas le droit de me parler sur ce ton. Vous êtes un fonctionnaire, peut-être même un bolchevik.

— Et toi, juifaillon, tu es toi aussi un bolchevik, peut-être ? demanda Minka sarcastique.

— Oui, je suis membre du Parti depuis 1918. Et je vous rappelle que je suis le thérapeute en chef de l'Armée rouge, médecin-général-major, et que je me suis battu pendant toute la guerre.

— Et tu as des décorations ? demanda Minka malicieux.

— J'ai obtenu vingt-deux décorations du gouvernement.

— Vingt-deux médailles « Ne laisse pas les nazis envahir ton Asie » !

Et il éclata de rire, content d'avoir confondu le brave combattant juif, sûrement planqué à Achkhabad pendant toute la guerre.

— Écoute, toi, vaillant petit tailleur, schmoutz de malheur, j'ai une question, commença Minka après avoir ri tout son soûl. Raconte-moi ce que toi et tes semblables comptiez faire après avoir tué le camarade Staline ?

— Je considère cette question comme une provocation politique et refuse d'y répondre, dit Vovsi, toujours à voix basse.

Mais Minka commençait à ressentir les effets narcotiques de l'odeur salée du sang à venir ; il se leva de son bureau et se dirigea lentement vers l'académicien recroquevillé sur sa chaise. D'une main il tenait le manche de son admirable knout et enroulait sans hâte la lanière de cuir autour de l'autre.

Seul le sifflement strident du vide de Torricelli vivait à l'intérieur de son crâne.

— Un instant, camarade colonel, dis-je. J'aimerais poser une question au détenu.

— Vas-y, pose, acquiesça Minka. Et s'il ne veut pas répondre, cogne-lui sur la gueule, que je l'entende gémir du cul !

— Dites-moi, s'il vous plaît : connaissez-vous le nom du nationaliste bourgeois, du traître à la patrie et espion sioniste Solomon Mikhoels ?

— Oui, répondit Vovsi en hochant faiblement la tête.

— Quel rapport avez-vous avec lui, si vous me permettez cette curiosité ?

— C'est mon frère[1].

Débordant de joie, Minka ne le frappa même pas mais se contenta de lui titiller les côtes avec son knout.

— Vous n'êtes pas sans savoir, Miron Semionytch, que nous avons été obligés de nous montrer sévères à son égard ?

Recroquevillé de douleur, la peur l'envahissant peu à peu, Vovsi dit presque en chuchotant :

— Je sais : vous l'avez tué. À Minsk. Vous l'avez frappé à la tête avec une barre de fer.

— Sans entrer dans ces détails, dont je ne suis pas informé, je crois que nous avons la même analyse de la situation. Voilà pourquoi j'en appelle à votre bon sens : pour réduire les pertes au minimum, je vous demande de faire tous les efforts possibles pour aider l'instruction.

— Que voulez-vous de moi ?

1. Relâché après la mort de Staline, Miron Vovsi était le cousin de Mikhoels, mais, en russe, «cousin» se dit (à peu près) «frère collatéral».

Je lui tendis la liste des médecins qui aujourd'hui même allaient remplir les prisons.

— Je voudrais que vous racontiez sincèrement et en détail comment, de concert avec ces personnes, vous avez projeté, préparé et commencé à mettre en œuvre le complot destiné à tuer le camarade Staline et ses collaborateurs.

Vovsi prit la liste, la lut attentivement jusqu'au bout, puis la relut avant de la reposer en soupirant sur la table.

— Vous avez là toute la fine fleur de la pensée médicale, dit-il tristement. Le sommet de notre science.

— Et c'est tant mieux, hurla Minka. Une belle compagnie. Quand un youpin crève, les autres crèvent avec lui !

Vovsi le regarda droit dans les yeux et dit :

— Je ne doute plus maintenant qu'il y ait un complot contre la vie de Iossif Vissarionovitch. Et ce complot a été mûri ici même. Je déclare, en tant que médecin : Staline est un homme vieux et malade, et si tous les gens qui sont sur cette liste venaient à disparaître, il serait pour toujours privé d'une aide médicale qualifiée et mourrait rapidement, sans surveillance et soins appropriés. C'est vous qui projetez de l'assassiner !

Le knout claqua et les lanières cinglèrent le dos de Vovsi. En étouffant un sanglot, il cria d'une voix de fausset :

— Ne me frappez pas ! Tant pis... je signerai tout ce que vous voudrez.

Il se cacha le visage dans les mains et dit d'une voix à peine audible :

— Le monde s'écroule ! On ne peut plus sauver personne ! Et on ne peut pas les détruire davantage...

Toute la nuit, on embarqua sur notre bateau les gens qui figuraient sur la liste établie par Minka. Le lendemain également, du matin jusqu'au soir. Et le surlendemain. Toute la semaine. Et même les mois suivants, car la liste grossissait, gonflait assidûment, elle couvrait maintenant des dizaines de pages : les détenus pouvaient se taire ou hurler de douleur et d'effroi, tenir des semaines ou raconter dans la voiture ce qu'on ne leur demandait pas, ils finissaient tous par donner de nouveaux noms et l'épidémie de terreur, partie de l'immeuble du MGB, se rua dans ce monde pâle et effrayé, qui nous regardait, pétrifié, et finit par envahir tout le pays.

— Vous avez élaboré le gène héréditaire de la peur ! criait Igor Zelenski.

Le fou ! Peut-être avait-il raison mais ça ne voulait pas dire qu'on devait obligatoirement me châtier sévèrement.

Aujourd'hui, celui qui n'est pas aveugle sait très bien que le temps a simplement mis au grand jour une idée éternelle : la vie n'est pas le champ d'action d'individus isolés, la vie est un jeu, un théâtre éternel, et chaque homme y joue le rôle qui lui a été attribué. Un rôle. Un masque. Une pièce écrite pour lui.

— Et c'est tout ce que tu as à me dire ? demandai-je à Igor.

— Et que veux-tu que je dise de plus ? Nous avons conclu un accord et j'en respecterai toutes les clauses, avec dégoût et espoir. Je te sauverai en détruisant ta semence sur la terre.

Il se pencha vers moi et siffla tout près de mon oreille :

— J'espère enfouir ton avenir en toi-même.

À ce moment-là, le souvenir revint, comme une brûlure soudaine, comme un éveil définitif, et la douleur de combattre la mémoire fatiguée se mua en terreur.

Je compris que j'étais tombé dans le piège que j'avais tendu. Je me souvins de ce visage qui m'inspirait tant de souffrance, de peur et de dégoût.

C'était le Machiniste qui me regardait dans les yeux avec un sourire de haine.

19

La maison des orphelins
Skouratov

Je m'éveillai. Je rampai hors de la tanière obscure du sommeil dans le monde noyé de crasse du crépuscule bleu nuit de mars. Je n'eus ni rêves ni repos, je n'eus même pas à respirer : je n'étais pas là, je ne vivais plus. Non, seul un jeune crétin en bonne santé peut croire que le monde est une réalité objective qui ne dépend pas de notre conscience. Quand un homme est malade et impuissant, il roule aux pieds de cette vérité idéaliste et antiscientifique : le monde meurt quand on perd connaissance.

Et s'il ne meurt pas, qu'est-ce qu'on peut bien en avoir à foutre, de ce monde plongé dans la crasse et la boue printanière ? Non, c'est qu'il doit mourir. En tout cas, je l'espère. Il faut bien que ce bordel innommable qu'on appelle la vie ait un sens. Et la vie après moi, sans moi, quel sens peut-elle bien avoir ? Ce n'est quand même pas pour Mangouste que le monde fut créé ! Ni pour Marina !

Elle est là, la compagne de ma vie, assise dans le fauteuil près de mon lit, qui me regarde avec ses yeux tendres et haineux, injectés de sang. Avec une écharpe qui lui barre la moitié de la gueule. Espère-t-elle que je ne la reconnaîtrai pas ? Mon Dieu, que j'ai mal à la tête !

620

Et si c'était Marina qui me portait la poisse ? Et qui aurait profité de mon sommeil pour me jeter des sorts, m'embrouiller la cervelle et faire pousser le petit haricot dans ma poitrine à coups d'incantations. Hein ? Mon petit oiseau bleu des îles, sorcière et chamane ?

Je fixai ses yeux roses de lapin et crachai. Tu n'as pas les reins assez solides, ma veuve chérie, l'épouse de mes biens terrestres ! Tu n'as pas le cran, ma petite plante capricieuse et sans âme. Pour être une sorcière, il faut posséder une force secrète. L'énergie de l'inconnu. Rimma, elle, la possédait, cette force. Magicienne malgré elle, elle m'avait fait subir toutes sortes de sorcelleries, d'incantations, de tentations. Sinon, comment expliquer ce pouvoir qu'elle avait sur moi ?

— Qu'est-ce que tu regardes ? demandai-je à Marina, et ma voix était rauque et calme ; je n'avais pas la force de me disputer.

— Je regarde et je me demande comment de telles ordures peuvent venir au monde, répondit ma douce et lumineuse.

— Lis *La Gynécologie* de Schtekel, marmonnai-je, bon enfant. Si tu ne comprends pas le texte, tu peux au moins regarder les images.

— Salaud ! Crapule immonde ! Rat crevé !

Elle avait redémarré. Et allez, et allez, toute cette haine... Oh, comme ça cogne dans ma tête !

Pendant que Marina prenait sa respiration pour la prochaine série de hurlements, j'eus le temps de demander :

— Pourquoi tu te caches la figure ?

Elle se figea un instant, comme si elle avait trébuché, et répondit, avec une grimace de souffrance :

— J'ai une inflammation de la mâchoire. L'articulation...

Et se remit de plus belle à cracher ses saloperies.

— Dommage que tu n'aies pas une articulation dans la langue, dis-je avec compassion.

Je veux bien admettre que cette femelle gerbante est mon épouse du point de vue historique, mais ma veuve — jamais. Jamais !

Je vais te priver de ce plaisir, je ne te donnerai pas l'occasion d'éprouver cette tristesse qui peut rapporter gros. Ma petite veuve chérie tant aimée, tu es le mécanisme inappréciable de régulation des charges hormonales !

Je crois que ton mari prévenant, en route pour le néant, a trahi les idées sacrées du matérialisme et se noie dans le marais puant de l'idéalisme. Ma petite fleur morveuse, je sais que c'est réactionnaire et antiscientifique, mais je récuse l'existence du monde matériel quand il n'est pas perçu par ma conscience. Et en tombant dans le marécage blafard de ce solipsisme bidon, je suis tenté de croire — et je te le prouverai empiriquement, fille de pute — que le fondement de toute existence est une idée absolue, l'esprit universel, qui a pour nom Satan.

Et en tant qu'idéaliste, c'est-à-dire adepte de cette philosophie, rêveur élevé et désintéressé, j'ai le rang du nonce extraordinaire et plénipotentiaire de cet esprit universel. Ce qui veut dire, traduit dans notre dialecte : inspecteur principal chargé des affaires spéciales. De réserve. Lui — mon Bailleur — n'a pas créé ce pauvre monde pour que je meure en vous laissant tous orphelins. Seuls sans moi. Si l'affaire tourne au vinaigre, je vais vous organiser un de ces Armagédon, et toi, Marina, tu seras la première à assister à la fin du monde ! Tu n'auras pas le temps de cligner de l'œil que tu seras déjà passée d'un monde à un autre !

Elle continuait de gueuler, je l'observais, les yeux

mi-clos, me disant que ce qui lui conviendrait le mieux, ce serait encore l'étranglement. Lui coller une balle dans la tête, un coup de couteau dans le ventre ou l'écraser, ce n'est pas intéressant. Dans ce genre de mort, il n'y a pas cette poésie du combat de la chair vivante contre le vide qui vous écrase. Un coup de couteau dans la carotide, et *hop!* plus personne, extinction des feux. On se prive du spectacle des yeux exorbités, jetant un dernier regard à ce monde à la fois répugnant et séduisant qui disparaît. La langue mauve pendante témoigne encore de la rage sardonique avec laquelle l'étranglé se moquait de vous. Les petites rigoles des larmes...

C'est avec ce genre de larmes que le général Chkouro avait mouillé le devant de ma vareuse. Nous devions les pendre au portail du garage, dans la cour intérieure de la prison Lefortovo. Ils étaient cinq, comme dans un célèbre film français. Seulement, les Français étaient de simples soldats, alors que les nôtres, que des généraux. Parmi eux, le général Vlassov[1].

Vlassov lui-même: un Judas qui avait trahi le Saint Patron. Oncle Jo avait confiance en lui, au début de la guerre — il lui avait même envoyé son fils Iakov pour servir sous ses ordres! Mais Vlassov avait davantage de goût pour la petite moustache de

1. Né en 1900. Commandant de l'Armée rouge pendant la guerre civile, général d'armée au début de la guerre de 1941. Capturé par les Allemands, il accepte de présider un Comité de libération des peuples de Russie et forme l'Armée de libération russe, forte de quelque 800 000 hommes. Son but était d'établir la démocratie en Russie. En 1945, il se rallie aux Américains avec sa division et les aide à libérer Prague. Fait prisonnier par l'Armée rouge, il est pendu en 1946.

Hitler que pour la brosse rouquine de notre moustachu à nous. Il changea de camp, la salope, et tourna les baïonnettes contre son Bienfaiteur, avant de créer l'Armée de libération russe et de livrer le petit Iacha, à moitié juif, à ses patrons nazis. Et le gamin mourut dans un camp de concentration, assassiné par les monstres de la Gestapo. Auparavant, bien sûr, Adolf Aloïsovitch Schiklgruber, avec son vulgaire sentimentalisme aryen, avait essayé d'appâter le Patron : «Je comprends l'inquiétude que vous éprouvez pour le destin de votre fils aîné, c'est la guerre après tout, faisons un échange de prisonniers. Moi, je vous rends votre Iakov Iossifovitch, votre fiston adoré, et vous, mon général feld-maréchal von Paulus, qui a fait dans sa culotte à Stalingrad. En quelque sorte, faisons un *change*, un *Tausch*, comme on dit chez nous, ou un échange, comme on dit chez vous…»

Seulement, cette ordure fasciste n'avait pas compris que nous, les Soviétiques, nous avions notre fierté et que nous regardions les prisonniers de haut. Les nôtres, bien sûr. Fils ou pas fils, on s'en fout. D'ailleurs, pour un fils, Iakov s'était révélé de qualité assez douteuse et n'avait pas respecté le commandement de papa : le prisonnier soviétique doit toujours préférer la mort à la captivité. Que tu sois désarmé, blessé ou encerclé ne change rien à l'affaire. Si tu tiens au respect de ton pater, si le nom du Saint Patron est sacré pour toi, étrangle-toi avec tes propres mains, mais te rendre, jamais de la vie! Et celui-là n'avait eu aucun respect pour les cheveux blancs de son père : il ne s'était pas tiré une balle dans la tête, il ne s'était pas étranglé, il n'avait pas disparu sans laisser de traces.

Et le Patron avait répondu majestueusement à la proposition immonde de l'ogre germanique :

«Je n'échange pas un feld-maréchal contre un soldat...»

Je pense que c'est à cette occasion que l'ogre Adolf prit peur pour la première fois : il avait aperçu cet Esprit Universel, cette idée satanique absolue, matérialisée sous la forme du Père des Peuples. Il prit peur, préféra laisser tomber et ordonna d'achever Iacha.

Deux ans plus tard, nous réussîmes à nous emparer de Vlassov. En Tchécoslovaquie, à la fin de la guerre. Il fut condamné à la pendaison, en compagnie de ses sbires, recrutés au temps de la guerre civile, l'ataman[1] Krasnov et le général Chkouro. Ce fut un bordel monstre parce que Lavrenti nous avait annoncé que, sans doute, le Saint Patron lui-même viendrait assister à l'exécution. On le comprenait volontiers. Qui n'a pas envie de voir son opposant agiter ses gambettes ?

Mais ce ne fut qu'une rumeur sans fondement : soit le Patron n'avait plus envie, soit il n'avait pas pu, soit Lavr avait tout bonnement menti. Lavrenti aimait bien parler au nom de notre chef. Quoi qu'il en soit, le Patron n'assista pas à l'exécution et la fête du juste châtiment fut à moitié gâchée. Ce fut le ministre Viktor Semionovitch Abakoumov qui fut l'hôte d'honneur de notre cérémonie, une apparition en soi assez inattendue. Mais, après tant de commentaires sur la venue probable du Patron, et sur cette sagesse populaire qu'il ne manquerait pas de répéter à Vlassov, selon laquelle le pendu était au moins sûr de ne pas se faire tuer par la foudre, nous étions tous un peu déçus.

Fallait-il déranger pour si peu des aigles comme Kovchouk et moi ?

1. Chef cosaque.

Eh oui! Déjà à l'époque, nous travaillions côte à côte, Semyon et moi.

Plus exactement, c'est lui qui travaillait pendant que je me frottais aux chefs de moyenne portée en racontant des blagues. On avait installé un camion ZIS-5 dans l'entrée du garage, avec les bords de la benne abaissés, et Semion Kovchouk criait au chauffeur:

— Pourquoi tu as mis la voiture au milieu de la cour, tête de bois? Quand je te le dirai, tu vas mettre les gaz et ils vont se mettre à courir dans la benne! C'est pas un stade! Recule, recule encore, voilà, il faut que la benne dépasse du portail d'un demi-mètre. Là, juste sous la corde…

Cinq cordes blanches avec un nœud coulant étaient accrochées à la poutre transversale. Kovchouk les avait tressées lui-même avec de la ficelle à linge, doublée, savonnée au «Pavot rouge» on n'avait pas trouvé de savon plus convenable dans toute la prison et il avait fallu dépareiller un assortiment de parfumerie.

Et maintenant, Kovchouk était debout sur le camion-échafaud et calculait la longueur de la corde. Il se passa le nœud coulant autour du cou et, de la main droite, tendait et relâchait le bout de la corde passé au-dessus de la poutre. Il avait le visage préoccupé de l'artisan exécutant un travail compliqué.

— Sioma, essaie la corde toi-même, qu'on voie si ça va! criai-je à son intention, et toute la compagnie éclata de rire.

Kovchouk leva sur moi un regard pesant et laissa tomber tranquillement:

— Pas besoin d'essayer. Quand je fais quelque chose, c'est du sûr.

L'hilarité générale cessa aussitôt. Tout le monde avait pensé la même chose: il suffisait d'un mouvement de sourcils d'Abakoumov pour que Kovchouk passe la corde au cou de n'importe lequel d'entre nous. Et il le ferait, sans avoir à éprouver la corde.

Kovchouk sourit, se radoucit et expliqua à l'intention des feignasses et des incapables que nous étions :

— Il faut de la précision... On boucane pas des oies, faut pas les accrocher trop haut, sinon on verra même pas les visages. Trop bas, c'est pas bien non plus. Ils vont gratter la terre. Un pendu, ça grandit d'au moins trente centimètres.

Enfin, il réussit à harmoniser les conditions techniques et ses propres conceptions esthétiques du spectacle futur, jeta une fois encore les extrémités libres de la corde par-dessus la poutre et fit un savant nœud marin.

— C'est prêt ! annonça-t-il. Je vous en prie, messieurs...

Abakoumov, visiblement éméché et lugubre, fit son apparition, suivi du procureur Roudenko. La petite cour intérieure se remplit très rapidement de la foule de généraux et de quelques civils gonflés d'importance. Des individus en civil, plus exactement, parce que les vrais civils n'avaient rien à faire ici.

On alla d'abord chercher l'ataman Krasnov à l'« accumulateur » de la prison, en costume bleu fripé, les mains liées dans le dos par un morceau de ficelle. Je fus frappé de voir à quel point il était vieux : il devait avoir dans les quatre-vingts ans. Un petit vieux puant au nez rouge tout tremblotant. À mon avis, il ne comprenait pas pourquoi on l'avait emmené ici et, l'air effrayé, remuait sans cesse sa tête blanche et pelée de jars repu.

La porte claqua et, aveuglé par la lumière, le général Chkouro entra dans la cour, entouré de gardes.

En bottes cavalières, en pantalon cosaque bouffant à galons, en vareuse avec les épaulettes arrachées, il traversa la cour d'un pas assuré, sans y être invité, et s'arrêta près de la benne ouverte du camion. Il avait une démarche de bandit, les jambes torses, bien accrochées au sol.

Il ne pouvait pas serrer la main de Krasnov, aussi le poussa-t-il légèrement de l'épaule et lui fit-il un sourire de loup :

— Salut, Piotr Nikolaïtch !

— Andreï Grigoritch, mon petit, mais que se passe-t-il ? On nous avait promis…

— Laisse tomber ! dit brutalement Chkouro en secouant sa tête coiffée en brosse. C'est la fin, Piotr Nikolaïtch.

Kovchouk avança vers eux pour faire cesser la conversation, mais Abakoumov lui fit un signe imperceptible — laissons-les bavasser un peu. Je crois qu'il était lui-même curieux de les observer. À quoi pouvait penser cet homme lugubre et si puissant ? Il ne pouvait pas savoir qu'il lui restait seulement sept ans à vivre…

Chkouro regarda autour de lui et, après avoir arrêté son choix sur Abakoumov, lui dit d'une voix rauque :

— Hé toi, l'antéchrist ! Détache-moi les mains. Un orthodoxe doit se signer avant de mourir.

Abakoumov sourit d'un air moqueur :

— Je n'ai pas besoin de croix pour t'absoudre… En tant que supérieur hiérarchique.

Chkouro dit, après l'avoir observé un moment :

— C'est au combat que je suis devenu général, et toi, canaille, entre les quatre murs de la prison.

Abakoumov devint tout rouge, s'approcha tout près de Chkouro, pointa son index sur son visage et cracha :

— Gé-né-ral ! Tu es une merde, pas un général !
Un cosaque évadé ! De la bouse de vache ! Un général ne fait pas de la voltige dans un cirque de Paris !

Et toc, le ministre avait mouché le général : c'est
vrai que Chkouro avait galopé dans le manège, en
costume tcherkesse rouge aux épaulettes dorées,
amusant le public bourgeois repu avec ses trucs de
cavalier incroyables. L'ancien commandant de la
Division sauvage ! Et aujourd'hui encore, il ne voulait pas comprendre qu'Abakoumov était son supérieur non seulement par son grade mais aussi par
toute la hiérarchie, puisque notre ministre était à la
tête de toute l'Armée sauvage, et pas seulement de
la division. Le front sauvage. La légion la plus sauvage qui ait existé de par le monde.

Krasnov pleurait, petit vieux impuissant, et geignait doucement à l'intention de Chkouro :

— Ce n'est pas la peine, Andreï Grigorievitch...
Ce n'est pas la peine...

— Lâche-moi le jambon, Piotr Nikolaïtch, dit
Chkouro avec un mouvement d'humeur. Je n'en ai
rien à foutre ! On ne va pas nous pendre deux fois.

— Ah non ? s'étonna Abakoumov, et il fit un
geste à Kovchouk.

Celui-ci lui répondit par un hochement de tête, ce
qui était tout à fait contraire au règlement, mais les
solistes ont toujours droit à quelques dérogations. Il
approcha un tabouret du camion, monta dessus en
soufflant, puis leva sa jambe épaisse et, une fois
dans la benne, il chercha des yeux dans la guirlande
de cordes celle qui lui semblait la plus sympathique
avant de fixer son choix sur celle du bout de la rangée, à gauche. Lentement et posément, il défit le
nœud marin sur l'extrémité jetée par-dessus la
poutre, laissa filer un mètre de plus, et resserra le
nœud.

Le regard figé, Chkouro observait les manœuvres de Kovchouk. Il commençait à comprendre que le commandant de l'Armée sauvage pouvait pendre le commandant de la Division sauvage deux fois, trois fois, autant de fois qu'il le voudrait. Mais Chkouro ne put dire quoi que ce soit car à ce moment-là les gardes amenèrent Vlassov et ses sbires. L'un d'eux s'appelait Jilenkov, je crois, et le deuxième — je ne me souviens plus. Il me semble que c'était Troukhine. Ou Troukhanov. Ils servaient tous les deux dans l'armée de Vlassov, quand il était encore commandant soviétique. Jilenkov, ancien secrétaire du comité régional du Parti, était commissaire, et Troukhine, chef des Services spéciaux. Ou Troukhanov. Et ces trois fils de putes de vendus étaient passés chez Hitler. Je crois bien que c'était Troukhine.

Bien sûr, la figure principale était Vlassov, notre cher Andreï Andreïtch. Un ennemi personnel du Saint Patron ! Ses sbires n'intéressaient personne et les anciens membres de l'Armée blanche s'étaient retrouvés tout à fait par hasard dans cette compagnie.

Mais le Patron ne vint pas assister à l'exécution et, comme l'arrogance de Chkouro avait provoqué la colère d'Abakoumov, toute l'attention de l'assistance était maintenant concentrée sur le général-écuyer.

Vlassov avait l'air passablement étriqué et pas très imposant : une tunique stalinienne à col rabattu, une culotte large, ses jambes maigres flottant dans les bottes. Quelques boucles de rares cheveux lui faisaient comme des cornes sur sa tête carrée, il portait des lunettes à grosse monture d'écaille sur le nez. Son visage était secoué de tremblements, il était à demi mort. Dès qu'il aperçut le gibet, Jilenkov tomba à genoux sur l'asphalte poussiéreux et se mit à se lamenter comme une vieille femme. Chkouro lui donnait des coups de pied légers dans les côtes et marmonnait haineusement :

— Lève-toi... Lève-toi... Saleté...

Le procureur, en avalant les finales, lut prompte-ment le rejet du recours en grâce, l'assistance se figea et les condamnés furent hissés, d'abord sur le tabouret, puis dans le camion. Kovchouk les accueil-lait et les plaçait selon ses convictions artistiques. L'ataman Krasnov, trop vieux, et Jilenkov, tétanisé de peur, n'arrivaient pas à monter dans la benne et il avait fallu les y hisser. Les gardes assistaient le metteur en scène Kovchouk dans sa scénographie intitulée « Le juste châtiment des traîtres à la patrie ». À gauche, Chkouro puis Krasnov, au centre, Vlassov puis Jilenkov, et au bout, à droite, Troukhine. Les hurlements hystériques de Jilenkov, la respiration furieuse de Chkouro, les sanglots de Krasnov, les hoquets de Vlassov, la stupeur muette de Troukhine, les jurons des gardes, le pas lourd de Kovchouk.

Troukhine agitait la tête et repoussait la corde. Jilenkov fit sous lui, Vlassov cria d'une voix de faus-set à l'adresse de Semion, qui lui avait enlevé ses lunettes :

— Per-mettez !

— Tu n'en as plus besoin, va, dit Kovchouk, et il rangea les lunettes dans sa poche.

Abakoumov lui fit un signe de la main, Semion s'approcha de la cabine et tapa sur le toit métal-lique :

— Vas-y, démarre !

Le starter hurla, le moteur vrombit, nous envoyant dans la gueule une giclée de gaz, le camion vibra, l'embrayage grinça.

Les condamnés étaient en rangs serrés au bord de la benne, comme des coureurs attendant le signal pour se jeter dans la course longue d'un seul pas qui les séparait de la ligne d'arrivée — le néant.

Les gardes sautèrent du camion pour ne pas gêner le photographe et gâcher l'admirable composition de Kovchouk par leurs gueules d'écervelés. Lui-même s'accroupit derrière Vlassov. Les flashes crépitaient sans relâche.

Le camion démarra lentement, les condamnés se tortillèrent un court instant au-dessus de l'abîme, profond d'un mètre cinquante, tendant le cou comme s'ils voulaient se transformer en girafes, et, au moment ultime où la corde savonnée commença à serrer leur cou, Chkouro, dont la laisse était plus longue, cria à Abakoumov :

— Rappelle-toi ! Tu crèveras de la même façon !

Et ils tombèrent d'un seul coup, dansant et s'agitant au bout de la corde blanche tendue à l'extrême, préparée avec tant de soin par Kovchouk lui-même.

Chkouro, musclé et noueux, touchait presque le sol. À peine, deux ou trois centimètres, de quoi cogner du talon pour desserrer légèrement la corde, qui de nouveau, en se tendant, l'envoyait dans l'au-delà. Les yeux exorbités, injectés de sang, la moustache hérissée, le visage cyanosé, la langue pendante, comme un morceau de viande mordu et remordu. Et des larmes coulant inlassablement.

Je ne sais pas combien de temps il s'agita ainsi au bout de sa corde, cinq secondes ou cinq minutes. Le temps n'existait plus et nous étions tétanisés. Le monde n'avait jamais vu un spectacle de marionnettes aussi passionnant. Ce n'étaient pas des marionnettes qui s'agitaient ainsi au bout de leurs cordes, mais des généraux, et le spectacle dura une éternité, jusqu'à ce que le marionnettiste en chef me donne une tape dans le dos : achève-les !

Chkouro était encore vivant. Une souffrance

insoutenable, inconnue jusqu'ici, se lisait dans ses yeux de fou, mais je voyais qu'il était conscient et, en me donnant cette tape dans le dos, Abakoumov avait fait preuve d'une immense miséricorde à son égard.

Je fis un pas en avant, attrapai Chkouro par les épaules et son visage, noyé de larmes, se pencha sur ma poitrine. Ce vieux petit enfant assassin se serrait contre moi, il avait compris inconsciemment que c'est dans mes bras qu'il trouverait le repos. Je tirai brutalement le corps exténué et tendu de Chkouro et, dans le silence de mort, on entendit craquer les os de son cou.

Je repoussai la marionnette ballante du voltigeur étranglé et me rendis compte que ma vareuse était trempée par ses larmes.

Avec son doigt plié en deux, Abakoumov frappa sur mon dos, comme s'il s'était agi d'une porte, et je revins à moi :

— Allez, demain tu pars pour Berlin.

— Pourquoi Berlin ? demanda Marina, affolée. Moi ? Pourquoi Berlin ?

Je secouai la tête et la douleur qui me vrilla le cerveau me remit définitivement les pieds sur terre.

Mon Dieu, quelle migraine, j'entends les coutures qui craquent.

— Non, ma petite herbe des prés, nous n'allons nulle part. Tu as rêvé. Je parlais dans mon sommeil... J'ai fait un rêve idiot... Tu agitais ta jolie tête et ton cou craquait à cause de l'inflammation articulaire... Crac ! Et adieu !

— Tu peux toujours attendre, ordure puante ! Ta tête roulera la première, dit-elle mollement.

— Tu voudrais aller à Berlin ?

— Et qui ne voudrait pas y aller ? demanda-t-elle

en pinçant les lèvres. Si je devais attendre que tu te décides…

— Qui sait, ça vaut peut-être le coup d'attendre, promis-je vaguement.

Et c'était la vérité : Kertis m'avait attendu à Berlin, à la station de métro Zoo. Et j'étais venu. Ou alors elle s'appelait Kernis ?

Je me levai péniblement et me dirigeai en titubant dans la cuisine. Ah, grand désert gastronomique ! J'ouvris le réfrigérateur : aussi vide qu'un orphelinat. Deux saucisses recroquevillées sur une soucoupe, déjà patinées de moisi, comme la coupole de la cathédrale Saint-Isaac. Un morceau de fromage fondu : on dirait une dent d'éléphant. Un flacon de Ketchup. Et c'est tout.

Beurk ! Quelle saleté. Je n'ai pas eu de chance avec ma promise. Dans le panier à pain, je trouvai un croûton gris comme une biscotte de soldat. Je le mouillai sous le robinet et mastiquai soigneusement. Je mangeais avec délice cette nourriture misérable, en me morfondant sur mon sort avec la même joie masochiste. Voilà, j'étais vieux et malade et personne ne voulait m'apporter un verre d'eau. À vrai dire, je n'avais pas envie d'un verre d'eau mais d'un verre de vodka. Mais où le trouver ?

Marina, l'adorable compagne de ma vie, la putain aux yeux rouges, attend de pouvoir boire mon sang tel un corbeau, la mâchoire décrochée d'avidité. Et la fifille Maïka, cette pourriture, traîne quelque part en ville avec son bandit sioniste, en train de préparer ma chute honteuse.

Je t'emmerde, chère famille ! Si vous croyez que vous avez réussi à saisir aux nageoires votre papa, votre vieux *Vater*, vous vous mettez le doigt dans l'œil. Toi, Maïka, tu es jeune et bête, et ton arrogance folle, tu la tiens de ta maman, Rimma, mais elle ne t'a pas transmis ses pouvoirs magiques. Et moi, je n'en ai jamais eu, de ces pouvoirs : papillon naïf, j'ai vécu une vie compliquée, capricieuse, tordue, en risquant la mort tous les jours, et mon travail m'a appris que non seulement nous ne connaissions pas notre avenir, mais que de notre passé aussi nous n'avions qu'une vague représentation.

Celui qui ne comprend pas ça doit s'attendre à des surprises. Marina, par exemple, n'a qu'un désir ardent, celui de devenir ma veuve ; et toi, Maïka, tu aimes passionnément ton youpin immonde, ton schmoutz répugnant. Tu n'as reculé devant rien, tu n'as pas hésité à vendre ton père pour trente deniers convertibles, tu as apporté malheur, honte et souffrance à ton vieux *Vater*. Seulement, dans ce jeu, la volonté et le désir ne suffisent pas. Il faut aussi comprendre le cours mystérieux de ce jeu de cartes, la façon dont on doit le battre et le distribuer. Pour l'instant, nous ne savons qu'une chose : Marina est toujours ma femme détestée et toi, Maïka, demain, tu seras veuve. Je ne sais pas si l'on peut dire que la fiancée est une veuve dans le cas où le fiancé meurt prématurément. Je t'aurai prévenue, Maïka : qu'est-ce que tu en as à faire ? Il n'est pas fait pour toi. Une fois de plus, les choses vont se passer comme je les ai prévues : pourquoi te marierais-tu avec un cadavre ?

Tu as tort de te fâcher contre moi. Je ne veux que ton bien. Je n'ai jamais voulu que ton bien. Je t'ai sauvé la vie lorsque tu étais encore dans le ventre de ta mère. Et après ta naissance aussi, sinon tu serais morte âgée de six mois dans l'orphelinat de la prison. Oui, oui, c'est moi qui t'en ai sortie.

Non, tu ne me tendras pas ce verre d'eau, à moi, vieux et impuissant. Il faut que je me débrouille tout seul.

Je terminai de mâchonner la bouillie de pain et allai dans la salle de bains en traînant lourdement des pieds. Je pris dans l'armoire à pharmacie le flacon marron avec la décoction pour la repousse des cheveux. Marina, inquiète pour ma calvitie naissante et n'hésitant pas à sacrifier vingt centilitres d'alcool, m'avait préparé cette décoction de poivre et de ginseng. Elle devait avoir honte de devenir la veuve d'une calvitie. Même dans mon cercueil, je devais encore soutenir sa réputation par ma belle prestance. Que couic, ma chérie ! Inconsolable, chauve, mais bien vivant, je me tiendrai auprès de ton lit de mort. Quant à ma calvitie future, je m'en fous, ma santé actuelle m'importe davantage. Sans compter que nous, les idéalistes antiscientifiques, nous considérons comme inexistant ce que nous ne voyons ni ne percevons. La calvitie supposée, je ne la vois pas, ni ne la sens, alors que la gueule de bois et le manque d'alcool ça, oui !

Je versai dans le verre à dents un peu de la décoction censée augmenter de moitié le volume de mes cheveux sur la nuque, et ajoutai de l'eau froide du robinet. Le breuvage se troubla, se couvrit de bulles blanchâtres et se mit à bouillonner comme un forcené. Je le regardais avec crainte, mais, à quoi bon : ce n'était pas de l'armagnac, tout de même !

Je m'envoyai une rasade, cinglante comme un coup de couteau chauffé à blanc, et m'accrochai au linteau pour ne pas tomber, en meuglant de douleur. Le liquide bouillonnait et explosait dans l'estomac, les flammèches jaunes me brûlaient les entrailles, ne laissant qu'un fond calciné.

Ô plaisirs raffinés de l'apéritif !

Je m'assis sur le rebord de la baignoire, repris mon souffle et sentis que la vapeur apaisante, le brouillard de l'oubli, le premier petit nuage de quiétude montait maintenant du cratère de la douleur brûlante.

J'ouvris le robinet et bus longuement, en m'ébrouant comme un cheval, et me mouillai le visage et la poitrine. Je vais me sentir bien. Tu vois, fifille, je me suis passé de ce fameux verre d'eau. Le liquide pour la repousse des cheveux a très bien fait l'affaire. Tant mieux ! Je ne t'en veux pas. Tu ne peux pas tout comprendre. Et, heureusement, il y a beaucoup de choses encore que tu ignores.

Par exemple, tu ignores comment je t'emmenai loin de cet orphelinat où tu avais été placée après l'arrestation de ta maman Rimma. Personne ne pouvait m'aider — si quelqu'un avait su que je t'avais emmenée, on m'aurait arraché la tête. La loi m'interdisait de venir te chercher, il était écrit que tu devais mourir dans cette maison où l'on rassemblait les enfants en bas âge des criminels politiques, des ennemis de notre peuple, pour que leur maudite graine ne germe pas sous le bleu azur de notre avenir radieux.

Non, bien sûr, tous les petits enfants ne mouraient pas ! Mais seuls survivaient ceux qui étaient un peu plus âgés et qui pouvaient se nourrir seuls et se plaindre de leurs maladies. Car la nature avait mal préparé les bébés à la lutte des classes. Lorsqu'ils arrivaient dans la maison, ils n'avaient ni certificat médical ni nom de famille. Juste un numéro. Les enfants ne sont pas responsables des crimes commis par les parents, nous avait assuré le Saint Patron. Le fils ne répond pas des actes de son père. Et une fille encore moins. Et ces enfants innocents porteraient le nom entaché de honte de leurs parents ?

Voilà pourquoi ce nom était confisqué et remplacé par un numéro. Si l'enfant survivait, on lui donnait officiellement de nouveaux prénom, patronyme et nom.

L'orphelinat pour les petits Skouratov.

Et si, ce jour-là, je ne t'avais pas retirée de la couveuse fabriquant l'*homo novus*, et si toi, Maïka, contrairement à ton destin écrit, tu avais réussi à survivre dans ce camp de concentration pour enfants, tu vivrais aujourd'hui sans soucis, sans même soupçonner que tu es Maïka, que tu es Pavlovna, que tu es Lourié ou bien Khvatkina, comme tu voudras, et tu n'essaierais pas de devenir une Frau Mangouste, alias Frau von Borovitz. Et tu ne serais pas menacée de passer de l'état de fiancée à celui de veuve. Tu aurais vécu une tout autre vie.

Je t'emmenai dans ma Pobeda, ton petit corps serré dans une couverture avec le matricule écrit à l'encre noire, dans un couffin posé sur le siège arrière. Et pour éviter que tu ne roules par terre, j'avais attaché le couffin à la portière de la voiture à l'aide de mon ceinturon.

La peur et la tension s'éloignaient peu à peu, mais j'en tremblais encore. À cause de ce colis avec presque rien dedans, six kilos de relique vivante recouverts de plaques de psoriasis, j'avais failli foutre toute ma vie en l'air.

Le directeur de l'orphelinat Alekhnovitch avait bredouillé en rougissant qu'il n'avait pas le droit de me confier un bébé sans l'autorisation écrite du directeur du Goulag, le lieutenant-général Baliasny. Mon Dieu, comme j'avais dû faire preuve de prudence et de ruses infernales pour réussir à connaître ton matricule : 07348. Tu n'avais ni prénom ni nom et moi, aucun accès à tes papiers. Il était dangereux de demander des détails, car n'importe quelle question aurait suscité la méfiance et on m'aurait dévissé les fesses.

Ah, l'immense bénédiction de la mouchardise généralisée, la manne abondante de l'information, l'air vivifiant des rapports d'agents ! De troisième, de quatrième ou de cinquième main, j'essayais de savoir sous quel matricule tu avais été enregistrée à l'orphelinat, parce qu'autrement il eût été impossible de te retrouver dans toute cette masse de bébés anonymes.

Il fallait que je respecte les deux règles de ce jeu. D'abord, ni quatrième, ni cinquième, ni aucune autre main ne devait jamais se douter que je jouais dans mon propre intérêt. Sinon, conformément aux lois insondables et implacables de la dénonciation obligatoire, ma source, mon agent, mon informateur, ma créature, ma poussière, ma boue, après avoir tremblé de peur devant moi, deviendrait immédiatement mon patron, le possesseur du plus intime de mes secrets. Et ce secret avait un prix : ma vie.

Il y avait une deuxième règle à ce jeu : mes manœuvres ne devaient en aucun cas parvenir aux oreilles de Minka Rioumine, déjà fin prêt à ouvrir la chasse à ma personne. Il m'aurait volontiers pulvérisé mais, quoique sanguinaire comme un boucher de bazar, il savait qu'il n'avait pas encore la gueule assez grande pour m'avaler et qu'il pourrait bien s'étouffer. Il lui fallait un dossier compromettant en béton, irréprochable.

Et c'est alors que ce faux-cul, ce bandit de Minka joua un coup magnifique. Il me coinça des deux côtés. En tenaille.

Il faut tenir compte d'une circonstance particulière. Depuis ce jour, au cirque, où j'avais donné à Abakoumov le rapport sur ma liaison criminelle avec Rimma, il m'avait conservé dans le mont-de-piété de sa vareuse, en prenant ma carrière et ma vie en gage. Et tant que cet usurier sanguinaire se portait comme un charme, je demeurais aussi intouchable que son mobilier. Mais, à cause de ce croisement stupide des chemins de la vie, sa garantie sur mon destin et ma sécurité avait cessé au moment précis où je l'enfermai dans la cellule 118, bloc G, de la Prison intérieure.

Et tout en étant conscient du danger mortel que représentait ma relation avec Rimma, je n'avais pas la force de la laisser tomber. La maudite juive m'avait jeté un sort, la magicienne avait déclamé ses incantations, la crapule. Elle me haïssait immensément, férocement, mais elle supportait, elle gardait toujours l'espoir au fond du cœur de revoir son père, mort depuis longtemps d'un arrêt du cœur, elle croyait encore que je le ferais sortir de prison. Il ne lui vint jamais à l'idée que son père s'était envolé en petite fumée grise, qu'il habitait désormais dans les sphères libres et si lointaines que même notre nouveau ministre, Semion Denissovitch Ignatiev, ne pourrait pas l'entendre.

Minka Rioumine régla d'un seul coup tous mes problèmes. Il savait qu'il n'arriverait jamais à obtenir de moi une reconnaissance de dette semblable à celle que j'avais donnée à Abakoumov. Alors il décida d'en demander une à Rimma. Il m'envoya en mission à Kiev pour une semaine et profita de mon absence pour convoquer Rimma.

Il ne cogna pas, ne hurla pas, ne la menaça pas avec son horrible knout. Il lui parla presque tendrement, sur le ton de la confidence et de la compassion. Et il y avait de quoi se montrer compatissant : il l'avait laissée regarder la fine chemise contenant le dossier Lourié, accusé d'espionnage et de sabotage, classé après la mort de l'accusé. Eh oui, votre père est mort depuis longtemps d'insuffisance cardiaque, votre paternel a eu un infarctus, comme on dit, voilà le certificat... Et pourquoi étiez-vous si sûre qu'il était vivant et en bonne santé? Avez-vous été informée par un autre canal? Par qui? Vous êtes bien en relation avec Pavel Egorovitch Khvatkine? Vous ne le connaissez pas? Comment ça? Pourquoi ne dites-vous pas la vérité? Bien sûr, je pourrais vous arrêter sur-le-champ. Mais je ne veux pas vous voir souffrir. Rentrez chez vous et réfléchissez tranquillement. Et mettez-moi tout ça par écrit. Je vous garantis...

Cet âne ne connaissait pas Rimma et il ne pouvait pas comprendre que, si elle refusait avec une telle certitude d'admettre qu'elle me connaissait, ce n'était pas par peur ou par amour, mais parce qu'elle avait honte. C'était comme s'il lui avait demandé de lui raconter sincèrement, tout à fait franchement, son concubinage avec un chien ou un bouc.

Pour finir, elle ne fit aucune déclaration, ni orale ni écrite. Minka ne pouvait pas avoir vu ce que j'avais, moi, remarqué en elle avec un certain étonnement et un peu d'inquiétude: l'apparition lente et inexorable d'un nouveau sentiment, l'intrépidité. Ce sentiment, pathologique dans n'importe quel autre pays, était chez nous de la pure folie, car il avait la mort honteuse pour conséquence fatale.

Il n'y avait pas le choix entre une mort digne et une vie sans honneur. La balançoire du destin oscillait entre la lente agonie d'une existence sordide et une exécution déshonorante.

La peur générale ne garantissait personne de la répression, mais celui qui cessait d'avoir peur était condamné à mourir rapidement. À l'époque, l'intrépide se trahissait à la manière des aliénés: pas par des actes ou des paroles mais par une certaine expression du visage.

J'avais noté ces signes de démence sur le visage de Rimma. Imperceptiblement, il avait perdu cette expression pensive, tétanisée de la résignation, du repliement effrayé sur soi, sur ses secrets, sur ses souffrances.

... Elle leva ses lourdes paupières sémites, ce qu'elle ne faisait que très rarement, et me regarda dans les yeux. Mon Dieu! D'immenses lacs bruns, mielleux et doux comme des caramels au beurre. Et pas une trace de peur, de trouble, pas même de mépris ou de haine.

Ce fut à ce moment-là qu'elle découvrit certainement que le temps des juifs, ce n'était pas de l'eau stagnante, mais un fleuve infini et circulaire, et qu'il n'y avait pas de raison de me craindre, de craindre Minka Rioumine ou le nouveau ministre Semion Denissytch Ignatiev. Même le Patron, elle ne le craignait pas. Elle était folle.

Elle dit à voix basse :

— Ne parle pas de père à maman. Qu'elle continue d'espérer.

— Très bien, répondis-je docilement. Toi non plus, je ne t'avais rien dit...

— Je sais, dit-elle en secouant la tête, et je découvris qu'il y avait quelques mèches blanches dans la masse de ses boucles noires.

Mon cœur se serra d'amour, de pitié et du désir fou de m'élancer vers elle et de serrer sur ma poitrine cette tête merveilleuse, cette tête maudite et adorée.

— Je sais, dit-elle. Tes affaires sont dans la valise. Prends-la et va-t'en. Pour toujours. Nous ne nous reverrons plus jamais.

— Nous nous reverrons, répondis-je. Nous sommes deux bagnards accrochés à la même chaîne, toi et moi. Nous ne sommes rien, l'un sans l'autre. Et puis nous avons un enfant.

Elle éclata de rire. Oui, elle riait, pour la première fois ! Je ne l'avais jamais vue rire jusqu'ici ! Voilà qu'elle riait, et son visage, rayonnant de ce rire haineux, n'en devint que plus splendide. Ce visage, c'était celui d'une femme inconnue. Et je me dis alors que puisqu'il ne m'avait pas été donné de voir ce visage en train de rire, j'aimerais aussi le voir un jour souffrir sous la torture.

— Tu peux t'étrangler avec cette chaîne, dit-elle tranquillement. Cet enfant est le mien. J'espère qu'il ne saura jamais quel homme était son père.

— Et quel homme je suis, d'après toi ? demandai-je d'un ton moqueur, alors que je n'avais pas du tout le cœur à rire.

Avant même d'avoir compris, j'avais été prévenu par mon instinct animal : elle était partie, elle s'était libérée de mes collets, elle avait disparu. À jamais.

— Tu es un bourreau, dit-elle à voix basse. Un geôlier, un tortionnaire, un bourreau, un assassin. Un assassin calme et indifférent. Que tu sois maudit pour toujours. Et que soit maudite ta descendance.

— Tais-toi, idiote ! Qu'est-ce que tu racontes ? C'est ton enfant que tu maudis !

Rimma hocha la tête :

— Nous ne savons pas pour quels péchés nous expions. Maïka est maudite, et moi je suis maudite, parce que je ne suis pas morte et que je lui ai donné la vie.

... Et la lumière bleue palpitait à la fenêtre, comme la veine sur le cou...

Ô terreur des souvenirs !

Elle m'avait plaqué en un clin d'œil, sans hésitation et, pour la première fois de ma vie, je me mis à trembler de honte. Je ne pensais qu'à Rimma et m'étonnais moi-même car jamais je n'avais éprouvé de sentiment aussi étrange : je pleurais dans mon sommeil mais, une fois réveillé, étudiais inlassablement toutes les façons possibles de la supprimer sans laisser de traces.

J'aurais dû la supprimer depuis longtemps, qu'elle disparaisse à jamais, c'était une question de bon sens. Surtout en tenant compte du pouvoir vertigineusement grandissant de Rioumine et de sa ferme détermination de me coincer. Ma liaison avec Rimma était un excellent matériel compromettant et, en poursuivant nos relations, j'exécutais un numéro suicidaire, encore plus impressionnant que la roulette russe. Cependant, tant qu'elle ne m'avait pas fichu dehors, j'inventais tous les jours de nouveaux prétextes pour prolonger encore ce sortilège parfumé, cette tentation infinie, cette longue nuit féerique, ce rêve éveillé envoûtant.

Mais je ne pouvais pas faire cadeau de Rimma à Minka, je ne pouvais pas la lui laisser comme témoin, ma maudite youpine adorée, descendue des songes.

Et puis le dépit — une entaille dans le cœur — ne me laissait pas en paix. J'essayais de me détacher de Rimma et ça craquait comme une planche arrachée à la palissade. Je remarquais que mes poings se serraient et se desserraient involontairement, je me surprenais à imaginer que j'étranglais Rimma, que je déchirais la chair de ses bras, que je faisais rouler ses yeux, ces lacs bruns immenses, doux comme des caramels.

Éclipse rouge de la torture, ivresse salée du sang, exaltation du meurtre !

Tout ça, je ne pouvais pas me le permettre car j'étais un professionnel. Je devais enterrer Rimma sans laisser de traces, avant que Minka ne lui mette la main dessus.

Et au moment où je trouvai enfin la solution idéale, il s'avéra qu'il était trop tard et que Minka-le-Gouverneur avait déjà bouclé Rimma.

Méandres capricieux d'un destin tordu! Moi qui aimais Rimma comme jamais je n'avais aimé personne, je m'étais fermement résolu à la tuer. Et Minka, qui haïssait et méprisait cette graine de l'ignoble tribu judaïque, lui avait sauvé la vie en l'arrêtant.

Mon Dieu, encore heureux que ce sursaut volcanique n'ait pas rendu ce crétin de tête de bois un chouia plus intelligent! Il aurait pu, en utilisant Rimma convenablement, me foutre un tel coup sur la cafetière que je n'aurais plus eu qu'à recompter mes os éparpillés. Mais j'eus de la chance: Sergueï Pavlovitch Kroutovanov n'avait pas besoin d'un grouillot malin.

Et Minka, après avoir cuisiné Rimma pendant une semaine sans obtenir une seule déposition contre moi, l'envoya devant la Troïka.

Troïka. Ce mot magique désignait le tribunal spécial auprès du ministère de la Sécurité d'État d'URSS. Sommet de la justice universelle, pic de la pensée juridique, le plus juste de tous les tribunaux, le plus sage des sanhédrins.

La Troïka! Un tribunal où toute la bêtise sentimentale des débats et la banalité des preuves sont inutiles et caduques, où il n'y a pas d'avocats, pas d'affaires et même pas de prévenus. Celui qui est condamné par la Troïka apprendra qu'il a été jugé une fois devant le peloton d'exécution ou, s'il a eu de la chance, à son arrivée au camp.

«Ah, troïka! Troïka-oiseau, qui donc t'a inventée?» avait pertinemment demandé notre grand classique national[1]. Ajoutant judicieusement que tu n'avais pu naître que chez un peuple héroïque, sur une terre où l'on n'aime pas plaisanter, une terre qui s'étend sur la moitié du globe.

Nikolaï Vassilievitch avait souligné prophétiquement que la troïka n'était pas vraiment un engin ingénieux, fabriqué par un moujik de Iaroslavl ou de Vologda, et que le cocher Rioumine n'avait pas de fortes bottes allemandes aux pieds : non, il est assis sur un siège à la diable et quand il se relève légèrement et cingle l'air de son fouet, la route tressaille et le piéton s'arrête en poussant un cri de terreur.

Il y a plus d'un siècle et demi déjà que l'écrivain, un peu perplexe, avait posé cette question : «Et toi, sainte Russie, vers quelles régions voles-tu, pareille à cette troïka si dégourdie que nul ne sait la rattraper? Réponds!»

Elle ne répond pas. Elle vole. Elle a emmené douze millions et demi d'hommes, cette Troïka, en Sibérie, à Kolyma, *ad patres*. Frappé par ce prodige, le contemplateur Gogol s'est arrêté : n'est-ce pas la foudre qui tombe du ciel? Que signifie ce mouvement, objet d'épouvante? Et quelle puissance mystérieuse habite ces coursiers fantastiques?

Après avoir bien réfléchi, le contemplateur de merde, sans attendre la réponse de la Troïka, qui ne répond jamais, nous confia un secret, confirmé par les rapports de mes informateurs : «Tout ce qui vit sur terre fuit et disparaît et les autres peuples, les

---

1. Il s'agit de Nikolaï Vassilievitch Gogol, dont la première partie des *Âmes mortes* se termine sur une évocation de la troïka (attelage de trois chevaux), comme métaphore de la Russie.

autres empires s'écartent et, l'œil en coin, te laissent passer, sainte Russie.»

La Troïka colla dix ans de camp à Rimma, l'envoya au Bamlag, mais elle n'y resta que trois ans et sept mois.

Trois jours après, j'apprenais l'arrestation de Rimma, et encore, tout à fait par hasard, grâce à l'une de ces bizarreries qui forment le lent et ennuyeux drame de la vie.

En laissant traîner mon oreille dans un bureau, j'appris que le capitaine Damkine, du deuxième service, avait été mis aux arrêts pour vol et qu'une enquête administrative avait été diligentée. J'étais en train de fouiller dans le fichier à la recherche de renseignements au moment même où Kirianov racontait en riant cette stupide histoire à Katia Chougaïkina. Lors d'une perquisition, Damkine avait volé une machine à écrire et l'avait portée au magasin d'occasion, où l'on découvrit que cette machine avait une particularité : le chariot ne se déplaçait pas de droite à gauche, mais de gauche à droite, et ses caractères n'étaient ni latins ni cyrilliques, mais des pattes de mouche judaïques.

Compte tenu de l'ambiance de méfiance généralisée envers les juifs, les vendeurs du magasin trouvèrent cette histoire un peu bizarre et appelèrent les flics, qui arrêtèrent Damkine. Celui-ci montra sa carte d'inspecteur du MGB, les flics prévinrent la Boutique et nos gars envoyèrent un mandat d'arrêt.

Je continuais de trifouiller dans les papiers mais sans pouvoir lire une seule ligne. J'étais devenu aveugle, tout mon être n'était plus qu'ouïe, mon cœur battait à tout rompre, quelque part dans la gorge. J'avais compris, je l'avais senti, dans quel appartement avait eu lieu la perquisition au cours de laquelle le déluré Damkine avait chouré la vieille

Underwood noire. Cette machine se trouvait dans l'ex-cabinet de l'ex-professeur Lourié, vagabond anonyme, client du crématorium, parti en fumée grise dans la nuit d'automne un an et demi auparavant. Naturellement, personne ne s'était servi de cette machine : c'était un souvenir du papa professeur, le sage talmudique, l'écrivain et philosophe qui composait ses fables juives sur l'Underwood marchant à l'envers, utilisant des lettres amphigouriques à la place de caractères humains.

Bien sûr, il aurait pu s'agir d'une coïncidence, il n'y avait pas qu'une seule machine de ce type à Moscou... Katia Chougaïkina compatit de tout cœur :

— Pas de chance. C'est aussi bête que de se faire refiler la chtouille par sa propre sœur. Tu parles d'une déveine ! Il y a peut-être une machine comme ça sur un million !

Kirianov fit une supposition :

— C'est les youpins qui ont fait cette crasse à notre gars.

Je sortis de l'immeuble, traversai la place et appelai depuis le hall de la station de métro Dzerjinskaïa la vieille maison de Sokolniki.

Les yeux fermés, écoutant les sonneries tremblotantes dans le combiné, je sentis dans la bouche l'amertume des pépins de pomme gelée. J'appuyai le front contre la vitre, mes paupières étaient enflammées et j'avais déjà oublié que le matin même j'avais décidé de tuer Rimma avec le pistolet du capitaine Sapega, ce petit Browning nickelé, reçu en dépôt des mains de l'ancien ministre et aujourd'hui prisonnier, V. S. Abakoumov, qui aurait dû lier les destins de deux personnes disparues sans laisser de traces.

Je pensai au terrible sort qui attendait ma petite idiote de juive insensée, ma bien-aimée, ma princesse chérie, ma sorcière maudite. J'imaginais comment on allait l'obliger à rester debout pendant des heures, les interrogatoires, la faim, je voyais les gardes en train de la violer, les prisonnières lesbiennes la léchouiller et, à ces évocations, j'étais déchiré par d'insoutenables crampes et la douleur était si infernale, si forte que je me mis à gémir. Une passante vint me demander :

— Vous ne vous sentez pas bien ?

— Non, non, ce n'est rien. Tout va bien.

Ça ne répondait pas à Sokolniki. J'ignorais que, le jour de l'arrestation de Rimma, sa mère avait eu une crise cardiaque et que Fira avait disparu sans laisser ni traces ni souvenirs dans une fosse commune pour les gens sans tribu, sans peuple et sans nom.

Maïka fut envoyée à l'orphelinat sous le matricule 07348.

Et ce Biélorusse au visage terreux d'Alekhnovitch marmonnait, à la fois effrayé et menaçant, que je ne pouvais pas emmener Maïka sans un ordre écrit du directeur du Goulag. Il disait qu'il n'avait pas le droit.

Ah, bouille de radis ! Je m'esclaffai et, grand seigneur, sortis de ma poche la carte couleur cerise avec «MGB d'URSS» gravé en lettres d'or. Je l'ouvris et la présentai à Alekhnovitch en ayant soin de cacher la photo avec mon pouce. Alekhnovitch tendit une main tremblante mais j'éloignai calmement le document.

— Pas touche ! commandai-je à voix basse. Tu ne sais pas lire, ou quoi ?

Alekhnovitch déchiffra le document en plissant les yeux et, à mesure qu'il lisait, sa voix tétanisée se brisait peu à peu, jusqu'à devenir presque imperceptible : «Chef de la section d'instruction des affaires particulièrement importantes du MGB d'URSS, le colonel Rioumine Mikhaïl Kouzmitch. »

Oui, il avait fallu que je fasse ce petit emprunt à mon vieil ami. Et aujourd'hui chef. C'est-à-dire pas à lui directement — il était entré à l'hôpital pour un contrôle médical de trois jours, car la santé des hommes aussi précieux que lui devait être surveillée avec un soin particulier. Pendant ce temps-là, je faisais passer une visite médicale à sa femme, Valia Tsybikova, la mère retournée au néant du pauvre kangourou citadin rêvant de pension pour son papa héroïque.

Naturellement, je ne lui avais pas dit que j'avais pris la carte de Minka dans son bureau. Quelle rigolade ! Nous avons toujours vécu dans un monde païen, avec tout un système d'amulettes, de tabous et de symboles sacrés. L'un de ces attributs intouchables et sacrés était notre carte d'identité professionnelle : en cas de perte, le collaborateur était jeté dehors, précédé de peu par son propre hurlement de peur. C'est vrai que, à l'époque, Minka avait acquis une telle puissance qu'on ne l'aurait pas viré pour une pareille bévue, mais la perte de la carte professionnelle pouvait causer de graves ennuis même à un vice-ministre.

Moi, je n'avais cherché qu'à faire une crasse à Minka, sans deviner le service que cette carte me rendrait pendant ma conversation avec Alekhno-vitch. J'avais beaucoup ri après l'avoir chourée, sûr de mon impunité, car jamais une telle saloperie ne serait venue à l'esprit de Minka : la perte totale de vigilance de la part de son épouse bien-aimée Tsybi-kova, qui non seulement avait accueilli un fouteur dans son lit mais l'avait laissé fouiller tranquille-ment le bureau de son chef et mari pendant qu'il était à l'hôpital.

Le monde est un édifice étrange. En résistant, Alekhnovitch avait évité des ennuis à Minka, parce que, après avoir effrayé le blondinet biélorusse et arraché Maïka de l'orphelinat, je me rendis le même soir chez Tsybikova et remis doucement la carte à sa place. Désormais, il fallait qu'elle habite le plus longtemps possible chez son véritable propriétaire.

Je dis gentiment à Alekhnovitch :

— Vous connaissez mon nom, n'est-ce pas ?

— Affirmatif, camarade colonel…, chuchota Alekhnovitch, qui avait du mal à décoller ses lèvres l'une de l'autre.

— Et le nom de l'enfant au matricule 07348, vous le connaissez aussi ?

— Non, camarade colonel, répondit le directeur du camp de concentration pour enfants en hochant la tête.

— Tant mieux, dis-je, et j'ajoutai aussitôt : Pour vous.

— Pourquoi ? s'étonna le porcher en blouse blanche.

— Parce que, pour votre propre tranquillité, il vaut mieux que vous oubliiez jusqu'à ce matricule — 07348. Considérez qu'il en va de l'intérêt de la sécurité nationale. (Et je désignai le portrait de Beria au mur.) Personne ne vous a jamais confié cet enfant, il n'est jamais venu ici et personne n'est venu le chercher. Oubliez ça. Pour toujours.

— Mais sans l'autorisation du général Baliasny, se mit-il à clapir faiblement. Je suis responsable de cet enfant…

— C'est votre problème, dis-je en riant. Il arrive que ces enfants tombent malades et meurent. En ce qui concerne Baliasny, ça ne le regarde pas. C'est tout. Amenez-moi immédiatement cet enfant. Et ânonnez ceci comme un Pater Noster : personne ne peut ni ne doit demander quoi que ce soit à propos de cet enfant, personne ni jamais. Mais s'il arrive que quelqu'un s'intéresse à son destin, envoyez-le au secrétariat de Lavrenti Pavlovitch Beria et ils sauront là-bas satisfaire sa curiosité.

Je ne revis jamais Alekhnovitch. Je ne sais pas ce qu'il est devenu, peut-être a-t-il fini ivrogne, ou membre de l'Académie des sciences pédagogiques, ou encore est-il mort. Je suis certain d'une chose : même au Jugement dernier, même à la face de Dieu, il n'ouvrira pas sa gueule, il ne dira pas un mot à propos du bébé 07348.

À l'aéroport Vnoukovo, je confiai le couffin piaillant et pisseux contenant ma graine enjuivée et couverte de psoriasis à mon père que j'avais fait venir à Moscou la veille par télégramme. Je les fis embarquer sur l'avion du soir sans faire la queue et ils s'envolèrent pour Adler où, protégés par mes relations, mes vieux prospéraient à la tête d'une juteuse affaire balnéaire. Un mois plus tard, mon père, moyennant un modeste pot-de-vin au soviet du village, fit établir des papiers pour l'adoption de Maïka. Tu vois, Maïka, que tout n'est pas aussi simple : tu es à la fois ma fille et ma sœur. Et j'en pleure déjà de chagrin à l'idée qu'après toutes ces difficultés, ton promis Mangouste devra mourir demain, faisant de toi une veuve officieuse et, de moi, deux fois un malheureux : je vais pleurer un gendre et regretter un beau-frère.

Que j'étais bien dans le calme de la salle de bains plongée dans la pénombre verdâtre. Les algues de mes souvenirs m'avaient recouvert, caché, réchauffé, ému agréablement. Rimma avait tort de me traiter d'assassin et de monstre. Ce n'est pas vrai, je n'aime pas tout ça. Nécessité fait loi. Ce n'est pas moi qui ai cherché Mangouste, c'est lui qui m'a trouvé. Il m'a trouvé et s'est mis à brailler derrière la porte de la salle de bains avec la voix de Marina :

— Sors de là, nom de Dieu ! Il y a ton juif allemand qui te cherche au téléphone…

Tu vois bien, fiston, je ne suis pas un bourreau, et toi, petit con, tu me cherches.

20

Non, Faust, tu as tort...

Perçante comme la fraise d'un dentiste, la voix de Mangouste me vrilla les tympans, pénétra dans mon cerveau anesthésié par les souvenirs, encore embrumé par la décoction pour la repousse des cheveux sur la nuque. J'aimerais savoir si ce liquide est efficace lorsqu'on le boit, s'il passe dans le sang ou bien s'il ne marche qu'en usage externe.

— Vous aimeriez savoir quoi ? répéta Mangouste.

— J'aimerais savoir où tu as disparu, mon cher gendre ! Dorénavant, nous devons toujours rester ensemble, comme des inséparables.

— Ça alors, jamais je n'aurais imaginé que vous vous ennuyiez de moi, dit Mangouste avec un petit rire sec.

— Eh bien, tu avais tort ! Parler avec toi — c'est à la fois une grande souffrance et une joie lumineuse ! Mon âme ressuscite !

— Je suis prêt à vous aider si vous voulez suivre ce chemin, dit Mangouste avec méfiance.

— Justement ! Frappez et on vous ouvrira, comme il est dit dans les Écritures, clamai-je.

À l'autre bout du fil, Mangouste avait dû secouer sa tête de plaisir, car j'entendis le tintement de ses chaînes et breloques :

— Je ne doute pas que vous ayez largement diffusé ce serment dans votre Boutique.

— C'est vrai, c'est arrivé, convins-je de bonne grâce. Oui, nous avons frappé et lorsque quelqu'un frappait, on ouvrait. Tu sais très bien toi-même que dans nos métiers frapper est indispensable.

— Nous n'exerçons pas le même métier, trancha froidement Mangouste.

— Personne ne peut l'affirmer. Jusqu'à ce que le travail soit terminé, du moins. Mais il ne s'agit pas de ça. L'autre jour, j'ai pensé à quelque chose d'important.

— J'ai remarqué que vous pensiez rarement à quelque chose qui ne l'était pas, dit Mangouste sérieusement.

— Tu es très perspicace, fiston. À toi aussi, ça donnera matière à réflexion. Faust avait tort !

— Dans quel sens ? demanda Mangouste, découragé.

— Ce n'est pas la jeunesse qu'il aurait dû demander à Méphistophélès...

Mangouste ne répliqua pas tout de suite, il devait sûrement retourner ma phrase dans son cerveau de faux-derche juif pour savoir quel genre de saloperie je lui préparais. Il finit par saisir sagement la perche que je lui tendais :

— Et qu'aurait-il dû demander à Méphistophélès ?

— Une longue vie. Tu comprends ? Pas la jeunesse évanouie, ça n'a aucune utilité, mais une vieillesse prolongée. Il fallait marchander l'avenir, pas le passé.

Mangouste réfléchit un moment.

— Non, votre petite idée n'est pas aussi importante que vous le dites.

— Pourquoi ? m'étonnai-je sincèrement.

— Parce que vous ne comprenez pas les règles du jeu. Je ne suis pas Méphistophélès et je n'ai aucune intention d'acheter votre âme. D'ailleurs, vous n'avez sûrement pas grand-chose à vendre. Vous n'avez pas le produit en magasin.

— Et qu'est-ce que tu veux?

— Je veux que vous payiez votre avenir avec votre passé.

— C'est un marché imbécile. D'habitude, on paie le passé avec l'avenir.

— C'est vrai, acquiesça Mangouste. Ça, c'est quand on veut se venger.

— Et toi?

— Je veux la justice. La vérité. Une leçon pour les hommes.

— C'est un travail bien difficile, dis-je d'une voix compatissante.

— Je n'ai pas à me plaindre, me rassura-t-il. J'ai les épaules solides.

Cet animal stupide et présomptueux se ruait de lui-même dans mes collets. D'accord, si tu veux la justice, je suis prêt. Je viendrai avec mon avocat, Senka Kovchouk.

Mangouste, inquiet de mon silence, dit vivement :

— Rencontrons-nous, voulez-vous? Nous ferons une balade, nous bavarderons. Nous déjeunerons ensuite, si vous voulez...

Ah bon? Je n'ai pas encore digéré le déjeuner d'hier. Une balade... Il a peur des micros... D'accord...

— Avec joie, répondis-je. Où et quand?

— Dans une heure. En bas de chez vous, dans la rue.

Il veut aller au tribunal! Mas qui m'a foutu un connard pareil en travers de la route? Je n'aurais peut-être pas vu d'objection à ce qu'il donne mon passé en exemple aux gens du futur, si un petit grain de sable ne s'était glissé dans cette belle machine de la justice en marche : mon présent. Mon souffreteux jour d'aujourd'hui triste et gris, sans une goutte d'alcool. Les gens simples qui peupleront le futur, qui, grâce à Mangouste, ne vivront que dans la vérité, et les héros du terrible passé, évanouis comme par enchantement, ceux-là qui cherchent seulement le repos, l'oubli et un peu d'alcool pour soigner la gueule de bois, ils n'en ont rien à foutre, de mon présent. Mais pas moi. Et je vous prie de ne pas oublier un détail insignifiant, certes, mais qui a quand même son importance : je suis l'unique pont jeté au-dessus du précipice qui sépare le passé réel de l'avenir hypothétique. Voilà pourquoi, avec une grande franchise et cette conscience communiste qui me caractérise, je dis à voix basse au monde qui m'entoure : je ne veux pas. Je ne veux pas que les hordes innombrables de morts et de torturés posent leurs pieds sur le pont — sur moi — entre le passé et l'avenir. Ils seront si nombreux à exiger justice et châtiment que j'ai peur que ne se produise un effet de résonance, comme on dit dans les manuels scolaires. Et que ce pont — moi et mon présent — ne s'écroule dans l'abîme du néant.

Non, mon cher gendre, je ne peux vous suivre sur ce terrain. Je refuse.

Et à ce tribunal, que vous avez institué illégalement, anticonstitutionnellement, mes intérêts, j'en suis sûr, seront dignement représentés par mon vieil avocat dévoué, Senka Kovchouk. C'est lui qui expliquera, dans un argumentaire digne et solide, pourquoi et dans quelles circonstances fut exécuté, au cours de la mission spéciale Percha du réseau de camps de Petchora du Goulag du MGB d'URSS, le prisonnier Nannos Elieser Nakhmanovitch, soixante-seize ans, condamné au titre des articles 58-1, 58-10, 58-11, 59-3 à la microscopique peine de vingt-cinq ans.

Il faut souligner que, puisque la politique pénitentiaire du droit soviétique n'a jamais fait de la punition un but en soi ou, Dieu nous en préserve, une vengeance ou un châtiment, ne se préoccupant que de la rééducation des citoyens dont la conscience politique était insuffisante, on pouvait supposer qu'Elieser Nannos, complètement rééduqué et dans la force de l'âge — il n'aurait eu alors que cent un ans —, recouvrerait sa liberté et mènerait une existence heureuse. Il n'y avait aucun obstacle à cela. Mais c'est lui-même qui ne l'avait pas voulu, préférant mourir, à cause de sa bêtise et de cette obstination typiquement juive. Comme on dit, chacun est maître de son destin.

Audi, vide, sile.

À cette époque, Semion Denissytch Ignatiev était devenu notre nouveau ministre. Un coup de tonnerre dans le ciel bleu. Un petit coup de tonnerre, c'est vrai, pas très remarquable.

Après l'arrestation d'Abakoumov, il fut évident à la Boutique que la bande à Beria serait envoyée aux pelotes et que Kroutovanov, le beau-frère et sbire de Malenkov, allait ramper jusque sur le devant de la scène. Il avait versé Abakoumov hors de la charrette et c'est grâce à lui que le maître de notre sécurité était enfermé dans la cellule 118 du bloc G ; personne ne doutait qu'aujourd'hui ou, plus tard, demain, Kroutovanov occuperait le bureau du président des assurances Rossia.

Et pourtant, on ne reçut aucune instruction officielle à propos d'une mise à l'écart d'Abakoumov ! Et rien non plus sur la nomination éventuelle d'un ministre par intérim. Incroyable ! De la science-fiction pure! Le voyage depuis le passé maudit jusqu'aux lendemains qui chantent se déroulait sans mécanicien. Suprême technologie! C'était la discipline de la terreur qui faisait avancer la locomotive.

Le wagon d'attente d'Abakoumov était aujourd'hui vide, le wattman Kotchegarov avait disparu sans laisser de traces. Désormais, c'est à Kroutovanov qu'on apportait le courrier du matin à signer. La foule reniflante et inquiète des généraux avait émigré du wagon abakoumovien dans la salle d'attente de Krout. Je me demande quand il prenait le temps de dormir tous ces derniers jours : il quittait la Loubianka à sept heures du matin et, à dix heures trente, frais, soigneusement peigné, habillé d'un costume chic et parfumé d'eau de Cologne anglaise à la lavande, il commençait la réunion opérationnelle quotidienne. À trois heures, il allait déjeuner, revenait à six heures dans son bureau et là, jusqu'au matin, se succédaient les rapports, les mémoires, les briefings, les savons, les ordres, les missions.

Il avait pris la direction du jeu.

Je ne sais pas — et personne ne le saura jamais — si le Saint Patron lui avait promis quelque chose, si son beau-frère lui avait parlé, ou si, d'une certaine manière, la situation était allée de soi, ou bien encore s'il avait voulu montrer, par son initiative, par cette preuve manifeste de sa fidélité et de sa gigantesque capacité de travail, qu'il n'y avait pas d'autre prétendant au fauteuil d'assureur en chef de la Russie. Toute la clique de Beria s'était planquée derrière ses lignes de défense. Ils étaient comme tétanisés : le pouvoir leur échappait des mains à vue d'œil et ils étaient incapables d'agir. Il était évident que, dans ce round du combat sans fin, le Très-Haut Père avait décidé de rabattre le caquet à son frère mingrélien Lavrenti et d'élever considérablement Malenkov, ce larbin à la face de grognasse.

C'est drôle de penser qu'il aurait suffi que les sbires sanguinaires de Beria, qui détenaient les trois quarts du mécanisme punitif le plus effrayant au monde, lèvent le petit doigt pour que non seulement Malenkov et sa bande, mais aussi ce vieillard à moitié crevé de Sosso Djougachvili, disparaissent sans même laisser de traces nauséabondes. Mais la grande subtilité de cette géniale machine infernale faisait précisément que, même devant une catastrophe qui les menaçait tous, ils ne pouvaient pas se mettre d'accord. Ils restaient assis dans leurs bureaux somptueux et attendaient docilement la nomination de Krout comme ministre, après quoi ils seraient tous chassés, dégradés, certains arrêtés, quelques-uns tués.

Car ils le savaient : ils ne pouvaient pas s'entendre ! Pendant plus de trente ans, sans jours de repos, sans vacances ni fêtes, ils avaient mené une existence étonnante, entièrement consacrée au mensonge, au vol, aux intrigues, aux dénonciations, une existence faite d'avidité, de trahison générale, d'hypocrisie obligatoire, de duplicité, de flatteries, d'humilité affectée et de cruauté. Tout comportement humain, tout mouvement sincère du cœur est puni par la prison et la mort : ils avaient appris cela par cœur, comme un Pater Noster.

C'est surprenant : des millions de gens ont été exécutés pour leur participation à des complots. Et moi j'affirme que le premier véritable complot eut lieu dans ce pays le jour où précisément on cessa de châtier les faux coupables. Oui, oui, oui ! Je l'affirme, parce que j'étais l'inventeur, le ressort principal et l'exécuteur de ce complot. Je le certifie : c'était un complot conçu au bon moment, bien organisé et par-

faitement réalisé. Et ce complot s'appelait « Liquidation de l'ennemi du peuple, espion britannique,
moussavatiste et dachnak[1], membre du Présidium
du CC du PCUS, premier vice-président du Conseil
des ministres de l'URSS, Beria L. P. ».

Cela arriva deux ans et demi plus tard, mais à
l'époque, tous ces pleutres sanguinaires se terraient
dans leur trou, en attendant, terrorisés, la nomination du nouveau ministre de la Sécurité d'État.

Et le tonnerre tonna. Et le camarade Staline montra à tous que personne de sa bande, ni Lavrenti, ni
Malenkov, ni Kaganovitch, n'était de taille à lutter
avec lui, en nommant ministre Semion Denissovitch Ignatiev. Pas l'intrépide aventurier Kroutovanov, ni le bourreau rusé Koboulov, ni le terroriste
Soudoplatov, ni l'espion Fitine, ni l'assassin Rou-
khadzé, ni aucun de ces jeunes apprentis guidail-
lons au cou gracile.

Ignatiev ! Le ministre de la Nullité d'État, Semion
Denissytch — qui n'était pas un professionnel de la
police politique —, pouvait garantir une seule chose
au Patron : la poursuite de la lutte silencieuse et
impitoyable des clans à l'intérieur de la Boutique,
avec les inévitables dénonciations en haut lieu des
moindres mots et gestes déloyaux des concurrents.
Et le tour était joué !

Caprices et raffinements du destin sinueux ! Krout
était furieux et pétrifié d'humiliation, tandis que
je poussais mon premier soupir de soulagement
depuis des semaines. Car les clefs du conservatoire
général des secrets d'Abakoumov, où sommeillait
mon dossier sur Kroutovanov, reposaient désormais dans la poche de cette créature à gros nez et au

---

1. Le Dachnak était le parti nationaliste arménien de la
fin du xixe-début xxe siècle.

visage insignifiant, le nouvel assureur en chef de la Russie.

Le deuxième jour après sa nomination, Ignatiev convoqua une réunion élargie de toute la direction du ministère. Minka m'avertit, les dents serrées : « Sergueï Pavlovitch Kroutovanov exige que tu sois présent. » À voir sa tronche, il n'approuvait pas la décision de son chef — à quoi bon convoquer les employés d'importance secondaire, alors que vous et moi, camarade général, nous sommes déjà tout près de saisir le gouvernail... Mais je compris tout de suite que ce démon insatiable mettait au point un nouvel épisode tordu de la lutte sans fin pour ce fauteuil glissant.

De toutes les qualités d'homme d'État d'Ignatiev, celle qui fit le plus d'effet sur moi fut sa propreté. Sur le bureau, à côté de lui, il y avait toujours une pile de serviettes en papier et lorsque le téléphone de la ligne gouvernementale sonnait, Ignatiev en prenait une, enveloppait soigneusement le combiné et seulement alors le portait à son oreille : « Ignatiev, j'écoute. » Je l'avais vu également, après avoir serré la main de quelque visiteur, s'asperger de parfum « Lumières de Moscou » et s'essuyer avec une serviette.

La première phrase qu'il nous assena fut menaçante :

— Fa fuffit !

Nous étions pétrifiés. Il expliqua :

— Fa fuffit, camarades, le libéralisme et tout ça. Il est temps de s'occuper sérieusement de nos ennemis, des ennemis de notre patrie, de notre Parti et du camarade Staline personnellement.

Je jetai un coup d'œil sur le visage ravi de Minka Rioumine et me dis que, par respect pour la diction de notre nouveau ministre, je devais m'attendre à ce que, désormais, il m'appelle Fvatkine.

Ignatiev continuait son appel exalté :

— Fa fuffit ! Arrêtons de nous congratuler pour nos succès ! Montrons ce que nous savons faire !

Pour un beau discours, c'était un beau discours. Un bafouillage croassant et gargouillant. Hier encore, il était directeur adjoint du service des organes syndicaux et du Komsomol au CC du Parti. C'était un spécialiste — des organes.

— ...Alors, le Parti nous mettra vingt sur vingt, si tout le monde se consacre à sa tâche avec la même ferveur que le colonel Rioumine, continuait le ministre.

Minka, timide mais fier, baissa ses petits yeux porcins.

— Le camarade Staline n'acceptera pas la moyenne... La menace de l'agression sioniste est avérée.

Ignatiev avait sûrement été instituteur. Non, c'est Makhno qui avait été instituteur. Alors que le nôtre raconte qu'il a débuté sa carrière par le poste prestigieux de milicien à Kherson.

Ah, Papa Jo, grand chef cuisinier des plats épicés ! Quel drôle de gâteau feuilleté tu as concocté, fait de couches multiples de salauds, d'imbéciles, de tortionnaires et de nullités !

Ignatiev S. D., Sombre Débile, S. D. Siecherheitdienst de notre sécurité, continuait de gargouiller, d'expliquer et de distribuer des notes, et, couronnant son visage plat aux lèvres minces et méchantes, ses sourcils gris remuaient comme des souris repues dans une assiette.

De toute évidence, son rôle de ministre lui plaisait, parce que, premièrement, il pouvait faire la leçon à tout le monde et distribuer les notes, et, deuxièmement, parce qu'il n'avait pas la moindre idée de la façon dont tout cela pourrait se terminer.

Pourtant, il y avait de quoi réfléchir.

Le péché inexpiable de Caïn qui consistait à tuer son prochain avait été légitimé par l'État et reposait maintenant sur une base industrielle et technique. La logique des événements, ou plus exactement la folie furieuse de ces événements, indiquait qu'il y aurait bientôt un changement d'équipe dans notre chambre des machines.

C'était normal, après tout. Personne ne s'étonnait qu'on emprisonne le constructeur d'avions Tupolev, accusé d'avoir vendu les plans de l'avion de chasse à Messerschmitt. Même s'il affirmait n'avoir jamais construit d'avions de chasse, mais seulement des bombardiers. Ce n'est pas grave, c'est juste un détail.

Personne ne s'étonnait non plus qu'on ait bouclé le professeur Goumilev, parce qu'il refusait de donner de l'argent pour la construction d'un monument à Ivan le Terrible. Revenez quand vous ferez la quête pour un monument à Maliouta Skouratov, avait-il dit. Son allusion était claire.

Il était également dans l'ordre des choses qu'on arrête le médecin personnel de Staline, qui projetait de l'empoisonner lentement à l'arsenic. Ce Vinogradov, d'ailleurs, avait tout avoué dès son arrivée à la Boutique, après avoir ajouté que seuls les rats et les humains tuaient leur prochain sans y être poussés par la faim.

Bien sûr, ça n'avait pas d'importance qu'on ait embarqué presque tout le monde : des pédés aux espérantistes, des Allemands aux Gagaouzes, des adolescentes de treize ans aux vieillards.

Et il ne semblait pas moins naturel que la peste et l'incendie de la Terreur aient gagné les pays frères

limitrophes. En Bulgarie, leur Boutique — l'Étripe-
rie — avait vidé les boyaux de Costa Traïtchev et de
ses complices. En Roumanie, la Securitate avait
déchiré la toile d'araignée d'espionnage tissée par
Anna Pauker. En Tchécoslovaquie, la Statni Bez-
pecnost avait assuré la bonne défenestration de
Masaryk et s'était occupée de Rudolf Slanski par la
même occasion. Et Laszlo Rajk avait décollé de
Budapest en direction du paradis.

Audi. Vide. Sile.

Mais ça commençait à devenir angoissant. Et il
était particulièrement angoissant de penser que ce
même immeuble où Abakoumov était enfermé dans
la cellule 118 de la Prison intérieure commençait à
se remplir de complices et d'acolytes de l'ancien
ministre. Et quand on enferme vingt-neuf généraux
de la Boutique en une heure, ça veut dire qu'on se
prépare à changer d'équipe dans la chambre des
machines.

Seuls les imbéciles, comme le nouveau ministre
Ignatiev, ne comprenaient pas cela, ou encore ceux
qui avaient peur ou qui avaient du mal à se remettre
de cet appel tonitruant lancé à travers le pays tout
entier : « Bouffez du youpin ! »

Un beau slogan, qui a cours dans le monde entier
depuis la destruction de leur Temple.

Je savais que nous allions tous vers un immense
assassinat général, où tous périraient, les innocents
comme les coupables. D'autant qu'il ne restait
plus d'innocents. Tout le monde était coupable,
parce qu'ils avaient cessé de ressembler à des êtres
humains en devenant d'étranges créatures, comme
s'ils n'avaient pas vu le jour dans de banales mater-
nités mais dans de drôles de fourneaux ou sur une
chaîne de montage, accueillis dans ce monde non

pas par des sages-femmes mais par des contrôleurs de marchandises.

Oui, cette vie les avait menés au bord de la déshumanisation générale. Dès le réveil, les citoyens affamés et hébétés de fatigue priaient pour remercier le Très-Haut-Patron et maudissaient ces youpins cosmopolites : c'était de leur faute si le reste du monde ingrat et cupide avait oublié que la poudre n'avait pas été inventée par les Chinois mais par le maître russe Vassili Poudrov, que le compas était déjà utilisé du temps du prince Igor, que Polzounov avait fait avancer sa locomotive bien avant Fulton, que cette ordure de Marconi avait piqué la radio à Popov, que Gutenberg n'avait jamais existé et que le premier imprimeur fut le diacre Fedorov — cent ans après l'Allemand, mais quand même avant —, que c'est Iablotchkov qui illumina Paris avec ses ampoules électriques et que les plus beaux pommiers, c'est Mitchourine qui les planta ! Mitchourine, tué par les espions de Weismann, qui le poussèrent du haut de son airelle géante ; et que le premier avion au monde fut construit par Majaïski, même s'il ne réussit jamais à voler, parce que, en réalité, il ressemblait davantage à une locomotive avec des ailes — mais c'était, quand même, dans l'idée, le premier.

Par ailleurs, tous ces gens-là devaient être heureux, car nous les avions rendus aussi inoffensifs que des oiseaux. Ils avaient peur de se souvenir du passé et ne songeaient même pas à l'avenir. Une vie étrange et insouciante — ils ne savaient pas, en commençant de labourer leur champ le matin, s'ils termineraient leur sillon le soir ; ni, en allumant le feu dans leur âtre, s'ils goûteraient à la soupe.

Oui, en règle générale, ça n'allait pas trop mal. Ce monde-là était prêt à ce que nous l'achevions. Et nous étions prêts aussi. En espérant que le nouveau ministre S. D. ne nous gênerait pas, lui qui nous avait promis : « Rien ne s'oppose à ce que notre travail soit couronné de succès. Pour les grands problèmes d'État, nous irons voir le camarade Staline. Pour les questions de service, n'hésitez pas. Vous entrez, j'écoute. L'affaire est réglée, vous fortez ! »

Voilà. Entrer et sortir.

C'est exactement ce qui arriva : nous entrâmes dans le passé et sortîmes dans le futur. Nous entrâmes avec la vaste affaire des médecins-assassins et, lorsque je sortis, c'est Mangouste qui vint à ma rencontre avec ses questions et ses reproches.

Pourquoi devrais-je, moi, répondre à ces questions ? Je crains que l'honneur ne soit trop grand pour moi, un modeste spécialiste des techniques de sécurité, je veux dire de Sécurité d'État. L'idée était de moi, ça c'est vrai, je ne vais pas le nier. Mais l'affaire dans sa globalité était un problème trop compliqué pour moi. Je crois que pour la première réunion préparatoire de l'affaire des médecins-assassins, le S. D. Ignatiev avait rassemblé plus de monde que tous ces gens qui travaillent dans ton Mossad puant, Mangouste, mon cher gendre !

... Ignatiev écoutait le rapport de Krout, sans l'interrompre. Pourtant, S. D. avait sûrement très envie de l'interrompre, de lui faire la leçon et de donner une note à cet adjoint trop malin, mais le ministre avait visiblement du mal à saisir toutes les subtilités spécifiques d'un dossier opérationnel et avait peur de dire à voix haute une ânerie professionnelle. Comme tout fonctionnaire du Parti, il prenait à cœur ce travail qu'on lui avait confié l'avant-veille et manifestait son ardeur par des soupirs attristés à propos de la perfidie des professeurs empoisonneurs et scélérats.

Les soupirs d'Ignatiev étaient comme des signes

de ponctuation sur la copie de Krout — il y avait même des soupirs d'interrogation. Au moment où Krout résumait la situation, S. D. ressemblait à un rouleau compresseur abattu et en sueur. «Le peuple, l'histoire ne nous pardonneraient pas si nous ne réglions pas leur compte à ces coquins», nous disait-il.

Une bête! Un type déplaisant, bien sûr, un bovin sans cervelle, certes, mais c'est toujours mieux que ce bandit sanguinaire d'Abakoumov: voilà ce que je lisais sur le visage de Krout, et j'étais d'accord avec lui.

Il se révéla par la suite que nous nous étions cruellement trompés tous les deux. Nous avions sous-estimé S. D.

L'intrépide Krout, qui manigançait déjà l'étape suivante de son intrigue, me dit à voix basse, sur le ton de la confidence et de la camaraderie:

— Un type valable, ce Semion Denissytch!

Il se tut un instant, remua les lèvres puis ajouta, condescendant:

— Un peu courtaud, peut-être, c'est dommage...

Une fois habitué à son nouveau fauteuil ministériel et après avoir fait connaissance avec les règles du jeu et les joueurs, Ignatiev, quoique un peu courtaud, s'occupa sans hâte des secrets enfouis dans son coffre, qui avaient autrefois appartenu à Abakoumov. Il trouva mon dossier sur Kroutovanov, l'exhuma du néant du conservatoire général des secrets nationaux et lui tailla un joli costume. Mais ce fut un peu plus tard, lorsqu'il nous fallut donner une forme convenable à cette affaire.

Pour l'instant, le travail ne manquait pas. La section d'instruction des affaires particulièrement importantes, créée spécialement pour Minka Rioumine, détachée du Département de l'instruction mais dotée des pouvoirs d'une direction principale, gonflait à vue d'œil. Bientôt, plus de cent instructeurs mouillaient leur chemise pour Minka. Quant aux inspecteurs, on ne les comptait même plus ! Si ces gars-là n'avaient pas été aussi abrutis, ils auraient pu apprendre la médecine en trois coups de cuiller à pot, parce qu'ils passaient quotidiennement de longues heures en compagnie de la fine fleur de la médecine soviétique au grand complet. Je crois qu'aucune grosse tête professorale n'a échappé à nos sous-sols !

Pour remplacer feu Moïsseï Kogan, on fit venir son frérot, Boris Borisytch.

Pour remplacer Etinger, battu à mort à coups de pied, on boucla son fils.

À la place de Chemeliovitch, exécuté — honnêtement, celui-là, après jugement —, on poussa Rappoport.

Pour éviter que le professeur Mikhaïl Yegorov ne s'ennuie, on lui colla le professeur Piotr Yegorov.

Dans la cellule de Préobrajenski — Zelenski. Vinogradov avec Cherechevski, Feldman avec Feigel, Grinstein avec Gelstein, Sereïski avec Zbarski, Nezline avec un autre Nezline…

On n'en voyait pas la fin, de toutes ces sommités et lumières dans les cellules obscures. D'ailleurs, elles éclairaient assez mal.

Et qu'auraient-elles éclairé pendant qu'on les préparait lentement mais sûrement à jouer dans le spectacle, qui devait se terminer pour les interprètes principaux d'une manière inhabituelle : au tomber du rideau, sous les vifs applaudissements se transformant en ovations, sous les cris admiratifs de millions de spectateurs, tous les acteurs étaient pendus. Par le cou.

Oui, par le cou. Pour cela, le scénario prévoyait

même que le Soviet suprême adopterait une loi spéciale, la «peine capitale par pendaison». Et pas au fin fond d'une sombre ruelle, dans un sous-sol humide ou une cave glauque, non, sur le Lobnoïé Mesto[1], place Rouge, le nombril de notre capitale.

Je vous jure que je ne plaisante pas! Sur la tête de ma mère! C'est Lioutostanski qui avait inventé ça. J'observais mon petit Polak pourri en proie à l'exaltation hystérique et, en voyant avec quelle passion, avec quelle ferveur authentique il défendait devant tous les débiles de la maison ce projet délirant, je me rendis compte qu'il était à deux doigts de faire triompher les deux idées essentielles de toute son existence : humilier et faire souffrir les juifs et couvrir de honte l'État soviétique. Lioutostanski postillonnait, exhortait et démontrait et, peu à peu, personne n'imagina plus un autre finale à cette représentation sanglante.

Je me demande si quelqu'un se rendait compte que, si cette exécution publique avait lieu, notre patrie serait expulsée à jamais du concert des peuples civilisés et notre avenir serait définitivement compromis. Mais il ne se trouva personne pour contredire Lioutostanski.

Et moi, modéré mais chaleureux, je louais avec un soupçon d'envie cette merveilleuse trouvaille de mise en scène du futur spectacle.

Il est vrai que mon avis n'intéressait plus grand-monde. Il était arrivé une chose curieuse : j'étais devenu invisible sur le fond gris des coulisses, dont je me gardais bien de sortir pendant que sur l'avant-

1. Tribune ronde en pierre blanche, construite au XVIe siècle, près de la cathédrale de Basile-le-Bienheureux, qui servait à la proclamation des oukases du tsar et aux exécutions.

scène se déroulaient des événements aussi pittoresques et que le jeune premier Minka Rioumine travaillait sans relâche en compagnie de sa bande de nullités féroces.

Au théâtre, il arrive souvent que, une fois la pièce acceptée, la présence de l'auteur — le préféré de tous — finisse par gêner. Il veut donner des conseils, des indications, il trouve convenable de se mêler des décisions et des idées du metteur en scène, se plaint des maquilleurs et se déclare outré par le travail des éclairagistes. Le mieux, pour un auteur, c'est de disparaître jusqu'à la première.

À l'époque, je ne connaissais pas grand-chose au théâtre, mais en revanche je connaissais bien la Boutique, et je fis tout mon possible pour que non seulement on oublie ma présence mais pour que s'efface de la mémoire des vivants que j'étais l'auteur de ce cauchemar. D'autant qu'on ne manquait pas de prétendants à la gloire immortelle et d'auteurs putatifs du spectacle «Les assassins en blouses blanches».

Il faut rendre cette justice à Lioutostanski : il fit preuve de talents d'organisation exceptionnels. Il était si occupé qu'il avait dû abandonner son passe-temps favori, les fleurs en papier. Profitant du vide qui régnait dans l'âme tendre de Rioumine, qui ressemblait sans doute à un intestin de porc — je ne jouais dorénavant qu'un rôle secondaire —, Lioutostanski Vladislav Ippolitovitch y avait élu domicile tel un ver solitaire. Il restait chez Minka des heures entières à lui exposer ses idées et ses projets, que Rioumine, le lendemain, rendait publics sous la forme d'ordres, d'instructions et d'ordonnances. Lioutostanski lui avait judicieusement conseillé de diviser le travail à l'intérieur de l'appareil : les uns s'occupaient de l'instruction, d'autres établissaient les différentes versions de chaque affaire, les troisièmes étudiaient les perspectives, les quatrièmes élaboraient les actions en direction de l'opinion publique. Ce dernier groupe, par exemple, s'occupait de mythologie. Ils inventaient des contes stupides et haineux, que le réseau d'agents, les informateurs et les mouchards colportaient dans la ville et dans tout le pays. Et, compte tenu de l'étonnante barbarie de la population, ces fables terrifiantes étaient perçues comme paroles d'évangile.

Ainsi, par exemple :

Une doctoresse youpine a inoculé le typhus à des enfants en leur collant des poux.

Un jeune médecin juif a ajouté de l'acétone dans les perfusions : trente-six personnes ont été paralysées.

Un ancien médecin-chef a donné deux litres d'alcool à brûler aux filles qui repeignaient la polyclinique et qui voulaient boire un coup : une fille est morte, sept autres sont devenues aveugles.

Un urologue-youpologue, prétextant une opération, a castré un jeune héros invalide de guerre.

Un néphrologue-juivologue a enlevé un rein à un homme en parfaite santé...

Un radiologue, un youtre aux yeux rouges, laissait les gens exposés aux rayons X pendant plus d'une heure, ce qui a provoqué une leucémie chez quarante-sept personnes. Ça s'est passé à la médecine du travail de l'usine Dinamo.

À l'hôpital de ville numéro 13, dès que le chirurgien avait le dos tourné, l'anesthésiste — une crapule sioniste — fermait l'oxygène aux Russes, qui mouraient sur la table d'opération sans reprendre connaissance.

Sans reprendre connaissance.

À mon avis, nous vivions tous sans reprendre

672

connaissance. Ces rumeurs avaient envahi tout le pays : les gens refusaient de consulter les médecins juifs, dont certains furent battus et d'autres même tués. Mais ce n'était là que le souffle annonciateur de la juste colère populaire, le léger zéphyr avant l'ouragan de l'indignation universelle.

Parce qu'il y aurait d'abord le procès, après le procès l'exécution publique, après l'exécution publique le Grand Pogrom, et, pour les survivants, le Bannissement.

Mon Dieu ! À cause de ce Bannissement qui n'a jamais eu lieu, je dois maintenant mettre mon pantalon et aller à mon rendez-vous avec Mangouste. Car c'est également à cause de ce Bannissement hypothétique que je fis la connaissance de son grand-père, le rabbi Elieser Nannos.

Il est temps de mettre mon pantalon. Mon petit froc gris en flanelle, mon futal, mes braies tissées maison par Yves Saint Laurent. Mais où êtes-vous passées ? Vous n'avez quand même pas disparu en même temps que ma culotte bleu nuit d'uniforme, passepoilée de bleu ciel ? Elle est tombée dans les abysses du temps, en compagnie de ma tunique de colonel, très chic avec ses paddings. Jamais je ne pus me résoudre à économiser sur les fringues, jamais je ne pus m'abaisser à porter la vareuse réglementaire fournie par le MGB. Mon uniforme sortait de chez un tailleur extraordinaire : Yachka Gayer, un juif de Riga. Ah, que c'était beau ! Il travaillait comme personne ne travaille plus aujourd'hui. Et tout ça parce qu'il avait la trouille. Grâce à cette trouille typiquement judaïque, j'arborais une tunique sans un faux pli, malaxée, choyée et sculptée par un youpin effrayé.

Récemment, j'ai rencontré Yachka Gayer dans la rue. Il était vieux et se plaignait de ne plus avoir de travail. Personne ne se fait plus faire de costumes. «Tous mes clients sont morts, ou partis, ou ne portent que des costumes achetés à l'étranger. Comme vous, par exemple. »

Je ne suis pas un exemple pour toi, Yachka. Tu n'as rien compris, petit tailleur stupide. Mon veston en tweed Pierre Cardin, c'est le petit-fils de ma vareuse de colonel, cousue sur mesure et pourrie depuis longtemps. Ce veston est son successeur, son héritier, son représentant légal. Comme la cravate. Comme aussi ces chaussures en veau, héritières élégantes et bien élevées de mes bottes en cuir lustrées. Comme la masse de mes cheveux châtains légèrement ondulés, qui a laissé la place à une coupe Vidal Sassoon, tout ce qu'il y a de correct, qui dissimule le début de calvitie en haut de la nuque qui affecte tant ma brave petite femme Marina.

Moi-même, d'ailleurs, je suis devenu cet intellectuel timide et délicat, inoffensif et mou, un peu sainte-nitouche : je suis un mutant, un descendant méconnaissable de mon quadrisaïeul, le colonel Khvatkine P. E., inspecteur principal chargé des affaires particulièrement importantes auprès du ministère de la Sécurité d'État.

Et toi, enculé de Mangouste, ne va pas réveiller en moi la voix de mon ancêtre, ne dérange pas l'animal assoupi, ne m'oblige pas à troquer les fines chaussures de cuir contre des bottes ferrées.

— Marina, je sors, je rentrerai dans la soirée, criai-je dans le fond de l'appartement, où ma sorcière rouquine, suspendue au-dessus du sol de la cuisine, agitait le balai rouge de sa langue vipérine, crachant les injures d'une voix nasillarde.

Je crois que j'irai. J'irai à ce rendez-vous avec mon futur feu gendre Mangouste Theodorytch. Les portes de l'ascenseur m'avalèrent avec le bruit sec de leurs mâchoires en plastique, me précipitèrent comme un morceau de viande dans le boyau de la cage et me jetèrent sur le trottoir. Un estomac qui se digère lui-même.

Dernier rempart avant le précipice, Tikhon Ivanytch, chère âme! Un concierge orné des rubans multicolores de ses décorations, médailles de sergent, ainsi que de l'insigne de vétéran de la guerre. J'ai le même. Seulement, ni Tikhon Ivanytch ni moi ne dirons jamais contre qui nous avons combattu, quelles positions nous avons défendues et où se trouvait cette fameuse ligne de front, à l'Est, rien de nouveau.

— Rompez! ordonnai-je paresseusement.

Le vieux se détendit d'un coup et me fit un signe de tête aussi familier que peu réglementaire.

— La voiture vous attend, Pavel Egorovitch, annonça-t-il, me faisant comprendre qu'il n'était pas dupe du genre de voiture étrangère qui venait me chercher.

Espèce de vampire! Voilà que tu passes déjà la langue sur tes lèvres bleu pâle! Mais ne te réjouis pas trop vite, mon naïf garde-chiourme. Ce n'est pas toi que je redoute en ce moment, ni ton sourire rusé qui me déchire ainsi le cœur. Cet Aryen noiraud et frisé qui m'attend au volant de sa Mercedes, ce n'est pas le gibier que tu as repéré et que tu tiens à l'œil. C'est le chasseur! Et c'est nous qu'il vient chasser, vieille tête de bois! Et pour déjouer ses plans, il me faudra toute mon expérience, il faudra que me reviennent les secrets de ce métier singulier, que se ravivent les instincts endormis et que renaisse le talent d'être toujours prêt à tuer le premier. Je ne te parlerai pas, mon garde-chiourme, mon guichetier, mon porte-clefs. J'ai besoin de toutes mes forces.

Je levai un doigt impérieux et ordonnai sévèrement :

— Vigilance !

J'ouvris la portière de la Mercedes, brillante, lourde et silencieuse, posai mon corps exténué, brisé par l'alcool, sur les coussins raides du siège arrière, jetai un coup d'œil sur la trogne sournoise de Mangouste et dis aimablement :

— Bien le bonjour, fiston ! Comme on dit par chez vous, *gut'n chabess* ! Et chez nous, il y a une jolie chanson : « Aujourd'hui, mon cher Abracha, c'est jour de fête, aujourd'hui je vais chez lui. »

Mangouste hocha la tête, ce qui fit tressaillir et tinter ses breloques et ses chaînes.

— Non, aujourd'hui vous n'irez pas chez moi, pas encore. Vous n'êtes pas prêt.

Le moteur vrombit et la voiture s'élança dans la ruelle boueuse, les roues s'enfonçant avec un sifflement dans les flaques de neige fondue.

— Si tu le dis, fis-je résigné. Dis-moi, Mangouste, si ce n'est pas un secret, j'aimerais savoir quand tu me feras l'honneur de goûter à la traditionnelle hospitalité judaïque, avec tous ses rites, si chaleureux et généreux ?

Mangouste brûla le feu rouge, tourna dans l'avenue de Leningrad et roula dans la direction du centre-ville. Il soupirait, dodelinait de la tête, marmonnant comme s'il discutait avec lui-même d'importantes décisions à prendre. Puis il trouva :

— Quand j'obtiendrai de vous un affidavit.

— Mon Dieu, qu'est-ce que c'est encore ? demandai-je affolé.

Mangouste, sans détacher les yeux de la route, loucha vers moi et sa lèvre vipérine tressaillit légèrement :

— Je crois me souvenir que vous n'avez pas eu

676

d'éducation très poussée. Mais en votre qualité de professeur de droit vous ne pouvez ignorer ceci : l'affidavit est une déclaration certifiée conforme, un document officiel qui fait office de preuve juridique.

— Ah bon, c'est donc ça ! dis-je, légèrement soulagé.

Je fermai les yeux, me laissant aller un moment à la langueur de l'après-gueule de bois. Puis je demandai à mi-voix :

— Vous avez l'intention de juger qui ?

— Vous. Et aussi l'époque et les circonstances, récita-t-il, et ses mots sifflèrent comme une balle de revolver à mon oreille.

— Voilà qui est parfait ! dis-je avec soupir de lassitude. Mais qu'est-ce que j'ai fait au monde pour que tu viennes fouiner dans mes petites affaires minables ?

La voiture tourna lentement devant la place Rouge, laissa sur sa gauche le Manège et les créneaux rouges de la muraille du Kremlin et s'élança sur le Grand Pont de pierre.

Mangouste se taisait et arborait un petit sourire russophobe dégoûtant. Tu parles d'un diable qui vient me demander l'obéissance claustrale !

— Dis-moi, fiston, je croyais que tu m'avais convié à une promenade. On va continuer à s'aérer dans la voiture ?

— Non, dit Mangouste. Nous allons à la campagne. Je vous emmène à la datcha. Dans un sanatorium, en quelque sorte.

La Mercedes roulait à toute vitesse sur la chaussée de Kalouga, dans la direction du boulevard périphérique.

— Magnifique ! J'ai justement besoin de prendre l'air. Ma santé laisse à désirer. La vieillesse est un vilain défaut, fiston. Tu es jeune et vigoureux, tu ne peux pas comprendre ça. Mais quand un homme comme moi se trouve à la veille de son exil biologique, lorsque les tissus se désintègrent, que les chairs commencent à pourrir et que le souffle vient à manquer, c'est très pénible.

Mangouste dit avec un soupir compatissant :

— Avec une santé aussi peu florissante, il vous sera plus facile d'accepter l'inévitable.

— Aïe, mon petit Mangouste, qu'est-ce que tu racontes ? dis-je, feignant l'inquiétude. Tu n'as quand même pas l'intention de me tuer ?

C'est drôle, il y a mille ans de ça, j'étais dans une situation similaire : j'emmenais l'agent-bijoutier dans ma voiture. Mais, contrairement à l'agent Fumée, je ne craignais pas que Mangouste me noie ou me tire une balle dans la tête. La différence, c'est que je devais faire taire l'agent Zamochkine à jamais alors que Mangouste voulait que je lui déballe tous mes souvenirs.

Mangouste marmonna quelque chose dans sa barbe puis dit sérieusement :

— Vous tuer n'aurait aucun sens. Parfois, j'ai même l'impression que vous êtes immortel, comme le mal.

— Merci de ta gentillesse, fiston ! Où allons-nous ? Qu'est-ce que c'est, ce sanatorium ?

Mangouste lâcha, sans tourner la tête :

— C'est le sanatorium Beria.

Nom de Dieu ! Voilà ce que tu as trouvé, petite ordure ! Une expérience judiciaire : la reconstitution du crime en présence de l'accusé sur les lieux du délit.

Sur notre droite, je vis défiler la pancarte « Maison des architectes, Soukhanovo, 1 km ». La Mercedes passa devant un hôtel particulier délabré, tourna à gauche et, dans un crissement de freins

soulevant des rouleaux de neige sale, s'arrêta devant
une bâtisse de trois étages, entourée d'une palissade. Dans la cour, des gens en uniformes de miliciens s'affairaient comme des souris. C'était l'école
de la milice, ou quelque chose comme ça. J'en avais
déjà entendu parler mais ne l'avais jamais vue. Je
n'étais pas venu dans ce coin depuis longtemps,
depuis cette époque...

Soukhanovka. Sanatorium Beria. La prison préventive la plus terrible du MGB. Oui, peu de gens
réussirent à sortir d'ici. Personne en tout cas qui
pourrait raconter ce qui s'y passait alors.

— Je vois, cher *Vater*, que j'ai réussi à réveiller
dans votre ardent cœur de tchékiste quelques souvenirs nostalgiques sur cette vallée des larmes, dit
Mangouste avec calme et fermeté.

— Promenons-nous dans ces allées élégiaques et
souvenons-nous ensemble de ce qui s'est passé ici
un peu avant la mort de Staline.

— Il y a une petite erreur, fiston, dis-je en sortant de la voiture. Je n'ai aucun rapport avec la
Soukhanovka, mes clients n'étaient jamais incarcérés ici. Je ne sais même plus quand je suis venu
dans ce bled pour la dernière fois.

Mangouste me saisit fermement le bras et me
conduisit dans l'allée d'un pas tranquille. Nous
contournâmes la Soukhanovka, longeâmes l'interminable palissade et nous dirigeâmes vers la Maison
des architectes. Les freux croassaient éperdument et
se battaient en haut des cimes dénudées des arbres,
le vent charriait une odeur d'eau salée et de moisi.

— Je comprends que, quand on se trouve à la
veille de son exil biologique, la mémoire s'affaiblisse,
les souvenirs insignifiants s'effacent, ceux, par
exemple, qui concernent le plan d'extermination de
tout un peuple. Mais je suis disposé à vous aider. Je

vais vous rappeler deux ou trois détails qui vous permettront peut-être de reconstituer le tableau dans son ensemble. Ainsi, nous sommes en janvier 1953. Vous vous promenez dans cette allée en compagnie du docteur Lioudmila Gavrilovna Kovchouk[1]. Vous ne l'avez pas oubliée, j'espère ? C'est bien vous qui l'avez créée, comme Pygmalion sa Galatée ?

Le youpino-aryen, maudit schmoutz, disait la vérité. C'est moi qui l'avais sortie de sa merde, ma Galatée, elle avait pris naissance dans les dossiers cartonnés de l'affaire criminelle et, grâce à moi, connu une gloire incroyable. Seulement, Pygmalion avait épousé sa créature de pierre, alors que je n'avais pas épousé Lioudka. Je lui avais réservé un tout autre traitement.

Comme le savent tous les Soviétiques grâce à la pièce de l'écrivain anglais progressiste George Bernard Shaw, ce sont le professeur Higgins et le colonel Pickering qui ramassèrent la jeune souillon sur le trottoir et en firent une célèbre lady. Quant à moi, j'optai pour une réduction de personnel et fusionnai les deux personnages en un seul : moi. Et je fis de cette jeune pouffiasse stupide une héroïne nationale, dont la gloire éclipsa celle de toutes les gonzesses célèbres de notre histoire. Sa destinée fut celle d'une étoile, aussi éclatante que fugitive. Son nom était connu d'un quart de milliard d'hommes — avouez que ce n'est pas rien ! Alors que toute l'histoire de Lioudka Kovchouk, depuis le début jusqu'à la fin, de l'aube au crépuscule, de l'apparition à la disparition, ne dura guère plus de trois mois.

Moi, colonel-professeur, je l'avais ramassée non

1. Personnage réel dont le véritable nom est Lidia Timachouk.

pas sur un trottoir mais au restaurant Moskva, à l'anniversaire de mon camarade de combat Sergueï Kovchouk, son frère chéri, on pourrait dire son jumeau.

Ce fut une belle fête! J'arrivai avec un peu de retard et les gens étaient déjà ivres morts. Assise en bout de table, à côté de Semion plongé dans un doux sommeil, Lioudmila était l'image même de toute la lignée, de la famille et de l'existence de vieux garçon de son frère. Grande, blanche, belle, elle avait roulé sa natte châtain clair en un chignon haut comme une couronne.

J'expédiai un de ses voisins de table, une broutille insignifiante, m'assis à côté d'elle et remplis de cognac nos deux verres. Nous trinquâmes.

— À notre rencontre!

— À la nôtre, répondit-elle en buvant une solide gorgée.

— Pavloucha, dit Semion en se penchant vers moi, c'est ma frangine, Lioudotchka! Ne t'avise pas de poser sur elle tes sales pattes, c'est une petite fleur pure.

— Dis-moi, fleur pure, pourquoi sont-ils tous aussi bourrés? demandai-je à Lioudka.

— Je ne sais pas, dit-elle en haussant ses épaules rondes et en me lançant un œil vert malachite. Ils doivent se fatiguer au travail, ils sont un peu nerveux...

— Et toi, le travail ne te rend pas nerveuse?

— Ah non, répondit-elle en passant sa langue rose et fine de chatte sur la lèvre inférieure, mon travail est tranquille.

Semion la tira par la manche:

— Fais gaffe avec lui, Lioudka. Tu auras à peine le temps de dire ouf qu'il sera déjà en train de ronronner entre tes cuisses.

— Fous-moi la paix avec tes bêtises ! le repoussa-t-elle en minaudant et secouant sa couronne.

— Des bêtises ? répéta Kovchouk un peu vexé. Tu ne le connais pas ! C'est un aigle ! Le plus vif de toute la Boutique ! Il ira loin, si personne ne l'arrête.

Je fis la sourde oreille, caressai la main de Lioudka et lui dis gentiment :

— Ne fais pas attention. Tu parlais de ton travail...

— Je suis physiothérapeute à la clinique du Kremlin.

Sacrée petite fleur pure ! Moi, je sais bien pourquoi la clinique du Kremlin engage des jeunes et jolies filles comme physiothérapeutes ! Physiothérapie, soins par les eaux, massages...

La fête battait son plein. Mes braves collègues, camarades et parfois subordonnés, fatigués et énervés après un travail harassant, se reposaient de toutes leurs forces. L'un dormait, le visage soigneusement rangé dans le plat de poisson, un autre avait gerbé à l'autre bout de la table, deux autres encore, le visage mauve de tension, s'affrontaient dans un bras de fer en jurant comme des charretiers. L'inspecteur Stolbov, d'un air pensif, pêchait des crabes à la mayonnaise dans le saladier, tout le monde buvait avidement et Lioutostanski dansait.

Ça valait le coup d'œil. Je crois qu'il était le seul à venir à la fête vêtu de son uniforme et maintenant il savourait son heure. D'une démarche dégingandée et faussement détendue, il s'approchait des tables et, sans demander la permission de quiconque, prenait les femmes par la main et les emmenait danser. Aucun de nos braves héros n'osait le chasser, ramener la femme à sa table et casser galamment la gueule de Vladislav Ippolitytch. Tout ça parce que cette sauterelle aux longues jambes et aux yeux exorbités portait la carapace du commandant de la Sécurité d'État.

C'était vraiment un spectacle amusant : une sauterelle de la taille d'un homme en train de danser. Lioutostanski dansait fort bien. Il était souple, vif et léger. Et incroyablement indécent. Il serrait sa partenaire de telle façon que ses chairs s'écrasaient contre les articulations de son corps anguleux ; il la malaxait, la pétrissait, se penchait jusqu'au sol en la maintenant sous lui, puis la relevait brutalement, et à chaque mouvement sa jambe maigre et sèche sanglée dans la culotte d'uniforme bleue se glissait invariablement entre ses cuisses. C'était une drôle de danse. Il déshabillait ses partenaires en plein milieu de la salle, les palpait, les violait, au vu et au su de leur cavalier, et lorsque la musique cessait, toutes ces femmes avaient l'air de se relever d'une partie de jambes en l'air.

Mais personne ne pipait mot. Lioutostanski portait l'uniforme kaki passepoilé de bleu ciel. Il était si fortement échauffé par sa danse, qui ressemblait davantage à de la gymnastique érotico-sexuelle, qu'il se précipita sur Lioudmila Kovtchouk, fit une révérence et saisit sa main :

— Permettez ?

— Dégage, dis-je gentiment.

— Quoi ? demanda-t-il, encore sous l'emprise de ses chorégraphies sexuelles.

— Rien, répondis-je. Je te propose gentiment d'aller te faire foutre. Cette fillette n'est pas pour toi.

Je ne sais pas s'il avait trop bu ce soir-là, si ses hormones s'étaient affolées sous l'effet de l'odeur de femme et d'eau de Cologne, ou si Minka Rioumine lui avait fait miroiter quelque chose, mais ce taré merdeux en oublia d'un coup toute sa retenue craintive et demanda avec arrogance :

683

— Et pourquoi ? J'aimerais le savoir.

Il fixa sur moi ses immenses yeux gris-vert de noyé.

— Parce que ton sphincter ne tiendra pas, dis-je à haute voix en m'esclaffant. Si tu savais qui danse avec elle, tu ferais sous toi au milieu de la salle.

Lioudka me lança un regard à la fois effrayé et interrogateur et Lioutostanski retrouva aussitôt ses esprits, oublia sa crise de bravoure, marmonna quelque chose et fit une sorte de révérence. Je dis sur un ton amical :

— Va danser, Vladislav Ippolitych, ne me fatigue pas les yeux. Il n'y a rien qui te sourie par ici.

Il plongea aussitôt dans la masse compacte des corps. Lioudka demanda en se rapprochant de moi :

— Et qui danse avec moi ?

— Moi.

— Je ne l'avais pas remarqué, dit-elle avec un sourire hésitant.

— C'est parce que tu ne le sais pas encore. Je n'ai pas eu le temps de te le dire.

Une heure plus tard, la beuverie avait atteint son paroxysme. Personne ne remarqua notre départ. C'était une nuit de printemps. Le vent faisait la roue place du Manège. La ville dormait d'un sommeil avide et vacillant, comme le soldat dans sa tranchée. Les gens, terrés sous les draps, assoupis dans l'inquiétude, pétrissaient leurs oreillers et se pelotonnaient dans les couvertures, car, même dans leur sommeil, ils savaient qu'on pouvait à tout moment les traîner hors de ce lit qu'ils ne retrouveraient peut-être plus jamais. Et nous, qui sortions les gens de leur lit, nous savions que le lendemain nous pouvions vivre le même sort, et nous ne dormions jamais la nuit. Que nous travaillions ou que nous reposions, pour nous, le jour, c'était la nuit. En un mot, nous étions *à part*.

Cette nuit-là, je ne dormais pas non plus. Lioudka avait une chambre d'angle dans un appartement communautaire et, tandis que nous marchions dans le couloir, elle me disait à voix basse :

— Fais attention avec tes chaussures... Les voisins... Ce n'est pas convenable... J'ai peur...

Je pouffai :

— Qu'est-ce que ça peut te faire ? Bientôt tu auras un grand appartement pour toi toute seule.

Elle rit doucement :

— C'est peut-être toi qui vas me l'offrir, cet appartement ?

Elle ne savait pas, la petite idiote, que je lui avais réservé un rôle dans la prochaine pièce. Elle ne savait pas qu'une héroïne nationale, on peut même dire une libératrice de la patrie, ne pouvait pas habiter un minable appartement communautaire. J'étais couché, les pieds posés sur le montant du lit, tandis que Lioudka se débarbouillait dans une grande bassine émaillée, et les spasmes du désir me secouaient comme un hoquet irrésistible. Dans la demi-pénombre de la chambre, je distinguais la blancheur de son corps glabre, sur lequel glissaient les gouttes d'eau. La masse lourde des cheveux se déversa brusquement sur son dos, tel un saint-suaire châtain, jusqu'à ses fesses, rondes et saillantes comme deux brioches fraîches et sûrement encore tièdes. Et deux seins, fermes comme des ballons de volley-ball. Une douce créature, vraiment.

Quels étaient ces ministres et maréchaux dont elle ravivait les chairs mortes à la clinique du Kremlin ?

Si je m'intéressais à cela, ce n'était pas par jalousie. C'était à cause de mes affaires. Même si je n'avais pas eu l'idée de l'inclure dans mon plan génial, je ne l'aurais pas laissée partir comme ça. Ce papillon, en s'y prenant bien, pouvait devenir un agent exceptionnel.

Mais je lui trouvai un emploi autrement plus glorieux en lui confiant le rôle d'héroïne nationale.

Je dois avouer qu'elle était un camarade de plumard très sûr. Notre combat corps à corps fut splendide, avec cris et chants, gémissements enflammés et hurlements de gai désespoir. Je ne sais pas si elle était lassée de la routine physiothérapeutique, en d'autres termes par la vie sexuelle de nos chefs, ou si je lui avais plu, mais elle ne s'endormit qu'au petit matin.

Tandis que la nuit finissait sa course et que la lumière revenait imperceptiblement, son visage se dessinait de plus en plus nettement sur l'oreiller, comme une photo dans le bac de révélateur. Le mystère de la nuit s'évanouissait et je voyais apparaître le beau visage vulgaire de son frère Semion, et il y avait là quelque chose de pervers et de répugnant. Elle me dégoûtait.

Lioudka avait dû sentir quelque chose dans son sommeil, car elle se réveilla et, sans ouvrir les yeux, dit d'une petite voix suppliante :

— Petit soldat, épouse-moi. Tu verras, tu seras bien. Je n'aimerai que toi seul.

Je déposai un baiser sur ses yeux clos et dis avec un petit rire :

— Tu n'as pas besoin de moi. Dans un an, je te marierai à un maréchal.

— Les maréchaux sont vieux.

— Dans un an, il y aura de nouveaux maréchaux. Des jeunes.

Elle me mordilla le lobe de l'oreille et demanda :

— Et qu'est-ce qu'un maréchal a à faire d'une fille comme moi ?

Je la serrai contre moi.

— Si tu fais ce que je te dis, dans un an, tous les maréchaux voudront te baiser la main.

21

La devise de Fouquier-Tinville

L'allée n'était plus qu'un cloaque de boue et de neige fondue, j'avais les pieds trempés, les doigts gourds et les genoux raides, le froid me remontait dans le ventre, pénétrait mon cœur, et bientôt mon corps tout entier fut envahi ; je ne me sentais pas fiévreux mais paralysé. La vague de boue de l'histoire m'entraînait par les fonds pierreux des souvenirs pour me jeter dans le maudit fleuve circulaire.

Au bout du chemin obscur, j'aperçus l'amarre salvatrice : la Maison des architectes, une vieille bâtisse de maître, défigurée par les restaurations successives. C'est dans cette allée, très précisément, que j'avais préparé Lioudka pour la grande réunion avec notre inoubliable ministre, Ignatiev S. D. Ce devait être une sorte de révision, une répétition générale de notre futur spectacle, à laquelle toute la troupe avait été conviée.

Mangouste me donnait des coups de coude dans les côtes :

— Allez, rappelez-vous, rappelez-vous. Vous devez avoir beaucoup de souvenirs liés à cet endroit ?

Oui, j'avais beaucoup de souvenirs. Seulement, je n'avais pas envie. Aussi je dis, les lèvres tremblantes de froid et de tension :

— Je ne peux pas. Je suis complètement gelé et sans forces...

Mangouste dit avec un rire bref :

— Nous allons arranger ça.

Nous pénétrâmes dans la Maison des architectes et, à en juger par l'assurance avec laquelle Mangouste déambulait dans le hall et disait bonjour à tout le monde, il ne venait pas ici pour la première fois. Il était arrogant, calme, décidé et sûr de lui : en un mot, il était chez lui. C'est vrai que ces sales gueules de sionistes se comportent comme s'ils étaient en pays conquis. C'est vrai aussi qu'ils sont partout chez eux !

Au vestiaire, quelques manteaux de fourrure se balançaient misérablement comme des pendus. Je jetai mon blouson sur le comptoir et, frigorifié et le cœur en lambeaux, suivis Mangouste qui, après avoir poussé une grande porte-fenêtre, se dirigea vers la cafétéria. Il régnait ici une demi-pénombre rougeoyante, il faisait bon et ça sentait la vie. Il me poussa vers une petite table et se tourna vers le bar :

— Beaucoup de café et du cognac.

Je bus avidement le premier verre de liquide doré. Mon cœur se souleva brusquement, comme dopé par une dose de valériane, et après quelques soubresauts, se mit à battre frénétiquement, brisant la coque de glace dont il était prisonnier. Je me sentais bien, dans le silence et la chaleur, l'esprit troublé par l'alcool. Le froid quittait peu à peu mon corps et je ne désirais plus qu'une chose : que Mangouste disparaisse et que je reste seul ici pour toujours. Seulement, Mangouste ne pouvait pas disparaître ; de toute évidence, il avait décidé de passer sa vie avec moi.

— Rappelez-vous, rappelez-vous, répétait-il de temps à autre. Vous avez beaucoup de souvenirs.

C'était une véritable incantation. Je tentais de lui résister mais, malgré toute ma haine, je cédais peu à peu. Je secouais ma mémoire comme si elle était une ourse en hibernation, et elle me montrait les dents. Je ne voulais pas que ces souvenirs reviennent, mais ils tournaient autour de moi comme des abeilles insistantes, et des images nettes et précises de ce passé que j'espérais disparu à jamais se reformaient peu à peu.

Quelques-uns de nos immortels architectes firent irruption dans la cafétéria, accompagnés de leurs invités, hollandais ou suédois, riant, plaisantant et se donnant des tapes dans le dos. Les architectes essayaient de convaincre les étrangers de la nécessité de renforcer les liens culturels et artistiques, et ces derniers répondaient en cacardant comme des oies : « Oh-la-la-go-go-la-la. »

La barmaid brancha un petit transistor posé sur le comptoir et la voix officielle du speaker annonça allégrement un concert de l'orchestre de la garnison du Kremlin et de l'ensemble de chants et de danses du ministère de l'Intérieur.

Non sans peine, je relevai la tête et dis à Mangouste avec une grande sincérité :

— Mangouste Theodorovitch, mon cher gendre, tu as tort de te réjouir. Tu n'as pas encore gagné. Vous, les étrangers, vous allez passer toute votre existence à goûter la musique du ministère de l'Intérieur.

— Pas toujours, répondit Mangouste en hochant la tête, parce que je veux que vous me disiez la vérité.

— Et qu'en ferais-tu ? Aujourd'hui, cette vérité-là ne fait plus peur à personne. Elle serait plutôt risible.

— Eh bien, nous allons rire de concert, dit poliment Mangouste.

Un verre de cognac supplémentaire me réchauffa le cœur, la vague sucrée et brûlante entama quelque peu le glacier dans lequel j'étais pris. J'avais sommeil. Mangouste insistait lourdement :

— Quand exactement a eu lieu cette réunion à la Soukhanovka ? Avant ou après le communiqué officiel à propos des médecins-empoisonneurs ?

— Avant. Trois-quatre jours avant. C'est au cours de cette réunion qu'il a été décidé d'avancer l'opération de deux mois.

J'articulais avec peine, ma langue et mes lèvres refusaient de m'obéir et les mots, rendant l'âme avant de quitter ma bouche, tombaient en petits cadavres sur la table.

Mon Dieu ! Je me souviens parfaitement de ce communiqué. D'autant que j'en avais écrit la première version. Aujourd'hui, des dizaines d'années plus tard, je revois encore la page du journal.

[...] Les organes de la Sécurité d'État viennent de démasquer un groupe de médecins terroristes, dont le but était d'abréger la vie des dirigeants de l'Union soviétique grâce au sabotage médical. Ces espions, empoisonneurs et assassins, à la solde des services secrets étrangers, poursuivaient leur sinistre dessein dissimulés sous le masque de médecins et de professeurs et abusant de la confiance des patients. Le groupe des médecins-saboteurs, ces monstres, ces assassins, ont foulé aux pieds le drapeau sacré de la science et bafoué par leurs crimes abominables l'honneur de la communauté scientifique. Par la main de ces lâches empoisonneurs et assassins ont péri les camarades Jdanov A. A. et Chtcherbakov A. S., devenus les victimes de cette bande de bêtes sauvages d'apparence humaine. Les médecins criminels ont sciemment ignoré les données des dossiers médicaux des malades, posant des diagnostics volontairement erronés et prescrivant des « traitements » qui se sont révélés fatals. Les services de sécurité ont démasqué ces misérables mercenaires de l'impérialisme, qui, contre les dollars et les livres sterling versés par les services de renseignement étrangers, poursuivaient sur leur instruction une activité de terrorisme. Ce sont les services de renseignement américains qui dirigeaient la plupart des membres du groupe terroriste. Les médecins-assassins Vovsi, Kogan B., Feldman, Grinstein, Etinger et les autres ont été recrutés par l'organisation bourgeoise nationaliste Joint, filiale des services américains. Au cours de l'instruction, l'accusé Vovsi a déclaré qu'il avait reçu l'instruction d'«éliminer les cadres dirigeants de l'URSS» par l'intermédiaire du médecin moscovite Chemeliovitch et du célèbre nationaliste bourgeois juif Mikhoels.

Les autres membres du groupe — Vinogradov, Kogan M., Yegorov — travaillaient depuis longtemps pour les services de renseignement anglais et menaient leur activité criminelle sur leurs indications. Les médecins-assassins s'étaient fixé le but de ruiner la santé des chefs militaires les plus appréciés du peuple soviétique, les maréchaux Vassilevski, Govorov, Konev, Chtemenko. La bande criminelle des ennemis de notre patrie, à la solde des ogres esclavagistes d'Amérique et d'Angleterre, a été prise en flagrant délit. Un juste et sévère châtiment attend ces misérables suppôts de l'impérialisme. L'instruction sera terminée dans les délais les plus brefs.

— Pour quelle raison l'opération a-t-elle été avancée? demanda Mangouste.

— Une fuite. Il n'est si bon cheval qui ne bronche, répondis-je un peu pantois.

Eh oui, il arrive de broncher même à cette vieille jument de Boutique. Plus exactement, on découvrit fin 1952 un gros trou dans la carapace de notre très secrète organisation, au moment où l'affaire des médecins était déjà très engagée et où la Prison intérieure, ainsi que la Boutyrka et Lefortovo, débordaient de figurants candidats au futur châtiment, juste et sévère. Ce trou dans la muraille de nos plus secrètes activités, ce fut Jacob Finn qui le creusa, Jacob Finn, notre résident vétéran au Canada. Ce Canadien respectable, qui s'était autrefois appelé Jacob Naoumovitch Khalfine, était un combattant de la vieille trempe, un espion expérimenté et rusé, envoyé à l'étranger plusieurs dizaines d'années auparavant par Artouzov[1], alors chef du renseignement stratégique.

En Occident, Khalfine fit une magnifique carrière financière, devint un capitaliste, ce qui ne l'empêcha pas de jeter les bases d'un remarquable réseau d'espionnage en Amérique du Nord. C'est grâce à lui qu'on avait établi des liens avec les époux Rosenberg avant qu'ils ne piquent le secret de la bombe atomique aux Américains. Lorsqu'on commença à remplacer systématiquement tous les cadres juifs, Finn fut rappelé à Moscou, officiellement pour prendre ses instructions. En vérité, il était prévu de le mettre sur écoute, de le filer, d'examiner ses anciennes relations moscovites et de rassembler de quoi lui coller une affaire assez importante et voyante pour l'envoyer faire un plongeon dans nos sous-sols.

Après avoir tourné en rond dans la Boutique pendant une semaine, Jacob Finn comprit très rapidement ce qui l'attendait, grâce certainement à l'alliage précieux de l'esprit purement capitaliste et d'une bonne éducation tchékiste, fait assez rare chez un simple mortel. Quoi qu'il en soit, Yacha Khalfine se rendit compte de la menace qui pesait à court terme sur toute la tribu sémite. Et nous joua ce sale tour. Il viola la loi sacrée de la discipline. Qui aurait pu pen-

---

1. Arthur Artouzov fut le directeur de l'INO, le département étranger de l'Oguepéou, de 1929 à 1934. Il disparut dans les purges de 1937.

ser qu'au commandement «Assis dans la neige, les mains sur la nuque», un homme puisse se lever, courir, ou ramper, en un mot se soustraire à un ordre donné d'une façon ou d'une autre, au lieu d'attendre tranquillement qu'on lui tire une balle dans la tête? Eh bien, c'est ce que fit Jacob Finn. Il parvint à déjouer la surveillance et les filatures, établies vingt-quatre heures sur vingt-quatre, se rendit à Leningrad et de là franchit la frontière avec son passeport canadien. Comme une lettre à la poste. Tout cela parce qu'au ministère personne n'avait eu l'idée d'envoyer à tous les postes frontières une fiche de signalement et un mandat d'arrêt au nom de Jacob Finn, citoyen canadien. Je pense également qu'il avait eu la prudence de se munir de deux ou trois vrais passeports avec des visas; en tout cas il réussit à filer. Une fois en Finlande, il prit l'avion pour l'Amérique, où il alla raconter à la CIA tous les détails sur la préparation du procès des juifs.

Inversement, l'extrême stupidité des agents et contre-agents américains nous fut d'un grand secours, car leur esprit d'universitaires à tête d'œuf ne pouvait concevoir un projet aussi insolent, arrogant, monstrueux et idiot que celui de la punition de tout un peuple par l'intermédiaire de ses médecins. C'est pour cette raison que les révélations de Jacob Finn n'attirèrent pas d'attention particulière, bien qu'on vérifiât deux ou trois détails et que la presse en informât l'opinion publique et les cercles parlementaires. Il fut alors décidé d'achever la déportation des juifs dans les plus brefs délais, avant que les Américains ne recouvrent leurs esprits. Et voilà pourquoi Semion Denissytch Ignatiev nous avait tous réunis à la Soukhanovka.

Lioudotchka Kovtchouk, ma jolie colombe blanche, assistait elle aussi à cette réunion, car, grâce à mes efforts, elle était devenue un des rouages essentiels du spectacle. Depuis cette nuit inoubliable où je lui avais prédit le destin d'une héroïne nationale, elle avait pas mal avancé. Grâce à mes multiples interventions, après une formation de cardiographie, elle avait été affectée au service thérapeutique numéro 1 de la clinique du Kremlin, où elle assistait désormais toutes ces vieilles barbes juives. Il fallait qu'elle soit en mesure d'expliquer en détail comment ils s'y prenaient pour empoisonner, torturer et assassiner nos pauvres dirigeants sans défense. Son témoignage était le socle de toute l'affaire et sur lui devait reposer l'acte d'accusation.

Elle pleurait tous les jours, elle avait peur d'oublier quelque chose ; je la consolais, la câlinais et lui expliquais que dans un mois, une semaine, un jour elle se réveillerait dans la peau de la femme la plus célèbre du monde. Cette promesse se réalisa en partie, puisqu'un beau matin, une semaine après la révélation des crimes de la bande des médecins-assassins, les journaux publièrent l'oukase du Présidium du Soviet suprême décorant Lioudka de l'ordre de Lénine pour services rendus au gouvernement.

Ma douce, ma petite idiote, ma patriote aimante et charnue ! Avais-tu seulement imaginé que tu recevrais des centaines de milliers de lettres, des sacs entiers de télégrammes, que les écrivains célèbres te consacreraient des articles dans les journaux et les revues, que les folliculaires et les poètes dédieraient à ta gloire des vers enflammés ? Dieu sait pourquoi, un de ces poèmes resta gravé dans ma mémoire :

Honte sur vous, épaves de la société,
Honte sur vos noirs desseins.
Que vive pour l'éternité
La brave patriote du pays des soviets !

Mais c'était plus tard.

Juste avant, nous étions assis côte à côte à cette réunion qui se tenait dans le bâtiment administratif de la Soukhanovka et, de temps à autre, je serrais sous la table ta cuisse brûlante, histoire de t'apaiser et de te faire sentir que j'étais là, près de toi, et que nous irions ensemble jusqu'au bout. Cette partie de la promesse se réalisa également. Nous allâmes ensemble jusqu'au bout. Jusqu'au bout de ta vie.

Semion Denissytch, après avoir dûment complimenté Lioudka, nous administra une petite leçon et distribua les notes.

— Voyez quel exemple nous donne une femme russe toute simple, ânonnait-il. Elle nous apprend à aimer notre patrie et à ne jamais avoir peur de personne.

Semion Denissytch se tut quelques instants et, lorsqu'il remua ses sourcils, on aurait dit que deux grosses souris lui couraient sur le front. Il dit en traînant sur les mots, comme s'il réfléchissait à voix haute :

— Elle est entrée seule dans une bataille contre tout un groupe de professeurs prestigieux, gradés et décorés ! Des académiciens ! C'était très, très difficile pour elle ! On l'a accusée d'incompétence médicale et malgré ça elle n'a pas baissé les bras et a su garder la tête froide. Ce qui lui a permis de sortir victorieuse de cette lutte difficile et éprouvante. N'oubliez pas que cette bande a réussi à s'infiltrer partout !

Nous écoutions l'hommage ministériel au travail accompli par Lioudmila Gavrilovna avec respect et enthousiasme, secouant la tête d'un air enchanté et un peu envieux de ce rôle qu'elle répétait devant nous et que nous avions imaginé et écrit pour elle.

Après ces effusions lyrico-patriotiques, nous passâmes aux problèmes d'ordre strictement pratique. Le directeur du Goulag, le lieutenant-général Baliasny, expliqua la difficulté que représentait la déportation simultanée de deux millions de juifs.

— Trimbaler deux millions de youpins d'un bout du pays à l'autre, c'est pas comme se gratter les couilles en bâillant, disait-il. Si on les met à cinq par rangée, vous imaginez-vous la longueur de la colonne ? Vous vous rendez compte ?

Baliasny tenait absolument à montrer au ministre toute la difficulté de la tâche et tirait la couverture à lui.

— Bon, faisons une estimation, dit le général, en plissant son front clairvoyant, mais, incapable de maîtriser les subtilités arithmétiques, il approcha son bloc-notes. La distance entre les rangées est d'environ un mètre. Mettons cinq mille personnes par colonne, ça nous fait une colonne d'un kilomètre de long. Comptons une section d'hommes pour l'escorte. Nous devons donc conduire à leur lieu d'embarquement dans les wagons une colonne d'une longueur totale de quatre cents kilomètres. Avec quatre divisions d'escorte. Nous avons parmi nous un spécialiste du ministère des Transports, il pourra évaluer le nombre de wagons nécessaires. Je pense que si on prend un wagon à bestiaux ordinaire prévu pour quarante personnes, on pourra y fourrer, disons quatre-vingts personnes. Sans les bagages, il va sans dire. Si nous admettons que la vitesse...

Suivirent des calculs compliqués et interminables. Le spécialiste du ministère des Transports, en uniforme de général des forces ferroviaires, entreprit de discuter avec Baliasny. Par la même occasion, on se rendit compte que, dans le bordel ambiant, personne n'avait songé à régler la question de la destination. Où allions-nous les emmener ? Dans la presqu'île de Taïmyr, déjà proposée, ou à Birobidjan, au fin fond de la Sibérie ? Dans le cas de Birobidjan, en Extrême-Orient, la route était presque trois fois plus longue, mais les liaisons ferroviaires permettraient une déportation plus rationnelle. Après une longue discussion, on décida de proposer Birobidjan au gouvernement : les juifs avaient là-bas un État d'opérette et il serait plus facile de les rassembler.

Ignatiev termina la conversation par une question de bon sens :

— Je devrai soumettre au camarade Staline le problème suivant : que fait-on des demi-juifs ? Ceux qui ont une mère ou un père juif ?

La discussion s'envenima. Minka Rioumine insista violemment pour qu'on déporte sans exception tous ceux qui avaient ne fût-ce qu'une goutte de sang juif dans les veines.

— Pas de demi-mesures pour les demi-juifs, plaisanta-t-il.

— Et pour les familles, que fait-on ? demanda Ignatiev d'un air préoccupé. Si le mari ou la femme...

— Soit ils se récusent, soit ils partent, trancha Minka. S'ils se récusent, il faut que ça soit public, je ne veux pas de malentendus.

Le général Baliasny, après avoir consulté le responsable de l'escorte, exigea deux mois minimum pour préparer l'opération.

— Nous serons prêts à la mi-mars, promit-il.

Lioutostanski, dont le rang ne lui permettait pas de se mêler à la conversation, à la fin n'y tint plus et demanda d'une petite voix fluette :

— Et que fait-on de Lévithan[1] ?

1. Célèbre speaker de la radio soviétique, dont la voix lugubre avait annoncé l'invasion allemande le 22 juin 1941.

Tout le monde se tourna vers lui.

— Quoi, Lévithan ? demanda Ignatiev après un long silence.

— C'est quand même le chouchou du peuple, ce diacre juif, la voix des soviets en quelque sorte, dit Lioutostanski avec un petit rire répugnant, et il ajouta aussitôt : J'ai une proposition. Et si on lui faisait enregistrer la déclaration officielle à propos du départ des juifs pour leur nouveau lieu de résidence ? Comme ça, pendant qu'il bringuebalera dans son petit wagon, on passera la bande à la radio.

Et il se frotta les mains d'un air ravi. Tout le monde s'esclaffa.

— L'idée n'est pas mauvaise, dit Ignatiev.

Encouragé par ce succès, Lioutostanski s'enhardit davantage, mais se fit rabrouer aussitôt.

— Et que fait-on de Kaganovitch ? demanda-t-il.

Ignatiev le regarda de ses petits yeux enfoncés :

— Ça ne vous regarde pas, commandant.

Et Lioutostanski fut éjecté de la conversation comme s'il n'était qu'une miette de pain sur la table. Néanmoins, la question fit réfléchir Ignatiev sur le cas difficile de Kaganovitch, le représentant youpin en chef auprès du Patron. Il dodelina de la tête et parla lentement :

— Fe pense que Iossif Vissarionovitch va nous concocter un petit miracle à Birobidjan, comme le Chrift : la Réffurrection du bien-aimé Lazare Moïffeïtch...

Nous ricanâmes poliment et je compris que Kaganovitch était fait comme un rat, car ce genre de plaisanteries au sujet des membres du Politburo en exercice n'étaient envisageables que si leur sort était déjà scellé.

Fitine, le chef du renseignement étranger, posa une question à propos des conséquences qu'aurait cette opération sur les relations internationales. Selon ses sources, les gouvernements des États-Unis et de l'Europe occidentale pouvaient prendre des mesures énergiques pour riposter à la déportation des juifs. Ignatiev répondit sans hésiter:

— Il ne se passera rien. Iossif Vissarionovitch m'a assuré qu'il n'y aurait pas de guerre avec les pays occidentaux à cause des juifs.

La discussion aborda l'aspect formel de la déportation et de l'extermination des juifs. L'orateur principal de cette partie fut Minka Rioumine. Il expliqua que les premières exécutions des principaux accusés provoqueraient inexorablement des pogroms spontanés dans les grandes villes, qui pourraient durer plusieurs semaines. Ce serait là la réaction naturelle de véritables patriotes et d'authentiques citoyens, de tous les Soviétiques modestes face aux menées criminelles de quelques traîtres à la patrie, c'est-à-dire des youpins empoisonneurs, saboteurs et assassins. Le gouvernement soviétique pourrait néanmoins accorder une attention bienveillante au souhait de juifs honnêtes et étrangers à tous ces crimes abominables, d'émigrer dans une zone où ils pourraient s'installer définitivement. Il serait préférable qu'une telle proposition émane d'un leader juif, d'une sorte d'autorité morale non officielle.

Derrière le discours de Minka, je voyais se profiler le projet esquissé par Vladislav Ippolitovitch Lioutostanski, qui n'avait pas abandonné l'idée que les juifs pourraient diriger eux-mêmes leur extermination.

— À ce propos, dit Minka en conclusion, nous avons déjà préparé un plan et nous pourrons le soumettre cette semaine à votre approbation.

... J'étais encore là-bas, je me voyais assister à cette réunion, tout au fond de ce gouffre, ces dizaines d'années qui séparaient mon présent de mon passé, que je croyais disparu et oublié. Il fallait effacer la mémoire. Si Mangouste parvenait à déchiffrer mes souvenirs, il pourrait jeter un pont entre le passé et le futur, un pont fait de mon corps. Mais il se détourna, sortit un portefeuille, alla chercher au fond des petites poches de cuir une liasse de coupures et au moment où il froissa les billets de dix roubles tout neufs collés entre eux, sa fiche d'hôtel glissa sur la table. Je n'eus le temps de lire que le nom de l'hôtel : Spoutnik. Je bus encore une rasade de cognac et fis cette proposition à mon tortionnaire :

— Quittons-nous en bons termes. À quoi peuvent nous servir tous ces souvenirs ? Ce ne sont qu'ombres et fantômes, tout a disparu à jamais. Mon seul tort a été de les avoir vécus, voilà pourquoi je n'en ai pas d'autres. Je ne suis qu'un soldat de cette armée anéantie...

Mangouste, sans lever les yeux, déplaçait lentement son verre de cognac sur la surface polie de la table. Puis il se redressa sur sa chaise et dit tristement :

— Lorsque je parle avec vous, je pense toujours aux dernières paroles qu'a prononcées Fouquier-Tinville à son procès.

— Il travaillait chez nous, celui-là aussi ?

— Non. Fouquier-Tinville n'a jamais travaillé chez vous. Il a été procureur général du temps de la Révolution française. Ce petit homme, ancien boutiquier, a envoyé des milliers de gens à la guillotine, dont les membres de la famille royale, Danton, Camille Desmoulins, Jacques Roux, Hébert, Chaumette, Couthon, Robespierre, Saint-Just. Bref, il a fait trancher la tête à tout le monde.

Je demandai, en me penchant vers lui :

— Et qu'a donc dit cet homme remarquable ?

— Voilà ce qu'il a déclaré aux Thermidoriens qui le jugeaient : ce n'est pas moi que vous auriez dû amener ici, mais tous les chefs dont je n'ai fait qu'exécuter les ordres... Je pense, cher colonel, que vous devriez broder cette devise sur vos drapeaux.

— Pas la peine ! On est encore loin de Thermidor. Et toi, comment pourrais-tu me juger ?

— Je vous l'ai déjà dit, monsieur le colonel : je ne suis pas un tribunal et je n'ai pas l'intention de vous infliger une peine.

— Alors, que veux-tu ?

— La vérité. Je veux savoir comment vous avez assassiné rabbi Elieser Nannos.

— Je n'ai pas tué ton grand-père, dis-je d'un ton las. Je ne savais rien de lui. C'est Lioutostanski qui a tout manigancé.

— Peut-être, mais c'est vous qui avez mené les pourparlers avec mon grand-père. Lioutostanski n'a fait que le torturer, dit Mangouste avec un soupir affligé.

C'était la vérité. Mine de rien, il avait découvert pas mal de choses sur toute cette histoire. Cette sale ordure de youpin de Merzon avait dû lui en balancer des vertes et des pas mûres. Avait-il fallu qu'il le cuisine pour obtenir ces informations ou Merzon s'était-il mis à table de lui-même, bouffé par le remords ? Je n'aurais pas dû avoir pitié de lui, à l'époque ! Mais ce n'était ni le lieu ni l'heure d'expliquer tout cela à Mangouste et je répondis simplement que oui, bien sûr, c'est moi qui avais mené les pourparlers avec Elieser Nannos, en tant qu'officier supérieur du MGB et, soit dit en passant, en vertu de la mission dont m'avait chargé le vice-ministre de la Sécurité d'État Rioumine.

Mangouste soupira et demanda placidement :

— C'est lui également qui vous avait chargé de mener les pourparlers avec Raoul Wallenberg[1] ?

— Non, ce n'est pas lui qui m'a chargé de mener les pourparlers avec Raoul Wallenberg. C'était une initiative personnelle. Et uniquement dans le but de soulager les souffrances de votre peuple. Si Wallenberg avait accepté nos conditions, c'eût été plus facile pour tout le monde.

C'est la pure vérité, Dieu m'est témoin ! Si Wallenberg, détenu à l'étage inférieur de la Soukhanovka, avait accepté nos conditions, tout le monde aurait gagné au change. Mais ce youpin varègue, cette salope scandinave, ce suppôt de la juiverie mondiale n'a pas voulu accepter nos conditions et tout le

1. Ce diplomate suédois, en poste à Budapest en 1944-1945, sauva la vie de plusieurs milliers de juifs. Il disparut après l'occupation de la Hongrie par l'Armée rouge. En 1957, Gromyko, alors vice-ministre des Affaires étrangères, remet à l'ambassadeur suédois une note, selon laquelle Wallenberg serait mort d'une crise cardiaque en 1947. En octobre 1989, un faux certificat a même été remis aux représentants de l'association Raoul-Wallenberg. En fait, d'après Oleg Gordievsky, le dernier transfuge important du KGB, le NKVD aurait essayé de recruter Wallenberg à Budapest, mais, devant ses refus obstinés, l'aurait emmené en URSS. Il n'aurait pas été fusillé en 1947. D'après les Mémoires de Pavel Soudoplatov, Wallenberg aurait bien été tué en juillet 1947, par Maïranovski, chef du laboratoire secret de la Loubianka, qui lui aurait injecté du poison sur ordre de Molotov, à l'époque à la tête du KI, le Comité d'information, qui coordonnait les services de renseignement et de sécurité. Le fait que Molotov soit resté en fonction longtemps après ces faits tragiques expliquerait le refus par les autorités de fournir aux Suédois des éclaircissements sur le destin du diplomate. Les frères Vaïner s'en tiennent, quant à eux, à la première version.

monde en a souffert, à commencer par lui-même. Pendant plus d'un an, il resta enfermé dans le mitard de la Soukhanovka, situé à l'entresol de la prison et qui avait la particularité de mesurer un mètre cinquante de hauteur, ce qui n'était pas très commode pour un prisonnier de la taille de Wallenberg. Il vivait plié en deux vingt-quatre heures sur vingt-quatre et lorsqu'on l'emmena devant moi il avait une bosse dans le dos. Le mitard avait une autre particularité : les tuyaux de chauffage passaient dans les murs et étaient si brûlants qu'on ne pouvait s'y appuyer. De plus, ils dégageaient une odeur nauséabonde. Pour parachever le tout, une grille en fonte servait de plancher, sous laquelle s'écoulaient toutes les déjections de la prison avec un roucoulement des plus romantiques. L'hiver, l'écart de température entre le sol et le plafond pouvait atteindre une vingtaine de degrés.

La première fois que je vis Wallenberg, je ne pus m'empêcher de remarquer que ses mains étaient déformées par les rhumatismes. Lorsqu'il arriva chez nous, le célèbre héros se montra discret, il était effrayé et avait l'air d'un animal traqué. Comme j'avais une certaine expérience de ce genre de héros, je savais qu'il serait très difficile de le briser s'il refusait de collaborer avec nous.

— Avez-vous besoin d'un interprète ? Ou vous êtes-vous suffisamment acclimaté ?

— Oui, je peux parler le russe, dit-il en hochant la tête. J'ai déjà eu de nombreuses occasions de parler le russe.

— En ce cas, nous pouvons avoir cette conversation en tête à tête. Personne ne saura rien de l'accord que nous allons passer, quel qu'il soit, dans le cas où vous accepteriez nos propositions. Si, pour une raison ou une autre, ces conditions ne vous convenaient pas, cela restera également un détail de votre biographie.

Wallenberg fixait le sol entre ses pieds. Ne jamais regarder un instructeur dans les yeux était un des grands préceptes du prisonnier et Wallenberg avait déjà eu le temps de l'apprendre.

— Je vous écoute, dit-il doucement.

J'étais très étonné, car j'avais pu observer que les prisonniers qui risquaient une lourde condamnation et que l'on sortait brutalement de leur cellule pour les interrogatoires trahissaient une espèce d'attente alarmée devant le prochain coup du destin. Il n'y avait rien de tout cela ni dans la voix ni dans la silhouette courbée de Wallenberg.

— Monsieur Wallenberg, je suis chargé de vous faire une proposition. Elle est très simple et parfaitement honnête. Voilà : pour des raisons de sécurité nationale, d'une part, et soucieux d'assurer la sécurité de la population juive d'URSS, de l'autre, le gouvernement vient de décider de déporter les juifs et de les réunir dans une région éloignée du pays. Ceci dans le but de préserver l'unité culturelle et ethnique de ce peuple.

Wallenberg sourit imperceptiblement et me jeta un coup d'œil rapide et tranchant comme un coup de couteau.

— Ah, c'est donc ça ? dit-il. Je vois que vous avez beaucoup avancé.

Je n'avais ni le temps ni le désir de polémiquer avec lui. Aussi l'interrompis-je sèchement :

— Oui, c'est donc ça. Nous aimerions vous charger d'une mission. Nous aimerions que vous ayez un entretien avec le prisonnier Elieser Nannos, qui, avant son arrestation, était un des rabbins les plus importants d'URSS et usurpait le titre de *gaon* de

Vilnius. Dans une religion civilisée, ça correspondrait au métropolite.

Pour la deuxième fois, Wallenberg me jeta un bref coup d'œil et dit :

— Comme vous le savez, j'ai eu beaucoup à faire avec les juifs. Donc je sais très bien ce qu'est un *tsadik*. De quoi devrais-je parler avec lui ?

— Vous devrez le convaincre de prendre la tête de cet exode. Nous avons intérêt à ce que cette initiative émane des juifs eux-mêmes, en particulier de leurs chefs spirituels. Nous pensons qu'il ne serait pas correct que ce mouvement soit dirigé par des fonctionnaires juifs. Cet appel devrait partir du peuple et de la communauté religieuse.

Wallenberg observait ses boots. Après un long silence, il demanda, sans lever la tête :

— Vous craignez un soulèvement juif ?

J'éclatai de rire :

— Vous êtes devenu complètement fou ici ! De quel soulèvement parlez-vous ? Nous ne tolérerons aucun soulèvement. Dans l'intérêt commun, il est important que le départ des juifs pour leur nouveau lieu de résidence intervienne le plus tôt possible et qu'il soit parfaitement organisé. L'émigration doit se dérouler dans une ambiance de cohésion spirituelle et sociale de l'ensemble du peuple, en évitant les excès désagréables.

Wallenberg hochait lentement la tête.

— Vous voudriez que les juifs déclarent aux représentants de l'opinion publique mondiale qu'ils ont volontairement consenti à cet exil ?

— Non, fis-je dans un sourire, nous avons l'intention de proposer à Elieser Nannos de jouer le rôle d'un Moïse moderne.

Wallenberg soupira puis dit lentement :

706

— Je ne comprends pas ce que vous voulez de moi.

— C'est très simple. Nannos sait sûrement qui vous êtes. Vous vous êtes rendu assez célèbre avec toutes vos activités pro-juives. Compte tenu du caractère difficile et impulsif de ce vieillard, nous aimerions que vous lui exposiez tous les détails de notre proposition.

— Et si le *tsadik* refuse?

— Il causera la perte de son peuple. Parce qu'il n'y a pas de troisième solution: soit les juifs émigrent gentiment, soit ils meurent, s'ils se montrent déraisonnables.

— Et pourquoi ferais-je ce que vous dites?

— Si vous réussissez à convaincre Elieser Nannos, nous vous laisserons rentrer chez vous.

Pas un nerf ne bougea sur son visage pétrifié. Il dit, après un court silence:

— Je suis détenu ici depuis huit ans et il faudra bien que vous me laissiez partir un jour. Même si je refuse votre proposition répugnante. Je suis prêt à attendre quelques années supplémentaires.

Je me levai, fis quelques pas dans la pièce, m'approchai de lui et posai la main sur son épaule:

— N'espérez rien, monsieur Wallenberg. Ce que vous venez de me dire est une grosse bêtise. Aux yeux de votre famille et de votre pays, vous êtes mort depuis longtemps. Vos traces sont perdues. Et si vous refusez de vous montrer raisonnable et de nous aider, il se peut que vous ne sortiez jamais d'ici, que vous pourrissiez dans cette prison.

Wallenberg tressaillit et parla en étouffant un sanglot:

— Pendant toutes ces années, j'ai appris à ne plus m'étonner de rien. Quoi qu'il en soit, je tiens à vous dire que vous ne me ferez pas endosser cette lâcheté-là. Vous voulez vous servir de mon nom et de celui d'Elieser Nannos pour assassiner tout un peuple. Je n'ai pas eu peur de la Gestapo en Hongrie, et vous non plus, vous ne me faites pas peur.

Il avait parlé d'une voix à peine audible, grinçante : il était épouvanté.

— Alors, je n'ai rien de consolant à vous dire. Je vous laisse deux ou trois jours pour réfléchir. Si vous changez d'avis, faites-le-moi savoir pour que nous puissions commencer les pourparlers. Sinon, je vous le répète, vous mourrez ici.

Je ne le revis jamais. Quatre ans après cet entretien, Gromyko informait les Suédois que Wallenberg était mort le 17 juillet 1947 à l'hôpital de la Prison intérieure d'une crise cardiaque. Je ne sais pas si Wallenberg est encore en vie ou s'il est vraiment mort d'une crise cardiaque, mais six ans après cette prétendue crise, je lui parlais et il était assis devant moi, bossu, déformé par les rhumatismes, presque chauve. Il avait un moral d'acier. Il avait refusé !

Il nous fallut, à Lioutostanski, Merzon et moi, partir pour le camp de Percha, au nord du réseau pénitentiaire de Petchora.

Petchorlag était le cœur de la république autonome de Komi, pratiquement sa capitale. C'était une république vraiment comique, plongée en permanence dans un état comateux. Chaque homme qui était passé dans la moulinette rééducative de cette république savait une fois pour toutes, lorsqu'il recouvrait la liberté, adopter une attitude « komique » face aux épreuves de l'existence. Cet endroit était idéal pour rééduquer les brebis égarées, notamment grâce à ses conditions climatiques : des marais profonds, des nuées de moustiques et de moucherons en été, un petit froid revigorant de moins cinquante-cinq degrés en hiver. Les mœurs étaient en harmonie avec ce climat accueillant, ce qui explique pourquoi nous trouvâmes en arrivant au poste de garde du camp de Percha le corps d'un prisonnier tué et la tête tranchée d'un autre, avec une grosse moustache pendante.

Le chef du camp, Ananko, me fit son rapport et, voyant que Merzon regardait les cadavres, expliqua :

— C'est les truands qui ont coupé la tête au chef de la cantine. Avec une pioche.

— Et pourquoi sont-ils si nerveux ?

— Il refusait de leur donner des bacilles[1] supplémentaires. Les truands ne se contentent pas de la ration.

— Le chef de la cantine était un politique ? demanda Merzon.

— Bien sûr, dit Ananko en souriant, avec les truands il n'y aurait pas eu de scandale.

En nous accompagnant jusqu'aux bureaux, il demanda :

— Nous déjeunons d'abord, bien entendu ? Ou vous devez parler avec un prisonnier ?

Lioutostanski, ivre d'impatience de pouvoir se gausser du *tsadik*, proposa que nous déjeunions après avoir parlé avec Nannos. Et moi je demandai qu'on serve le déjeuner. Le chef du camp nous régala d'un rôti d'ours, de saumon fumé maison, de pommes de terre au four, de viande bouillie et de grandes quantités de vodka. Après le déjeuner, on

---

1. « Matières grasses, sucre, charcuterie et autres aliments à forte teneur calorique », comme l'explique Jacques Rossi dans son *Manuel du Goulag*, éditions du Cherche-Midi.

nous conduisit dans un autre bâtiment où nous attendait déjà le prisonnier Elieser Nannos, matricule G-3116.

Il était assis sur un tabouret dans un coin de la pièce avec un air à la fois majestueux et malheureux. Des yeux bleus enfantins, la chapka enfoncée jusqu'aux oreilles, la barbe argentée, une veste crasseuse, des savates de feutrine aux pieds : le vieillard était parfaitement immobile et solennel. Il avait l'air d'un prophète tombé par hasard dans une fosse d'aisances. Lioutostanski se tourna vivement vers le chef du camp, Ananko, et demanda d'une voix officielle et autoritaire :

— Ayez la bonté de m'expliquer, s'il vous plaît, pourquoi le prisonnier n'est pas rasé.

Ananko gigota, surpris par la question, puis marmonna avec une voix hésitante :

— Il a une sorte d'autorisation... En tant que dignitaire religieux.

— Qu'est-ce que c'est que ces inventions ? demanda Lioutostanski en s'approchant de lui. Qui vous a donné cette autorisation ? Le règlement général est inviolable : le prisonnier doit se trouver en permanence dans un état sanitaire et d'hygiène irréprochable, rasé et lavé. Faites-le raser dès aujourd'hui.

Ananko se mit au garde-à-vous :

— À vos ordres ! Dès aujourd'hui !

Nannos regarda Lioutostanski, mais ne dit rien, bien qu'il eût parfaitement compris son ordre. Ce n'était pas bien méchant, après tout, pas de douleur, pas de souffrance : il faut respecter le règlement, voilà tout ! Un *tsadik* rasé est une image aussi incongrue qu'un aigle entièrement déplumé.

Le vieux, avec son air à la fois fier et malheureux, faisait semblant de ne pas comprendre le russe ou simplement refusait de s'adresser à nous. Je dis à Ananko qu'il n'était pas obligatoire de raser le prisonnier, à condition que celui-ci daigne confirmer qu'il était vraiment un dignitaire religieux.

Nannos flaira l'hameçon, un peu gros peut-être, et ne broncha même pas. Je dis à Lioutostanski :

— Vladislav Ippolitovitch, voudriez-vous expliquer au prisonnier Nannos le sens de notre démarche ?

Lioutostanski se mit à arpenter la pièce et, s'adressant à nous tous et pas seulement à Nannos, exposa en détail l'affaire des crimes monstrueux commis par les juifs contre notre peuple, notre patrie et le camarade Staline en personne, et les inévitables conséquences de ces actes pour cette peuplade teigneuse. Pour finir, il proposa à Nannos de convaincre ses coreligionnaires d'émigrer à Birobidjan sous sa haute autorité.

Nannos écouta ce discours avec un air indifférent, sans réagir, sans lever les yeux.

— Demandez-lui en juif s'il comprend ce qu'on lui dit, ordonnai-je à Merzon.

Merzon baragouina quelque chose, et je ne pus isoler de tout ce charabia que le mot « rabbi ». Comme Lioutostanski, qui cria d'une voix persifleuse :

— On n'est pas des larbins, on est des rabbins !

Nannos hocha la tête et dit quelques mots à Merzon. Celui-ci se tourna vers moi :

— Nannos a compris ce qu'a dit Vladislav Ippolitovitch.

— Et alors ? Peut-il donner une réponse tout de suite ou préfère-t-il réfléchir ?

Merzon traduisit.

Lentement et distinctement, Nannos articula quelques mots d'une voix gutturale.

— Pas besoin de réfléchir, expliqua Merzon, il peut vous répondre tout de suite.

J'approuvai d'un signe de tête. Nannos parla longuement à Merzon, qui bafouilla en évitant de me regarder dans les yeux :

— Vous voulez tuer tous les juifs. Vous n'êtes pas les premiers. Malheureusement, je crains que vous ne soyez pas non plus les derniers. Mais tous ceux qui ont tenté depuis trois mille ans de tuer les juifs n'ont jamais pensé qu'il était impossible d'exterminer tout un peuple vivant avant qu'il n'y consente lui-même. Les peuples ne peuvent mourir qu'une fois leur destin accompli. Les juifs ne mourront que le jour où ils apporteront sur la terre la nouvelle loi de Dieu en réunissant les hommes avec leurs lointains aïeux. Une fois que le Messie nous aura apporté félicité et sagesse.

— Qu'il cesse immédiatement de prêcher ici cet obscurantisme débile, dit Lioutostanski. On lui propose une alternative élémentaire : soit il accepte, soit il crève comme un chien, et aujourd'hui même !

Puis il se tourna vers moi, cherchant un soutien :

— Pavel Egorovitch, vous vous rendez compte du degré d'arrogance de cette peuplade ? Il est écrit chez eux que Dieu leur a dit : « Vous êtes les seuls que je reconnaisse sur la terre et vous serez punis de vos péchés. » Peut-être que c'est nous que Dieu a chargés de les punir ? dit-il en s'esclaffant.

Comme je n'avais pas confiance en la traduction de Merzon, je reposai ma question :

— Demande encore à Nannos s'il a bien compris.

Merzon parla rapidement au *tsadik* puis se tourna vers moi d'un air dépité :

— Le prisonnier dit que le roi Salomon comprenait la langue des fous.

712

J'eus de la peine pour Merzon. Il se tenait tout près de moi, tendu et écrasé par la tâche, et il émanait de lui comme une odeur d'acétone.

— Merzon, dis au rabbin que s'il refuse notre proposition, les juifs seront déportés par la force et qu'il portera la responsabilité de la souffrance et de la mort de milliers de gens. Se rend-il compte que c'est une lourde responsabilité?

Le rabbin perdit le contrôle de lui-même et, sans attendre la traduction de Merzon, dit avec un accent guttural:

— Je comprends... Malheureusement, c'est vous qui ne comprenez pas: quand je me présenterai devant le Seigneur, il ne me blâmera pas d'avoir refusé d'être un nouveau Moïse, mais d'avoir renoncé à être le rabbi Elieser.

— Pavel Egorovitch, s'interposa Lioutostanski, on ne va pas le laisser débiter ses conneries! Ils ne comprennent pas le langage humain.

Il soupesa le briquet de Merzon dans sa main, l'alluma et approcha la flammèche jaune de la barbe blanche du rabbin. Une forte odeur de grillé se répandit dans la pièce, Nannos s'écarta et une grosse larme vint perler sur son œil bleu. Lioutostanski approcha de nouveau le briquet de la barbe du vieillard, qui recula encore, en marmonnant obstinément:

— Du monde du mal naît l'oubli.

Lioutostanski dit d'un air ravi:

— C'est sûr, mon vieux, que le monde de l'oubli te guette. Tu n'es plus en état de discuter, il faut que tu réfléchisses. Maintenant, on va retirer ta veste et tu iras réfléchir dehors...

Il se tourna vers le chef du camp et donna ses ordres d'un air affairé:

— Déshabillez-le un peu et mettez-le au mitard

jusqu'à demain matin. Je pense que ça le rendra plus conciliant.

Le vieillard releva la tête et dit à mi-voix :

— Je ne serai conciliant ni aujourd'hui, ni demain, ni jamais. Chaque juif doit se rappeler qu'il est un maillon de la chaîne qui relie Adam au Messie. Vous ne ferez pas de moi le bourreau de mon peuple.

— Tu n'es qu'un vieux con, hurla Lioutostanski. Si tu refuses de te comporter en homme, je sais ce qu'il nous reste à faire.

Le vieillard se leva et, devinant que j'étais le plus gradé de la pièce, s'adressa à moi. Et il n'y avait plus trace dans sa voix raffermie de cet accent obséquieux typiquement juif :

— Vous ne savez pas vous-mêmes ce que vous faites. Je vous prédis la fin du monde pour demain ! Le péché sera immense, comme le monde... Brillera la lumière de la fin des temps, le mal et le bien se confondront... L'aube se fondra dans le crépuscule... Et la parole sera silence, et la vérité sera muette... Cette vérité c'est la peur, et votre peur sera votre mort.

Lioutostanski lui décocha un coup de poing et hurla :

— Au mitard ! Déshabillez-le et jetez-le dehors !

Je ne m'opposai pas car j'avais compris que nous n'arriverions pas à le briser. Le vieillard mourut dans la nuit.

Et ce fou de Mangouste voudrait que je lui déballe tout ça ! Que je fournisse tous les détails pour que l'opinion publique puisse débattre de mon rôle dans la mort d'Elieser Nannos ! Il peut courir ! Lioutostanski est mort, Merzon est mort et Ananko pourrit quelque part depuis belle lurette.

Personne ne peut nous juger.

J'ai survécu à tout le monde. Et je ne dirai rien à personne. Jamais ! Je n'expierai pas. Je ne répondrai pas aux questions.

22

Ulysse 53

La Mercedes de Mangouste s'ébroua, son moteur trafiqué chantant de tous ses filtres et fibres, le pot d'échappement lâcha un petit nuage gris et la voiture s'évanouit dans la demi-pénombre grisâtre du crépuscule. Je vis encore ses deux yeux rouges clignoter à l'angle de la rue, avant de disparaître.

Et moi je reste là, planté au milieu de cette rue blafarde et venteuse. J'ai froid. Je n'ai plus de forces et je n'ai plus envie de me battre. Cet assassin de Mangouste a pressé tous les sucs de mon corps. Il ne me reste plus qu'à crever la paillasse de ce connard, sinon je n'arriverai jamais à m'en débarrasser.

Dans la cabine téléphonique, éclairée par une lumière jaune et poussiéreuse, régnait une forte odeur de pisse rance. La couleur et le parfum du désespoir. Je me munis d'une provision de pièces, carburant indispensable d'un célibataire en goguette. Mais je n'avais rien à faire des gonzesses, ce qu'il me fallait, c'est une bagnole. Pas un taxi, pas un privé, ni ma merveilleuse Mercedes lustrée avec des pneus presque neufs. Une voiture anonyme : grise, minable, neutre. Même une ringarde, je m'en fous, c'est juste pour la soirée. Il me faudrait un ami pour m'en prêter une. Actinie, par exemple. Nous sommes amis, si je ne m'abuse! Les amis doivent s'entraider dans les moments difficiles. Et c'est justement un moment très difficile pour moi. Une heure difficile. Une journée difficile. Une époque terrifiante. Une existence qui s'achève. Combien de temps m'avait-il laissé, le Machiniste? Jusqu'à la fin du mois?

L'appareil avala la pièce et la voix de chat repu de César m'englua l'oreille comme une coulée de mélasse.

— On va voir les gonzesses? demandai-je. J'en ai deux bonnes. On va s'amuser, boire un coup.

La voix d'Actinie devint soudain sourde et chuintante; il avait dû couvrir le combiné pour que sa femme n'entende pas ses confidences.

— Je ne peux pas, Pacha... Je me suis fait attraper hier... Tamara est furibarde. Je crois que je vais rester ici, allongé sur mon canapé. Il faut que je regagne des points.

— Repose-toi. Salue Tamara pour moi.

Je raccrochai et appelai aussitôt Kovchouk en sa conciergerie suisse.

Ce fut un de ses sbires qui répondit très respectueusement:

— On va le chercher tout de suite.

Il se passa un bon moment avant qu'on ne le trouve: l'amiral suisse était certainement en train de s'occuper personnellement de la confection de la «crème». Je commençais déjà à me languir dans la puanteur glacée de la cabine, lorsque j'entendis enfin la voix de Kovchouk s'écraser comme un haltère contre mon oreille:

— Kovchouk, j'écoute.

— C'est moi, Senia. Tu me reconnais, mon doux ami?

717

L'haltère se tut un moment puis soupira lourdement :

— Qu'est-ce que tu as à avoir peur de tout le
monde, Pacha ? Tu te méfies, tu ne veux pas donner
ton nom. Mon téléphone n'est pas sur écoute, ça, je
le sais.

— Tant mieux, Senia. Si je me méfiais moins,
c'est de l'autre monde que je te téléphonerais
aujourd'hui. Peux-tu te libérer ?

— Quand ?

— Dans une heure. Tu es prêt ?

L'haltère gloussa :

— Toujours prêt. Mais je préférerais dans deux
heures. Les gens commenceront à se barrer, ça sera
plus facile.

Un coup de fil encore. Les renseignements : 09.
Occupé. Occupé. Rompez ! Ah !

— Auriez-vous l'amabilité de me donner le
numéro de téléphone de la réception de l'hôtel
Spoutnik... Oui, Spoutnik... Avenue Lénine... Je
note : 234-15-26. Merci.

La voiture, maintenant.

Je trouvai rapidement un privé qui consentit à
m'emmener chez Actinie. Ramolli par la chaleur de
la voiture, encore tout embrumé d'alcool, je pensais
confusément qu'Actinie ne ferait aucune difficulté
pour me prêter sa Jigouli miteuse couleur vomi de
betteraves. Qu'est-ce que ça pouvait bien lui faire ?
Ce n'est pas une Mercedes. Et puis nous sommes
amis. Je connais cette Jigouli comme ma poche :
que de kilomètres nous avons parcourus ensemble !
Je sais même où se trouve le système d'alarme, sous
le tableau de bord, à gauche du volant. Si Actinie
savait que j'avais besoin de sa bagnole tocarde, il me
l'apporterait sur un plateau au lieu de me faire traverser la moitié de la ville.

Le problème, c'est qu'il s'était fait attraper par Kouvalda et qu'il devait rester à la maison pour regagner ses points perdus. Et, surtout, à aucun prix il ne devait savoir que je lui emprunterais sa voiture aujourd'hui. Ce serait notre petit secret. Je fis stopper le privé un pâté de maisons avant l'immeuble où habitait Actinie et pénétrai dans la cour où il avait l'habitude de garer sa Jigouli. Elle était là, mauve tendre, un peu crasseuse et si modeste! Encore chaude après une journée agitée passée à courir les affaires juteuses et malodorantes d'Actinie.

Je sortis le journal de ma poche, le pliai, l'enfilai comme une moufle et donnai un coup sec sur la vitre côté conducteur, qui s'effondra à l'intérieur. J'ouvris la portière et me jetai sur le siège. J'avais dix secondes pour trouver le système d'alarme, car dans dix secondes cette saloperie se mettrait à rugir, rameutant tout le quartier, les voisins, la milice et dérangerait Actinie, en train de regagner des points couché sur son canapé. Je comptais les secondes — un et deux et trois et quatre — en farfouillant nerveusement derrière le tableau de bord. Des fils, des boulons, des tuyaux, des bouts de ferraille. Il était bien dans ce coin-là, ce maudit interrupteur! Quel salaud, quand même, Actinie, avec sa méfiance youpine: on n'a pas idée de faire des cachotteries pareilles! À un ami intime! Non, ce n'est pas bien, cet attachement qu'ils ont pour les biens matériels...

Neuf... Elle va hurler, la salope! Je l'ai! L'interrupteur, je l'ai! Ouf. Je repris mon souffle, puis dénudai les fils de l'allumage, trouvai le fil rouge du starter, le moteur encore tiède éternua et la voiture s'élança.

En avant! En avant! Direction avenue de Leningrad, l'hôtel Sovetskaïa, le restaurant Yar et le hall de marbre avec, au milieu, mon ultime rempart, Senka Kovchouk, mon défenseur, mon intrépide Peresvet, qui voulait bien détruire le Tcheloubeï sioniste, l'ignoble envahisseur judéo-mongol.

Quel jour sommes-nous ? Je ne sais plus. Tout s'est brouillé dans ma tête. Nous sommes en mars. Début mars ou fin mars ? Le Saint Patron est mort à la même époque. Le temps était aussi infect qu'aujourd'hui. Je portais le cercueil en essayant d'éviter les flaques de neige fondue.

Tout était prêt. Nous étions peut-être à une semaine des débuts officiels du procès des médecins-empoisonneurs. La veille encore, Lioutostanski s'esclaffait comme un vampire rassasié. Son bonheur était complet, sans nuages, car l'heure approchait où se réaliserait enfin le rêve de toute sa vie : l'extermination des juifs. Et il tirait un orgueil légitime d'avoir apporté son obole, et pas des moindres, à l'organisation de ce nouvel Armagédon. Seulement, Lioutostanski ignorait qu'il n'était pas du pouvoir des hommes de fixer les limites de l'existence et de décider de l'heure du trépas. Il ne pouvait pas savoir que le Saint Patron s'éteindrait le lendemain, et encore moins ce que cela aurait comme conséquence pour les juifs ou pour lui-même. Comment aurait-il su que, seulement vingt-quatre heures plus tard, j'entrerais avec trois autres personnes — spécialement attachées — dans la salle d'autopsie avec le cadavre insoulevable de Notre Guide ? Même dans ses cauchemars les plus terrifiants, le Polak chétif n'aurait pas imaginé qu'il me serait donné de voir les restes du Père des Peuples sciés, découpés et rabotés par les dissecteurs. Moi-même, j'avais eu les jambes coupées, en sortant de la salle d'autopsie, puis le tournis en pensant à l'histoire capricieuse et au destin imprévisible des hommes. La bonne allègre et dépravée que fut Keto Djougachvili avait eu sept enfants, tous morts en bas âge. Un seul avait survécu, Sosso, le plus petit, certes, mais le plus chéri et adoré. Sa famille voulait le mettre au service de Dieu mais il apprit au séminaire un métier autrement plus rare, celui de Satan.

C'était une matinée grise de mars mais on sentait déjà l'humidité du printemps à venir. Lioutostanski m'attendait devant la porte, confus et épouvanté. Il se précipita vers moi :

— Pavel Egorovitch, chez Kroutovanov, c'est urgent !

Sans prendre la peine de lui répondre, je me dirigeai vers la Pobeda qui attendait boulevard Sadovoïé, en remarquant en passant que Lioutostanski n'avait pas encore analysé la situation : il n'osait déjà plus me tutoyer, mais me dire « vous » lui répugnait et il évitait soigneusement d'employer les pronoms personnels à la deuxième personne. Imbécile ! Qu'il m'ait baisé la main ou craché à la figure n'aurait rien changé ! Son rôle de chauffeur touchait à sa fin et il ne remonterait pas de la chambre des machines.

Les glorieux combattants du front invisible s'agitaient comme des forcenés dans les couloirs et les bureaux de la Boutique. Tout le monde était déjà au courant de la mort du Tout-Puissant mais il eût été inconcevable de commenter cette perte irréparable tant qu'elle n'était pas annoncée officiellement. Il fallait voir toutes ces brutes épaisses errer comme des malheureux, épouvantés par tant d'incertitude qui planait désormais sur leur destin !

Je dis à Lioutostanski de m'attendre dans le couloir devant la porte du secrétariat de Kroutovanov, au cas où il aurait des ordres à nous donner. L'aide de camp, qui se morfondait dans la salle d'attente, me désigna la porte d'un signe de tête :

— Allez-y. Sergueï Pavlovitch vous attend.

Kroutovanov était assis derrière son vaste bureau désert et regardait rêveusement par la fenêtre. La place Dzerjinski était noyée dans la brume et la neige fondue. En me voyant, il mit un doigt sur ses lèvres et désigna le petit transistor Telefunken qui parlait avec la voix funèbre et ample du diacre juif Lévithan : « Le malade est dans un état comateux. Le pouls est filiforme. » Quel drôle de mot. Pouls filiforme. Les fils entremêlés de la vie qui se cassent. La couture du pantalon qui craque. On laissait un peu d'espoir à la population : leur Guide Suprême était très malade, mais vivant, puisque immortel. Bientôt il reprendrait sa place près du gouvernail, il prodiguerait ses conseils, il nous éduquerait et nous protégerait comme avant des attaques d'un monde hostile. Et les millions de gens qui avaient collé leur oreille au transistor continuaient d'ignorer que leur Guide n'était pas malade et que le fil de son pouls était cassé à jamais. Ce n'était plus qu'un cadavre. Et il leur faudrait commencer une vie nouvelle.

Kroutovanov me fit signe de m'asseoir et demanda :

— Vous y étiez ?

— Affirmatif. J'ai assisté à l'autopsie.

Soudain, un sourire illumina son visage :

— Tu n'as rien vu de particulier ?

Je fis signe que non. Kroutovanov s'enfonça dans le fauteuil et s'étira en faisant craquer ses articulations, ce qui était une rare manifestation de sa grande fatigue. Il portait un costume ample et élégant, une chemise bleu ciel amidonnée, une sobre cravate française. Ses cheveux étaient soigneuse-

722

ment peignés et séparés par une raie. Rien dans son apparence recherchée ne trahissait la terrible tension dans laquelle il avait vécu ces dernières vingt-quatre heures.

Il prit une cigarette dans le paquet de Lucky Strike et alluma son briquet, le tout avec cette lenteur dans les mouvements, cette fausse indolence de l'animal terré dans la forêt qui guette sa proie.

— Ainsi, maître Khvatkine, je crois bien qu'il est temps de s'éloigner des embrassements, comme nous l'enseigne l'Ecclésiaste...

J'eus la prudence de ne pas relever.

— Savez-vous ce qui va se passer maintenant ? demanda-t-il en se penchant par-dessus le bureau.

— Je pense que personne ne le sait pour le moment, répondis-je au cas où.

— Et pourquoi ? Dans les grandes lignes, ce n'est pas sorcier. Ça me fait penser au témoignage du diacre Ivan Timofeïev sur la mort de notre grand tsar Ivan le Terrible.

Il se tut et étudia ses beaux ongles polis. Je demandai prudemment :

— Y a-t-il des instructions, en ce qui nous concerne ?

Kroutovanov pouffa :

— Je suppose que oui... Voilà ce qu'écrivit Ivan Timofeïev : « Les boyards ne voulaient pas croire que le tsar était mort. Lorsqu'ils comprirent enfin qu'ils ne rêvaient pas et que tout cela était bien réel, les courtisans, dont le destin était incertain, rajeunirent promptement. » Il faut en tenir compte.

— Que pouvons-nous faire ?

— Avant tout, je voudrais vous annoncer une bonne nouvelle. Demain, un nouveau ministre occupera le bureau de Semion Denissytch Ignatiev.

Je ne pus m'empêcher de tressaillir :

— Qui ?

— Lavrenti Pavlovitch Beria, dit-il, toujours impassible. Depuis ce matin, notre ministère n'existe plus.

J'étais pétrifié.

— C'est-à-dire ?

— Le ministère de la Sécurité d'État est supprimé. Il sera absorbé par le ministère des Affaires intérieures avec les attributions d'une direction générale. Ce nouveau ministère sera dirigé par le membre du Présidium du CC du PCUS, le premier vice-président du Conseil des ministres, Lavrenti Pavlovitch Beria.

Je demandai, après une pause convenable :

— Quelles conclusions pouvons-nous tirer en ce qui nous concerne ?

J'avais compris que Kroutovanov n'était pas le moins du monde curieux d'entendre mes avis et je devais me contenter de réagir correctement à ses réplique. Ce n'était pas une conversation, mais un briefing. Sans faire d'allusion directe, Kroutovanov insinuait que nous étions tous deux liés par notre participation à l'élaboration et la mise en œuvre de l'affaire des médecins.

— Il nous reste deux moyens de rester en vie, dit-il en jouant avec son briquet. Le premier, c'est d'attendre patiemment la suite des événements, qui, je vous l'assure, serait pour nous particulièrement désagréable. Le second, c'est de prendre une part active à ces mêmes événements.

— Comment cela ?

— Comment ? répéta Kroutovanov en me regardant attentivement, comme s'il jaugeait encore une fois si j'étais apte pour un tel travail ou s'il perdait son temps. Il faudrait régler quelques détails pour assurer votre avenir.

— Je suis prêt.

— J'aimerais préciser quelque chose. La petite chanson de mon sbire Rioumine et de toute votre clique de bandits est maintenant terminée. Ce n'est plus qu'une question de temps, et de très peu de temps. Si je vous parle avec autant de franchise, c'est que j'ai besoin de vous. Dans toute la maison (et il décrivit un cercle autour de lui) il n'y a pas une personne en qui j'aie confiance, et en vous encore moins qu'en quiconque. Mais je compte sur votre intelligence, car je suis sûr que vous vous rendez compte que nous avons quelques intérêts en commun. Je ne vous cacherai pas que j'ai lu avec beaucoup d'attention votre dossier personnel.

— Merci, dis-je en posant la main sur le cœur.

— Ne me remerciez pas... Eh bien, j'ai remarqué une certaine évolution dans votre carrière. Au début, vous étiez une sorte de Skorzeny, puis, peu à peu, vous avez endossé le rôle d'Eichmann.

Il fit une pause dont je profitai immédiatement :

— Sergueï Pavlovitch, permettez! Le rôle d'Eichmann ne me convient pas du tout. Si quelqu'un s'intéresse un jour à cette histoire, il donnera le rôle d'Eichmann à Rioumine. Je ne suis pas ambitieux, je n'ai jamais flagorné devant la direction et je n'ai laissé aucune trace écrite de ma participation aux interrogatoires, perquisitions et autres confrontations. Je n'ai même pas rédigé une seule note de synthèse.

Kroutovanov éclata de rire :

— J'avais remarqué! Et je vous approuve. Toute cette histoire de complot juif est morte. Et, dans les jours qui viennent, c'est Beria qui procédera à son enterrement.

— Qu'est-ce qui vous fait dire ça?

— La politique, répondit Kroutovanov en haussant les épaules. C'est comique, je le concède, mais aujourd'hui Beria apparaît comme le premier philo-sémite du pays. Je suis sûr qu'il fera tout son possible pour que l'affaire des médecins soit interrompue. Voilà pourquoi votre tâche est de le prendre de court et d'organiser un comité de liquidation.

Je fixai ses yeux gris acier.

— Comment voyez-vous ça?

— Ce n'est pas moi qui vais vous apprendre votre métier, dit Kroutovanov. Vous êtes un homme d'ex-périence. Il faut que Lioutostanski disparaisse, ainsi que votre bien-aimée, le témoin Lioudmila Gavri-lovna Kovchouk. Les obsèques de notre chef vont provoquer un bordel innommable dans tout Mos-cou. Profitez-en. Je réglerai moi-même le problème Rioumine, ne vous occupez pas de ça. Compris?

Je fis oui de la tête.

— Nous sommes bien d'accord? insistait-il, et son regard me glaça. Vous êtes prêt?

— Je suis prêt. Je le ferai.

— Ce n'est pas un ordre, se radoucit brusque-ment Kroutovanov, mais un conseil amical. Nous devons survivre. Considérons-nous comme une réserve active. Pour l'instant, nous devons entrer en clandestinité. De toute façon, un jour ou l'autre, ils auront besoin de nous. Croyez-moi.

— Bien sûr, répondis-je. Ce serait bien d'arriver à ce fameux jour sain et sauf.

— Vous y arriverez, assura Kroutovanov, puis il se leva, fit quelques pas dans la pièce, s'arrêta devant moi et dit, en pivotant lentement sur les talons : Faites ce que je vous dis et nous y arriverons. Ensemble…

Je me levai et cet ogre de glace fit alors une chose absolument impossible : il me serra dans ses bras.

En me raccompagnant à la porte de son bureau, il me dit chaleureusement :

— Khvatkine, n'oubliez jamais que le plus grand exploit d'Ulysse a été de survivre. Ce héros préféré des écoliers était un lâche, un provocateur, un sale escroc et un traître... Mais il a survécu, la poussière des siècles est retombée et Ulysse est resté dans la mémoire de ses descendants comme un héros intrépide, noble et intelligent. Il faut essayer de survivre.

J'ai suivi son précepte et j'ai survécu. Nous avons survécu tous les deux. Aujourd'hui, il est vice-ministre du Commerce. Et moi je file à travers la nuit humide à mon rendez-vous avec Senka Kov-chouk.

Lioutostanski m'attendait dans le couloir, ravagé par l'angoisse. Il était persuadé que je reviendrais bardé de nouvelles extraordinaires, d'ordres de mission, d'instructions et d'analyses prévisionnelles. Il était loin d'imaginer quel genre d'instructions le concernant m'avait données le vice-ministre. Je dis à mi-voix en lui tapant sur l'épaule :

— Ce n'est rien ! Tout ira bien, ne t'en fais pas.

Sur son visage obséquieux une question se dessinait si nettement que je la voyais trembloter comme de la gelée : était-ce le moment de lâcher Minka ? Ou valait-il mieux s'accrocher encore un peu à son ancien bienfaiteur ?

Je m'arrêtai et fis mine de réfléchir intensément :

— Tu as une idée d'où nous pourrions aller ? J'ai à te causer.

— Que faut-il faire ? demanda Lioutostanski avec empressement.

— Un petit document, fis-je avec un sourire en

coin. Une jolie pierre dans le jardin de tes amis les médecins.

J'ajoutai aussitôt :

— Mais pas ici. Personne ne nous laissera travailler aujourd'hui. La fin du monde est pour bientôt. Écoute, Lioutostanski, et si on allait chez toi ? Tu habites seul ?

— Bien sûr que oui, répondit Lioutostanski. Vous savez bien, je suis un célibataire détaché de la vie matérielle.

Nous allâmes jusqu'à mon bureau, je pris une bouteille de cognac dans mon coffre et la fourrai dans la poche de mon raglan.

— Tu as de quoi manger ?

— Quelle question, Pavel Egorovitch ! se vexa Lioutostanski. Nous avons reçu notre ration hier.

— Alors en route.

Nous montâmes dans ma voiture et traversâmes la ville grise, boueuse et épouvantée, calme avant le grand chagrin national. Rue Pouchetchnaïa, nous tournâmes dans la Neglinka. Face à nous, une foule innombrable remontait la rue vers le centre-ville pour dire un dernier adieu à son bourreau. Nous sortîmes seulement place Troubnaïa de ce cloaque, non sans mal, et jamais je n'aurais imaginé que, quelques heures plus tard, plus d'un millier de personnes seraient tuées écrasées, piétinées, déchiquetées dans ce gigantesque entonnoir. De bien belles funérailles pour le Grand Tortionnaire !

Lioutostanski habitait à la Polikha, dans un vieil immeuble de quatre étages aux cages d'escalier sordides. Il occupait un appartement dans la mansarde, le seul sur son palier, et n'avait donc pas de voisins, ce que je notai avec satisfaction en montant l'escalier. Son appartement, composé d'une pièce et d'une cuisine, était d'une propreté clinique et ordonné comme une pharmacie. Cette sobriété tout ascétique était quelque peu adoucie par les vases remplis de fleurs en papier.

J'accrochai mon raglan et profitai de la pénombre de l'entrée pour prendre le pistolet de Lioutostanski. J'avais vu plusieurs fois notre héroïque inspecteur ranger son Walther dans la poche droite de son manteau.

Pendant ce temps, Lioutostanski s'occupait de la nourriture. Le carton avec la dernière ration mensuelle était posé dans un coin de la cuisine. Il en sortit du saucisson fumé, une boule de fromage de Hollande dans sa coque rouge, une boîte de sprats, du pain blanc et commença à confectionner des sandwichs.

— Attends, dis-je, buvons un coup d'abord, à la mémoire du saint homme... J'ai le cœur qui bat à cent à l'heure.

Je versai le cognac dans des verres à thé.

— Cul sec! commandai-je. À la radieuse mémoire de Iossif Vissarionovitch!

Pendant que j'aspirais ma ration de cognac, je voyais par-dessus le bord de mon verre les yeux globuleux de sauterelle de Lioutostanski sortir peu à peu de leurs orbites. La vague brûlante de l'alcool lui avait coupé le souffle, mais, n'osant pas désobéir, il but son cognac jusqu'à la dernière goutte.

— Maintenant, travaillons un peu. Nous mangerons et boirons plus tard. Donne-moi du papier.

Il alla à son bureau, élégant et féminin, prit une pile de papier et sortit un stylo chinois.

— Bien. Vas-y, tu as une belle écriture.

Je commençai à dicter tout en marchant de long en large:

— À l'attention du ministre de la Sécurité d'État d'URSS, le camarade Ignatiev S. D.

Lioutostanski dessina tout cela de sa belle écriture ronde et leva la tête :

— Qui est l'expéditeur ?

— Attends. Plus tard. C'est un projet de déclaration de Vovsi. Nous signerons à la fin, avec tous ses grades et attributs. Tu vois, il s'adresse à Ignatiev, de général à général. Continue…

— On ne met pas d'intitulé ? demanda Lioutostanski. Qu'est-ce que c'est au juste, une déclaration, un mémoire, une plainte ?

— Pas la peine. C'est une simple lettre. Écris : « J'ai pris conscience que ma vie n'avait plus aucun sens. J'ai commis beaucoup de crimes abominables et je n'ai plus le courage de regarder mes collègues en face. Il est important de savoir quitter la vie avec dignité et au moment opportun. » C'est fait ?

Appliqué, Lioutostanski avait sorti le bout de la langue et avait particulièrement soigné les derniers mots, en les ornant de vignettes et de boucles entortillées.

— C'est fait, dit-il. Ensuite ?

Il releva la tête et dut lire quelque chose sur mon visage car il cligna des yeux plusieurs fois de suite et soudain ses gros yeux d'insecte se remplirent de larmes.

— Qu'est-ce qu'il y a, Pavel Egorovitch ? Qu'est-ce qui se passe ? demanda-t-il, le souffle coupé.

Je posai la main sur son épaule et répondis en riant :

— Rien. Tout va bien. Poursuivons. Où en étions-nous ?

J'étais debout derrière lui. Il se tourna lentement, tout en rentrant la tête dans les épaules pour essayer d'intercepter mon regard. J'en profitai pour l'assommer d'un coup sec sur le cou avec le tranchant de la main. Il fut sur le point de tomber en avant, mais je le retins et le couchai doucement par terre avec sa chaise. Je sortis le Walther de ma poche, enfonçai le canon entre ses dents, de façon à ce que le guidon touche le palais, et j'appuyai sur la détente. J'entendis à peine le coup, mais il emporta néanmoins la moitié de la tête de Lioutostanski.

Pas de précipitation, pas de panique. Maintenant, il fallait de l'ordre, de la réflexion, de la prudence. J'allai chercher des gants et un mouchoir dans la poche de mon raglan. Il ne fallait toucher à rien. J'enfilai les gants, essuyai le Walther avec le mouchoir et mis le pistolet dans la main encore chaude de Lioutostanski ; le plus dur fut de coincer son index dans la détente. Puis je poussai la dernière lettre de Lioutostanski bien en vue au milieu de la table — pour faire joli. À la cuisine, je ramassai les sandwichs, les jetai dans la cuvette des toilettes et tirai deux fois la chasse d'eau : je m'étais dit qu'un homme qui se décidait à mourir ne pouvait pas penser à se goinfrer. Je fourrai le verre dans lequel j'avais bu dans la poche du raglan, m'habillai et sortis de l'appartement en fermant doucement la porte derrière moi.

Le chauffeur avait terminé son travail dans la chambre des machines.

Audi, vide, sile.

Je dus être très en avance à mon rendez-vous avec Kovchouk car je l'attendis très longtemps devant l'hôtel Sovetskaïa. La fatigue, les braises finissantes de la beuverie, l'épouvante, la tension de la journée, tout cela m'avait épuisé et je m'endormis dans la voiture, comme si j'avais plongé dans un sac. Je ne dormis pas plus de trois minutes, mais d'un sommeil profond et noir, comme un trou dans la glace. Lorsque je revins à la surface, je vis devant moi, derrière le pare-brise, la silhouette lourde et carrée de Semion, l'insoulevable haltère en fonte habillé d'un manteau de gros drap. J'ouvris la portière, Kovchouk monta sans un mot dans la voiture et se tourna vers la fenêtre.

— Tu vas bien, Semion?

— Je vais toujours bien, répondit-il en pesant chaque mot.

Combien d'années s'était-il écoulé? Sont-ils si vieux, ces souvenirs du mois de mars? À quoi bon compter? Ce ne sont pas des années qui nous séparent de ce temps-là, pas même des décennies, mais des époques entières, des ères géologiques. Toute une génération a disparu pendant cette période, une nouvelle a vu le jour, qui a grandi et qui vieillit maintenant, heureuse et insouciante. Et c'est bien mieux, s'ils ne savent rien.

— Semion, ça t'arrive de songer à la retraite?

— Je suis déjà à la retraite, lâcha-t-il d'une voix lugubre.

— Je voulais dire une vraie retraite : quitter tout ça, partir, se reposer enfin.

Semion pouffa, ou avait-il souri seulement, ou soupiré tristement?

— Me reposer? Je ne suis pas fatigué. J'ai encore toutes mes forces. Je travaille avec plaisir. J'ai un bon boulot.

— Je t'envie. Moi, j'aimerais bien pouvoir me reposer.

— Le repos, tu parles d'un pape! hennit Kovchouk.

Je dis, en lui tapotant l'épaule :

— Ah, Semion, mon doux ami, tu ne sais pas ce que c'est, la vraie vie.

— Je m'en fous, de ta vraie vie, dit Kovchouk.

Ta vraie vie, elle est pleine de mensonges et de saloperies.

— D'accord, comme tu veux, dis-je pour ne pas
le contrarier. Causons affaires.

— Causons, approuva Kovchouk.

— Voici la situation. Notre client habite à l'hôtel
Spoutnik, je le connais bien, j'y suis déjà allé plusieurs fois. Il faut que tu évites de te faire remarquer. Tu passeras par la cour intérieure et la cave
du restaurant. La porte de service est ouverte en
permanence, il y a toujours des gens qui traînent et
personne ne fera attention à toi.

— À ton avis, je dois traverser en manteau la
salle du restaurant? demanda Kovchouk d'un air
mécontent.

— Mais non. Je te montrerai la porte. À gauche, il
y a un escalier, c'est par là que passe le personnel.
Tu entres dans le tambour du magasin, tu prends le
monte-charge et tu montes au cinquième. C'est à
gauche du bureau de la réceptionniste de l'étage:
elle ne peut pas voir la porte de là où elle se trouve.
Pour ouvrir cette porte, je pense que tu n'as pas
besoin de mes conseils.

— On n'apprend pas au vieux singe, dit-il
méchamment. Je sais le faire mieux que toi.

— Pourquoi tu te fâches? Nous travaillons
ensemble pour la bonne cause. Main dans la main.

— C'est ça! Toi, tu m'attends dans la voiture
pendant que je fais tout le boulot. Voilà ce qui s'appelle travailler ensemble pour la bonne cause.

— Ne t'inquiète pas! Je te garantis que tout se
passera bien. Une fois que tu as terminé, tu reprends
le monte-charge. Je t'attendrai devant la porte. Ça
ne prendra pas plus de cinq minutes.

— On verra, dit Kovchouk, taciturne.

Je demandai pour la forme:

— Avec quoi tu vas travailler?

Kovchouk écarta les pans de son manteau et me montra le long couteau de boucher pendu à la doublure. Nous échangeâmes encore quelques mots, le temps d'arriver devant l'hôtel. Je fis un grand détour par la rue Oulianova, puis pénétrai dans la cour et m'arrêtai devant l'entrée de service du restaurant.

— Je t'attendrai derrière le tas de neige, dis-je à Kovchouk, qui ouvrit la portière et s'extirpa de la voiture avec toute la grâce de l'ours polaire.

Il fit quelques pas, puis se retourna :

— Je voulais te prévenir, Pacha. Ne cherche pas à m'entourlouper, tu serais cruellement déçu.

— Senia, mon ami, comment peux-tu dire ça?

— Je te préviens, c'est tout. Ne l'oublie pas. J'y vais.

— Tout ira bien, Semion, criai-je. Merde!

Sans se retourner, il lâcha haineusement «Va au diable!» et disparut derrière la porte des cuisines.

Je garai la voiture une vingtaine de mètres plus loin, tout au fond de la cour, derrière un amas de caisses, de cartons et de conteneurs. Mon champ de vision était bouché par un tas de neige sale. J'éteignis les codes et demeurai assis dans le noir, bercé par le ronronnement du moteur. Je ne me sentais pas dans mon assiette, j'avais sommeil et j'avais froid, malgré le chauffage. Curieusement, je n'avais pas peur et ne ressentais aucune inquiétude, j'étais sûr que l'amiral suisse reviendrait bientôt, une fois sa mission accomplie, et que cesseraient alors toutes mes souffrances. Je réglerai mes comptes avec Senia plus tard! L'essentiel, maintenant, est de se débarrasser de Mangouste. Quand il aura disparu, disparaîtront avec lui et ce haricot blanc dans sa coque d'acier et cette vision répugnante, cette sourde menace du Machiniste…

Ainsi je sommeillais, immergé dans les tièdes odeurs d'essence de la Jigouli miteuse d'Actinie. La cour était sombre et silencieuse. Il tombait quelque chose du ciel et ça ressemblait à de la neige fondue. Ou était-ce de la pluie glacée ? Brusquement, je pensai à tout autre chose : j'étais incroyablement jeune ! Les vieux — les retraités, les écrivains, professeurs et lauréats en tout genre — ne se baladent pas la nuit dans les cours crasseuses au volant de voitures volées, ne recrutent pas des assassins et ne se battent pas à mort avec les terroristes étrangers. Peut-être Mangouste avait-il raison quand il disait que j'étais immortel comme le mal ?

Pourquoi devrais-je avoir peur ? Tout le mal que j'ai fait dans ma vie ne m'a procuré aucun plaisir, c'était mon seul moyen de subsistance et c'est pour ça que les sentiments, les actes, les événements sont restés si vivants dans ma mémoire. Ces souvenirs sont aussi frais que si tout cela était arrivé le matin même et non pas des dizaines d'années auparavant, quand je vivais encore parmi ces gens. Je fais encore partie de ce monde.

Il se passa plusieurs jours avant qu'on ne remarque la disparition de Lioutostanski et, comme je l'avais supputé, personne ne voulut s'en occuper. Qui, dans cette atmosphère de cauchemar, de remue-ménage hystérique et de désarroi général qui suivit les funérailles du Saint Patron, aurait pu s'intéresser à un Polonais minable et bourré qui avait décidé de se tirer une balle dans la tête ? Avec, en prime, cette lettre honteuse et sentimentale à propos de crimes qu'il aurait soi-disant commis. Un officier supérieur du MGB ne peut commettre qu'un seul crime : la haute trahison. Un homme inutile, qui n'aimait personne et que personne n'aimait, avait disparu sans laisser de traces. En soi, l'événement était singulier, car rien ne disparaissait de la Boutique sans laisser de traces. Mais nous avions autre chose à faire que de nous préoccuper du sort du commandant Lioutostanski ; en effet la Boutique fut brusquement saisie par la panique de la réorganisation. La suppression du MGB et son incorporation au ministère des Affaires intérieures (MVD) n'était pas une tuile, mais une catastrophe. Ça voulait dire que nous étions à la veille de mutations, rétrogradations, mises à l'écart, exils, bannissements et arrestations. Le nouveau balayeur allait fouiller avec son balai de fer dans tous les recoins, dans toutes les cellules, où nous étions terrés depuis tant d'années, bien accrochés à nos meubles et à nos réseaux personnels patiemment constitués. C'était l'évidence : avant d'entamer un nouveau tournant, on commencerait par nous chasser. Le changement d'équipe dans la chambre des machines allait bientôt commencer.

La foudre tomba le lendemain des funérailles du Patron : Beria releva Rioumine de ses fonctions. Puis nous fûmes dessaisis de l'affaire des médecins — des centaines de dossiers, des dizaines de détenus — au profit d'une commission dirigée par Vlodzimirski.

Les premiers temps, Mikhaïl Kouzmitch, l'ex-vice-ministre et chef de la section d'instruction des affaires particulièrement importantes, ne fut pas trop inquiété. Il demeura cloîtré chez lui, ivre la plupart du temps, me téléphonant de temps à autre, en larmes, me suppliant de lui parler, de l'aider, de venir boire avec lui, comme au bon vieux temps.

Un jour, je me rendis chez lui : je devais lui parler. Son appartement était sens dessus dessous, dévasté comme après une perquisition. Minka était soûl et boursouflé comme un noyé. Il se jeta sur moi, m'embrassa longuement en me bavant sur les joues et quand il me serra dans ses bras, je sentis qu'il tremblait comme une feuille. Il pensait m'avoir convié à une beuverie larmoyante avec souvenirs obligatoires, mais je le saisis par la main et l'emmenai dans son bureau.

— Écoute-moi bien, dis-je en le poussant sur une chaise. Je n'ai pas beaucoup de temps. (Minka attendait sagement.) Dans les prochains jours, ils commenceront à t'interroger, à te poser toutes sortes de questions, à te faire peur et à t'accuser. Peut-être même qu'ils te mettront en tôle. Un jour déjà, je t'ai sauvé et grâce à moi tu as pu te hisser jusqu'au sommet : n'oublie jamais ça. Tu peux reprendre ta place si tu fais exactement ce que je te dis. Compris ?

— Compris, compris. Je ferai tout ce que tu veux.

— Commence par oublier les noms de tes anciens subordonnés, du mien jusqu'au dernier inspecteur. Nous, le menu fretin, ne pourrons pas servir à grand-chose, ni pendant l'instruction, ni au procès. Tu es un homme d'État de grande envergure et tu n'obéissais qu'à trois personnes dans le pays : Staline, Malenkov et Ignatiev. Tu n'es pas responsable de toutes les irrégularités qui ont entaché l'instruction de l'affaire des médecins. Garde cette ligne, et Malenkov, en sauvant Kroutovanov, te sauvera aussi. Tu as compris ?

Cependant, je n'eus pas à me fatiguer pour passer des coups de téléphone, car deux semaines plus tard, Beria, décidé à divertir la population, fit arrêter Minka et libérer tous les médecins incarcérés en guise de poisson d'avril.

Pendant ce temps, comme tout véritable amoureux, je ne faisais que penser à ma tendre bien-aimée, la sublime héroïne nationale, ma camarade de combat, ma Galatée, la créature née sous les coups de mon burin, Elizabeth Doolittle, officiellement «chef des internes du service de cardiologie de la clinique du Kremlin, Lioudmila Gavrilovna Kovchouk».

Ma petite fille n'allait pas bien. Pas bien du tout. Bien sûr, elle était incapable de saisir toute la dimension des perturbations nationales, toute la force de ce mouvement tectonique de la planète au joli nom de terre de l'obscurantisme, mais, intuitive comme une chatte, elle sentait que l'avenir lui réservait de très mauvaises surprises. Tout en pleurant, elle ne cessait de me poser des questions :

— Pachenka, que va-t-il se passer ? Tu m'avais promis que tout irait bien.

Je la serrais dans mes bras et l'encourageais d'un sourire :

— Ai-je jamais manqué à mes promesses ? Tu es devenue une femme célèbre, une héroïne adorée de tous. Tu as reçu l'ordre de Lénine et pas moi.

Elle me repoussa furieusement :

— Me voilà bien avec ça ! Tiens, je préférerais encore le rendre si tout pouvait redevenir comme avant.

— Rien ne peut être comme avant, dis-je en essayant de la calmer. Fais ce que je te dis et tout ira bien.

Mais la banquise sur laquelle nous dérivions avait fini par craquer dans un fracas assourdissant : le gouvernement, sans attendre que Lioudka lui rende l'ordre de Lénine, publia un oukase dans la *Pravda* la destituant de la plus haute distinction de l'État. Je n'avais encore jamais rien vu de tel : ce numéro était absolument inédit.

Lioudka sanglotait à l'autre bout du fil :

— Je vais tout raconter ! J'ai peur... C'est toi...
Moi, je ne voulais pas...

— Tais-toi ! Cesse de hurler et calme-toi. Viens
chez moi ce soir. À dix heures. Nous discuterons de
tout ça et déciderons de ce qu'il convient de faire.
Ne t'énerve pas. À tout à l'heure.

Le soir tomba. Il y avait, rue Gorki, à deux pas du
Théâtre d'art, un bistrot qui servait des pelmeni[1]
toute la nuit. C'est ici que venaient dîner tous les
chauffeurs de taxi de la ville. Histoire de bien repérer la situation, je tournai un quart d'heure autour
du restaurant. Puis je me décidai. Un taxi s'arrêta,
le chauffeur sortit de la voiture et entra dans le bistrot, sans fermer sa portière à clef. À l'époque, on
ne savait même pas ce qu'était une alarme.

À travers le pare-brise, je vis le chauffeur prendre
sa place dans la queue. Brusquement, je sentis que
tous mes membres étaient comme paralysés. Du
calme, pas de précipitation ! me commandai-je à
moi-même. J'ouvris la portière de ma Pobeda,
plongeai dans le taxi et tentai de démarrer avec ma
propre clef de contact. Ça marchait !

Je passai la première et m'éloignai très lentement
du parking. Personne ne chercherait ce taxi avant
une heure, ça, j'en étais sûr, et après ça n'aurait
aucune importance.

Je freinai devant l'arrêt de bus où était censée
descendre Lioudka. Le compteur comptait fiévreusement les minutes et les roubles, que personne ne
paierait jamais, et il n'y avait pas de preuve plus
convaincante au monde du peu de valeur de la vie
d'un être humain.

Le petit vent piquant d'avril fendillait la lumière
du lampadaire. L'ampoule en était à ses derniers
soubresauts, car, sous les coups du vent, la lumière

1. Gros raviolis.

jaunâtre tantôt s'allumait paresseusement, tantôt s'éteignait, plongeant la rue dans l'obscurité. Il n'y avait pas âme qui vive. Il ne pouvait y avoir personne d'autre dans cette rue que ceux qu'aurait amenés l'autobus de Lioudka. Mais cela non plus n'avait pas d'importance : les passants ne m'arrêteraient pas. Ma retraite serait plus difficile, voilà tout.

Mais Lioudka était seule. Sa silhouette voûtée avait quelque chose de misérable, elle avait perdu son port de reine et se déplaçait maladroitement, perchée sur ses grandes jambes. Son cache-poussière blanc, autrefois si chic, pendouillait comme un sac ; on aurait dit une femme maigre et fatiguée. À cause des brefs éclairs du lampadaire qui s'allumait et s'éteignait, j'avais l'impression que Lioudka faisait des bonds incongrus, entre l'ombre et la lumière.

Soudain, je me souvins du jour où je lui avais dit en la caressant : «Tu es ma Cendrillon.» Elle avait éclaté d'un rire rauque : «Je suis cette Cendrillon que le Prince charmant poursuit après minuit pour lui flanquer un coup de pantoufle sur la gueule.»

Je secouai la tête et m'avançai doucement, guettant le moment où elle traverserait la rue. Elle s'arrêta un court instant, jeta un coup d'œil derrière elle et descendit sur la chaussée.

Le lampadaire s'illumina. Je passai la deuxième, embrayai et appuyai sur le champignon : hurlement du moteur, bruit sourd des pneus sur le bitume. Le lampadaire s'éteignit. Au milieu de la rue, la tache blanche du cache-poussière. Un coup de volant à droite ! Plus vite !

Tandis que la mort hurlante d'acier et d'huile se ruait sur elle, Lioudka se retourna très lentement, comme si elle sortait d'un long sommeil. J'allumai les phares, elle s'arrêta, paralysée, aveugle, et jamais je n'oublierai son visage défiguré par la peur, ses yeux vert malachite exorbités, sa bouche figée dans un cri muet. Elle se jeta sur le côté dans l'espoir de remonter sur le trottoir, et je dus corriger un peu mon élan. Avec un clappement sourd, l'aile gauche du taxi la frappa de plein fouet et je vis passer une de ses chaussures dans le brouillard laiteux au moment où les roues arrière passaient en sursautant sur son corps allongé.

Et puis : le hurlement du moteur, le crissement strident des pneus dans les virages, la course effrénée à travers la ville. Je m'arrêtai rue Ordynka, éteignis les feux, crachai dans mon mouchoir et essuyai soigneusement le volant, le levier de vitesses, les poignées des portières. Je récupérai mes clefs, sortis de la voiture, claquai la portière et rentrai chez moi, en marmonnant sur la route : «Petit soldat, épouse-moi...»

Seigneur Tout-Puissant, quelle chance que Semion ignore tout des liens intimes qui nous unissent ! Sinon, je suis sûr qu'il pourrait se vexer et qu'il en voudrait à mort à son vieux camarade. Et ce n'est pas pour Mangouste qu'il affûterait son couteau de boucher !

Il vaut mieux qu'il ne sache rien. La seule chose qui compte c'est qu'il règle tranquillement mais promptement son compte à Mangouste et qu'il revienne dans cette cour humide. Je le ramènerai à l'hôtel Sovetskaïa sur mon tapis volant, je le serrerai dans mes bras et nous nous séparerons pour toujours. Pour toujours ! Pour toujours ! Et la prochaine fois, c'est dans l'autre monde que je le rencontrerai, avec sa frangine Lioudka, dans mille ans, quand tout ce qui sera arrivé ici, dans ce trou plein de boue et de sang, sera oublié et pardonné. J'y crois. Ça ne peut pas être autrement.

Ce que je veux là, maintenant, c'est que Semion revienne, se jette sur le siège et me dise : « Ça y est. On y va. » Qu'on ne me parle plus de cette maudite histoire avec Mangouste.

Mais Semion n'arrivait pas. Le temps passait, la neige tombait lamentablement, j'attendais, le cœur serré d'angoisse, mais Kovchouk ne venait pas. Essayant de distinguer quelque chose dans l'obscurité, je regardais les fenêtres du quatrième, cherchant à deviner laquelle était celle de Mangouste et ce qui pouvait bien s'y passer. Mais rien ne s'y passait, juste une lumière blafarde et indifférente derrière les rideaux. L'hôtel s'assoupissait, caserne d'ennui et d'ivresse nocturne.

Je m'endormis un instant — où étais-je simplement distrait, ou avais-je cligné de l'œil au mauvais moment ? — et il me sembla qu'une masse sombre et volumineuse était tombée le long de la façade pour s'écraser dans la cour avec un bruit sourd, comme si l'on avait jeté un matelas humide par la fenêtre. J'attendis encore un peu en tendant l'oreille mais il régnait toujours le même silence lugubre. Avais-je rêvé ? J'étais en train de scruter les fenêtres du quatrième étage quand je vis, sur le côté gauche de la façade, que le châssis dormant de la cage d'escalier était ouvert et se balançait dans le vent. Je sortis sans bruit de la voiture, sans couper le moteur, et me dirigeai vers l'entrée de service du restaurant. Le chemin butait dans un énorme amas de neige sale. Je m'approchai prudemment et découvris Senka Kovchouk assis dans la neige. Il avait une drôle de posture, la jambe rejetée sur le côté, la tête penchée sur la poitrine, comme s'il avait eu un brusque coup de pompe et qu'il s'était posé là un court instant. J'allumai mon briquet et relevai sa tête : Kovchouk me regardait, ses yeux brillants légèrement plissés.

742

Un filet de sang coulait le long de sa bouche. Il était mort.

Mon cœur se serra. Je n'osai pas me retourner : forcément, ce silence gris et humide allait exploser derrière moi et me transpercer d'un coup de couteau ou d'une balle en plein tête. Je marchai sur la pointe des pieds, sans pouvoir quitter du regard la silhouette de Senia assis dans le tas de neige. Je trébuchai, agitai les bras pour ne pas perdre l'équilibre et, n'y tenant plus, me mis à courir si vite que j'entendais le vent me siffler aux oreilles. J'arrivai enfin à la voiture, ouvris la portière et aussitôt le sifflement cessa. Je me retournai une dernière fois et, de nouveau, j'entendis siffler, cette fois-ci à l'intérieur de ma poitrine. Ce n'était donc pas le vent.

Le moteur de la Jigouli abandonnée ronronnait douillettement. Je me jetai sur le siège, passai brutalement la marche arrière, fis demi-tour et m'élançai hors de la cour. Plus vite ! Plus vite ! À la maison ! Se planquer !

Ce n'est pas possible ! C'est un rêve ! Un cauchemar ! C'est Mangouste qui aurait supprimé Senka, un tueur professionnel ? Comment est-ce possible ? Et il l'aurait défenestré du quatrième étage ? Mort ou vivant ? Mon Dieu, que s'était-il passé là-haut ?

Je traversai toute la ville sur les chapeaux de roue. Arrivé à Aéroport, j'abandonnai la voiture dans une ruelle sourde et courus jusqu'à chez moi en essayant d'éviter les flaques. Je courais, je trébuchais, je tombais, je mourais. Une douleur brûlante me saccageait la poitrine, la sueur me dégoulinait dans le dos et je claquais des dents. J'étais trempé. Et, au moment où je sentis mes forces m'abandonner tout à fait, le souffle coupé de fatigue et de peur, j'aperçus enfin l'entrée de mon immeuble.

Tikhon avait un air soupçonneux et désapprobateur. Il leva sur moi ses yeux bleus, hocha la tête et dit :

— Eh bien, Pavel Egorovitch, je vois que vous avez beaucoup de loisirs.

Je n'avais pas la force de répliquer. Je pressai le bouton de l'ascenseur et, au moment où les portes s'écartaient avec un léger grincement, j'entendis une voix derrière moi :

— Il n'y a pas de ténèbres plus noires que celles qui précèdent l'aurore...

Je me tournai brusquement : le Machiniste riait d'un rire muet et terrifiant, assis derrière le bureau de mon brave chien de garde Tikhon Ivanovitch. Il agita un doigt plié devant lui, passa sa langue longue et bleue sur ses lèvres et répéta :

— Il n'y a pas de ténèbres plus noires que celles qui précèdent l'aurore. N'oublie pas...

Je poussai un cri, me précipitai au fond de l'ascenseur, les portes se fermèrent avec fracas, au-dessus de moi les câbles bourdonnèrent et la cabine m'emmena tout là-haut. Une lumière bleue terrifiante éclairait le palier. Je m'échinais sur la porte, mais n'arrivais pas à fourrer la clef dans la serrure. Je sanglotais de haine et chaque cellule de mon corps n'était qu'un tremblement de douleur et de peur. La serrure finit par céder et je me précipitai dans l'appartement. Il régnait ici un silence véhément. J'allumai dans l'entrée, criai «Marina!», cri qui eut pour réponse un écho menaçant. Des bouts de tissu, des papiers et des journaux chiffonnés traînaient par terre. J'allai dans la salle à manger et, en allumant la lumière, je compris que j'étais devenu fou : ce n'était pas mon appartement. Il était absolument vide, les papiers peints arrachés, sans aucun meuble. Le même désert régnait dans la chambre à coucher. Ce ne pouvait pas être ma maison ! Où étaient passés tous les objets que j'avais glanés à travers le monde et que Marina avait soigneusement assemblés ? Évanouis ?

À la cuisine, il ne restait plus une étagère. D'une main tremblante, je saisis une feuille de papier posée sur le tabouret et reconnus les pattes de mouche de Marina : « J'en ai assez. Que le diable t'emporte. Je te quitte. » Je pensai que ce n'était qu'un rêve et jetai la feuille par terre. Comment peut-on vider toute une maison en seulement quelques heures ? Le Machiniste l'aurait-il aidée ?

Les démons m'entraînaient dans l'abîme. Je m'appuyai contre le mur, mais mes genoux tremblaient si fort que j'avais du mal à me tenir debout. Je me laissai glisser doucement le long du mur. J'étais assis dans une maison vide et souillée, prostré, au bord de l'évanouissement, pleurant de fatigue et de peur, pleurant sur mon sort.

C'est alors que j'entendis la voix gutturale d'Elieser Nannos.

23

Le couteau dans le dos

Dring, dring, dong, clang, carillons, cloches, vacarme d'avalanche métallique. Surgissant du brouillard, je me rendis compte qu'on sonnait à la porte. Je soulevai mes paupières gonflées et le monde hostile et répugnant me sauta dessus comme un chien enragé se rue sur un homme à terre. Je refermai les yeux sur-le-champ. Je n'étais plus qu'un tas de cendres sur le sol de la cuisine. À qui avais-je essayé de dire qu'on ne frappait pas un homme à terre? Recroquevillé, j'écoutai, épouvanté, la sonnerie assourdissante.

Cette sonnerie stridente, qui m'attirait au bout de sa chaîne pour me jeter dans ce monde dégoûtant, avait également ravivé la douleur, qui avait élu domicile dans mon corps engourdi. Je n'étais plus un homme, je n'étais personne. Ni colonel, ni écrivain, ni professeur, ni «Don Jouir», mais un simple emballage de toutes les douleurs de la terre. Un musée de souffrances, diverses et variées. Le cri strident du système nerveux, les râles du foie, débordant de sang noir et de bile, les battements sourds du cœur, le craquement des côtes qui se brisent. Ça lance, ça brûle, ça pique.

La sonnerie glapissait de plus belle. Les yeux toujours clos, geignant et soupirant, je tentai une ascension le long du mur. Je me dépliai non sans mal et marchai d'un pas résigné dans le couloir dévasté jusqu'à la porte. Je tirai le verrou. Persuadé de trouver Mangouste, ou le Machiniste, ou le défunt Kovchouk, ou Marina, ou une autre saloperie du même genre, j'entrouvris le portail de mon *home* anéanti qui avait été autrefois mon *castle*, et découvris un monstre plutôt normal et même sympathique, une sacoche de postier dans les bras.

— Un paquet recommandé, dit-il en me tendant un cylindre en carton, un tube d'une cinquantaine de centimètres recouvert de papier de couleur et parsemé de tampons.

— Une signature, s'il vous plaît, ajouta ce salaud en me scrutant du regard.

— Je n'ai pas de quoi écrire, marmonnai-je, et il me tendit le reçu et un crayon.

— Notez l'heure de la livraison : douze heures vingt.

Je fouillai mes poches à la recherche d'un peu de ferraille mais cette crapule me dit avec un sourire méprisant :

— Ne vous fatiguez pas. C'est payé.

Puis il disparut.

Je claquai la porte, retournai à la cuisine et me hissai sur le tabouret. Je n'étais plus moi-même et je me dis que je devais ressembler en ce moment à Tsybikov, le kangourou des villes, compagnon de l'allègre putain Nadka et rejeton de mon collègue, camarade et défunt chef, Minka Rioumine.

Qu'est-ce que c'est que ce paquet ? Qui me l'a envoyé ? Je n'attends aucune correspondance de personne. Je voudrais qu'on oublie jusqu'à mon existence. Je ne suis pas là. Je suis absent, absent... De mes doigts tremblants, j'arrachai la bande collante, le papier de couleur et fis sauter le couvercle. Je secouai le tube : quelque chose bringuebalait à l'intérieur. Je le renversai sur la table : un long couteau s'échappa du tube et vint se planter dans le parquet, juste entre mes pieds.

Je n'avais plus la force d'avoir peur. C'était le couteau de Senka Kovchouk qui tressaillait entre mes pieds. Le couteau destiné à Mangouste. Quelques feuilles de papier étaient roulées à l'intérieur du tube. Je les dépliai : c'était une lettre de Mangouste. « Cher *Vater* ! Ci-joint un document très important pour vous, ainsi que le joli souvenir que vous m'avez envoyé hier. Merci ! À seize heures, je vous attendrai devant chez vous. N'oubliez pas ! Munissez-vous de votre passeport. Magnus Theodor Borovitz. »

Pas mal, comme début. Mon cœur s'arrêta de battre lorsque je commençai à lire le deuxième feuillet. Les douleurs qui me torturaient cessèrent brusquement et reculèrent pour tapisser le fond de ce cauchemar éveillé. J'avais tout oublié.

C'était le rapport d'un homme mort. Pas exactement le rapport lui-même, mais, à en juger par les petits points noirs sur le bord de la feuille, une photocopie de l'original. Une lettre de Senka Kovchouk.

> *Aux organes compétents, de la part du commandant de réserve du KGB, Kovchouk Semion Gavrilovitch.*

RAPPORT

Par ce rapport, je tiens à vous informer au cas où il m'arriverait quelque chose. Mon ancien supérieur, le colonel Khvatkine P. E., m'a informé la semaine dernière que la direction me confiait la mission de liquider un espion israélo-américain. Khvatkine m'a dit qu'il avait carte blanche pour exécuter cette opération. Cependant, connaissant Khvatkine depuis de nombreuses années, je tiens à informer la direction que Khvatkine est un individu moralement et politiquement instable, qu'il a pu entrer lui-même en contact avec les services spéciaux occidentaux et qu'il est en train d'effacer les traces en éliminant un témoin embarrassant. Dans le passé, Khvatkine a été l'un des initiateurs et organisateurs de la célèbre affaire des médecins, dans laquelle il avait entraîné ma sœur Lioudmila, qui travaillait à l'époque à la clinique du Kremlin. Après l'interruption de cette affaire criminelle, d'après mes suppositions, Khvatkine, pour dissimuler son rôle, l'a tuée lui-même ou avec l'aide d'un de ses subordonnés. Je suis certain qu'il s'était muni d'un blanc-seing du MGB de l'époque. Cependant, je ne possède aucune preuve véritable.

Pendant de nombreuses années, je n'ai pas voulu soulever cette question, parce que j'étais persuadé que la mort de ma sœur avait été dictée par des raisons de sécurité nationale et, en tant que tchékiste et communiste, je préférais me taire, comprenant la complexité de la situation. Si Khvatkine est resté vivant jusqu'à aujourd'hui et s'il n'a pas eu à répondre de ses crimes, c'est grâce au rôle qu'il a joué dans le complot contre l'ancien ministre des Affaires intérieures, Beria L. P. Je pense que ce rapport pourrait se révéler nécessaire s'il m'arrivait quelque chose, si, par exemple, on apprenait que Khvatkine P. E. ne suivait pas les instructions de la direction mais agissait pour son compte.

Semion Kovchouk.

Sacré Semion! Pendant toutes ces années, tu savais, ou tu soupçonnais la vérité! Mais tu as préféré te taire en attendant ton heure. Et tu vois ce qui s'est passé : ton heure est arrivée. Avant la mienne.

Il avait raison, Semion, lorsqu'il disait qu'on m'avait beaucoup pardonné grâce au rôle que j'avais joué dans le destin de notre cher Lavrenti Pavlovitch. Ils se sont tous retrouvés qui à l'échafaud, qui au tribunal, qui à la retraite sans pension. Moi seul ai surnagé...

Après l'arrestation de Minka Rioumine et de sa bande de vicelards, je savais que j'avais gagné un sursis, mais un sursis très court. Après avoir clamé sur tous les toits son amour de la vérité et de la justice, Beria laissa sortir tous les médecins de la Prison intérieure et se préparait à châtier tous les impies qui avaient réussi à infiltrer la Boutique, pure comme le cristal, et à profaner le lumineux temple de la légalité socialiste.

C'est ce qui fut annoncé publiquement. Officieusement, nos braves petits gars reçurent un ordre qui les secoua jusqu'au tréfonds de l'âme et qu'ils vécurent comme un prélude à la catastrophe future. L'ensemble des inspecteurs et instructeurs de la maison fut informé que Beria avait pris cette décision effroyable : interdiction de frapper. L'ordre non écrit stipulait que désormais toutes les formes de violence physique étaient proscrites !

Je rendis grâce à Dieu, car tant qu'on ne cognait pas sur Minka et sa clique, il ne dirait rien, comptant — l'imbécile — sur mon aide et celle de Kroutovanov. Mais un jour, Minka Rioumine et les siens finiraient par tout balancer, y compris le rôle que j'avais joué dans la mise en scène hélas inachevée de ce spectacle de génie. Si je ne trouvais pas une protection infaillible, mon nom remonterait forcément à la surface. Dans un jour, une semaine ou un mois, on viendrait me chercher pour me conduire dans la cellule voisine de celle de Minka.

Il me fallait trouver cette protection. Mais laquelle, Dieu Tout-Puissant ? Comment faisait-on pour se protéger contre Lavrenti, insaisissable comme les cieux, implacable comme un archange en colère? Tremblant de peur, je me plongeai alors dans des calculs sans fin, cherchant sans répit, de jour comme de nuit, chaque minute, chaque instant. Et je trouvai. La protection la plus infaillible, c'était Beria luimême. J'avais trouvé!

En vérité, ce fut le hasard qui vint à ma rescousse. Un hasard que je sus saisir au vol. Il se présenta sous la forme de mon pote Otar Djedjelava, ivre mort, au restaurant Aragvi.

Quelle histoire! C'est à peine croyable! Otar Djedjelava, un personnage anecdotique, changeant le cours de l'histoire! Ses attributions à la Boutique étaient d'une nature particulière: il était aide de camp de Beria, chargé des missions spéciales. Beria avait deux aides de camp: le colonel Sarkissov, un escroc gluant avec une bouche en cœur, et Djedjelava. Sarkissov réglait toutes les affaires «sérieuses». Quant aux missions spéciales de Djedjelava, elles consistaient à rabattre des putains pour son patron. Quand il était soûl, il se vantait d'être le Fournisseur de Putes en Chef du MGB d'URSS.

C'était un très beau garçon, assez bête et pas du tout méchant. Et c'était un ami très proche du patron. On peut dire un ami intime.

Nous partagions quelques secrets, le bel Otar et moi: à l'époque où il n'était que simple inspecteur, il avait piqué, lors d'une perquisition, un dentier en or plongé dans une tasse pleine d'eau, posée sur la table de chevet. Djedjelava l'avait mis dans sa poche et l'avait porté chez le bijoutier Zamachkine, l'agent Fumée. C'est ainsi que je pus coincer Djedjelava et lui faire signer un engagement à collaborer avec moi.

Dieu m'est témoin, je n'abusais pas de mon pouvoir et ne m'adressais à lui que très rarement. Je me rendais compte que, à mon niveau pygméen, les informations qu'il aurait pu me donner seraient inutiles, voire dangereuses. Le meilleur morceau n'est pas celui qu'on arrache mais celui qu'on parvient à avaler. Mes relations avec Djedjelava étaient devenues chaleureuses, bien qu'il m'arrivât de temps à autre de lui rappeler délicatement qu'il avait une petite dette envers moi.

En cette insouciante soirée de mai, Djedjelava, deux de ses amis culs-noirs et moi-même étions en train de boire du vin de Kakhétie, manger du satsyvi[1] et des chachliks, prononcer des toasts et raconter des blagues salaces. À la vingtième bouteille, Djedjelava déclara qu'il m'aimait comme un frère. Je déclarai à mon tour, en levant mon verre, que je l'aimais comme un frère, mais comme un frère aîné, car l'amour de l'aîné pour son cadet est le plus ardent, le plus dévoué et le plus grand. Otar versa une larme, m'embrassa et dit :

— Mon frère d'amitié ! Un mois ! Un seul petit mois ! L'homme que je chéris plus qu'un père, plus que Dieu, l'homme qui est la force de mon esprit et la flamme de mon cœur, eh bien dans un mois, cet homme sera le premier de ce pays ! Et moi je serai général ! Et toi, mon frère, tu travailleras avec moi.

En sortant du restaurant, Djedjelava était si rétamé que je dus l'aider à monter dans sa ZIS noire, qui fonça rue Gorki toutes sirènes hurlantes.

J'allai à la première cabine téléphonique pour appeler Kroutovanov. En glissant la pièce dans la fente, je donnais le coup d'envoi de la partie la plus risquée et la plus terrifiante qu'il m'ait été donné de jouer.

1. Plat géorgien à base de blanc de poulet et de noix.

Kroutovanov ne fut pas le moins du monde surpris par mon appel, comme si j'avais l'habitude de lui téléphoner au milieu de la nuit.

— Une petite promenade? Avec plaisir, répondit-il sans la moindre hésitation. Je m'habille et je descends. Allons nous dégourdir les jambes. Un bol d'air frais nous fera du bien.

Bravo! Il ne voulait pas que les hommes postés dans l'entrée de son immeuble me voient traîner chez lui en pleine nuit. En plus, il avait peur que son téléphone soit sur écoute. Kroutovanov avait très bien compris que, si je l'appelais chez lui à une heure pareille, c'est que les raisons de cet appel devaient être discutées dans la rue.

Quel tableau! Deux jeunes gens romantiques se promenant par une nuit de printemps moscovite balayée de fleurs de peuplier, et admirant le croissant argenté de la lune.

Une fois rassasiés par ce paysage impressionniste, et après que je lui eus chanté le grand aria romantique à propos de mon petit frère Otar, Kroutovanov s'émut tant qu'il me serra la main.

— Je m'y attendais, à vrai dire. J'avais prévu qu'il lui faudrait un ou deux mois. Cette information tombe à pic. Quelles sont vos conclusions?

Je soutins son regard pénétrant et répondis:

— La seule conclusion à laquelle chacun de nous arrive en ce moment, c'est: devancer.

Il demanda avec un petit sourire:

— Tu es de taille? Pas trop la grosse tête?

— Ça n'a pas d'importance. Si on n'est pas de taille, beaucoup de têtes sauteront.

Kroutovanov acquiesça:

— Je n'en doute pas. Qu'on ne vienne pas demander grâce... Demain, je vous prends à quatorze heures chaussée de Mojaïsk, devant le magasin Diète.

Je ne posais jamais de questions à Kroutovanov mais je savais qu'il ne comptait pas prolonger notre promenade nocturne par une sortie en plein air. Je ne m'étais pas trompé : c'est pour une agréable conversation que nous débarquâmes à la datcha de Malenkov. Notre Premier ministre, en vareuse blanche stalinienne, les bajoues flasques, était assis dans le jardin devant une table servie pour le thé. Face à lui, et me tournant le dos, un gros homme chauve était coincé dans son fauteuil. Je contournai la table pour aller saluer Malenkov, jetai un regard sur celui qui prenait le thé avec notre Premier ministre et reconnus le premier secrétaire du CC, Nikita Sergueïevitch en personne. Il était venu pour me voir !

Eh bien, soit. Ce n'est pas tous les jours qu'on a l'occasion de boire le thé et de tailler une bavette avec les deux premiers personnages de l'État. Les deux Guides me serrèrent la cuiller et me firent asseoir entre eux dans un fauteuil d'osier.

Kroutovanov restait debout et regardait tout autour, faisant pivoter tout son corps, à la manière des loups. Puis il monta sur le perron et entra dans la maison.

— Voulez-vous du thé ? Ou du café ? demanda Malenkov, me faisant comprendre que ce n'était ni une réunion ni un examen de passage, mais une rencontre amicale, une petite visite aux copains, en quelque sorte.

Pendant que Nikita Sergueïevitch me servait personnellement du thé, Kroutovanov revint avec un plateau de sandwichs. Je doute fort qu'on manquât de personnel, mais l'animal avait sûrement veillé à ce que tous les domestiques fussent évacués de cette partie de la maison. Tout amicale qu'elle dût être, la conversation serait également sérieuse, et il n'était pas utile d'allécher tous ces mouchards patentés. Je choisis un sandwich au jambon, aussi rose et juteux que celui que Khrouchtchev s'était enfilé le jour du trépas du Saint Patron. Je mangeai avec un plaisir non dissimulé, cordialement encouragé par Khrouchtchev :

— Mange, mange ! Dans le temps, en Russie, c'est à leur appétit qu'on embauchait les ouvriers.

— De ce côté-là, je n'ai pas à me plaindre, dis-je en pouffant.

— Ah oui ? Justement, Sergueï Pavlovitch nous disait que pour le reste non plus, vous n'aviez pas à vous plaindre, dit Malenkov avec un sourire figé.

Je baissai modestement les yeux. Khrouchtchev, qui s'impatientait, décida de prendre le taureau par les cornes :

— À ton avis, fiston, peut-on accorder crédit à ce que raconte ce cul-noir... Comment déjà ? Djedjelava ?

— À mon avis, oui, répondis-je. C'est un homme du sérail. Beria et lui partagent les mêmes loisirs et les mêmes joies. Vous savez qu'un homme détendu est plus confiant, plus causant. Et puis, c'est aux proches qu'on demande des services.

— Pensez-vous que Beria a des chances ? demanda Malenkov avec un sourire forcé, et je vis à ses bajoues tremblotantes qu'il était épouvanté.

— Si l'on ne prend pas des mesures préventives, sans aucun doute, dis-je avec conviction.

Je commençais à prendre au sérieux mon nouveau rôle de conseiller du gouvernement.

— Et quel genre de mesures devrait-on prendre ? demanda Khrouchtchev d'un air soupçonneux.

— Il faudrait une aide extérieure. Les militaires,

par exemple. Oh, pas toute une armée! Ce qui importe, c'est d'isoler intelligemment Lavrenti Palytch.

— Et comment t'y prendras-tu? demanda Khrouchtchev. En demandant à la division Tamanski de prendre d'assaut la Loubianka?

— Sûrement pas! Il faut impliquer beaucoup de monde pour lever une division: Beria serait au courant dès le lendemain.

— Alors, que proposes-tu?

— Il faut isoler Beria du système de protection. Si on y parvient, il ne se trouvera personne à la Loubianka pour aller construire des barricades avec lui.

— Vous êtes sûr? demanda Malenkov.

— À cent pour cent. Le problème est de savoir comment l'isoler. C'est plus difficile que certains pourraient le croire.

— Personne ici ne croit quoi que ce soit, explosa Kroutovanov, irrité de me voir prendre mes aises et discuter d'égal à égal avec ces gros pleins de soupe. Nous comprenons tous la difficulté du problème. On ne peut pas demander le concours de l'armée, car les sites stratégiques où Lavrenti pourrait se rendre, toute sa sphère d'activité est surveillée par la Protection, la neuvième direction. Et la neuvième direction ne rend de comptes qu'à Beria, lequel n'hésiterait pas à ouvrir le feu à la première injonction de notre part, ou s'en ficherait éperdument.

Il avait raison. Un petit groupe d'officiers ne peut pas pénétrer armé au Kremlin. Selon les ordres du commandant du Kremlin, personne ne peut entrer armé dans l'enceinte de notre temple suprême.

— Il faut articuler ce problème et le développer davantage, dis-je en finissant de mâchonner mon sandwich.

— C'est-à-dire ? demanda Kroutovanov, intrigué.

— Beria est accompagné en permanence par quatre gardes du corps personnels, des Mingréliens[1]. Plus un cinquième, Djedjelava ou Sarkissov. Plus le chauffeur, qui est armé. C'est-à-dire six ou sept hommes, parfaitement entraînés et armés jusqu'aux dents. Il est peu probable, voire impossible, qu'on puisse les acheter. De toute façon, nous n'avons plus le temps.

— Alors, qu'est-ce qu'on doit faire ? Leur lécher le cul ? demanda Khrouchtchev, furieux.

Je lâchai, impassible :

— Il faut les tuer. Tous.

L'opération fut fixée au 17 juin. Plus exactement, elle avait été fixée au 12 juin, mais Beria s'était envolé pour Berlin, histoire d'écraser fissa une révolte de nos petits Allemands, qui accumulaient un retard considérable dans la construction du socialisme. Avec l'aide du général Gretchko et de quelques tanks, il pétrit un peu ces foules de Fritz excités, ces cochons que nous venions à peine de libérer de la peste brune et qui rechignaient devant l'avenir communiste que nous leur avions apporté en échange.

Après quelques fusillades et arrestations, ayant réalisé le plan avant terme, comme pour les moissons, Beria revint dans notre capitale impériale et se rendit directement de l'aéroport à la réunion du Présidium[2].

Il faut dire que la révolte allemande était tombée à point nommé, car nous pûmes profiter de ces cinq jours d'absence de Beria pour mettre au point tranquillement tous les détails de l'opération.

1. C'est-à-dire de la même origine que Beria.
2. Nom du Politburo au moment des faits.

Un laissez-passer à mon nom fut commandé pour midi. Je présentai ma carte du MGB au poste extérieur de la tour Spasskaïa et passai le tourniquet de détection des métaux. La lumière verte clignota : pas d'armes, je pouvais entrer.

Deuxième poste de contrôle. Deux commissaires de la neuvième direction scrutèrent mon visage, puis ma photo sur la carte du MGB, puis de nouveau mon visage. Le garde palpa mes poches — pas d'armes. Tête de bois, je ne me déplace jamais sans mon arme. Mon arme, c'est moi.

Je tournai à droite et longeai le mur rouge crénelé jusqu'au portail vert fermé de la cour du Conseil des ministres. Un nouveau poste de contrôle : cette fois-ci, ils sont trois. Le visage, la photo, le visage. Comparer les nom, prénom, patronyme de la carte du MGB avec ceux du laissez-passer.

— Vous pouvez passer. Pensez à faire inscrire l'heure du départ. Sinon, on ne vous laissera pas sortir.

Connard ! Tu ne sais même pas que c'est le destin de ce laissez-passer que de rester vierge de toute écriture. Quoi qu'il arrive, ce n'est pas à pied que je sortirai d'ici, mais dans la ZIS noire gouvernementale ou dans un camion, sous une bâche, raide mort.

Dernier poste de contrôle, à l'entrée du palais. Deux lieutenants examinèrent soigneusement ma carte :

— Vous pouvez passer.

Je montai au deuxième étage et marchai lentement dans les couloirs interminables qui mènent au secrétariat, situé juste avant la salle de réunion du Présidium du CC. Je trouvai la bonne porte et me glissai à l'intérieur. Deux grands bureaux surchargés de téléphones, des tapis rouges recouvrant le parquet jaune d'œuf, d'innombrables chaises le long des murs. Sur les chaises, toutes sortes d'employés, de collaborateurs et de secrétaires feuilletaient leurs dossiers, parcouraient les journaux et bâillaient de temps à autre, attendant que sortent leurs grands chefs, réunis en aréopage suprême derrière ces portes immenses.

Les quatre Mingréliens à l'air féroce, les gardes du corps de Lavrenti, avaient élu domicile à côté de l'entrée de la salle. Ils se sentaient comme chez eux : deux d'entre eux étaient à califourchon sur des chaises, le troisième était assis en tailleur sur le tapis ; quant au quatrième, un noiraud au teint tirant sur le jaune, nerveux et vif, il racontait des blagues géorgiennes avec une voix tonitruante en découvrant ses dents en or. Ses copains s'esclaffaient.

Les ronds-de-cuir les dardaient de regards obliques et inquiets. Dans un coin éloigné, j'aperçus deux officiers de l'armée ; ce devait être mes assistants, les aides de camp de Joukov[1]. Quelques minutes plus tard, le général Bagritzki fit son entrée, en soufflant comme un bœuf. Cet homme grand et gros était le commandant de la défense aérienne de Moscou. Tu parles d'une armée ! Des assistants ! De la merde, oui. Je compris que le succès de l'opération ne dépendrait que de moi seul, de mon professionnalisme et de la chance. Dieu m'est témoin, je n'avais pas peur ; je ne ressentais même pas d'excitation. Je

1. Gueorgui Joukov (1896-1974). Maréchal, vice-ministre de la Défense en 1941, puis de 1942 à 1945. Il est le principal artisan de la défense de Moscou et de la bataille de Stalingrad. Ce héros national connaît la disgrâce jusqu'en 1953. Il réintègre le gouvernement après la chute de Beria. Khrouchtchev le chassera à son tour en octobre 1957 après qu'il l'aura aidé à se débarrasser de Malenkov, Boulganine et Molotov.

savais que j'avais l'énorme avantage de la surprise et de l'arrogance.

La porte de la salle du Présidium s'entrouvrit pour laisser passer Djedjelava, une serviette dans la main. Il rejoignit sur la pointe des pieds les gardes du corps de son chef, leur dit quelques mots en géorgien et leur donna la serviette. Puis il m'aperçut. Je fis un signe amical de la main et allai à sa rencontre, le sourire aux lèvres, tandis qu'il hurlait à travers toute la pièce, comme s'il se croyait au marché de Tiflis :

— Mon cher, qu'est-ce que tu fais là ?

Ils se croyaient les maîtres de ce palais. Et c'était vrai. Nous nous embrassâmes en plein milieu de la salle, sous le regard envieux et hostile des secrétaires. Je pris Djedjelava par les épaules, le fis pivoter sur lui-même et l'emmenai dans le coin où se trouvaient les gardes du corps. Jusqu'ici, j'avais évité de les approcher de trop près pour ne pas attirer leur attention. Le général Bagritzki, le seul de toute l'assistance à connaître la nature de ma mission, observait attentivement mes manœuvres, reniflant de temps à autre, et l'expression de son visage était si épouvantée que j'espérais que les gardes n'auraient pas l'idée de s'intéresser à cet imbécile de militaire. Nous étions arrivés tout près d'eux. Ma main glissa de l'épaule de Djedjelava jusqu'à sa taille, je saisis promptement le Walther dans son étui et, dans le même mouvement, mon coude alla s'écraser contre son visage. Djedjelava s'affaissa sans un bruit et je volais déjà vers les quatre autres, profitant du fait qu'ils n'avaient pas eu le temps de se préparer à l'attaque.

Nous ne connaissions pas le karaté à cette époque, c'est plus tard qu'on donna le nom de *maï gueri* au saut avec coup de pied dans le ventre, suivi d'un second coup de pied. Je saisis le pistolet automatique à la ceinture du petit noiraud blagueur, frappai le troisième larron dans l'oreille avec la crosse, me retournai et flanquai un coup de pied dans les couilles du quatrième, celui qui était assis en tailleur sur le tapis. L'enculé. Dans un bâtiment officiel !

Deux d'entre eux étaient maintenant étendus aux côtés de Djedjelava, le troisième se tordait de douleur, le visage couvert de sang caché dans les mains, et le dernier, petit mais costaud, commençait à se relever lentement quand, sans lui laisser le temps de souffler, je pris de nouveau mon élan et lui balançai un coup de tête dans la poitrine, qui l'envoya valser contre le mur. Les soupirs, le bruit moite des coups de poing, l'odeur de sang et de sueur, les papiers froissés dans les mains des secrétaires terrorisés, le pas lourd des militaires courant à mon secours. Ignorant l'art du corps à corps, ils se jetaient maladroitement sur les gardes du corps, comme un gardien de but sur son ballon.

— Les armes ! Prenez-leur les armes ! ordonnai-je d'une voix sifflante.

Les militaires désarmèrent les gardes du corps et leur cognaient maintenant sur la tête avec les pistolets. Le sang jaillissait sur le parquet jaune d'œuf. Ils avaient tort de faire du zèle : les gardes étaient déjà hors circuit. Djedjelava était conscient mais mort d'angoisse et me regardait de ses beaux yeux de mouton.

Deux autres militaires apparurent comme par miracle dans la salle — étaient-ils nés spontanément dans la bagarre ? — en tirant de leurs poches des cordes en nylon. Avec une dextérité étonnante, ils ligotèrent les gardes, qui remuaient encore. C'étaient sûrement des gars du GRU, le renseignement militaire, les cavaliers du maréchal Joukov.

La porte de la salle de réunion s'entrouvrit de nouveau pour laisser passer le maréchal Joukov, pâle et soucieux, bringuebalant de toutes ses décorations comme un cheval de cirque dans son harnachement. Il jeta un coup d'œil circulaire sur le champ de bataille, qui se fixa sur le général Bagritzki :

— Tout est en ordre ?

Le général, au bord de l'apoplexie, me désigna :

— Il a l'air de se débrouiller.

— Suivez-moi, dit le maréchal, qui ne savait pas encore que la poignée de têtes brûlées qui s'élançaient derrière lui serait la dernière armée victorieuse de sa carrière.

Toutes les batailles suivantes, le maréchal les aura perdues.

Encore aujourd'hui, je revois très nettement les visages pétrifiés de nos dirigeants. Comme dans le tableau préféré des gamins soviétiques, «L'arrestation du Gouvernement provisoire». Le crâne rouge comme un cul de guenon, Khrouchtchev, présidant au bout de la table. Malenkov, à côté, sa gueule tout en plis tressautants. Bouganine, épouvanté, tirant sur sa barbiche. Les reflets dans le pince-nez de Molotov.

Un immense étonnement se lisait sur le visage de Beria. Ni la colère ni la haine — un gigantesque étonnement. Il me regardait courir vers lui à travers la salle et sa gueule de démon noir n'exprimait rien d'autre qu'une curiosité perplexe. C'est seulement lorsque je fus derrière lui que sa main se dirigea lentement vers la poche arrière de son pantalon, comme dans un film au ralenti ou dans un rêve obsessionnel de poursuite. Ce fut trop tard. Pour lui, tout était trop tard.

Dans un même mouvement, je braquai mon Walther sur sa grosse nuque plissée, plaquai sa main contre le dossier de sa chaise et tirai le pistolet de sa poche. Avant qu'il n'ait repris son souffle, les militaires lui tordaient les bras.

Notre cher Nikita Sergueïtch fut le premier à se ressaisir ; il se leva d'un bond et commença à parler avec la voix monocorde et volubile d'un diacre :

— Nous abordons maintenant la question de l'activité antinationale du membre du Présidium du CC, le premier vice-président…

— On n'a pas le temps ! hurla Joukov, et nous traînâmes Beria, encore muet de stupeur, dans la pièce de repos contiguë et, de là, par le couloir et l'escalier de service, dans la cour intérieure du palais.

C'est alors que Beria retrouva ses esprits et poussa un hurlement de haine qui me glaça d'horreur. Je crus voir ses couronnes en or fondre dans sa bouche.

— Ordures ! À l'aide ! Je vous ferai tous fusiller !

Je lui décochai un terrible coup de poing dans le foie, qui lui coupa le souffle. Je tremblais de rage et de peur.

— Avise-toi encore d'ouvrir ta sale gueule et je te crève, salope ! dis-je en serrant les dents.

Il hoquetait et ça gargouillait sec dans son gros bide.

Vite ! Vite ! Nous traînâmes cette énorme masse de cent kilos à travers la cour et je regrettai que parmi tous ces commissaires, il n'y eût pas un seul sportif qui eût pu enregistrer ce record mondial de course d'obstacles avec un ministre de la police sous le bras. Nous descendîmes l'escalier de marbre jusqu'à l'entrée de service, dernier poste de contrôle où s'ennuyait un jeune lieutenant. Il nous regarda d'un air désespéré, puis sa main hésitante glissa vers son étui à revolver. Qu'il fût aussi pataud n'avait rien d'étonnant : non seulement il n'avait jamais rien vu de semblable, mais même les traditions orales ignoraient un pareil précédent. Bagritzki n'eut aucun mal à le devancer et lui tira une balle dans la poitrine. Le lieutenant s'écroula à côté de sa guérite sans avoir eu le temps de dégainer.

La ZIS de Joukov, le moteur en marche et les portières ouvertes, nous attendait dehors. Le chauffeur couvrait nos arrières. Nous poussâmes violemment Beria à l'intérieur — mon Dieu que ce cochon était lourd ! —, le couchâmes entre les sièges, sous le tapis de sol, et sautâmes dans la voiture tandis que Bagritzki se laissait lourdement tomber sur le siège avant. Les trois portières claquèrent, la ZIS s'élança vers la tour Spasskaïa, ralentit devant le poste de contrôle, le temps pour les gardes de reconnaître Bagritzki, de jeter un coup d'œil sur nous, et nous nous élançâmes à travers Moscou sur les chapeaux de roue. Sur la gauche, Basile-le-Bienheureux, tout droit, le pont Moskvoretzki, couper la circulation, à gauche, sur les quais, direction la caserne Raouchski. Sous son tapis, Beria soufflait comme un bœuf et hurlait :

— Imbéciles ! Réfléchissez ! Qu'est-ce que vous faites ? Emmenez-moi à la Loubianka ! Demain, vous serez tous généraux ! Et toi, Bagritzki, je te ferai maréchal ! Emmène-moi à la Loubianka !

Six mois plus tard, j'avais bien rigolé en lisant dans les journaux le compte rendu du procès de Beria et de ses complices. Je crains que, même avec tout l'argent du monde, on ne trouve jamais le moindre petit témoin oculaire qui ait vu Beria à ce procès. Il n'y aurait rien d'étonnant à cela : la nuit même il fut fusillé dans les sous-sols de la caserne. Pour des raisons d'ordre tactique. Pour simplifier le problème.

764

Chez nous, un procès doit non seulement être équitable mais rapide. Du point de vue stratégique, c'était également plus raisonnable : il fallait à tout prix priver la bande à Beria, encore en liberté, de la tentation de réagir. Le même jour, Koboulov, Dekanosov, Goglidzé, Mechik, Vlodzimirski furent arrêtés. Une foule impressionnante de généraux, toute la confrérie !

Audi. Vide. Sile.

Dans les calendriers soviétiques, bourrés de toutes sortes de fêtes ineptes et de jubilés célébrant des événements imaginaires, le 17 juin ne porte aucune mention particulière, preuve supplémentaire de la bêtise humaine. S'ils avaient eu une once de bon sens, ils auraient marqué ce jour comme le début d'une nouvelle ère, l'an zéro des temps nouveaux. Et plus besoin de s'embrouiller avec tous ces calendriers, julien, grégorien, céleste ou chinois. Car c'est bien une époque qui se terminait ce 17 juin 1953. L'époque de la Grande Terreur. Passée. Présente. Et à venir. Seulement, nous n'avions plus de Guide Suprême. Alors ce fut l'époque de la petite terreur. Puis l'époque de la réhabilitation. Puis celle de la stagnation. Puis... Puis quoi ?

Une semaine plus tard, Kroutovanov m'annonçait solennellement que j'allais être décoré pour le rôle que j'avais joué dans la liquidation de l'ennemi du peuple Beria et il me transmettait les félicitations du Parti et du gouvernement. Gueorgui Maximilianovitch et Nikita Sergueïevitch exprimaient personnellement leur satisfaction.

Kroutovanov s'approcha de moi et me donna une tape sur l'épaule :

— En ce qui concerne votre avenir dans ce

ministère, j'ai pu obtenir la meilleure des récompenses dont vous pouviez rêver.

J'attendais, méfiant. Kroutovanov sourit et ajouta :

— Vous êtes muté dans la réserve. J'ai la promesse formelle que vous obtiendrez votre retraite complète. J'espère que plus personne ne vous posera aucune question. Je pense que vous saurez apprécier ce geste à sa juste valeur.

Voilà toute ma confession, mon cher gendre Mangouste Theodorovitch. Est-ce tout ce que tu voulais savoir ? Ou as-tu autre chose à me demander ? Vas-y, pose tes questions ! Je te dirai tout. Tiens, je te l'écrirai même. Tu l'auras, ton affidavit. Avec ma signature : « Votre défunt serviteur, Pavel Khvatkine. »

Et si nous n'avions jamais existé ?

Le jeu touche à sa fin. Prenons-nous dans les bras et dansons lentement aux accents enivrants de la sonate en si bémol mineur de Chopin, communément appelée la *Marche funèbre*. Notre plus grand tube.

Je sais ce qui me reste à faire. La situation est simple. Grâce à toi, ordure judaïque, je suis grillé sur ma terre natale chérie. Fermement et rapidement, tu me mènes à la ruine. Tu voudrais que je vienne avec toi derrière le rideau de fer pour confesser publiquement mes péchés et devenir un exemple pour les autres. Mais je ne suis pas prêt.

Et si on se concoctait un grand roque, comme aux échecs ? Entre nous ? Toi, tu restes ici, dans ma patrie tant adorée et mutilée. Et moi, je m'en vais là-bas, dans tes contrées bourgeoises répugnantes. À la condition que cet échange soit définitif. Nous ne pouvons pas rester au même endroit, on se gêne, on s'étouffe. Tu veux bien ? Toi, ici. Et moi, là-bas.

Ce n'est pas très compliqué. Un dernier voyage en ascenseur. La rue crasseuse et enneigée. Le printemps glacial. Je vais m'asseoir dans la Mercedes bleue, mettre le contact. Le moteur affamé vrombira, les essuie-glaces chasseront les gouttes et les flocons de neige du pare-brise. Je mettrai la musique, tout doucement, je me calerai confortablement et glisserai ma main dans le vide-poches derrière le siège avant. Là-bas repose un petit engin d'acier, lisse et lourd, le Browning de Sapega, cadeau de l'inoubliable Viktor Semionytch. « Garde-le toujours sur toi. »

Héritage de Sapega, l'idiot lubrique, rends-moi service une dernière fois !

Le temps passait vite, comme les nuages gris dans le ciel blafard. La neige tombait sale et stupide, comme notre vie désordonnée et si peu quotidienne. Je regardais Mangouste qui venait à ma rencontre. Il marchait d'un pas souple de carnassier et je me disais qu'il était largement temps de mettre fin à cette farce absurde. Il ouvrit la portière et s'assit à côté de moi.

— Allons-y.

— Quelle destination ?

— Aéroport Cheremetievo.

— Vous avez les billets ?

Mangouste fit oui de la tête et tapota sur sa poche.

— Où est Maïka ? demandai-je, me souvenant tout à coup de son existence.

— Elle nous retrouvera, me consola-t-il. Comme nous retrouveront tous ceux qui ont traversé votre existence. Ils sont innombrables. Une véritable procession funéraire. Ils nous attendent.

Nous roulions dans la pluie et la boue.

Ça m'est égal. J'avais vu tant d'êtres humains

passer le seuil étonnant qui sépare la vie du trépas, que ce mystère de la transformation de notre petite existence douillette en éternité glacée et désagréable n'avait plus aucun attrait pour moi. Quelle importance ! Seuls comptent la chance, le métier et l'expérience. Lorsque nous franchirons le pont sur la Moskova, il fera déjà nuit.

... J'arrêtai la voiture.

— Il faut que je nettoie le pare-brise. C'est la boue, on ne voit plus rien. Il ne manquerait plus qu'on se tue en route pour la liberté ! Penche-toi un peu...

Mangouste me regardait d'un air méfiant et hostile. Je glissai la main derrière son siège et palpai le pistolet de Sapega dans le vide-poches. J'avais pensé à enlever le cran de sûreté.

— Qu'est-ce que vous cherchez ? demanda Mangouste d'un air soupçonneux.

— Un chiffon...

Il voulut se tourner mais, sans sortir la main du vide-poches, je fis pivoter le canon et appuyai sur la détente.

Le coup fut quasi silencieux, comme ceux qui suivirent. Je vidai le chargeur. Le regard fixé sur moi, Mangouste tressaillait à chaque coup de feu, comme si le bruit l'épouvantait. Puis, après un ultime soubresaut, il s'affaissa et glissa de son siège. Je retirai la main du vide-poches et posai le pistolet devant moi, sur le tableau de bord : merci à vous, Viktor Semionytch, merci camarade Abakoumov.

Je fouillai les poches de Mangouste et trouvai deux enveloppes bleues Air France dans son portefeuille. J'en ouvris une : elle contenait un billet de première classe établi au nom de M. Pavel Khvatkine. Je rangeai le billet dans mon passeport, secouai le portefeuille, ramassai les devises et les fourrai dans mes poches. Je sortis de la voiture, ouvris la portière, traînai Mangouste jusqu'à la barrière et le balançai par-dessus bord. Le corps mit longtemps avant d'atteindre la surface gris marron de l'eau. J'y lançai le pistolet de Sapega et le portefeuille, remontai dans la voiture et repris la route de Cheremetievo.

Je tente une percée ! J'ai un passeport, un visa, un billet pour Paris et un peu d'argent. Je passe le contrôle et adieu ! Le vieux résident Finn avait déjà tenté cette percée et avait réussi. À Paris, je me rends. Petit ballot de Mangouste, dès le début, tu avais perdu. Avant même que les cartes ne soient distribuées, j'avais déjà tous les atouts en main. Parce que je serai toujours utile à quelqu'un. Aux communistes, aux impérialistes, aux antisémites et aux sionistes. Au KGB, à la CIA, à l'URSS, aux États-Unis, hier comme demain.

Demain, j'irai me rendre à mes ennemis d'hier et je leur expliquerai que je change de camp pour des raisons idéologiques. Trop longtemps j'ai vécu avec ce remords qui me rongeait la conscience, et voilà que cette conscience s'est réveillée. Je ne peux plus vivre dans un pays totalitaire et servir un État criminel. C'est vrai, j'ai fait partie de la police secrète, c'est vrai, j'ai occupé un poste important ! Mais aujourd'hui, ma conscience politique s'est considérablement élevée !

C'est le pape Clément qui avait dit un jour : « Un seul criminel repenti vaut cent justes. » C'est à vous que ça s'adresse, bande d'imbéciles libéralo-démocrates !

C'est Mangouste Theodorovitch, un membre de ma famille en quelque sorte, qui m'a encouragé à accomplir cet exploit moral. Après l'avoir embrassé chaleureusement, j'ai accepté avec joie sa proposition de raconter mon histoire au monde entier, aux services secrets ou à qui voudrait l'entendre. Je suis prêt à collaborer! Avec tous!

Mais voyez comme ce régime est épouvantable! La veille de notre départ, le KGB nous a repérés. Ces terribles policiers de la Boutique ont certainement dû arrêter Mangouste car il n'est pas venu à notre rendez-vous. Est-il tombé sous les coups de ces assassins professionnels? Ou est-il enfermé dans une cellule anonyme, comme Wallenberg, et nous devrons alors nous battre tous ensemble, tous ceux du monde libre, pour obtenir son élargissement!

Ha-ha-ha! C'est à crever de rire! Ces connards ne savent rien de nous, ils ne peuvent rien comprendre. Même pas seulement deviner. Et j'irai leur proposer mes services. Comme expert, consultant, conseiller, comme spécialiste des affaires soviétiques, si embrouillées, si complexes!

Je ne reviendrai jamais dans mon pays. Je ne retournerai jamais parmi les hommes.

Ma spécialité est de garantir l'État contre les individus velléitaires. Cette profession est indispensable et éternelle.

Et toi, idiot de Mangouste, tu voulais me faire dire la vérité. Tu as eu tort parce que tu as voulu te battre avec moi comme avec un homme ordinaire. Mais je ne suis pas un homme ordinaire. Je ne suis pas un homme. Je suis une Nation, un Régime, un Monde. Quand ton âme remontera à la surface de la Moskova et, fendant l'atmosphère poisseuse et enfumée, s'envolera dans les cieux, essaie donc de trouver là-haut ce vieux menteur de marquis de Custine et demande-lui de te répéter ce qu'il rabâchait il y a cent cinquante ans: quand les peuples devraient connaître la vérité, ils l'ignorent; lorsque la vérité finit par les atteindre, elle n'intéresse plus personne, car les abus de pouvoir d'un régime défunt laissent tout le monde indifférent.

Je suis un régime défunt. Oubliez-moi. Je vais à l'aéroport tenter une percée. J'y arriverai. Je m'envolerai. Cette nuit, je serai à Paris. Je suis immortel...

Qu'est-ce qui m'arrive ? Où suis-je ? À l'aéroport ? Ou encore étendu sur le carreau de ma cuisine ? Malade, ivre, impuissant. Bouffé par le cancer et la peur.

Et si tout cela n'était qu'un rêve ? Et si tout cela n'avait pas eu lieu ? Et si cette confession n'était que mensonge ? Et si j'avais tout inventé ? Bien sûr, j'ai tout inventé. Sauf ce qui arriva réellement.

Moscou, 1979.

DES MÊMES AUTEURS

Aux Éditions Gallimard

Dans la collection Série Noire

LA CORDE ET LA PIERRE, 2006.
LA FACE CACHÉE DE LA LUNE, *n° 2371*, 1995.

Dans la collection La Noire

L'ÉVANGILE DU BOURREAU, 2000, Folio Policier n° 368.

Aux Éditions Fayard

38, RUE PETROVKA, 2005, Folio Policier n° 464.

COLLECTION FOLIO POLICIER

Composition Interligne
Impression Novoprint á Barcelone,
le 13 août 2010
Dépôt légal: août 2010
1ᵉʳ *dépôt légal dans la collection: mars 2005*

ISBN 978-2-07-030719-7./Imprimé en Espagne.